LATINO-AMÉRICA: SUS CULTURAS Y SOCIEDADES

H. ERNEST LEWALD

McGraw-Hill Book Company

New York
St. Louis
San Francisco
Düsseldorf
Johannesburg
Kuala Lumpur
London
Mexico
Montreal
New Delhi
Panama
Rio de Janeiro
Singapore
Sydney
Toronto

DEDICATORIA

To my daughter Karen

This book was set in Theme by Scripta Technica, Inc., and printed by the Murray Printing Co. and bound by Rand McNally. The designer was Joan O'Connor. The book was edited by Conrad J. Schmitt and Suzanne E. Parillo. Ted Agrillo supervised production.

ISBN 07-037420-1

Library of Congress Cataloging in Publication Data

Lewald, Herald Ernest.
    Latinoamérica: sus culturas y sociedades.

    1. Latin America—Civilization.   2. Latin America—
Social conditions—1945-   I. Title.
F1408.3.L47   918'.03'3   72-5236
ISBN 07-037420-1

    3 4 5 6 7 8 9 10   VHVH   82 81 80 79 78 77 76 75

EL AUTOR

Dr. H. Ernest Lewald has lived and studied in Uruguay, Argentina, Germany and the United States. He received his Ph.D. at the University of Minnesota and has taught at Georgia Tech, Carleton College and Purdue University. He is presently Chairman of Latin American Studies and Professor of Romance Languages at the University of Tennessee. His publications include anthologies on Argentine women writers and postmodernist poetry, the texts *Escritores platenses* (co-authored with Professor George Smith) and *Buenos Aires: Retrato de una sociedad hispánica a través de su literatura*, and a volume on cultural nationalism published by the University of Tennessee Press. His articles deal with such literary figures as Borges, Mallea, Nabokov and Fuentes as well as with problems in culture teaching.

Prefacio

En los últimos años la presentación de la cultura como suplemento de la enseñanza del idioma extranjero ha alcanzado una intensidad jamás registrada. Pero desafortunadamente el estudio de sociedades foráneas es una tarea compleja y abrumadora; y existe el gran peligro de que se considere la historia política, artística o literaria como historia de la cultura y civilización de un país o de una región.

Este libro constituye una tentativa de explorar los orígenes y desarrollos culturales de las diferentes sociedades latinoamericanas. Puesto que esta tarea en sí resultaría inagotable ya que hay una variedad de sociedades, grupos étnicos y hasta idiomas en lo que llamamos Latinoamérica, este texto se limita a presentar rasgos y valores que son esenciales y típicos. En este sentido la generalización se hace inevitable.

El tratamiento de las culturas indias y africanas ha sido limitado a lo que sobrevive en forma pura o integrada en las sociedades criollas de la actualidad. La mayoría de los capítulos, sin embargo, enfocan temas básicos de estas sociedades modernas: la estructura familiar, las instituciones, las clases sociales, la vida rural y la urbana y conceptos y cambios culturales. Estos últimos recibieron un énfasis especial debido a que encierran una multiplicidad de valores y actitudes que se encuentran en un estado dinámico; y es esencial compenetrar estas configuraciones invisibles para despejar nociones anticuadas o turísticas.

La estructura del texto toma en cuenta la necesidad de complementar observaciones de orden sociológico, histórico o simplemente informativo con interpretaciones personales, a menudo dramatizadas, que ofrecen un punto de vista local. La inclusión de piezas literarias tiene la ventaja de presentar la lectura de autores destacados y, al mismo tiempo, situarlos dentro del contexto social definido. El escritor es casi siempre testigo implicado e intérprete visionario de su cultura.

Se espera que en su totalidad este texto ofrezca la posibilidad de comprender niveles esenciales de este enorme aglomerado que contienen las distintas sociedades de Latinoamérica.

H.E.L.

Agradecimientos

Quisiera expresar mi agradecimiento al profesor Howard Nostrand, Universidad de Washington, quien hace años me ofreció su inspirada labor en cuanto a la enseñanza de la cultura en las Lenguas Romances; al profesor Pedro Villa Fernández por su larga y desinteresada contribución al leer y corregir mis páginas; a la señora Carmen Montes de Cumming por su crítica tan necesaria y ayuda estilística; a la doctora Evelyn U. Irving por su tarea de preparar el vocabulario; al señor William Turner, jefe de Archivos Gráficos de la Organización de Estados Americanos en Washington por su ayuda en el campo de las ilustraciones.

Créditos

The author gratefully expresses his appreciation to the individuals and institutions listed below who granted permission to reproduce the literary selections which constitute such an important part of this book.

Editorial Sudamericana for *La acción en el hombre de pasión* and *Amor, patriotismo, religión* from *Ingleses, franceses y españoles* by Salvador de Madariaga; for *Un día de éstos* by Gabriel García Márquez.

Editorial Juventud for *Don Juan Tenorio y donjuanismo* by Antonio de Salgot.

Editorial Mex-Abril for *Un Don Juan moderno* from *Nocturno*, México, D. F.

Charles Schribner's Sons for *Pride* from *The Spaniard and the Seven Deadly Sins* by Fernando Díaz-Plaja.

Librería Hachette for *La vida cotidiana en el tiempo de los últimos incas* by Louis Baudin.

Fondo de Cultura Económica for *Los indios de las Américas* by John Collier; for *La familia Castro* from *La antropología de la pobreza* by Oscar Lewis; for *Las culturas tradicionales y los cambios técnicos* by George M. Foster; for *El laberinto de la soledad* by Octavio Paz; for *¿El indio mexicano es mexicano?* by Alfonso Caso.

Grove Press, Inc. for the map from *Muntu: An Outline of the New African Culture* by Janheinz Jahn.

Random House, Inc. for *The Masters and the Slaves* by Gilberto Freyre.

Casa de Las Américas for *Por qué las nariguetas de los negros están hechas de fayanca* by Lydia Cabrera; for *Sabás, Guadalupe W. I., Búcate plata, Mulata, Negro bembón* by Nicolás Guillén; for *Ecue-Yamba-O* by Alejo Carpentier.

Espasa-Calpe for *Canaima* by Rómulo Gallegos; for *Don Juan* by Gregorio Marañón; for *El cocobacilo de Herrlin* by Arturo Cancela.

Stanford University Press for *The Peasant* by Charles Wagley from *Continuity and Change in Latin America.*

Syria Poletti for her novel *Gente conmigo.*

Editorial MBH for *Rebelde muchacha del sur* from *Anahí*, Córdoba.

Editorial Seix Barral for *Tres tristes tigres* by Guillermo Cabrera Infante.

H. A. Murena for his story *El fútbol* from *Fragmento de los anales secretos.*

Visión, Inc. for *Malthus y Paulo VI*; for *La América Latina a mediados de año*; for *Población, juventud y familia*; for *Madres solteras.*

Council on Foreign Relations for *Social Change in Latin America Today* by Allan R. Holmberg.

Editorial Nuestro Tiempo for *Clases, colonialismo y aculturación* by Rodolfo Stavenhagen from *Ensayos sobre las clases sociales en México*.

Silvina Bullrich for her *El divorcio*.

Andrew H. Whiteford for his *Two Cities of Latin America*.

Edgardo Amenta for his *Días ajenos*.

Monte Avila Editores for *El hombre* by Ramón Francisco from *Narradores Dominicanos*.

Jorge Luis Borges for the excerpt from his *Historia de Rosendo Juárez*.

Manuel del Toro for his story *Mi padre*.

UNESCO for *Cultural Patterns and Technical Change* by Margaret Mead.

Antonio H. Obaid for *An Alliance for Progress: The Challenge and the Problem* by Obaid and Nino Maritano.

Jaime Torres Bodet for his poem *Patria*.

Pablo Neruda for his poem *Los poetas celestes*.

Luis Piazza for *La Tumba* by José Agustín.

José Luis González for his *El pasaje*.

Distribuidora Inca for *Turismo y cultura* by Héctor Velarde.

The following photographs are from ORGANIZATION OF AMERICAN STATES: xii (Braniff); 4, 6, 16, 18, 26, 32 (Grace Line), 33 (Cía. Mexicana de Aviación), 36 (Hamilton Wright), 42, 43 (Canadian Pacific Railway), 44 (Smithsonian Institute), 54 (Standard Oil of NJ), 54 (Rodolfo Reyes Juárez), 57, 59 (Wuth), 61 (Hamilton Wright), 64, 65 (Pan American Airways), 66 (ILO), 79, 80 (Paraguassú), 87, 92, 95 (Pan American Airways), 103 (Esso Standard do Brasil), 104, 105, 108, 110, 112 (Rockefeller Foundation), 113 (Creole Petroleum Corporation), 135 (Grace Line), 137, 139 (Gordon MacDougall), 140, 142 (Braniff), 143, 146, 148 (Esso Standard do Brasil), 149 (Philippa Day), 149 (Coca-Cola Export Corporation), 150, 151 (Varig), 153 (Braniff Airways), 154, 155, 160 (Asiatic Petroleum Corporation), 162 (Pan American Airways), 177 (Pan American Airways), 183, 191 (USIA), 197, 201 (United Fruit Company), 204 (Colombian Tourist Board), 207 (UN), 209, 235, 237 (National Cash Register Company), 246 (Betty and Arthur Reef), 249 (Shell Oil Company), 262 (Standard Oil of NJ), 266 (O. Cruzeiro), 282, 283 (USIA), 287 (ILO), 289, 291, 294 (Government of Uruguay), 297, 300 (Mexican Government Tourist Department), 302 (USOM), 308, 312 (ILO), 319 (Anaconda), 332, 337 (Américas), 350 (W. R. Grace & Company), 358 (Coca-Cola Export Corporation), 359 (Coca-Cola Export Corporation), 367, 382.

The following photographs are from ARCHIVO GENERAL DE LA NACION: 26, 29, 121, 124, 165, 186, 210, 217, 220, 226, 258, 269, 274.

The photograph which appears on page 170 is from MEXICAN NATIONAL TOURIST COUNCIL.

The photograph which appears on page 179 is by Michael Meadows from EDITORIAL PHOTOCOLOR ARCHIVES (EPA), New York.

The photographs which appear on pages 340 and 376 are from NEW MEXICO DEPARTMENT OF DEVELOPMENT.

The photographs which appear on the front cover are from EDITORIAL PHOTO-COLOR ARCHIVES (EPA), New York. The photograph which appears on the back cover is by Robert Rapelye from EDITORIAL PHOTOCOLOR ARCHIVES (EPA), New York.

Índice

Capítulo uno
Herencia étnica y cultural español-mediterránea

El español llevó su arquitectura al Nuevo Mundo. Fachada, balcón y reja en la Lima colonial.

IDEALISMO Y REALISMO

El tan mentado idealismo español aparentemente tuvo sus comienzos en escalas de valores y comportamiento existentes en la llamada Edad Media. Véase por ejemplo el excelente estudio de los profesores Ernst Robert Curtius y Otis Green sobre los ideales del cristianismo y del neoplatonismo en Francia y España. Estos ideales formaron una síntesis bastante extraña de ejercicios caballerescos, de pompa palaciega y de menosprecio mundano escolástico, que perduró en los pensamientos y modales de la clase dominante española y criolla.

Desde nuestro punto de vista actual es difícil comprender los conceptos que motivaron a aquellos graves caballeros y a aquellas etéreas damas quienes se pasaban el día entero preocupados por cuestiones de su linaje, su honor, su rango social y un estilo de vida rígidamente establecido por la etiqueta de la época. Basta mencionar uno de los reglamentos de los trovadores que dice que «todo amante debe palidecer en la presencia de su amada» o leer una de las interminables disputas de los escolásticos sobre la cantidad de ángeles que cabían en la punta de un alfiler. Dadas las condiciones de ocio y predominancia social de los nobles y clérigos, se vieron una continuada intensificación y un refinamiento de las actividades «ideales» en ambos niveles. Guardián oficial del reino metafísico, el clero fomentaba la meditación y la prédica concerniente a la otra vida, la verdadera, mientras que un ejército de místicos apuntaban sus experiencias psicológicas al buscar el contacto directo con Dios. Los nobles se ocupaban de su dignidad y su honor, atributos que defendían incesantemente a través de retos, duelos y torneos. Cuando les sobraban tiempo y genio, lo pasaban con galanteos y muestras cortesanas que los establecían como perfectos modelos del aristócrata renacentista. Huelga decir que la actitud de la clase alta española frente al trabajo, al progreso material y al estudio científico fue en general una de absoluto desinterés, en gran parte posiblemente porque estas actividades habían formado una parte integral de la cultura arábigo-judaica en la península ibérica o eran patrimonio de las otras clases sociales. Ciertamente ni el clero ni la nobleza reconocieron la necesidad de cultivar un espíritu de conciencia social en España. En 1890, ya en plena época de la «España invertebrada», los aristócratas participaron en un torneo «a la usanza antigua» en la plaza de toros de Santiago de Compostela; y todavía hoy se puede testimoniar sermones estrictamente escolásticos desde muchos púlpitos en las iglesias, condenando el materialismo de nuestra edad tecnológica.

Como siempre, la literatura refleja fielmente las corrientes ideológicas y culturales de un pueblo. La tendencia idealista dio auge a la poesía de 1 clerecía con sus loores a María, los versos escolásticos de Jorge Manrique o los místicos de San Juan de la Cruz, los madrigales de los cortesanos y la narrativa que elaboraba lo fantástico y lo maravilloso en el género de la novela de caballería y la pastoril. Los dramas del Siglo de Oro ofrecían al público muestras de las normas y actitudes de la clase alta. En *El médico de su honra*, del famoso dramaturgo Calderón, un noble ordena que le abran las venas a su esposa al sospechar su infidelidad: acción que cuenta con el apoyo del Rey, la autoridad legal y moral máxima del país. En *El alcalde de Zalamea*, del mismo autor, un rico campesino condena a su hija a pasar el resto de su vida en un convento porque había sido raptada por un capitán, caso interesante ya que indica que las otras clases sociales aceptaban e imitaban los valores y el comportamiento de la alta cuando su situación económica lo permitía.

Naturalmente el campesino y el artesano españoles poseían menos tiempo y preparación que la nobleza y el clero para practicar activamente este idealismo. Como lo indican los historiadores literarios, existe un contrapunto realista que puede tomarse como una expresión del pueblo cuya existencia diaria equivalía a una lucha por la vida y que encontró su forma más lograda en la prosa picaresca del siglo XVI en adelante. A menudo vulgar y a veces brutalmente, *La Celestina* y el *Lazarillo de Tormes* se burlan de la hipocresía de los que aparentan sus ideales y describen el hambre y la miseria de los pobres que sobreviven a fuerza de su ingenio y su músculo.

Con el establecimiento de las colonias en América presenciamos un traspaso de las mismas actitudes y valores a las tierras nuevas por parte de los que se adueñan de ellas. Fue así que el indio y luego el esclavo traído de África ocuparon su lugar en la escala social asignado por la clase alta, lo que permitía a la clase reinante una continuada existencia de ocio, meditación e interés por lo trascendental. En efecto, los conceptos de honor y dignidad se preservaron y lo estético-espiritual siguió como modelo aceptable. En pleno siglo XX se ha presenciado una cantidad de duelos entre senadores, ministros y diputados. Todavía sería raro ver a una persona de buena familia haciendo trabajos manuales; un ingeniero diplomado difícilmente querrá ensuciarse las manos; y el arielismo, la doctrina antiutilitariana del pensador uruguayo Rodó, continúa encontrando adeptos entre la gente educada.

Aunque equivale a aventurarse al campo del análisis psicológico colectivo, hay la necesidad de decir algo sobre la tendencia del español y su continuador en la América Latina de fabricar su mundo personal ideal y de vivir en él con asombrosa facilidad. En este mundo privado caben perfectamente toda clase de visiones de egolatría, o sea nociones sobre el valor absoluto del individuo quien se considerará altamente calificado para cualquier posición o tarea importante y prestigiosa. Desgraciadamente tal expresión no admite ningún elemento de crítica ya que anularía la visión ideal que él tiene de sí mismo, en la que casi no hay lugar para errores ni imperfecciones.

Hay que destacar aquí que la composición étnica y social varía de un país latinoamericano a otro. Consecuentemente en una sociedad como la guatemalteca, donde hay una pequeña clase alta-burguesa constituida por los descendientes de españoles y una enorme masa de indios y mestizos, se nota más la herencia hispana que en la Argentina, país de clase media poblada por inmigrantes europeos llegados mayormente al principio de este siglo.

IGLESIA Y RELIGIÓN

En España el espíritu de la Edad Media, época en la que Europa vivió dominada por la teología católica impuesta por el aparato oficial de la Iglesia, se arraigó profundamente en la cultura hispánica debido en parte a condiciones históricas y sociales que no existían más allá de los Pirineos. La invasión y dominación de la península ibérica por los árabes y moros, que comenzó en el año 711, estableció una división cultural y religiosa entre la España cristiana y la islámico-judía, dando lugar a unas Cruzadas que duraron unos nueve siglos y que culminaron con la expulsión de los que no quisieron someterse a las doctrinas del catolicismo y a los poderes de su Iglesia. Fue al final de cuentas la acción conjunta de las órdenes religiosas y militares, en aquel tiempo estrechamente ligadas, la que decidió la suerte de la Reconquista y estableció una administración feudal-eclesiástica en las regiones ocupadas.

Es natural que una reconquista y consolidación que necesitó más de ochocientos años para llevarse a cabo sólo pudo realizarse con la ayuda de un fervor religioso incesante. Este fervor fue institucionalizado con la ayuda de la Iglesia, que participó en casi todas las actividades del gobierno tanto como en las del pueblo. La vida cotidiana de los españoles estaba poblada de campanas que llamaban a misa y de ejemplos de santos, milagros de la Virgen y acción de la divina providencia. En el siglo XVI Castilla sola mantenía medio millar de monasterios, y en el siglo XVIII se contaban todavía entre trescientos y cuatrocientos mil sacerdotes en el país.

En la América Hispana la Iglesia continuó su función de colaboración con las fuerzas militares en la conquista y el afianzamiento de aquellas vastas regiones habitadas por millones de indios que mal comprendían la necesidad de aceptar de inmediato un sistema teológico que representaba tradiciones y necesidades muy distantes y distintas. Como había ocurrido previamente en la península ibérica, la Iglesia fue ampliamente premiada por sus esfuerzos y servicios. Es, hasta hoy día, la iglesia oficial en todos los países latinoamericanos; y en muchos de ellos goza todavía de privilegios que incluyen la enseñanza religiosa en las escuelas y la conversión de los indios al cristianismo. Durante la época colonial generalmente se notaba una fusión de los intereses eclesiásticos y los cargos

Tapadas en un edificio colonial de Lima. Huellas de la España musulmana.

administrativos, lo que significaba el monopolio sobre la educación, la censura de la literatura y la prensa, la caridad pública, etc.

Pero con la llegada de los movimientos intelectuales y políticos que culminaron en las guerras de la Independencia, la Iglesia fue atacada por parte de los criollos rebeldes ya que se mostró partidaria incondicional de la monarquía española, lo que resultó en la pérdida general de bienes, raíces, beneficios y privilegios a lo largo del siglo pasado. Debido a que la Iglesia también apoyaba activamente las estructuras sociales tradicionales, identificándose con la llamada oligarquía, o sea la clase terrateniente en casi todos los países latinoamericanos, sufrió gravemente cada vez que grupos populistas llegaron a tomar el poder.

A causa de la variada evolución de cada nación latinoamericana, la historia y el rol de la Iglesia han seguido su propio curso en cada caso. En las primeras décadas de la Revolución mexicana la Iglesia fue considerada enemiga del pueblo por haber estado del lado de la dictadura de Díaz que duró treinta y cinco años y de la oligarquía en general; mientras que en la Argentina sólo se separó del gobierno bajo el dominio de Perón, lo que explica, por ejemplo, que antes y después de la década peronista el divorcio fue prohibido en aquel país. Como organismo oficial la Iglesia se ha opuesto poco a las dictaduras que sin tregua afligen la América Latina, incluso la que hoy rige en Cuba. Por eso no sorprende que el estudiantado, compuesto más bien por jóvenes idealistas, critique la posición acomodaticia del clero frente a los males políticos y la indiferencia de la clase alta.

Existe, sin embargo, en la segunda parte de este siglo, una fuerte tendencia a incrementar la influencia social directa de la Iglesia sobre la sociedad latinoamericana a través de los llamados movimientos laicos: grupos políticos o movimientos sindicales de persuasión cristiana, uniones nacionales de empresarios, cooperativas, mutualidades y organizaciones estudiantiles. Pero, a menudo estos esfuerzos se llevan a cabo a través de grupos locales o del entusiasmo de clérigos jóvenes que no siempre cuentan con el beneplácito de las autoridades eclesiásticas más altas. En un país como Chile, donde la Iglesia ha demostrado cierta elasticidad de adaptación a las necesidades económicas de la clase obrera y repartió tierras a los campesinos, los resultados fueron muy favorables. En resumen, después de cien años de conflicto, la Iglesia en Latinoamérica emergió de la lucha con una menor influencia oficial. Pero últimamente ha ido recuperando prestigio en las naciones donde se puso de parte de las reformas agrarias y comenzó a difundir las doctrinas sociales expresadas en las últimas encíclicas papales.

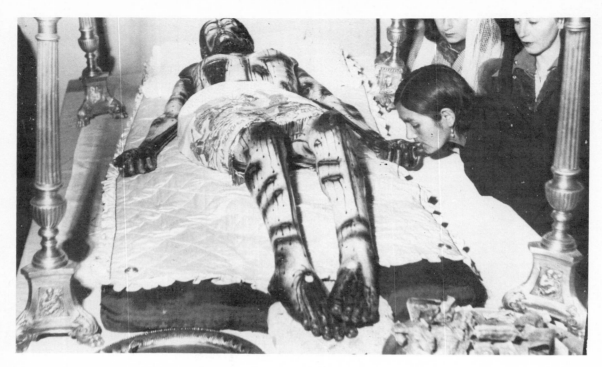

Ritos de la Semana Santa en La Paz, Bolivia.

Por otra parte, la mayoría de la población sigue practicando el catolicismo, aunque las cifras varían claramente de las regiones urbanas a las del interior, y de una clase a otra. Mientras que la inmensa mayoría participa en el catolicismo a través del bautismo, la primera comunión, el casamiento y el entierro, una buena parte, sobre todo la población masculina, no tiene otras relaciones con la Iglesia. Mientras que en las ciudades hay una alta concentración de librepensadores y anticlericales, en las provincias cada pueblo y parroquia tiene su santo; y las fiestas religiosas, celebraciones en honor de santos y peregrinajes a lugares especiales atraen una cantidad enorme de fieles.

Una vez más entra en juego el contraste de niveles de vida entre las clases y los modos de vida urbana y rural. Sin excepción las naciones latinoamericanas ofrecen dos dimensiones temporales: la actual que se ve en las ciudades con su tráfico de autos, el mundo de la televisión y los nexos con la tecnología moderna; y la que existe en las regiones, muchas veces inaccesibles y desoladas, del interior donde la vida se desarrolla a menudo como si se estuviera en el siglo XVIII. En cuanto al espíritu de clase, obviamente la religión juega un papel mayor y distinto entre los que poseen poco o nada y la clase más pudiente. Es lógico que la falta de

movilidad económica y social y la consecuente imposibilidad de mejorar el nivel de vida traigan consigo una compensación psicológica que se manifiesta en la creencia en los milagros, la fortuna repentina y, si todo falla, la voluntad divina. Véase, por ejemplo, la congregación anual de centenares de miles que vienen a celebrar la aparición de la Virgen María a un indio mexicano frente a la iglesia de Guadalupe. Entre los miembros de la burguesía lo religioso se concreta alrededor de actividades sociales, formas y ritos que afirman sobre todo la moralidad que forma parte de la psicología de la clase media.

Tal vez hoy en día el problema más agudo y urgente que existe en cuanto a la interacción de religión, iglesia y el pueblo es el del exceso de población. Este problema afecta trágicamente las esperanzas de los que buscan un nivel de vida material más elevado, ya que en la actualidad el incremento de la producción nacional y la ayuda financiera extranjera son anulados por el hecho de que la población en los países más sub-desarrollados se dobla cada veinte años. Ya que la doctrina católica no permite hasta ahora el programa de control de la natalidad, estamos muy lejos de resolver las dificultades en mejorar la vida de la clase baja en la América Latina. Durante la visita del Papa a Colombia en 1968, en muchos países latinos los órganos de prensa responsables vocearon su crítica a la posición papal sobre el control de nacimientos. No hay duda que el rol de la Iglesia y la función de la religión católica en la América Latina deberán adaptarse tarde o temprano a las exigencias de las masas; de lo contrario se verá una diminución de su influencia en favor de movimientos populistas.

EL INDIVIDUALISMO

La actitud desafiante del español frente a las exigencias del Estado o de la comunidad, que piden la subordinación del individuo al grupo, constituye un fenómeno sociopsicológico casi legendario. Pero lo que no se ha establecido hasta ahora con exactitud son las causas de este individualismo. ¿Es que se trata de una reacción personal en favor de la voluntad de ser, de una defensa de intereses propios, de una lealtad al grupo familiar, de una falta de identificación con la estructura política nacional? ¿O es básicamente la consecuencia de un régimen doctrinario católico que siempre ha preferido la salvación personal del individuo a la acción social conjunta?

La existencia de este individualismo español ha sido defendida por pensadores tanto religiosos como anticlericales en España como un acto de rebeldía contra las imposiciones institucionales, nacido del derecho de actuar con «impulso noble» y «deseo romántico de libertad». En numerosos casos también ha sido presentado como la inclinación del habitante peninsular hacia el espíritu irracional del anarquismo.

Sería falso, sin embargo, asumir que el español pudiera ignorar despreocupadamente la opinión de sus vecinos y hacer lo que le diera la gana. Debemos recalcar que, por ejemplo, la libertad de acción de la mujer española es, hasta hoy, mucho más limitada que la del hombre o de las mujeres en otros países occidentales, debido a la continuación de siglos de tradiciones patriarcales. Demasiado bien nos acordamos del trágico «nos pudrimos por el qué dirán» en *La casa de Bernarda Alba* de Federico García Lorca donde se imponía el código social al instinto biológico y donde las hijas de Bernarda quedaron encerradas vivas entre las paredes de cal y las ventanas con rejas mientras que afuera llamaban la naturaleza y el hombre, y tal vez la promesa de una vida plena.

Pero queda siempre la tendencia hacia la acción impulsiva y el gesto individual, que se efectúa más fácilmente contra el vasto aparato impersonal del Estado y la autoridad en general que en el mundo de las relaciones diarias. El funcionamiento del individualismo español significa entonces sobre todo un grave obstáculo al planeamiento comunal, al acatamiento de leyes o programas estatales y a la creación de una conciencia cívica. Es español el refrán popular «hecha la ley, hecha la trampa».

En la América Latina se evidencia naturalmente la continuación de este rasgo hispano. Cada personalidad latinoamericana se valora de acuerdo con una única cualidad intrínseca, es decir, que no se siente igual a otra persona sino que se diferencia de ella. Esa cualidad intrínseca se define a veces como «alma», término que une lo personal con lo religioso.

El latinoamericano es sobre todo adverso a fundir su personalidad con la de un grupo o a sacrificar sus ambiciones personales a las necesidades de la mayoría. No es, en general, un buen organizador. Entre sus intereses, su familia está en primer lugar, y la familia no es nada más que la prolongación del individuo.

Ya en los juegos infantiles se observa una notable ausencia de deportes realmente organizados o de espíritu competitivo. El tipo de individualismo latinoamericano, el del hombre cuidando su propia integridad, da origen a la actitud de autodefensa llamada «dignidad». Ese orgullo suele a veces ser obsesivo y es una aparente herencia española. En ocasiones, ayuda a encubrir una debilidad o una incompetencia. Ideológicamente la cultura latinoamericana es humanista más que puritana; intelectualmente se caracteriza por su falta del empirismo o del pragmatismo. La palabra tiene más valor que el objeto; se enfatizan las relaciones interpersonales más que el individualismo competitivo. El latinoamericano no se inclina a sacrificar la autoridad personal a las decisiones del grupo. Le disgusta lo impersonal como opuesto a los arreglos personales, prefiere las relaciones familiares a las de gente de afuera y busca el prestigio social más que el dinero.

Un empleado u obrero pocas veces se identifica con los intereses de su firma, y el funcionario público difícilmente se mostrará muy dispuesto a servir a sus conciudadanos. Los estudiantes universitarios y hasta los secundarios están casi siempre listos a declararse en huelga; sus profesores a menudo renuncian a sus puestos como protesta contra cambios políticos que no son de su agrado. Los ministros de estado presentan su dimisión por cualquier motivo personal.

En los estratos sociales de las clases media y alta observamos un fácil despliegue del culto del «yo» que se concreta en homenajes, comidas, despedidas, discursos, honores, testimonios o desagravios, según sea el caso. La afirmación del individuo como ente único se lleva a cabo mediante la expresión de una arrogancia de espíritu y un anhelo de originalidad que se manifiestan en un tren de vida y estilo personal cuidadosamente cultivado. De ahí resulta la preocupación estética al evitar la frase gastada o la repetición de la misma palabra al componer un párrafo, como también el afianzamiento del genio en cualquier discusión animada en la que la simple aceptación de la opinión ajena pudiera interpretarse fácilmente como una señal de pobreza de espíritu. Ser único y original constituye entonces una necesidad que se debe expresar cada día del año.

En otros niveles sociales hay que reconocer que se encuentran ejemplos de una magnífica cooperación entre grupos de obreros, vecinos de barrios humildes o estudiantes, que colaboran en la construcción o reparación de viviendas o proyectos de reconstrucción de lo que fue destruido por catástrofes naturales como en el caso de graves inundaciones o terremotos.

En cuanto a la acción concertada del obrero y sus movimientos gremialistas, sólo en los países que cuentan con una industria ya semidesarrollada se nota un fuerte espíritu de unidad. Sin embargo, nos faltan estudios y datos definitivos sobre este tema. Los constantes cambios políticos en la mayoría de los países latinoamericanos en los últimos tiempos, inspirados y dominados por grupos militares que en general limitaron las actividades sindicalistas, dificultan la evaluación. Es interesante, sin embargo, indicar aquí la opinión del ensayista argentino Julio Mafud, quien constató que después de la suspensión de la poderosa Confederación General del Trabajo peronista en la Argentina por el mando militar, el espíritu sindicalista cedió a un resurgimiento del individualismo que se manifestó a través del afán de los miembros de la clase baja-obrera de imponerse por su cuenta en la lucha por la vida.

EL DONJUANISMO

La interacción social entre los sexos se lleva a cabo de acuerdo con líneas de conducta y escalas de valores decretadas por las tradiciones de cada cultura. Estas tradiciones se componen naturalmente de elementos divergentes originados en códigos sociales, doctrinas religiosas o innovaciones culturales. La prevalencia del donjuanismo en España constituye un fenómeno cultural que afecta esta interacción.

El prototipo del Don Juan data del Siglo de Oro español, época que nos dejó *La vida es sueño, El buscón* y el *Quijote* como símbolos de diferentes modos de comprender la vida: religioso, picaresco e idealista. Don Juan, el personaje creado por Tirso de Molina en su obra teatral *El burlador de Sevilla,* se presta admirablemente para un análisis sociopsicológico. Lo que caracteriza a Don Juan más que nada es su posición agresiva pero impersonal frente a la mujer. Don Juan *enamora;* jamás *se enamora.* Se acerca a la mujer con una mezcla de desdén y compulsión, lo que al conocido hombre de letras y médico español Gregorio Marañón le sugieren un complejo de inferioridad y un resentimiento de misógino. Para el protagonista de Tirso de Molina la conquista de la mujer constituye una tarea nocturna obligatoria, una obsesión producida por impulsos cuyos orígenes ignora, pero que excede en mucho un simple anhelo amoroso. Lo oímos exclamar:

> Gusto que en mí puede haber,
> es burlar una mujer
> y dejarla sin honor.

Después de seducir con falsos juramentos a una joven pescadora, quema su humilde choza y se aleja satisfecho de haber burlado leyes religiosas y sociales.

Es posible interpretar las seducciones cotidianas de Don Juan como una actitud rebelde en contra de la estructura social tradicional, sancionada por la Iglesia tanto como el Estado y defendida rígidamente por la mujer debido a su necesidad de obrar dentro de un orden institucional que le ofrece la protección requerida para una vida de hogar. En este sentido Don Juan combina el impulso psicológico con la acción social. El español promedio naturalmente no obra con la fijación misógina del burlador de Sevilla, pero siente la atracción de una «ideología» masculina que combina su espíritu de rebeldía y personalismo con un despliegue de arrogancia y hombría hacia el otro sexo. De tal modo el modelo cultural del donjuanismo, nacido tal vez de polaridades orientales y cristianas que se cristalizaron durante la extraña época de la Reconquista que duró tantos siglos, se ha perpetuado en la sociedad peninsular. Naturalmente fue llevado al Nuevo Mundo donde floreció en las sociedades coloniales y a su vez fue imitado por la población indígena, a medida que ésta se incorporaba al ritmo de la vida hispana.

Ahora bien, el donjuanismo, como una actitud masculina prevaleciente y aceptada por la sociedad, naturalmente trajo consigo una adaptación a este fenómeno. Las complicadas reglas de la interacción entre los sexos fueron reguladas para eliminar en lo más posible la acción «dañina» del donjuanismo, dañina por dos razones: una, el código de honor y las doctrinas católicas se mostraron enemigos del donjuanismo; dos, los mismos discípulos de Don Juan se vieron obligados, tarde o temprano, a jugar el rol de hermano, esposo o padre celoso, y su recelo estaba bien fundado ya que se asumía que cualquier hombre obraría como el famoso seductor en circunstancias favorables. Así se explica que nacieron las famosas rejas en las ventanas de las casas en Andalucía, Lima y México.

Todavía en las primeras décadas de nuestro siglo escritores realistas como el argentino Manuel Gálvez y el chileno Joaquín Edwards Bello retrataron las sociedades urbanas de sus países respectivos como ambientes donde la rapacidad masculina perseguía a su presa femenina, ya fuese sirvienta, obrera o empleada, con el resultado que las familias decentes o burguesas se encargaban de mantener a sus hijas en casa alejadas de las tentaciones del «mundanal ruido».

Hoy en día la gran mayoría de los latinoamericanos están acostumbrados no sólo a que trabajen las mujeres de la clase obrera sino también a que la clase media envíe a sus hijas a cursar estudios universitarios para después desempeñar alguna profesión. Es casi paradójico notar un cambio en la actitud de las clases sociales frente a la libertad de la mujer. Mientras que es muy común que en un moderno matrimonio urbano el marido y la mujer tengan cada uno su carrera profesional, lo que les permite un nivel de vida que incluye una casa, un auto y una educación esmerada para sus hijos, el hombre de la clase baja generalmente se enorgullece de que su mujer quede en casa «como Dios manda», lo que le da la satisfacción psicológica de la superioridad masculina ya que su familia continúa dependiente de él.

Como era de esperarse, los cambios sociales encuentran más oposición entre la generación vieja y las sociedades provinciales. Mientras que en muchos colegios estatales y privados se insiste todavía en la separación de los sexos en las clases y que en los pueblos las buenas amas de casa siguen vigilando la moral de sus hermanas desde las ventanas, con el advenimiento de la cultura del automóvil las jóvenes parejas se conducen de acuerdo con la moral correspondiente tan característica de nuestra era. No obstante, el donjuanismo no ha desaparecido; y aunque en plena luz del día queda relegado a un piropo casual en una esquina, recobra su vitalidad al caer la noche cuando pasa una mujer joven y sola.

PERSONALISMO Y CULTO DE LA AMISTAD

Ambos conceptos se derivan de dos fuentes: el individualismo y la tendencia al sentimentalismo del español. En la práctica se complementan a menudo, pero no por eso son sinónimos. La extensa práctica del personalismo en España se debe a la actitud del habitante, que busca automáticamente un contacto directo, o sea conocidos y amigos, al hacer cualquier trámite o solicitud. Esta actitud se basa en la creencia de que sin la intervención personal, sus gestiones tendrían pocas posibilidades de éxito. Esta creencia justifica en gran parte el énfasis en el llamado «culto de la amistad» que facilita el relacionarse lo suficientemente como para asegurar la buena voluntad de personas que estén bien ubicadas y que puedan entonces prestar ayuda u otorgar favores cuando sea necesario o conveniente. Como lo indicó Ángel Ganivet en su interesante estudio sobre la mentalidad hispana, *Idearium Español*, existe un modo personal e íntimo de comprender los procesos sociales e institucionales para el habitante de España. Por ejemplo, se comprende la justicia como una cosa individual y subjetiva, en vez de aceptar una serie de leyes impersonales que, para el español, poco o nada tienen que ver con él. Por eso, como indica Ganivet, admira la liberación de los galeotes por Don Quijote como un acto de justicia natural, y hará todo lo posible para zafarse de los reglamentos y las imposiciones de las autoridades, para lo cual necesita la relación directa y personal.

Si volvemos al enfoque social, observamos que obviamente los miembros de la clase baja necesitan gozar de la buena voluntad de gente influyente ya que el día menos pensado se pueden encontrar en una situación de apremio debido a la desocupación, enfermedades, deudas o cualquier percance ocurrido a un miembro de la familia. «El que tiene padrino, se bautiza», dice un refrán español. Hay que acordarse de que las autoridades civiles, militares y policiales se han mostrado poco amigo de los pobres y que el personalismo se impone por necesidad.

Al nivel de las clases más afortunadas, las relaciones personales son igualmente esenciales si uno aspira a ocupar posiciones de prestigio o necesita servicios de importancia. Debido a la escasez de vacantes en el mundo profesional, sea de maestro, funcionario público o empleado de categoría, no es fácil ubicarse sin el apoyo oportuno de personas de influencia. Huelga decir que en el ambiente literario y artístico, que cuenta siempre con un exceso de músicos, novelistas y pintores, pasa algo muy similar.

Consta entonces que con la ayuda del personalismo tanto el español como el latinoamericano tratarán de ignorar o, por lo menos, rodear los procedimientos oficiales para buscar la solución fuera del sistema vigente. En defensa de esta actitud hay que esclarecer aquí que ésta se basa en la certeza de que la única forma de combatir con éxito un organismo anónimo e impersonal es a través de la acción directa del personalismo. En efecto, si un buen ciudadano sigue al pie de la letra las instrucciones para cumplir con sus trámites, es muy probable que él tenga que presentarse una infinidad de veces en una cantidad de despachos diferentes y estar allí esperando en vano, a la merced de caprichos de empleados o de jefes que saben cómo aprovechar el carácter anónimo de sus funciones. Hay que acordarse de que los horarios para atender al público son mínimos y que a menudo un jefe, gerente o encargado no mantiene un horario fijo. El tan famoso «vuelva Ud. mañana», que sirvió de tema al gran satirista español José de Larra en la primera mitad del siglo pasado, todavía está vigente en la sociedad latinoamericana. La América Latina continúa siendo el reino del papel sellado, de la documentación excesiva, de controles anticuados; en suma, es heredera de un sistema burocrático increíblemente complicado que dificulta la vida tanto del comerciante o industrial como del individuo privado. Por ejemplo, todavía es imprescindible, hasta en las grandes ciudades como Lima o Buenos Aires, presentarse o enviar a alguien para pagar las cuentas de luz, impuestos o deudas personales, ya que el sistema de la cuenta corriente se usa poco, los bancos por lo general no devuelven los cheques cobrados para la constancia de pago y muchas oficinas no aceptan cheques. Por imposición o costumbre, no le es posible al latinoamericano dejar de lado el personalismo cuya práctica puede considerarse simplemente como una adaptación a un modelo cultural firmemente establecido en el vasto terreno de la ecología social.

Obviamente, queda así explicado el nexo entre el personalismo y el culto de la amistad a base de la necesidad de convivir. Pero existen también elementos psicológicos que forman parte de este culto. La conocida tendencia del latino hacia la expresión emocional y hasta sentimental crea la necesidad de utilizarla en las relaciones diarias. Por eso, un encuentro sorpresivo con el amigo o pariente resulta en un despliegue automático de efusión y abrazos; y el término «amigo» se hace casi obligatorio después de haberse hablado o escrito un par de veces. Al latino le gusta concretar sus emociones socialmente, es decir, frente a otros; él se impresiona frente al despliegue de palabras o gestos que denotan un estado de excitación, placer, dolor, alegría o pesadumbre. Hay en este proceso una transferencia casi mágica en cuanto al control sobre la parte emotiva de su conciencia. Se comprende entonces la fácil relación entre el personalismo, el culto de la amistad y la fuerza emotiva: elementos humanos que se combinan en un plano común en las culturas hispánicas.

Salvador de Madariaga

Como lo indica claramente el título de su libro, este pensador español trata de establecer cuáles son las características más esenciales de la mentalidad española a través del contraste con dos culturas europeas dominantes. Tal vez lo que más se destaca en este estudio es el énfasis en la actitud apasionada de sus compatriotas al buscar la individualización a expensas de la cohesión social, actitud que se perpetúa en las sociedades latinoamericanas.

Ingleses, franceses, españoles   La acción en el hombre de pasión

Los rasgos de la psicología individual del hombre de pasión hacen prever una naturaleza rebelde a todo encadenamiento por parte de la vida colectiva. Quien dice vida colectiva dice engranajes de vidas individuales. Ahora bien; lo que caracteriza todo engranaje es que en cada una de sus ruedas sólo un pequeño sector desempeña en cada momento un papel activo, mientras que el hombre de pasión, como acabamos de ver, se entrega en cada momento por entero a aquello a que se entrega. Así, pues, la vida colectiva del pueblo de pasión es un continuo choque entre estas dos tendencias antagónicas. La vida colectiva sólo pide al individuo una parte de su ser. El individuo de pasión va a la vida colectiva con un criterio integral y subjetivo.

De aquí[1] tres características: el amoralismo, el humanismo y el individualismo.

El «individualismo» se explica fácilmente como la consecuencia inmediata del criterio subjetivo. El hombre de pasión, falto del criterio utilitario del hombre de acción, como del criterio abstracto y teórico del intelectual, se guía por la voz interior de su ser. El «yo» adquiere así una importancia primordial y exige derechos en consecuencia. El pueblo de pasión será, pues, individualista en extremo.

El «humanismo» no es más que la objetivación o, mejor quizá, la generalización del individualismo. El individuo que se ve a sí mismo en los demás hombres se hace humanista. Mas quizá convenga definir esta palabra aquí empleada en un sentido especial, quizá ilícito. Entendemos por humanismo la actitud que, consciente o sub-

---

[1] de aquí   como resultado tenemos

conscientemente, juzga las cosas desde el punto de vista del hombre integral[2] y no desde un punto de vista más estrecho (moral, económico, religioso, filosófico, técnico).

El «amoralismo», a su vez, es consecuencia del humanismo, puesto que el criterio moral es uno de los numerosos criterios parciales en los que la integralidad del hombre de pasión se niega a encerrarse.

La combinación de estas tendencias entre sí y con las tendencias del carácter individual ya apuntadas permite establecer a priori[3] los rasgos más característicos del pueblo español. El humanismo nos proporciona ya la raíz del personalismo, tan típico de España. Bien conocida es la importancia del contacto personal cuando se trata de españoles. Ya sea para un negocio trivial o para la más grave de las cuestiones, en España es menester que se entable la relación de hombre a hombre para que la acción prospere. En política, el personalismo ilumina, como hemos de verlo a su hora con más detalle, no solamente la historia de España, sino su evolución política, así como la de las repúblicas de la América Española. El juego del personalismo y del amoralismo, combinados, produce uno de los aspectos más característicos de la vida colectiva española: la tendencia a juzgar cosas y gentes con un criterio dramático. Distingamos entre lo dramático y lo teatral. Lo dramático resulta de la acción; lo teatral, del efecto. Lo uno es vida, y lo otro, arte. Lo uno es espontáneo y lo otro es fruto de la premeditación. El español no es teatral, sino dramático. Concibe la vida a la manera de un drama, y juzga cosas y gentes con un criterio de espectador. Más tarde hemos de señalar las consecuencias políticas de esta observación. ...

. . .

El criterio dramático que explica el vicio de mayor relieve[4] en la psicología española es también, al menos en parte, la causa de una de sus cualidades más notorias. De instinto, el espectador desea para sí los papeles más nobles que puedan representarse en la escena. Unamos a esta tendencia la imprevisión observada ya como hija de la espontaneidad y de la indiferencia normal del español; añadámosle el sentido de la fraternidad que debe a su humanismo y nos explicaremos ese tipo de la generosidad que se llama en castellano desprendimiento y que se distingue por un alejamiento de las cosas materiales y cierta indiferencia hacia el porvenir.

De una mezcla análoga de elementos psicológicos procede esta otra característica española: el espíritu aventurero. Constitúyenlo[5] la imprevisión, la tendencia al criterio dramático de la vida, el amoralismo y el individualismo. La curva irregular de la actividad española, con sus erupciones volcánicas de energía, se presta admirablemente a la carrera libre y vagabunda del aventurero. Su tendencia al desorden moral-social, unida a su facilidad para súbitas descargas de energía, explica que España sea el país por excelencia de las hazañas personales, por oposición a las empresas colectivas de largo empeño. Cromwell[6] es Inglaterra; pero Hernán Cortés[7] es Hernán Cortés.

Detengámonos un momento ante este conjunto. He aquí un pueblo profundamente individualista, pasivo de ordinario, pero que siente en sí un alto potencial de energía, y, por otra parte, dado a la contemplación. ¿No se hallan ante nosotros todos los elementos del mesianismo? El pueblo español es profundamente mesianista, es decir, que se coloca fácilmente—y quizá se halla siempre—en un

---

[2]**hombre integral** el ser completo que trata de reunir los conocimientos de las artes y la ciencia para poder juzgar universalmente [3]**a priori** deduciendo de lo general a lo particular, sin validación [4]**de mayor relieve** más grande [5]**constitúyenlo** lo constituyen [6]**Cromwell** Oliver Cromwell, político inglés (1599-1658) que representó al pueblo y la cultura de su país [7]**Hernán Cortés** conquistador español (1485-1547) que desembarcó en lo que hoy es México contra la voluntad de sus superiores

Francisco Pizarro conquista la fortaleza de los incas en Cuzco en nombre del monarca español.

estado de expectación de algo providencial que ha de venir a transformar hondamente su existencia. Es lo que se llama con frase típicamente española por su mezcla de piedad y de irreverencia «esperar el santo advenimiento». Más tarde hemos de ver las consecuencias de esta tendencia en la vida política de España y de los países de su raza. Por ahora podemos apuntar, como derivada de este mesianismo, la fidelidad del pueblo español a la lotería, institución nacional hondamente popular. La lotería nacional representa en España el papel del Mesías que ha de aportar a cada individuo el reino deseado del bienestar sobre la tierra.

El individualismo del español se manifiesta con fuerza singular en todo lo que atañe a[8] la defensa de la personalidad contra las invasiones del medio. Tal es probablemente el secreto del *instinto hostil a toda asociación* que con frecuencia se ha observado en los españoles. Trátase[9] sencillamente de un sentimiento de oposición a todo lo que pueda coartar de antemano la libertad personal. Probablemente por las mismas razones es el genio de España hostil a toda técnica. La asociación encadena el hombre a los demás; la técnica lo encadena a las cosas.

De igual raíz individualista procede, sin duda, también la tendencia española a *invertir la escala de los valores sociales* usualmente aceptada, al menos en teoría. Individualismo no quiere decir egoísmo, y, por consiguiente, el yo, en el sentido estrecho de esta palabra, no figura necesariamente en la cima de esta escala de valores.

Sin embargo, el yo es el elemento esencial de esta escala, porque constituye el criterio sobre el cual está construida, puesto que las entidades sociales mejor servidas son aquellas que se hallan unidas al individuo por los lazos más íntimos y personales: primero, la familia; luego, los amigos. El Estado ocupa el último lugar. Y aun dentro del Estado, la ciudad, la provincia, la región ejercen sobre el individuo una autoridad inversamente proporcional a su importancia real, pero directamente proporcional al grado de intimidad que le une a él.

De la combinación de estos rasgos del carácter español en la acción resulta la tendencia al desorden social, político y moral que se ha observado con frecuencia en las sociedades de raza española. Es, en efecto, evidente que una raza hostil al instinto de asociación, rebelde a la disciplina de la técnica y acostumbrada a invertir la

escala de los valores sociales en favor de los grupos más directamente unidos a la persona, sólo puede alcanzar el orden colectivo a costa de grandes dificultades. Añádase que esta misma combinación de tendencias acarrea asimismo la debilidad de las instituciones y un fuerte prurito igualitario y nivelador que impide toda organización jerárquica.

A defecto de cualidades sociales propiamente dichas, es decir, basadas en criterio colectivo, el pueblo español presenta, en cambio, otras cualidades socialmente útiles, pero fundadas sobre un criterio individual. ...

... La justicia es un tanto especialista. Aplica un derecho escrito. Es abstracta, deshumanizada, si se permite la palabreja. La equidad reintegra a la idea de justicia todos los imponderables que la transforman en un sentimiento humano, complejo y viviente. La equidad es la justicia sentida como una pasión humana. No es, pues, de extrañar que figure en el cuadro de las características del pueblo español en acción, tanto más cuanto que la une estrecho parentesco con la generosidad o desprendimiento que ya conocemos en el carácter del español. La amplitud de sentimientos más que de opiniones, la vergüenza del detalle excesivo, de la exigencia demasiado exacta, de la medida demasiado justa en la exacción de los derechos propios, figuran entre los rasgos que contribuyen a dar su nobleza al pueblo español.[10]

Fácil es comprender que la resistencia a la asociación se traduzca en el hombre de pasión en cierta libertad para el desarrollo de sus tendencias individuales que no limita la débil presión social. Esta circunstancia contribuye a aclarar la tendencia a la manifestación de los rasgos más contradictorios en el carácter español. Trátase de una característica de la raza española que ha observado con su agudeza acostumbrada Mr. Havelock Ellis.[11] Así, el sentido humano más

Galería de santos en la iglesia de San Francisco en Cuzco, Perú.

caluroso y sincero se alía en el carácter español con una indiferencia al dolor que sería crueldad si fuera menos pasiva. Así se explica también otra característica española de difícil definición y análisis: la «hombría», vocablo que no admite traducción, concepto quizá también intraducible. Trátase de una cualidad sintética que encierra todas las cualidades y facultades humanas, algo así como la cualidad del hombre no perfecto, sino completo.

Amor, patriotismo, religión

En España la religión es, ante todo, una pasión individual, como el amor, los celos, el odio o la ambición. Consiste la religión española, ante todo, en una relación entre el individuo y el Creador. En sus formas más populares participa del sentido de lo concreto, que ya conocemos como característica española, y tiende, por tanto, a hacer bajar a nuestra tierra los seres divinos a fin de encarnarlos mejor. El culto de las imágenes y advocaciones de la Virgen y de los santos es, pues,

en la esfera religiosa, un rasgo análogo al efecto que el amante consagra a los retratos y objetos pertenecientes a la amada. Mas todavía hay en este sentido religioso del español cierta posesión por anexión de los seres adorados que los incorpora a la vida normal y corriente del cielo. Numerosas coplas populares atestiguan el vigor de estas encarnaciones de seres divinos mediante una especie de leyenda o mitología que—aparte toda consideración teológica o cosmogónica[12]—recuerda, en su esencia, poder creativo y efectos, las creencias del mundo pagano. Así como los paganos poblaban el bosque con ninfas y sátiros, la aldeana española canta a la Virgen como un ser humano, lo menos alejado posible de la vida cotidiana:

> La Virgen lava pañales
> a la sombra de un romero;
> y los pajaritos cantan,
> y el agua se va riendo.

En cuanto esta pasión que reúne el Creador con la criatura toma forma filial, el sentido de la existencia de un origen o Padre común fomenta en el español el de la fraternidad; sentido más que

[12]cosmogónica referente al origen y la evolución del universo

sentimiento, porque el español, dado a la pasión, no es muy dado al sentimiento. El que siente no deja de darse cuenta, y esta sensación reflexiva o introspectiva armoniza poco con la índole espontánea del carácter español. La fraternidad de los hombres es para el español un hecho arraigado, demasiado hondo, uno de esos datos primarios de la naturaleza que no tanto se aceptan como se traen al mundo al nacer.[13] La fraternidad en España tiende, pues, a formar parte de estos elementos naturales que de puro sabidos[14] se olvidan, como el aire y la luz, y es, por tanto, compatible con la indiferencia y aun con la

crueldad. Ello, no obstante, es quizá el factor más importante de la vida española, como se puede observar en sus efectos de curiosa simpatía e indulgencia para con los caídos, los perseguidos por la ley y las víctimas de su propia locura.

Tocamos aquí otra vez al individualismo español. En todo conflicto entre el individuo y la colectividad, la reacción religiosa del alma española tiende a ponerse del lado del individuo. El pecado, la falta, el crimen son para el español fuentes de experiencias humanas que enriquecen al individuo, más que perjuicios causados a la colectividad.

Antonio de Salgot

Existe una literatura abundante en cuanto al donjuanismo en España, sea en el nivel sociológico, psicológico o literario. Las bases más frecuentes en el análisis del donjuanismo son el enfoque de Don Juan como una figura rebelde, que ataca convencionalismos religiosos o sociales, y Don Juan el hombre, que siente un resentimiento frente al ideal femenino que se encuentra apartado de él por barreras físicas y sociales. La consecuente falta de contacto espiritual o emotivo entre el español y su equivalente femenino ha creado condiciones de dominación masculina en el campo sexual, que también fueron trasplantadas al continente americano.

Don Juan Tenorio y donjuanismo

Constituye un error considerar que el «donjuanismo» comprende *únicamente* la situación de ánimo del que siente admiración para un Don Juan conquistador de corazones femeninos y que siente además, con mayor o menor intensidad, el deseo de imitar las aventuras del héroe sevillano.[15]

En realidad, el donjuanismo es un fenómeno complejo que presenta las tres características siguientes:

1. Una admiración para el tipo de Don Juan seductor, estimando que cada «conquista» constituye un timbre de gloria y de «honor» para

[13]**no tanto ... nacer** se aceptan instintivamente　[14]**de puro sabidos** taken for granted　[15]**héroe sevillano** El prototipo del donjuanismo comenzó con la obra de Tirso de Molina titulada *El burlador de Sevilla* de 1630.

su fama y nombre.

2. Un desprecio para la mujer conquistada, la cual queda «deshonrada» definitivamente por el simple hecho de su «caída».

3. Un desprecio (que en el mejor de los casos será un compasivo desprecio) respecto a los hijos habidos como fruto de las conquistas de los Don Juanes, considerados «indignos» por su origen ilegítimo.

Los tres sentimientos que acabamos de enumerar coexisten, diluidos, sin excepción alguna dentro del concepto general del donjuanismo. Podrán variar en intensidad, pero siempre se encontrarán los mencionados elementos.

La admiración hacia Don Juan conquistador podrá ir desde la incondicional adoración, hasta la benevolencia que dice ser comprensiva para los excesos y aventuras de la gente moza. El desprecio de la mujer «caída» puede oscilar entre una insultante compasión y el explícito criterio de que hay que dar muerte a la «culpable». Para los hijos ilegítimos la gama de matices puede ir desde querer ignorar su existencia, hasta considerarlos seres indignos marcados con estigma imperdurable.

Por lo general, los «donjuanistas» son extremados en los sentimientos que han sido objeto de enumeración. Es frecuente encontrar fervientes adoradores de Don Juan que al mismo tiempo consideran completamente justificado que el esposo o el padre ofendido mate a la mujer que «ha caído» o que la madre mate, por aborto o por infanticidio, al hijo fruto de su «deshonra».

Hay admiradores de Don Juan que lo admiran porque tiene el valor y la despreocupación de emprender aventuras que ellos bien quisieran hacer, pero que no hacen por no decidirse ni atreverse a saltar por encima de los principios morales, éticos o religiosos, que ellos dicen tener y por los cuales se consideran «atados». Admiran a quien ha tenido el valor de «desatarse».

. . .

El donjuanismo puede ser considerado desde múltiples puntos de vista: teológico, ético, moral, médico, social, etc. Por las razones varias veces expuestas, no pretendo ni puedo pretender entablar discusión en estos abruptos y delicados terrenos. Mi propósito, aquí, es limitarme al aspecto de la simple lógica y del sentido común.

. . .

En una sociedad en que se admita, básicamente, el principio de admiración hacia el Don Juan seductor, lo lógico sería que este sentimiento se extendiera también hacia las seducidas. Ello conduciría, seguramente, a un régimen de comunismo amoroso, que podría gustarnos o no gustarnos, que reposaría sobre unas teorías que podrían entusiasmarnos o escandalizarnos, pero que constituiría un régimen cuyo desarrollo sería lógico partiendo de la inicial premisa.

Contrariamente, si una sociedad considera deshonrada a una mujer caída, lo lógico será que también se condene al autor de la deshonra.

Por otra parte, la admiración hacia Don Juan debería producir un sentimiento también de admiración respecto a los hijos que eventualmente nacieran, pues, como ya ha sido dicho, deberían ser considerados «hijos del amor», que el Estado debiera cuidar y mimar, como fruto de unas conquistas que la sociedad considera un honor y una hazaña digna de servir de modelo a los varones fuertes, viriles y caballerescos.

La mayor y más indignante injusticia que contra la mujer seducida haya podido expresarse está contenida en el drama de Zorrilla.[16] La inocente y pura doña Inés, seducida por las brillantes y apasionadas palabras de don Juan, se declara enamorada de éste. Por lo que ocurre en la escena, el espectador se entera de que sólo ha habido palabras y nada más, pues los ofendidos y los alguaciles interrumpen el comenzado idilio. Por lo

---

[16]Zorrilla poeta y dramaturgo español (1817-1893) cuya obra máxima, *Don Juan Tenorio* (1844), encierra mucha pasión romántica pero desafortunadamente poca lógica o filosofía

tanto, la única culpa cometida por doña Inés consiste en haberse quedado prendada del galán. Pero la sentencia es terrible: doña Inés irá a parar a los infiernos *si don Juan no se arrepiente.*

Con don Juan te salvarás
o te perderás con él.

Y por si cupiera alguna duda sobre el alcance de esta sentencia, nos la aclara el mismo espectro de doña Inés cuando dirigiéndose a don Juan le dice:

Ve que si piensas bien
a tu lado me tendrás;
mas si obras mal, causarás
nuestra eterna desventura.

Esta peregrina teología de la «solidaridad» de Zorrilla ni es teología, ni es de Zorrilla. Es la expresión de los sentimientos que respecto a la mujer caída tiene la sociedad admiradora del donjuanismo, sentimientos que Zorrilla, sin darse cuenta, no ha hecho otra cosa que recoger y presentar en su drama. En la vida real y terrenal de una sociedad donjuanista la mujer caída queda completamente perdida e infamada si al seductor no le viene en gana reparar la ofensa. Los citados versos del drama no son originales de Zorrilla; son copiados de los que ya tenía escritos la sociedad donjuanista aunque con métrica defectuosa:

Con tu seductor te salvarás
o *por causa* de él te perderás.

La incoherencia y contrasentido se produce cuando en una misma sociedad coexisten los dos expresados sentimientos de admiración y desprecio.[17]

Gregorio Marañón

Médico y literato, el doctor Marañón combinó el conocimiento psicológico con su interés por las figuras tradicionales. Su análisis de Don Juan como prototipo cultural demuestra la simpatía por el rebelde social, algo típicamente español.

Don Juan

Si Don Juan nació literariamente en España y no en Francia o en Italia, se debe a una circunstancia que hoy es fácil de precisar.

Es la siguiente. Puesto que Don Juan es un rebelde frente a la ortodoxia social y religiosa del ambiente, es evidente que su rebeldía era más heroica, más llamativa que en parte alguna en España, porque, entre nosotros, los poderes contra los que se sublevaba—Dios y el Estado—eran también más fuertes que en parte alguna.

[17]admiración y desprecio Estos dos polos tan opuestos han sido representados ampliamente en la literatura europea que refleja las normas sociales dominadas por un espíritu paternalista que usa antecedentes bíblicos para limitar la acción de la mujer. *Fausto* es la obra más famosa en cuanto al tema de la mujer caída.

En ningún otro país de Europa podía tener la rebeldía de Don Juan la dramática emoción que en un Estado de normas externas e internas tan rigurosas como el nuestro. En suma, en ninguna parte como en España, Don Juan podía ser un héroe.

Y como toda reacción humana de protesta contra el medio es tanto más violenta cuanto más fuerte es el rigor de este ambiente, el Don Juan español no se contentó, como se hubiera contentado un italiano o un francés, con escandalizar a las almas pacatas y con inquietar a la justicia y a los obispos, sino que se encaró con el propio Dios, asaltando claustros y faltando al respeto a las marmóreas efigies de los muertos.[18] Este ímpetu sacrílego, a pesar de ser en el fondo accesorio, es lo que dio prestigio heroico al Burlador desde su nacimiento y lo que propagó su leyenda.

Nocturno, México, D. F.

La selección del fotodrama, tipo de lectura muy popular desde México hasta la Argentina, muestra una variación sobre el tema del donjuanismo al revelar actitudes relacionadas con la dignidad masculina, la desconfianza hacia la mujer, el código de honor que data del Siglo de Oro y la necesidad de vengarse del género femenino. Pero también es provechoso fijarse en el estilo melodramático que acompaña la acción y notar que la norma latina en cuanto a la expresión emotiva es mucho más elevada que la anglosajona.

---

[18]asaltando ... muertos   Don Juan abdujo a una joven de un convento y se burló del padre de otra, muerto por éste al defender el honor de su familia. ≪Marmóreas efigies≫ se refiere a la estatua del padre que milagrosamente da muestras de vida y finalmente arrastra al herético don Juan al infierno.

Un Don Juan moderno

A los treinta años de edad, Ramiro Carranza se enamora ciega-
mente de una mujer mucho más joven que él. Como la quiere, no
hace caso de su pasado aventurero y se casa con ella, seguro de
que su amor es capaz de cambiarlo todo. Apenas lleva dos meses
de matrimonio con Esther, cuando Ramiro se da cuenta de que
se ha equivocado, pues la casualidad lo hace enfrentarse a la
desilusión, al ir caminando por el jardín de la Ciudadela.
Su mirada se fija en una pareja que se abraza bajo la sombra
de un árbol. De pronto, el corazón le da un vuelco cuando reconoce a la mujer.

Apresuradamente, con los puños apretados y
la mirada encendida por la rabia, Ramiro se
acerca a la pareja que sigue acariciándose sin
recato. Cuando él se les enfrenta, Esther pali-
dece, pero se recobra rápidamente y trata de
hacerle creer que está con su primo Felipe.

¡Esther! ¡¿cómo es posible!.¡Maldita!¡Nunca debí confiar en ella!

Te juro que es mi primo

¡No jures en vano!¡No sé cómo pude ena-
morarme de una mujerzuela como tú!

¡Deberia matarte, pero eres muy poca cosa para que sacrifique
mi libertad por ti!

Trata de entenderme, Ramiro.Por lo que más quieras...

¡Tu cinismo no tiene nombre!... ¡Y pensar que quise
hacer de ti una mujer decente!... ¡No quiero volver a
verte!

23

Él aprieta los dientes con furia, para no llorar delante de esa mujer que lo ha engañado. Todavía su bondad lo hace creer que puede perdonarla, pero no, piensa que todas las ilusiones que puso en ella han sido destruidas, que el engaño simple y sucio ha acabado con su esperanza, su fe y su credulidad. Todo su mundo interior se desmorona al sentirse víctima de la maldad humana, así que decide retirarse sin llegar a la violencia.

Lentamente, como si fuera un viejo vencido por los años, Ramiro se aleja de la mujer que se queda dudando entre seguirlo o no.

Después de tan terrible experiencia, Ramiro Carranza sufre un cambio total, la más desoladora de las transformaciones, pues quiere vengarse de todas las mujeres haciéndolas sufrir cada vez que puede. Va a fiestas y enamora a cualquiera con tal de hacer daño. Así, se encuentra con Martha.

24

Juan Descola

Se podría afirmar que Descola es un español más que se empeña en estudiar a sus antepasados del siglo XVI con objetividad, aunque le es difícil ocultar muestras de simpatía y de orgullo frente a la innegable proeza de la conquista de un continente y medio. El pensamiento central de Descola es claro: el conquistador y los que siguieron sus huellas actuaron de acuerdo con los valores y las creencias de *su* época, y por lo tanto no se les puede pedir una conducta y conciencia social que pertenecen a nuestra edad moderna. Si aceptamos la teoría del determinismo cultural que condena al ser humano a obrar dentro del contexto de sus leyes sociales, la posición de Descola ciertamente tiene mérito.

Los conquistadores del imperio español   La aventura sexual

No hay un conquistador—ni siquiera entre los más grandes—que no sucumbiera al amor indio. Hernán Cortés—ese Don Juan cuya carrera comenzó con una anécdota de alcoba—acaso no habría conquistado México si no hubiese empezado por conquistar a doña Marina.[19] No se limitó a ésta: su residencia de Coyoacán estaba tan provista de favoritas como el serrallo del Gran Turco.[20] Indias de nombres españoles—doña Inés, doña Elvira y tantas otras—compartían los favores de Malinche. Francisco Pizarro[21]— iese barbudo! —vivía en concubinato con la propia hermana de Atahualpa, su víctima. Sólo Cristóbal Colón parece haber permanecido casto, torturado como estuvo hasta su muerte por su doble vínculo: su mujer y su amante, Felipa Muñiz de Perestrello y Beatriz Enríquez de Arana. El único o casi el único. Todos aquellos románticos tuvieron su romance. La historia de la Conquista está llena de historias de amor. Veamos algunas.

En el momento en que desembarca Pizarro en Túmbez, Atahualpa y Huáscar[22] están en frías relaciones. Todavía no se han quitado la careta. Se observan. Es el período de «tensión diplomática». La llegada al Perú del jefe extranjero va a decidir la guerra o la paz entre los dos hijos de Huayna Cápac. Antes de lanzarse al asalto final, ¿no podrían intentar un arreglo? Por mucho que los absorba su propio interés, los dos príncipes incas se dan perfecta cuenta de que prolongando su discordia hacen el juego al invasor. Atahualpa da el primer paso. Envía a Huáscar un embajador con la misión de buscar un modo de avenencia. El embajador es Quilacu, uno de sus más brillantes capitanes. El apuesto oficial sale de Quito, llega a Cuzco y entra en el palacio real. Está ante el hijo legítimo del difunto emperador. Al lado de Huáscar se encuentra una muchacha, su amante, Estrella de Oro. Basta una simple mirada entre Quilacu y Estrella de Oro para que se enamoren

[19]doña Marina   Marina, o Malinche, era la india que acompañó a Cortés como amante e intérprete en su Conquista del imperio azteca. Sus servicios de traductora eran indispensables para obtener la ayuda de tribus enemigas de los aztecas. Pero en la actualidad los mexicanos la consideran una colaboracionista y traidora de su nación. [20]serallo del Gran Turco   parte de palacio reservado para las mujeres: De religión islámica, los turcos practicaban la poligamia que se reservaba para la clase alta o adinerada. Cortés imitó estas prácticas cuando se retiró a las vastas tierras en el Sur de México que el Rey le dio como recompensa de la Conquista de México, nombrándolo Marqués del Valle de Oaxaca.   [21]Pizarro   conquistador del Perú para la Corona española   [22]Atahualpa y Huáscar   hijos del Inca Huayna Cápac, que se disputaron el reino

Criolla elegante acompañada de su sirvienta negra en el templo. En la época colonial la iglesia era un centro social a la usanza española.

perdidamente uno de otro. Un verdadero «flechazo». Quilacu pierde la cabeza, se olvida de su embajada y lleva su audacia hasta dirigir la palabra a Estrella de Oro. ¿Está pensando ya en

La destrucción de los dioses aztecas por los conquistadores para imponer el catolicismo.

raptarla? Por el momento, se conforma con sonreírle. Inconveniencia insólita e inmediatamente castigada. El plenipotenciario de Atahualpa es arrojado del palacio, no sin darle tiempo a cruzar con la princesa un guiño ya de complicidad. ¡Se volverán a ver! Mientras tanto, se rompen las negociaciones. El ejército de Atahualpa se pone en movimiento. Es la guerra. En el primer encuentro cae Quilacu gravemente herido. Pierde el conocimiento. Cuando lo recobra, ve junto a él a Estrella de Oro. Ha abandonado a su amante, renunciando a su posición de favorita del Inca, y ha seguido al ejército. Para que no la reconozcan, se ha cortado la luenga[23] cabellera. Disfrazada de adolescente, se ha mezclado con los esclavos que llevaban los bagajes y, como ellos, ha llevado su carga. El idilio apenas esbozado en Cuzco se desarrolla en medio de los combates. Será corto. Los dos caen prisioneros de los españoles, que los llevan ante Hernando de Soto. Este capitán de Pizarro sabe reconocer la verdadera nobleza. Se da cuenta en seguida de que los cautivos no son indios como los demás. Los interroga. Quilacu cuenta la historia de los dos. Hernando de Soto se conmueve. Se limpia una lágrima. El cuento es bonito, pero la mujer lo es más. Los toma bajo su protección. Quilacu muere de sus heridas. Hernando de Soto se casa con Estrella de Oro. Matrimonio de amor al mismo tiempo que de interés. Porque Estrella de Oro es hija única de un rico señor peruano y aporta a su marido una dote que hubieran envidiado las más opulentas herederas de Castilla: minas de oro y de plata y un ejército de obreros.

El fervor religioso

¿Cómo extrañarse, pues, de la reacción de los españoles? Mirando al fondo de los santuarios indios veían al Príncipe de las Tinieblas entronizado en todo su macabro esplendor. Levantando la

23luenga larga

mirada hacia el cielo, distinguían la blanca silueta del Señor Santiago galopando a través de las nubes. En esta doble aparición surgía violenta la oposición entre lo Verdadero y lo Falso, el Bien y el Mal. El problema era sencillo y el deber perfectamente trazado. Los indios estaban posesos del demonio: había que exorcisarlos. En primer lugar, destruyendo el apoyo material del culto al demonio. Por eso los conquistadores, exaltados por el mismo celo ciego de los primeros cristianos rompiendo las estatuas romanas, derribaron los ídolos precolombinos, quemaron los rituales y los manuscritos que transmitían la tradición sagrada, pusieron, en fin, un santo ardor en abolir hasta el recuerdo mismo de las liturgias paganas. Creían hacer así obra pía y saludable. ¿Iconoclastas? ¿Vándalos? Epítetos son éstos que los hubieran escandalizado. ¿Dónde estaba en realidad el escándalo, sino en aquellos abortos de Satanás que servían tan tranquilos a su inmundo señor? Por lo demás, los conquistadores no se contentaban con derribar los ídolos. Para que el exorcismo fuera plenamente eficaz, no bastaba expulsar a los demonios: había que instaurar en su lugar los símbolos de la verdadera fe. Como quien aplica una reliquia bendita al cuerpo comido de úlceras, así plantaban los soldados de Carlos V cruces en lo sumo de los teocallis,[24] en las encrucijadas de los caminos. Sobre la piedra todavía pegajosa de sangre de las aras de holocausto,[25] levantaban altares a Nuestra Señora de Guadalupe. ¿Y el sentido de los matices? ¿Y el espíritu de tolerancia? ¡Eso no era cosa de ellos! Ya vendrían detrás otros que emplearían métodos más suaves. ¿Que a aquellos cristianos con ferradas botas y coraza les faltó a menudo el espíritu cristiano? ¿Que su fervor implacable carecía casi siempre de caridad? ¡Quién lo duda! Pero su fe y su buena fe eran absolutas. Ciertas actitudes de los conquistadores se explican, más aún que por el amor a Dios y al prójimo, por el horror a Belcebú.[26] Claro que explicar no es absolver.

Ludwig Pfandl

El libro del profesor Pfandl es un compendio de aspectos relacionados a la vida social del Siglo de Oro, era compleja que abarca casi doscientos años, de 1500 hasta más o menos 1680. Aunque Pfandl a menudo está interesado en mostrar la fuente social que inspiró a los diversos genios literarios de aquel tiempo, su análisis nos ofrece documentaciones que se aplican a una gran variedad de temas, desde la mentalidad de la nobleza hasta la condición de la mujer. Lo que sobresale en la lectura es, en buena medida, un tono de rigidez que se perfila en el desdén hacia el trabajo, el menosprecio de la sangre «impura» de los árabes o judíos y una notable reverencia hacia un pasado idealizado.

[24]teocallis monumentos religiosos en forma de pirámide   [25]las aras de holocausto sacrificios humanos   [26]Belcebú el Diablo

Cultura y costumbres del pueblo español de los siglos XVI y XVII
El vulgo

La clase ínfima de la sociedad española de los siglos XVI y XVII, el vulgo, se distingue esencialmente del vulgo que existió también en todos los demás países de Europa por la modificación esencial y típica que al «vulgo» de España imprime la vagabundez. En él se plasma y prospera el realismo español como trazo imborrable del carácter nacional, pero siempre aleado con pequeñas y generosas dosis de idealismo y expresado con una originalidad y agudeza desconocidas en las demás naciones europeas. Aquel inveterado orgullo nacional, aquella especie de repugnancia racial a inmiscuirse en los trabajos, ocupaciones e industrias, tenidas como deprimentes y que por eso quedan relegadas a los moriscos, llegó a ser como un dogma de dignidad y de distinción nativas para el español de raza, para el «cristiano viejo», descendiente de los domeñadores de moriscos[27] y de los descubridores de mundos, que consideraba como deshonroso toda suerte de trabajos manuales. La creación de los ejércitos mercenarios, lo mismo que el servicio en los barcos de guerra y comercio, era para los españoles de entonces una constante atracción, brindándoles la posibilidad de tentadoras aventuras en Flandes e Italia,[28] en México o en el Perú, dondequiera se hablase y entendiese español, que era entonces un lenguaje universal.

Los innumerables conventos existentes fomentaban, en cierto modo, con la llamada «sopa de los conventos», la holgazanería y la indolencia entre las gentes del pueblo, que no necesitaban de ese recurso para vivir. Pero aquella especie de nimbo religioso con que los españoles revestían el acto de dar o recibir limosna despojaba de su aspecto vergonzante a los mendigos, los cuales vivían organizados reglamentariamente y convertían la mendicidad en un negocio lucrativo. ...

El honor

La vieja e hidalga caballerosidad hispana recibe la influencia de aquellas condiciones sociales y se manifiesta en una aleación de idealismo y realismo, del más legítimo entronque español, como culto nobilísimo y hondo, quizá exagerado, al sentimiento del honor. No quiere esto decir que el español de los siglos XVI y XVII tuviese un doble concepto del honor: uno para la propia conciencia y otro para los demás; no; el honor era para todo bien nacido como una virtud de orden interior, espiritual; era la dignidad consciente con que cada cual podía presentarse sin tacha ni menoscabo, ante Dios, ante sí mismo y ante sus semejantes. Sin embargo, en las manifestaciones externas de la vida se exageraba este sentimiento del honor, que solía derivar hacia un concepto puramente humano e, incluso, dependiente de la opinión de los demás, estimable en mayor o menor grado, hasta el extremo de que el *qué dirán* llegaba a sobreponerse al sentimiento íntimo y a constituir regla de conducta, y el honor y la fama a controvertirse conceptualmente en la realidad, como se deduce de estos versos de Lope de Vega:

Honra es aquella que consiste en otro.
Ningún hombre es honrado por sí mismo,
que del otro recibe la honra un hombre.
Ser virtuoso uno hombre y tener méritos
no es ser honrado, pero dar las causas
para que los que tratan le den honra.

[27]**los domeñadores de moriscos** los españoles cristianos que reconquistaron el centro y sur del país de los árabes y moros que habían venido en 711 y establecieron su cultura durante siglos en califatos y sultanatos en España [28]**Flandes e Italia** En el siglo XVII España controlaba lo que hoy viene a ser la mayor parte de Holanda y Bélgica y el sur de Italia (Virreinato de Nápoles).

Es comprensible y hasta cierto punto explicable esta singular concepción, si se tiene en cuenta las circunstancias y condiciones históricas de la raza.

El orgullo de casta, de nobleza, de religión y de conquista tenía su raíz en una especie de trágica oposición a todo lo que significase inferioridad de nacimiento, en la desviación de la plebe, de los enemigos de la nación y de los sometidos; orgullo que llegó a convertirse, por decirlo así, en un refinado sentimiento de vida...

. . .

Quien se hallare en condiciones de demostrar que poseía una renta fija de unos quinientos ducados por lo menos, anualmente, podía reducir sus bienes a mayorazgos y vincularlos para sí y para todos sus descendientes en el hijo mayor. Esto trajo en consecuencia un crecido número de poseedores de mayorazgos, cuya presunción y magnificencia perezosa no correspondían de modo alguno a su posición económica, y además, una nueva clase social, la de los «segundones»,[29] que se juzgaban demasiado distinguidos para adaptarse a ningún linaje de trabajo manual, y no con menores derechos que los hermanos mayores para la herencia de mayorazgos; de ahí que en seguida fuesen a engrosar las filas de gorrones, parásitos y cazadores de empleos, en tanto que no encontraran un refugio y asilo convenientes a su condición en el ejército o en el estado sacerdotal.

Al orgullo de nobleza se unía el de raza y de religión. En el curso de varios siglos no había sido posible evitar la fusión de sangre morisca, judía y cristiana. Pero en aquel estado burocrático de funcionarios y eclesiásticos del tiempo de los Austria,[30] los empleos y dignidades se reservaban únicamente para los cristianos viejos y «rancios»,

Escena callejera del Montevideo colonial. La criolla es la descendiente de la española que vino a las Américas.

es decir, para los vástagos de ascendientes de la más pura cepa cristiana. ...

. . .

El orgullo de casta y de religión fue también, como hemos indicado anteriormente, uno de los más sólidos apoyos de la Inquisición española.

La condición social de la mujer

El estado de la mujer española ofrece una discrepante y profunda significación. En un sentido actúan las influencias orientales—no en vano había convivido el pueblo durante varios siglos con la raza mahometana[31]—y la tradición medieval patriarcal-religiosa en oposición al libertinaje disolvente... La mujer es, pues, o esclava o

[29]**segundones** Puesto que el hijo mayor heredaba los bienes del padre, el segundo o los demás hijos recibían poco o nada. De este modo hasta los hijos de nobles tenían que buscar fortuna en otra parte.   [30]**los Austria** Durante el Siglo de Oro (XVI y XVII) los monarcas españoles eran de la casa de los Hapsburgo, de Austria. El más famoso de ellos, Carlos I o Carlos V como emperador, hablaba español con acento alemán. Sin embargo, el pueblo español mostró gran lealtad a los Hapsburgo.   [31]**raza mahometana** cultura islámica traída por pueblos semitas y africanos: La mujer estaba relegada a la casa bajo el control absoluto del padre o marido. Hay que acordarse de que grandes regiones de España estuvieron casi ocho siglos bajo la influencia islámica.

reina en aquel ambiente social: o vive en la servidumbre y sumisión, o impera por la sensualidad y la avaricia. En el primer caso está la mujer que vive en el seguro acogimiento de la familia (pero solamente en determinados círculos sociales) o la monja que se retira a la soledad conventual y se somete a la aspereza de sus reglas y disciplinas; en el segundo caso está la mujer emancipada en cierto sentido, la mujer de mundo y de relaciones sociales que sabe eludir los severos cánones de la estrechez tradicional, o la hetaira[32] libre y desenfrenada que no conoce miramientos sociales.

La mujer española de la nobleza y burguesía de los siglos XVI y XVII era más mujer de su hogar y de su familia que todas las demás mujeres contemporáneas del resto de Europa. Su educación se limitaba a aprender a leer, escribir, las cuatro reglas aritméticas elementales, instrucción religiosa en la familia y en la iglesia, trabajos caseros y otras habilidades femeninas. Pasaba las horas del día dedicada al servicio de Dios y de la familia; rezaba sus oraciones cotidianas; cumplía sus quehaceres domésticos y entretenía algunas horas en apacible charla y comadreo[33] con las vecinas. De entre las exhibiciones y festejos públicos la estaban permitidas las procesiones y festivales religiosos, las corridas de toros y, con determinadas limitaciones, las representaciones teatrales, particularmente las sagradas. Como esposa y como madre era el ideal más acabado del retiro doméstico, de la modestia edificante y de la religiosidad más profunda; evitaba todo contacto con lo exterior y huía el ruido alborotado de las calles y el aire malsano de la vida pública.[34] Su ejemplar de conducta y modelo de perfección fue la *Perfecta casada* del gran poeta agustino,[35] fray Luis de León, su libro manual y educativo, cuyo magnífico y acabado modelo de mujer se esforzó por imitar fiel y exactamente.

La mujer como madre es algo misterioso de lo cual no se habla fuera de los límites del hogar. La madre no figura nunca como personaje en las comedias, ni es objeto de glorificación en la lírica. En su lugar interviene como tipo novelesco y dramático la «dueña», recatada y honesta, que unas veces aparece como concepción realista y otras idealista, aunque los poetas la pintaron siempre con tintas realistas: el modelo inmortal, la encarnación gloriosa de este tipo, la hallamos en el *Quijote*.

En cuanto esposa e hija era la mujer la niña de los ojos y el honor del padre y del hermano: se la custodiaba con el más cauteloso miramiento y, en casos de duda o necesidad, era vengada sin conmiseración. De cuenta e interés del padre era el buscar el prometido para su hija. El matrimonio constituyó no sólo la realización de un deseo y la consecución de un acomodo material y necesario, sino también, como derivación lógica de los inexorables preceptos de la doctrina católica, un lazo religioso e indisoluble, según se infiere del conocido consejo popular: «Antes que te cases, mira lo que haces, que no es nudo que deshaces».

En los casos de forzosa soltería, de viudedad, de ilegitimidad y otros de difícil solución, ofrecían a la mujer refugio y asilo alguno de los innumerables conventos de monjas existentes.

---

[32]**hetaira** cortesana en la Grecia antigua que poseía talento artístico además de amatorio   [33]**comadreo** actitud de confidencia y amistad entre mujeres   [34]... **pública.** Los teatros o «corrales» del Siglo de Oro tenían una sección llamada «cazuela» reservada para mujeres; pero una mujer «decente» sólo asistía anónimamente con un velo que cubría la cara. La Iglesia católica se opuso en principio a representaciones teatrales por ser éstas demasiado mundanas, y finalmente paralizó la vida teatral con la excepción de obras religiosas o sagradas.   [35]**agustino** religioso de la orden de los agustinos: Fray Luis (1527-1591) fue un gran intérprete bíblico y aconsejó a la mujer decente quedarse en casa, criar hijos, rezar a Dios y obedecer totalmente al marido.

Fernando Díaz-Plaja

Díaz-Plaja explores the linguistic and social patterns of the Spaniard in order to arrive at the center of his reason for being and acting. In this center he finds above all the *culto del yo* accompanied by a strong suspicion of anything that might by necessity limit the expansion of the *"yo,"* be it the State, city hall, a local functionary or even the fellow who runs a meeting. Whatever may be the essence of the Spanish genius, it will not be fully understood without awareness of the Spaniard's ability to create his private world and to live in it unflinchingly.

The Spaniard and the Seven Deadly Sins Pride

Pride is, I believe, the sin from which the Spanish saint finds it most difficult to free himself. St. Teresa[36] accuses herself of vanity in her autobiography, for the very fact of telling her life, even though by order of her confessor, evidently implies a certain self-esteem.

And what pride could be greater than that of the authentic Tenorio,[37] Juan de Mañara? He thought he was serving an exquisite example of humility by casting himself from his height, from the vanity of "everything is permitted to me" to the abyss of penitence: "I am nothing, let everyone tread on my body when entering the Hospital of Charity in Seville." His memorial tablet reads: "Here lies the greatest sinner in the world."

Could anything be more insolent?

This pride may be supported by a general concept—that of race—without losing its principal individual character. The Spaniard does not mean "we," but "I." The "old Christian" with no Jewish or Moorish blood, or the Spaniard who lives on past glories—"you should see what we did in America" or "when we won at Lepanto"[38]—is always thinking of himself, of the rights which this heritage has given to *him*, of the position, unattainable to others, which this history confers on *him*. This is why he chooses from the past, or even from the present, what suits his ego, unconsciously rejecting that which might damage the image he likes to create of himself. *Arrogante*, offensive in its equivalents in other languages, is a word of praise in Spanish.

If the Spaniard is so touchy about national self-criticism as to resent adverse comments by foreigners, it is because he does not feel absolute solidarity with anyone, Spanish or foreign. I believe this is the most logical explanation as to why normally sensitive people do not feel the least disgust or remorse today for the crimes committed in the Civil War.[39] In the first place, no one accepts any responsibility for the horrors of the other side; it is as if they had been committed by people from another planet. Those were the enemy, capable of anything! But were they not Spaniards too? The reply might be something like, "If they were, they didn't deserve to be!" We shall see throughout this book how easy it is for

[36]St. Teresa famosa mística (1515-1582) que analizaba sus emociones en obras como *Libro de su vida* y *Las moradas*   [37]Tenorio modelo para el prototipo del Don Juan   [38]Lepanto batalla naval contra los turcos en la que se impuso la armada española en 1571: Cervantes fue herido en este encuentro.   [39]Civil War La Guerra Civil española tuvo lugar entre 1936 y 1939.

the Spaniard to get rid of the Gordian knots which he finds in dialectic. Just by cutting them.

But the fact is that this individualism goes further than simply choosing sides. Those on his own side are also strangers at the moment of truth, and this is not a question of avoiding responsibility, as it might be in other countries. When the Spaniard retires into his shell, he admits neither brothers nor coreligionists.[40] When he is confronted with a reality—"in such a village your side did this and that"—he shrugs his shoulders: "Ah well, they must have been mad." They are "others," they are apart, it is nothing to do with him.

The Spaniard lives *with* a society, never within it. His personality is covered with prickles which stand up dangerously at any attempt to make him collaborate in some enterprise. He is unsuited to what in science is called teamwork, and this lack has been often recognized as a determining factor in the slowness of Spanish scientific progress. Our geniuses, for example, are exceptional in the sense of being unique and rarely come from any particular school.

Calle antigua en Cartagena, Colombia, donde se evidencian el calor y la arquitectura prevalecientes en el Sur de España.

In the Spaniard, says Américo Castro, "the direction of vital dynamism goes from the object to the person, for this is the reality of his own make-up." This is true to such an extent that he appropriates to himself all that touches him from near or far. The Spaniard, when speaking of his day's work, says, "I had *my* breakfast, I read *my* paper, I lit *my* cigarette, I got into *my* bus"—but curiously enough changes when referring to "the office."

The Spaniard feels in general an instinctive reluctance to join associations. Civil wars and the fate of those who fought in several of them have not exactly helped change this attitude. Compare the number of societies in Spain with the number in England or in the United States, for example, where it is normal for a citizen to be a member of five or six different organizations—patriotic, charitable, religious or recreational. When the Spaniard joins a club, he does not usually think of collaborating with others to solve problems, but of finding a comfortable place where he can tell others what he thinks of the world in general, and of the Sánchez family in particular.

That is why the organization to which he cannot help belonging, the State, is viewed with suspicion. The State is a hated entity which is never seen as the necessary link between the individual and society but rather as a conglomeration of ambitions which is trying to regulate the life of Juan Español, without having the least idea of that life and with the simple purpose of abusing it. The nature of the State has no importance in this regard. It is all the same if it is a republic, a monarchy or a dictatorship. It is always a prying enemy of life, which must be dealt with by paying it the least possible attention. The laws which the State decrees have some value while the ink is still wet, before a few months have passed. On hearing of a man's unethical scheme, I have sometimes asked why there is no law forbidding it. "It has not been spoken of for a long time," comes the answer. For us, silence is equivalent to abolition.

[40]coreligionists gente con el mismo punto de vista sobre asuntos políticos y sociales

El Fuerte de Lorete en Puebla, México: recuerdo de la Conquista y la época colonial.

In Spanish Colonial America the holder of an *encomienda*, a feudal fief, showed his respect for the king who had sent an order incompatible with his own opinion by putting the decree on his head and pronouncing solemnly—without irony—"It is respected but it is not obeyed."

Every Spaniard feels authorized to deceive the state by trying to evade the payment of taxes. We have to go a long way up the moral scale of Spaniards before finding one who would equate cheating the tax collector with assuming possession of someone else's money. Many people incapable of keeping ten pesetas that belong to an unknown person will not hesitate to trick the State out of thousands and thousands. Many who would regard the first action with horror will smile admiringly on the second. The first is stealing, the second is being smart. For after all, "Who robs a thief?"

. . .

We Spaniards normally believe that what we say is much more interesting than what someone else says, and the proverb insisting that a dialog is just a monolog with interpolations obviously originated in Spain. When two individuals begin a conversation in a Spanish café, they do not attempt to exchange ideas but to state their own, just so long as the other allows. When one makes the mistake of halting in order to breathe—the good orator breathes without having to pause—his interlocutor takes advantage of the chance to start his own paragraph. In other countries, when two people try to speak at the same time, they say "pardon" and wait; in Spain they also say "pardon" but it is followed by both of them continuing to talk simultaneously. Neither is ever convinced by the reasoning of his opposite; on the contrary, he reaffirms his own convictions with heated improvisation. A discussion enables a man to end up knowing more than he did before, for he has been discovering things out of the invention of his own discussion. De Madariaga has said, "The Spanish thought is born at the moment in which it

is manifested. While the Englishman thinks while acting, the Spaniard thinks while speaking." Furthermore, the right to discuss is freely accorded to all Spaniards without precedence or hierarchy. This means that an expert on a subject has no more chance of expressing his opinion about it without interruption than someone who is ignorant of it. I have very often heard a man say something like, "I understand nothing about international politics, but it seems to me that Communist China. . . ." Then, for the space of half an hour, he tells us his ideas on the subject about which he has assured us he knows nothing. As Unamuno[41] has said:

What one does not understand is that a person without speaking, or writing, or painting, or sculpturing, or playing music, or negotiating affairs or doing a thing should expect that just because he happens to be there he should be taken for a man of extraordinary merit and outstanding talent. Nevertheless, here in Spain— whether outside it I do not know—not a few examples of this most curious occurrence are known.

It is not uncommon in Spain to hear a gentleman answer, when faced with someone else's doubt, "I'm telling you!"—a phrase with which he seems to annul all possiblity of error. It is hardly ever a question of a professional opinion (an engineer's on a bridge, a doctor explaining an operation) but

[41] Unamuno Miguel de Unamuno era uno de los pensadores más originales de España en el siglo XX. Entre otros privilegios exigió el derecho de contradecirse a sí mismo.

of an opinion on a subject about which both speakers may know nothing. "I'm *telling* you!"

When a Spaniard is arguing, he admits no points as superior to his own reasoning. I remember a long controversy about how a word was spelled. At last the one who was right launched the missile he had been keeping back for better effect. "Don't argue any more. That's what it says in the Academy's dictionary."

The other never blinked an eye. "Then the Academy's dictionary is mistaken."

The custom of argument has created a fine verbal proficiency. The orator is found frequently in cafés and clubs, and when there was a parliament, facile oratory was considered a most important quality in a politician. Spaniards demand that the public speaker (lecturer, radio or television announcer) have a perfect command of words; the slightest hesitation is enough to provoke a sarcastic comment on his abilities. (In Anglo-Saxon countries, on the other hand, phrases are slower and cut off between "ands" and "ers." As the English are accustomed to make virtues of their defects, such verbal slowness is considered elegant, and facile eloquence signifies charlatanism.)

> "He who speaks much errs much
> but is right about some things."

Besides speaking much, the Spaniard speaks very loudly. There comes a moment when he uses the same tone of voice for talking as is used in other countries for disputing. Some years ago a group of Spanish students met in The Hague; intent on their usual exchange of ideas they did not notice that the people had disappeared silently and that they were alone in the big café. A little later police jeeps surrounded the building and some policemen entered. "What's going on here?" was the first question.

There was stupefaction, then explanations, apologies by the police. It turned out that the people in the café had been listening, at first with curiosity and then with growing alarm, to the loud tones of the Spanish voices, had seen their violent gestures, their frowns when underlining difficult points. Historical recollection of the Duke of Alba and his *Tercios* had completed the suspicion, and the police had been informed that "a group of Spaniards are about to pull out their knives in a downtown café."

By the same token, the Spaniard does not like listening. He seldom goes to lectures and will not tolerate theatrical functions if they last too long. (Lope de Vega spoke of "the anger of the seated Spaniard.") That is why the intermissions between acts are so important in Spain; each member of the audience can at last express what he thinks of the author, the play, the characters and the actors. ...

Discusión

1. Contraste las metas del humanismo con las del individualismo, según de Madariaga.
2. ¿Qué diferencias podemos establecer entre el individuo colectivizado y el hombre de pasión?
3. ¿Qué es el personalismo?
4. ¿Qué funciones desempeña el personalismo en la cultura hispánica, según de Madariaga?
5. Defina «mesianismo español».
6. ¿De qué modo influye este mesianismo en el concepto de la fortuna?

7. ¿Cómo afecta el concepto español del «yo» el orden social y político?
8. Considere el donjuanismo como modelo histórico que influye en la orientación del hombre hispánico de hoy.
9. ¿Por qué desprecian Don Juan y sus imitadores a la mujer seducida?
10. Considere el donjuanismo como un problema psicológico que opera en la estructura moral de países hispánicos.
11. Considere el donjuanismo como un falso problema teológico.
12. Considere el donjuanismo como una manifestación dirigida contra los valores y las instituciones establecidos por la sociedad.
13. ¿Cuál es la importancia de la interacción de los distintos roles del latinoamericano en cuanto a su posición frente al donjuanismo?
14. Compare las opiniones del hombre de la clase media-alta y del obrero frente a la mujer que sigue una carrera profesional.
15. Analice la selección del fotodrama «Un Don Juan moderno» desde el punto de vista del estilo y las expresiones faciales.
16. Analice la misma selección como continuación del modelo español de donjuanismo.
17. ¿Cuál fue la función principal del clero durante los siglos de la Reconquista?
18. Considere el catolicismo como fuente de actitudes idealistas en España.
19. ¿Cómo justifica Descola la actitud intolerante del español frente a las culturas indígenas?
20. ¿Qué es un «cristiano viejo»?
21. ¿Cuál es la fórmula del honor en la España del Siglo de Oro?
22. Dé ejemplos de trozos u obras literarias que ha leído en las que se halla presente el concepto del honor en la clase alta española.
23. Haga una distinción entre la idea española de «justicia natural» y la de «justicia oficial» o por decreto.
24. ¿Qué relación existe entre el culto de la amistad y la condición social y económica de la clase baja?
25. Dé unos ejemplos de la afinidad del latinoamericano hacia el modo emotivo de comprender las relaciones sociales y personales.
26. Explique los términos «mayorazgo» y «segundón».
27. Describa la existencia de una mujer típica (pequeña nobleza o burguesía) en la España del siglo XVII.
28. ¿Por qué es la palabra «arrogante» un rasgo positivo en la sociedad española, según Díaz-Plaja?
29. Interprete la frase de Díaz-Plaja: «El español vive *con* la sociedad, nunca dentro de ella».
30. Según Díaz-Plaja, ¿por qué es difícil el diálogo entre españoles?

Capítulo dos
Herencia étnica y cultural india

Reinterpretación de ritos incaicos delante de la famosa Puerta del Sol de la época tiahuanaca en el altiplano boliviano.

EL TESTIMONIO BORRADO

La tarea de describir la vida de los indios antes, durante y después de la Conquista es ardua. La mayoría de los pueblos indígenas no dejaron testimonios escritos. Los que poseían evidencia literaria de su cultura se vieron sometidos a la censura eclesiástica española que suprimió casi todo lo que reflejó la cultura no cristiana; y las crónicas que se refieren en parte a las costumbres locales fueron escritas por frailes católicos que naturalmente adoptaron un punto de vista altamente crítico y a menudo hostil en lo tocante a estas civilizaciones consideradas paganas e inferiores. En nuestro siglo se está presenciando un renovado interés por estos pueblos y su existencia precolombina por parte de antropólogos, arqueólogos, historiadores y literatos; y se han compuesto cuadros parciales que se aproximan a la realidad social de los indígenas en la época de la Conquista.

Pero no se trata de establecer en este capítulo aspectos históricos de la vida indígena sino de hacer la tentativa de enfocar las costumbres diarias, los valores sociales y las creencias religiosas, que han perdurado, aunque en forma limitada, en el genio de aquellos pueblos. Puesto que el número total de los pueblos que integraban el Nuevo Mundo, desde México hasta la Patagonia, es muy elevado, en este capítulo las referencias se basan en la cultura de tres naciones clàves: la azteca, la maya y la incaica. Las tres habían alcanzado un alto grado de civilización de la que quedaron suficientes indicios para el investigador moderno.

LA VIDA SOCIAL

Los aztecas se distinguieron bastante poco de sus vecinos de la meseta mexicana: vivieron del cultivo de maíz, impusieron un rígido control sobre el individuo, asignaron deberes de soldado a los campesinos, fijaron el nivel social de la mujer en un plano inferior al del hombre, exigieron que sus hijos copiaran exactamente el modo de ser y obrar de los padres y se postraron delante de los poderes sobrenaturales en cuyas manos se hallaban la vida y la muerte. La unidad social básica era el *calpulli*, o sea un clan dentro del cual el individuo se veía subordinado a la preservación de la comunidad. La persona nacida en el *calpulli* automáticamente adquiría todos los privilegios comunales incluso el derecho de obtener tierras cultivables; pero al mismo tiempo podía ser expulsada en caso de ser culpable de conducta antisocial o criminal. La tierra de labranza ya 37 escaseaba en la árida meseta mexicana antes de que llegaran los españoles, y la adjudicación de tierras de cultivo era una tarea importantísima. Según los *amatl*, o registros de tierras de diferentes *calpulli*, el terreno siempre volvía a la comunidad cuando el jefe de una familia moría o era exilado. De este modo el indio jamás consideraba la tierra como propiedad privada.

La endogamia era prohibida, y las viejas casamenteras se encargaban de ir de un *calpulli* a otro para entablar relaciones y noviazgos. Los hombres se casaban generalmente a los veinte años y las mujeres a los dieciséis. Una vez casada, la pareja se establecía en cualquiera de los dos *calpulli*. Después construía su propia casa, el hombre salía a trabajar la tierra y la casada quedaba en casa para preparar dos veces al día el *tlaxcalli*, la habitual tortilla de maíz que se comía sobre el *petatl* en el suelo, y, más tarde, cuidaba a los hijos. Aunque poseía menos derechos que el marido, la mujer podía exigir el divorcio, casarse nuevamente y mantener su propiedad privada. La mujer adúltera arriesgaba el castigo de muerte mientras que al hombre se le perdonaba a menudo una aventura amorosa. El concubinato se reservaba para los personajes más importantes. Se cree, por ejemplo, que el emperador Moctezuma, o Motecuhzoma, mantenía un harén con varios centenares de indias jóvenes, costumbre que su sucesor, Hernán Cortés, imitaba cuando se estableció en el Sur de México como Marqués del Valle de Oaxaca. El único defecto que no se perdonaba jamás a la mujer azteca era la esterilidad. Obviamente una nación joven, agrícola y guerrera precisaba hijos.

A los niños se les disciplinaba desde una tierna edad y se les obligaba a mostrar una dedicación absoluta a la comunidad tanto como al orden establecido. Varones y muchachas por igual tenían que imitar el modo de trabajar y de vestir de los mayores. El orden de las cosas residía en la repetición de las tareas diarias, y la virtud cívica se reducía al ejercicio de la paciencia, la frugalidad, la simplicidad y el coraje frente al destino.

Muchos siglos antes de la llegada de los aztecas a la meseta central de México, se había desarrollado entre las tribus mayas una civilización agrícola. Los hombres trabajaban de sol a sol en las *milpas*, campos donde se cultivaba el maíz, o descendían a las minas en las regiones montañosas de lo que hoy es Guatemala. Las mujeres se levantaban antes del alba a cocinar las tortillas de maíz o un plato de frijoles. La aldea constituía la unidad social básica y era gobernada por un jefe y su familia.

No existía un gobierno centralizado sino una serie de ciudades-estados, como ocurrió en la Grecia clásica. Ciertas ciudades tenían fama de producir excelentes trabajos en metal, madera o cuero; y se podría comparar esta artesanía con la de los gremios medievales de Europa. También la división entre la clase gobernante y la trabajadora era tan absoluta como en la Europa feudal. Sólo los hijos de sacerdotes y jefes eran educados en escuelas, donde aprendían astronomía y escritura o se entrenaban para la guerra. Toda ofensa civil o criminal era castigada con la rigidez propia de una sociedad comunal; el robar, por ejemplo, no sólo era considerado un delito personal sino un acto antisocial que condenaba al culpable a la esclavitud.

El casamiento se concertaba entre los padres de los jóvenes. Durante el primer año de matrimonio el hombre era libre de abandonar a su mujer. En general, los lazos matrimoniales eran bastante elásticos, y la separación o el divorcio ocurrían a menudo. También entre los mayas la esterilidad era motivo suficiente para devolver la casada a la casa de sus padres. Sólo cuando la pareja había producido un hijo, la comunidad la consideraba como una familia y le adjudicaba tierras para vivir de su cultivo.

Bajo la mano férrea de los Incas se intensificó el control político y social sobre los habitantes de aquel vasto imperio a lo largo de la costa del Pacífico. El indio común, o *puric*, se sentía un simple eslabón en la infinita cadena de un sistema decimal: el *puric* formaba parte de un grupo de diez hombres encabezados por un capataz; diez capataces eran dirigidos por un subjefe; diez de éstos tenían un jefe regional; diez jefes recibían sus órdenes del líder de una tribu o sección; éstos a su vez rendían cuentas a un gobernador de provincia; y finalmente, los gobernadores conferían con uno de los cuatro administradores imperiales, los que eran recibidos en audiencia por el Inca mismo.

Los inspectores imperiales hacían su visita a los *ayllu*, o aldeas, más alejados del reino, examinando puentes, despensas, cultivos, el interior de las chozas y el estado civil de los jóvenes ya que el celibato estaba prohibido. En parte, estas medidas se justificaban debido a la escasez de tierras fértiles, la ausencia de lluvia en la zona costera y la dificultad de construir caminos en las alturas de los Andes, que se extienden por toda la región del Pacífico. Se estima hoy que el indio peruano o boliviano estaba subalimentado en la época incaica. Escaseaba la proteína ya que faltaban la carne, los huevos, la leche y el queso. La comida diaria se hacía a base de papa, yuca o maíz, a lo que se añadían unas hierbas y especias para el sabor. La pobreza del terreno y de medios de transporte también imponía medidas de austeridad y uniformidad en la vestimenta tanto como en la vivienda. El *puric* llevaba pantalones, una especie de camisa sin mangas e iba siempre descalzo, tanto en la costa como en las regiones heladas de las montañas. Su casa era una choza de tierra apisonada, sin ventanas o más aberturas que una pequeña entrada que daba a un reducto maloliente y oscuro donde habitaba la familia.

La monogamia era común pero de ningún modo obligatoria ya que las constantes guerras para ensanchar el imperio habían alterado el equilibrio entre los sexos y la moral incaica tenía su buena dosis de pragmatismo. También se usaba extensamente el *servinacuy*, o matrimonio a prueba, que permitía a la pareja evaluar mutuamente sus aptitudes para la vida casera. Aparentemente el inca no fomentaba lo que llamamos el amor romántico o sentimental. La mujer tenía un status muy inferior al hombre y hasta se la consideraba como un objeto cualquiera en casos de herencia. La india, agobiada de las fatigas del trabajo y de la rutina de cien tareas domésticas, envejecía prematuramente. La india encinta debía trabajar hasta el momento del parto; el niño era depositado en una abertura hecha en medio de la choza y la madre se inclinaba tres veces al día sobre el niño para amamantarlo. Era terminantemente prohibido tomar al niño en brazos. El código social del Inca eliminaba cualquier muestra de cariño e insistía en una disciplina férrea e impersonal para someter al individuo al sistema político vigente. Con el tiempo el niño aprendía a formar parte del *ayllu* y a ocupar la posición social asignada dentro de la estructura decimal del Inca.

LA VIDA ESPIRITUAL

El sentimiento religioso de los aztecas se basaba en un profundo terror a la nada. Por eso inventaron sus propios dioses que controlaban el mundo visible e invisible y cuyas exigencias o necesidades eran interpretadas por los sacerdotes para que el pueblo pudiera cumplir con ellas. Las fuerzas sobrenaturales rodeaban la existencia cotidiana del indio mexicano y lo obligaban a ocuparse en contentar a las deidades que tenían la vida y la muerte en sus manos metafísicas, lo que entonces produjo un sinfín de ceremonias y ritos ineludibles. A pesar de que el adulterio estaba prohibido, la recién casada debía tener relaciones sexuales con los parientes masculinos del futuro esposo para poner en fuga a los malos espíritus que de otro modo amenazarían la felicidad conyugal. Al nacer un niño, los padres consultaban el horóscopo, o *tonalamatl*, que venía en forma de un rollo de veinte metros de largo, para determinar si había nacido bajo un signo favorable y cuáles serían sus días más propicios. Todo azteca llevaba dos nombres, uno de los cuales era absolutamente secreto y sólo conocido por la familia, los médicos y los sacerdotes para invocarlo en momentos de peligro. Los dioses mayores y menores abundaban, desde Huitzilopochtli, el dios de la guerra, hasta Huehueteotl, el del fuego, y Tlaloc, el de la lluvia. Los aztecas dependían de la acción benévola de los elementos y de la tierra para sobrevivir; y en sus festivales combinaban el fervor colectivo con el sacrificio de animales o prisioneros para ofrecer los corazones y verter la sangre caliente en ritos antiquísimos que simbolizaban fertilidad, muerte y resurrección.

El calendario azteca dividía el año en dieciocho meses de veinte días, lo que creaba un saldo de cinco días. Dueño de una mentalidad poco elástica, el azteca no encontraba manera de incorporar este sobrante a su calendario anual; y, por consiguiente, en estos cinco días se prohibía toda actividad social y se reducía la vida a un simple esperar pasivo y fatalista.

Puesto que el azteca temía la muerte, inventó distintas existencias póstumas para los desaparecidos. En contraste con la doctrina católica, la conducta moral o inmoral del individuo no determinaba de ningún modo su condición en el otro mundo. Había hasta trece paraísos y nueve infiernos disponibles; y el lugar destinado al muerto se determinaba según su status en vida. Un guerrero, por ejemplo, iba al paraíso de las flores, y una ahogada al cielo del dios de las aguas, Tlaloc. Se consideraba a los muertos como miembros invisibles pero presentes del *calpulli*; y por eso era necesario alimentarlos, cuidarlos y consultarlos en los asuntos esenciales para el porvenir y el bienestar del clan.

Sabemos, en realidad, bastante poco de la civilización maya, que tuvo su más alto florecimiento hace más de mil años y cuyos centros culturales más avanzados fueron misteriosamente tragados por la selva en Yucatán siglos antes de la llegada de los españoles. Eso sí, mostraban conocimientos bastante extensos de la astronomía y de la matemática y calculaban con precisión la posición de las estrellas y la órbita de los planetas visibles. Los sacerdotes mayas también estudiaban los eclipses lunares y la trayectoria de los astros y determinaban la manera de satisfacer a los dioses que guardaban la tierra, el agua y el cielo y que dominaban ciertas épocas del año. Los pueblos mayas eran regidos por teocracias; y las fiestas mensuales, los sacrificios de animales o seres humanos y las interpretaciones del calendario revestían un carácter tanto religioso como comunal. Cada mes indicaba ciertas obligaciones: el mes de Pop (julio) comenzaba el año nuevo, y la gente se ponía ropa nueva, rompía su vieja loza, cambiaba de cama y se dedicaba a otro ciclo de renovación. Durante el mes de Czec se adoraba al dios de las aguas; Xul era el mes de Kukulcán, dios principal encarnado por la Serpiente Emplumada; y Pax, curiosamente, era el mes reservado para la guerra.

Todas estas actividades exigían la participación total e incondicional de la comunidad. El individuo existía para el bien de todos, y si llegaba a ofender a un dios, ponía en peligro al pueblo entero. Por eso los sacerdotes continuamente consultaban fechas, posiciones de astros y nombres para establecer la buena o mala fortuna de una persona. También entre los mayas cada nombre contenía una condición mágica; y los recién casados tampoco podían vivir juntos hasta que los espíritus maléficos habían partido. Según la mentalidad maya no existían accidentes, coincidencias ni descuidos; la muerte más involuntaria mostraba claramente la intervención de espíritus malignos que poseían al autor del homicidio, y por consiguiente había necesidad de eliminar al que estaba poseído por ellos. También las enfermedades se originaban en la obra de malos espíritus, y el enfermo era sometido a un tratamiento que incluía el uso de medicinas, magia y plegarias a los dioses contra las fuerzas invisibles que creaban malestares, enfermedades, agonía y muerte. El acto mismo de morir constituía una ofensa contra el bienestar de la comunidad, aunque los muertos eran considerados como miembros de la aldea por los sobrevivientes. El nivel social del difunto determinaba su posición en el más allá. Aparentemente no existían ideas muy concretas sobre la vida de ultratumba. El indio común tenía la esperanza de verse al pie del Gran Árbol del Mundo bebiendo una taza de cacao espeso, este líquido tan cotizado que en vida se reservaba para los nobles, mientras que cualquier suicida obtenía un puesto de honor en el cielo de los mayas.

También en el imperio incaico los astrólogos ocupaban un lugar destacado. El sol representaba el símbolo máximo de vida y energía, pero la luna y los astros eran consultados para determinar la fortuna o desgracia del individuo y de la comunidad. Siendo una nación de agricultores, se honraba sobre todo a la Madre Tierra, Pachamamac; pero se rezaba también a un número de deidades menores encabezadas por Viracocha, sobre todo en casos de enfermedades y muerte.

Una cruz incaica, Perú.

Para romper la rígida rutina cotidiana impuesta por los Incas, se celebraba un buen número de festivales en los que la música, el baile y el alcohol en forma de *chicha* proveían una experiencia extática y colectiva. Había, por ejemplo, carreras en las que las muchachas eran «cazadas» por los jóvenes del *ayllu*. Puesto que los Incas gobernaban teocráticamente, las leyes tenían una base social y divina al mismo tiempo; y cualquier acto considerado antisocial, fuese robo, celibato o simplemente indolencia, era castigado de acuerdo con principios teológicos.

Igual a la estructura social que reinaba entre los aztecas y mayas, la aldea o comunidad constituía la unidad básica. En el *ayllu* incaico el derecho personal estaba subordinado a los intereses de todos, y se compartían la comida tanto como el trabajo. Por eso las enfermedades y la muerte prematura perjudicaban el bienestar general y ponían en peligro a los demás; y los sacerdotes o médicos tenían la obligación de sanar a los enfermos, a veces bajo pena de severos castigos incluso la muerte para ellos mismos. Una vez difunta, la persona continuaba como miembro del *ayllu*, viviendo en su *huaca* donde los familiares depositaban *chicha*, comida y objetos personales y consultaban al muerto con el debido respeto sobre cuestiones importantes.

DERRUMBE Y FRACCIONAMIENTO DE LAS CIVILIZACIONES INDIAS

En la historia del llamado Mundo Civilizado se destacan desgraciadamente la conquista, la matanza y la dominación de un pueblo por otro. En cuanto a la necesidad o la justificación de tales actos, nunca faltaron excusas ni motivos; todo depende del punto de vista que se emplea. Existe una cantidad casi infinita de «causas sagradas» u «obligaciones morales» que hoy en día parecen carecer de validez si se las examina con cierta lógica u objetividad. El establecimiento de imperios como el romano, el español o el napoleónico no sólo significó la muerte de centenares de miles de soldados en los campos de batalla sino también, y más que nada, la subyugación de muchos pueblos y la explotación de millones de seres humanos perfectamente inocentes. Al examinar la historia de estos y de otros imperios, cabe preguntarse si su existencia podría justificar de algún modo el sufrimiento y los vejámenes que se acumularon horrorosamente en el proceso de crear y mantener estos dominios. Para la opinión pública moderna la respuesta sería posiblemente negativa.

Ruinas incaicas de Machu Picchu.

Pero, ¿qué pasaba con los imperios azteca e incaico? ¿No establecieron acaso un tipo de control sobre muchos pueblos indígenas que a su modo equivalía a la dominación de los españoles en el Nuevo Mundo? Aquí habrá que separar el factor político del cultural. Antropológicamente hablando, ni el indio precolombino ni el soldado español gozaban de la libertad social o política en sus respectivas civilizaciones; pero en ambas el individuo comprendía y aceptaba el sistema de costumbres y explicaciones de cosas naturales y sobrenaturales. En el choque de estas civilizaciones, española e indígena, el recién llegado no quiso adaptarse a la vida local sino que impuso su manera de ser sobre el indio. Fue su privilegio de vencedor. Por más que el indio precolombino llevara una vida controlada por las exigencias y leyes de una dinastía teocrática o un jefe regional, su existencia se hallaba perfectamente equilibrada entre las actividades diarias en el *ayllu* o *calpulli* y su comprensión del mundo y trasmundo, lo que permitía al menos una rutina comunal satisfactoria.

La Conquista tuvo como resultado la desintegración de la vida social indígena y la supresión de creencias funcionales. Mientras que desde el punto de vista español la imposición del espíritu castizo y la implantación de la fe cristiana entre los indígenas equivalían a una tarea necesaria y hasta noble, la forzada conversión de su sistema cultural y religioso a otro desconocido que estaba lleno de símbolos y creencias que no estaban ligados a su vida diaria o ambiental sólo ofrecía al indio lo que no podía comprender y mucho menos asimilar. Pero, tal vez hay que compartir el pensamiento del conocido ensayista venezolano Mariano Picón Salas que, en su libro *De la Conquista a la Independencia*, mantuvo que el español del siglo XVI que venía a las Américas, fuese soldado, funcionario público o sacerdote, poseía una mentalidad poco distinta de la que reinaba en otros países europeos en cuanto a cuestiones de conciencia social o respeto por la cultura de pueblos colonizados. «No hay que pedir peras al olmo» entonces, como explica muy bien un viejo refrán español.

Incuestionablemente, la primera etapa de la colonización fue la más dura y despiadada para los nativos de América. La noche que cayó sobre los indios del Caribe, por ejemplo, no tuvo amanecer: los que no sufrieron la muerte fueron vendidos por unos pesos; y en menos de cien años el genocidio fue completado. Según cálculos etnológicos, la población indígena de la isla La Española contaba entre doscientos y trescientos mil habitantes en 1492 mientras que en 1570 sobrevivía tal vez un centenar de

El quipu *de los incas: única evidencia de su sistema de mensajes.*

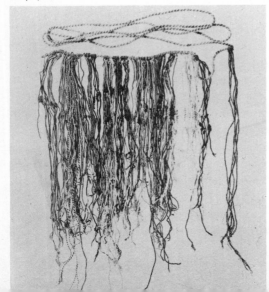

aquella gente desafortunada. Un similar destino alcanzó a los pueblos indios de las demás islas antillanas. Las masas indias del continente también sufrieron enormes bajas, tanto a causa de los trabajos forzados como de enfermedades y epidemias traídas por los europeos.

La gran mayoría de los jefes indios fueron exterminados y el pueblo era esclavizado a través del sistema conocido bajo el nombre de «repartimiento» y «encomienda». El repartimiento se refería a campos de cultivo o minas, a menudo con su correspondiente mano de obra indígena, concedidos por el monarca español a sus súbditos meritorios. La encomienda consistía en la asignación de indios como peones de trabajo en las plantaciones o de *mitayos* en las minas de oro, plata o sal bajo la «protección» de los dueños españoles. La mayoría de estos *mitayos*, que trabajaban más de catorce horas diarias bajo tierra apenas con un puñado de maíz en el estómago, naturalmente perecieron; y la misma suerte alcanzó a los que labraban en los cultivos de coca. No extraña entonces que <u>el número total de indios bajo la dominación española decreciera en un 50 a 60 por ciento entre los siglos XVI y XVIII</u> según los cálculos de etnógrafos.

Fue en el siglo XIX, después de la independencia de las nuevas repúblicas latinoamericanas, que la población indígena comenzó a resurgir nuevamente. El número de indios puros en México creció de un estimado dos millones y medio a unos seis millones entre 1805 y 1910. Este resurgimiento contiene cierta paradoja ya que la suerte del indio mejoró poco o nada con la separación política de la «madre patria» europea, puesto que la clase criolla reinante no les otorgó privilegios sociales o económicos y los repartimientos reales quedaron ahora definitivamente en manos de las familias terratenientes; y los peones indios o mestizos, cargados de deudas que pasaban del padre al hijo, no pudieron librarse de la encomienda del patrón. Las notorias dictaduras de Porfirio Díaz en México entre 1876 y 1911 y de Melgarejo en Bolivia entre 1871 y 1881 quitaron a las comunidades indias las tierras que ni los virreyes españoles habían tocado. *(tierras comunales) = ejidos*

Es posible que el constante aumento del grupo mestizo y la posibilidad de avanzar por esta escalera étnica y social dieran nuevos impulsos y renovadas esperanzas a los descendientes de aquella raza tan sufrida. Muchas de las incógnitas que rodean la historia de los indios en la época postcolombina difícilmente serán esclarecidas. ¿Cuántos millones de ellos perecieron bajo el yugo hispánico? ¿Hasta qué punto asimilaron los sobrevivientes la fe católica y los valores de la civilización europea? ¿Existe hoy una extraña convivencia del modo de ser indígena y europeo en muchos de los descendientes? ¿Cuántos continúan hoy una vida básicamente nativa? Se estima que a mediados del siglo XX quedaban unos veinte millones de indios puros en la América Latina y que la mayoría de ellos vivían en sus comunidades tradicionales. Puesto que los millones que han emigrado a las ciudades ya no son considerados «indios» según el criterio socio-racial latinoamericano, cabe preguntarse si estos «emigrantes» se comportan según una escala de valores y de conducta indígena, y cuánto tiempo, o cuántas generaciones, se precisa para convertirlos en ciudadanos del llamado mundo moderno.

ALIENACIÓN Y ANOMÍA DEL INDIO EN LA ACTUALIDAD

A medida que avanza nuestro siglo, el indio se ve más y más en una posición de aislamiento frente a la expansión y actividad de las ciudades donde afluyen los que buscan trabajo, instrucción, confort y un ritmo de vida moderno. Es muy fácil para el indio dejar su aldea comunal, cambiar su ropa tradicional por un par de *overalls* y subir al camión que lo lleva junto con las gallinas a la ciudad. Como lo indicó José Vasconcelos, Ministro de Educación mexicano, en su famoso ensayo *Indología*, el indio parece darse cuenta de que el futuro de su raza está con el mestizaje. Ciertamente presenciamos un cambio drástico en el status del mestizo mexicano bajo los gobiernos de la Revolución. En 1908 Porfirio Díaz prohibió a los indios permanecer en la capital de México durante la reunión del Congreso Panamericano; y menos de treinta años después un mestizo, Lázaro Cárdenas, ocupó la presidencia. Aunque otros países latinoamericanos donde abunda la población india y mestiza todavía no tuvieron su revolución étnica y social tal como ocurrió en México y parcialmente en Bolivia, el proceso del mestizaje continúa transformando a la población indígena.

Sin embargo, el proceso de transculturación de una vida comunal a una vida impersonal en los centros urbanos creó una condición marginal para el indio: no sólo se encuentra desarraigado de su comunidad sino también sufre de un síntoma tan característico de la vida urbana moderna, la alienación. A pesar de la Conquista y sus destrozos, subsistía en los *calpulli* y *ayllu* cierta armonía entre el individuo y su comunidad y, por extensión, con las fuerzas cósmicas. Hasta nuestros días, muchas aldeas indias han tenido poco contacto con los representantes de la administración nacional o de la Iglesia católica. El cobrador de impuestos aparecía de vez en cuando y el cura venía una vez al año para casar a las parejas y bautizar a los niños en una ceremonia colectiva. También quedan tribus como los yaquis en el Norte de México a quienes el gobierno federal dio autonomía interna y los huicholes del estado de Jalisco que nunca habían aceptado el catolicismo y que ni hoy en día permiten la presencia de misioneros en su territorio. Posiblemente el ambiente comunal sigue ofreciendo al indio una orientación social y espiritual que le permite interpretar serenamente las grandes cuestiones de la vida y de la muerte, del capricho de los elementos y de la fecundidad de la tierra. No se ha estudiado suficientemente la conducta de la masa indígena para saber hasta qué grado pudo o quiso comprender el sistema religioso de sus vencedores. Bastante se ha escrito sobre la simbiosis de ritos «paganos» y cristianos, y sabemos muy bien que se veneran a santos católicos que por otra parte representan a viejas deidades locales y que se honran a la Virgen María como símbolo de la Madre Tierra. Pero tales observaciones apenas revelan la superficie de las cosas. ¿Quién investigó hasta ahora la visión que se concreta en la mente del indio referente a la mezcla de símbolos y creencias nativos y cristianos?

Según los investigadores antropológicos, el indio latinoamericano añadió a su estoicismo y rutina de tiempos precolombinos el silencio y la introversión tan propia de pueblos subyugados. Ha sido muy fácil observar que el indio en la actualidad se muestra inaccesible y pasivo frente al hombre moderno, aunque es locuaz y cooperativo dentro de su grupo comunal. ¿Qué pasa con este indio cuando decide integrarse a la vida agitada e impersonal de las ciudades? Aquí nos aproximamos a la cuestión de la anomía, es decir, del estado psicológico que paraliza la acción social debido a la falta de un sentido de continuidad y de la ausencia de valores espirituales comprensibles y aceptables. A medida que continúa el éxodo del indio hacia la ciudad, se le observará en sus distintas etapas de transición hacia el mestizaje, aunque es posible que la asimilación total requiera varias generaciones futuras. Es, al mismo tiempo, un poco irónico presenciar esta aculturación espasmódica cuando simultáneamente somos testigos de los continuos esfuerzos por parte del mundo artístico, literario e intelectual latinoamericano de proclamar con voz alta la cultura indígena precolombina como la gran fuente de inspiración nacional para la vida cultural moderna.

Louis Baudin

Las selecciones que abarcan la vida diaria de los incas y de las naciones indias que pertenecían a su imperio ofrecen una tentativa excelente de reconstruir lo que en gran parte se perdió para siempre: el modo de vivir y de concebir la vida en relación a las fuerzas naturales y sobrenaturales. Es aquí donde hay que buscar el origen del tan mentado fatalismo indio y de su subordinación a una estructura social muy estrecha que exige el esfuerzo máximo del individuo para el bien de la comunidad o del imperio.

La vida cotidiana en el tiempo de los últimos incas
El mundo flúido y superpoblado del indio

La vida entera del indio se baña en una atmósfera de irrealidad. La naturaleza todopoderosa no incita sino a espiritualizarse. En el Perú todo es viviente. El menor objeto tiene un alma: la llama como la papa, la roca como el individuo. Pero esta alma puede ser colectiva, esencia invisible que anima múltiples representaciones, alma del espacio, diríamos hoy, principio originario y creador. El mundo mismo tiene su principio, el huevo representado por una placa de oro en el altar del templo del Sol en Cuzco.[1]

Nosotros creímos desierta a la meseta. Ignorancia del hombre blanco, ciego y sordo. Esta soledad está llena de tumultuosas presencias. Millones de seres nos acechan, inanimados en apariencia, que piensan y sienten como nosotros, que son buenos o malos, que manifiestan su voluntad y sus pasiones. Si tenemos conciencia de esta vida, no será el aislamiento lo que temeremos en los Andes, sino el desencadenamiento de esta multitud.

A nosotros nos corresponde asegurar el favor de esas entidades cuya actitud y comportamiento obedecen a los mismos móviles que los nuestros. La unidad del cosmos es perfecta. No existen barreras entre las regiones, como no las hay entre los momentos y los reinados. Bien lo sabe el hechicero, pues a su gusto puede cambiar instantáneamente de lugar, descender o remontar el curso del tiempo, tomar forma de piedra, de planta o de animal.

El cuerpo mismo no tiene contornos precisos y puede fraccionarse. Los cabellos y las uñas continúan formando parte de él después de cortados; por eso se conservan cuidadosamente, pues el maligno que se apoderara de ellos podría ejercer una influencia sobre su antiguo dueño. El hechicero es capaz de separar sus miembros del cuerpo y de mandar a su cabeza que deje el tronco. Volveremos a encontrar esos aspectos esenciales de la mentalidad indígena a propósito de las concepciones y prácticas religiosas.

En ese mundo del indio, flúido y superpoblado, cada palabra, cada gesto, pueden engendrar repercusiones infinitas en todos los planos visibles e invisibles. Lo individual y lo social, lo material y lo moral, son estrechamente interdependientes. Una enfermedad es un desorden y un pecado.

Bajo la pasividad del campesino, del pastor, del artesano, se oculta una tensión constante del espíritu: como el amigo y el enemigo están en todas partes, hay que ponerse en guardia contra los

[1]Cuzco ciudad real y centro del imperio incaico

menores detalles que podrían pasar inadvertidos y provocar reacciones. La prudencia ordena no turbar el orden establecido y desconfiar de todo lo que es anormal. De ahí viene el culto de las *huacas*, de todos los objetos impresionantes por su tamaño, su fuerza, su hermosura o su rareza: el felino de la selva, la cima nevada, el peñasco de formas extrañas.

Se comprende que el sentido de esa palabra se haya extendido desmesuradamente y que haya terminado por indicar los mismos objetos de la veneración de los indígenas: el ídolo, el santuario, el sepulcro. Es claro también que la multiplicidad de esas entidades obligaba al indio a obedecer a ritos igualmente numerosos y siempre ineludibles, que lo preparaban para sufrir la disciplina social instituida por los Incas.

Escena doméstica en Sucre, Bolivia. La condición de la mujer ha cambiado poco a través de los siglos.

Oposición psicológica entre el hombre común y el hombre de la clase elegida

Ese carácter místico esencial del indio, a cualquier clase social que pertenezca, influyó de manera diferente sobre el hombre-masa y el hombre de la clase elegida.

La presencia constante de entidades que nosotros calificamos de sobrenaturales, las exigencias de un medio[2] generalmente duro para el hombre, todo incitaba al indio a adaptarse sin rebeldía y también, por reacción vital, a unirse con sus semejantes a fin de sobrevivir.

En esas condiciones, llevando una existencia penosa y siempre amenazada, tendía a apreciar los hombres y las cosas desde el punto de vista de su utilidad directa e inmediata. De ahí emanan a la vez la pasividad, con su feliz corolario, la resistencia al dolor; el espíritu de comunidad, generador de la idea de que un acto individual tiene resonancia en toda la colectividad a que el individuo pertenece, idea a la cual hay que remontarse si se quiere comprender la práctica de la «confesión», de que hablaremos; en fin, el carácter poco sentimental de la familia, que continúa siendo hasta hoy, todavía, estrechamente utilitaria. El sentimiento no está ausente, pero juega un papel mínimo.[3]

Los comentadores modernos se representan generalmente este hombre común, *llacta runa*, sometido a una rigurosa disciplina y con su tiempo dividido entre el trabajo del campo y el oficio de las armas, como abrumado de tristeza y de aburrimiento. Hay en esto alguna exageración. Sin duda la nota dominante de su carácter era la melancolía, que choca aún hoy al observador, y su lengua, el quichua,[4] ofrece una serie de palabras para traducir los matices de esa aflicción.

Debemos admitir también que era tradicionalista

[2]*un medio* un ambiente geográfico [3]*... mínimo.* Sería fácil establecer un paralelo entre la imposición absoluta de exigencias en nombre de un estado comunitario sobre el individuo en las sociedades indias y las marxistas. [4]*el quichua* (también *quechua*) el idioma principal del imperio incaico: Los incas eran un clan que no poseía lengua propia.

al extremo y que amaba el orden, la armonía, el equilibrio. De ahí las características de su arte: líneas geométricas, repetición de los mismos motivos, simetría de los dibujos. De ahí también sus temores ante la naturaleza fantasiosa, desproporcionada, infinita. De ahí, en fin, la inmensa construcción social, geométrica también, que vamos a estudiar y cuyas proporciones exactas y definitivas aseguran la igualdad entre los individuos situados en la base, la jerarquía de los dirigentes y la perennidad del conjunto.[5]

Sin embargo, en el interior de esta estructura el indio no conserva una fisonomía inmutable, fija: permanece fatalista, ciertamente, y se resigna a sufrir los caprichos de las innumerables potencias sobrenaturales, naturales y humanas que lo rodean: « ¡As! » exclama a cada golpe de la suerte. « ¡Debía ser así! » Pero no renuncia por eso a todo juicio de valor: aprecia, admira, desprecia y hasta guarda un cierto gusto de la burla que da hoy al rostro de los más inteligentes un matiz enigmático e irónico que los artistas modernos han sabido captar algunas veces.

A diferencia del hombre-masa, el hombre de la aristocracia, pagado[6] de su misión divina y encarnando el espíritu de iniciativa y el espíritu de previsión, era activo y calculador. Responsable del orden en un inmenso imperio, se mostraba duro y hasta cruel para quien se le resistía. Algo de salvaje subsistía siempre en él. Atahualpa,[7] en el momento mismo de la Conquista española, hizo colgar indios a lo largo de las rutas y fabricar un tambor con la piel de su hermano y una copa con su cráneo. No cabe duda de que, de ser vencido, tal fuera la suerte de Francisco Pizarro.

La historia y el folklore nos aportan, sin embargo, una prueba de que el sentimentalismo subsiste en esta clase social: el único drama incaico llegado hasta nosotros, *Ollántay*, tiene por asunto el amor apasionado y contrariado de un capitán por una princesa, y los sombríos episodios de la Conquista española quedan iluminados por el bonito romance vivido entre Quilacu y Estrella de Oro.[8]

En suma, el poder casi ilimitado de que disponía el miembro de la aristocracia con respecto a sus inferiores le daba, a la vez, un orgullo que le ha perjudicado mucho y una nobleza que despertó la admiración de los españoles. Es por haberse creído[9] el señor invencible del mundo que el Inca supremo tuvo la imprudencia de dejar que la tropa de Pizarro atravesara la cordillera y llegase hasta él, cuando hubiera podido fácilmente detenerla en los desfiladeros, y es porque tenía conciencia de su superioridad que ha parecido tan grande a sus mismos vencedores.

La vida familiar

El triste papel de la mujer

En la familia india de la época precolombina, la mujer era considerada inferior al hombre. «Ella era una cosa», escribe un cronista, «y podía ser tratada como tal». Observación exacta: la mujer formaba parte del patrimonio y se transmitía por herencia. Absolutamente esclavizada por su marido, estaba abrumada de ocupaciones: la recolección del combustible, la pequeña cosecha de hierbas y de frutos, la preparación de los alimentos, el cuidado de los niños y de los animales, el cultivo de la huerta, el hilado y tejido de las ropas, las prácticas rituales, la ayuda en los trabajos del campo y, de tiempo en tiempo, el trueque en los mercados vecinos.

---

[5]**la perennidad del conjunto** la continuación de este orden establecido [6]**pagado** convencido [7]**Atahualpa** Vimos en el Capítulo uno que Atahualpa y su hermano Huáscar se disputaron el reino de su padre Huayna Cápac en el momento que Pizarro comenzó su invasión del imperio. [8]**bonito ... de Oro** Vimos el relato de este romance en el Capítulo uno en la selección de Descola. [9]**es por haberse creído** por creerse

Cuando tenía que hacer alguna diligencia y el hijo, aunque había dejado la cuna, todavía no podía caminar, lo llevaba a la espalda en un repliegue de la capa, como lo hace aún hoy: espectáculo encantador el de la cabecita de ojos vivarachos escrutando curiosamente al extraño y escondiéndose detrás del cabello de la madre. Pero si el viaje duraba más de media jornada, hasta cargaba el alimento de la familia, la jarra de *chicha*,[10] las calabazas, los palitos para encender el fuego. Si conseguía tener las manos libres, mientras iba andando hilaba o masticaba maíz, de manera que no perdía tiempo. Y cuando se acurrucaba, exhausta, en el umbral de su choza, espulgaba a sus hijos, aplastando los bichos con los dientes o frotándoles la cabecita con un cocimiento de *cebadilla*.[11]

En esas condiciones, la mujer no tenía casi tiempo para ocuparse de sí misma. De jovencita, y durante algún tiempo después de casada, conservaba un poco de coquetería: se lavaba los vestidos y los limpiaba frotándolos con hojas picantes de cabuya,[12] lo que presentaba el inconveniente de dejarlos rugosos; elegía para cerrar su manta un alfiler de gran cabeza recto y bien pulido; se peinaba sirviéndose del peine de espinas de cacto y del espejo de obsidiana[13]; desengrasaba[14] sus cabellos con su orina y se depilaba[15] con aplicaciones de cenizas mezcladas con orina caliente.

Pero después, con más años y sucumbiendo al peso de sus cargas familiares, se descuidaba, se lavaba raramente, reparaba aprisa sus vestidos con gran refuerzo de alfileres, de los cuales llevaba siempre algunos pinchados sobre su pecho, para remediar los desgarrones que pudiera sufrir. Estaba generalmente «tan sucia y tan despeinada que daba piedad» y tan quebrantada por la vida que a los treinta años parecía de cincuenta. ...

Frans Blom

La génesis de los mayas revela, una vez más, que todas las civilizaciones avanzadas de este planeta encuentran formas adecuadas para investigar e interpretar lo que ha preocupado al *homo sapiens* desde el comienzo de su historia: el misterio de la creación y el destino de la raza humana. El *Popol Vuh* es una obra que tiene paralelo con aspectos fundamentales de la Biblia, pero en un nivel adaptado al ambiente natural y social de las tribus mayas.

La vida diaria estaba subordinada a un ritmo cíclico determinado a su vez por las estaciones del año y su influencia sobre el cultivo del maíz. Los sacerdotes se encargaban de interpretar el pasado tanto como el futuro; practicaban la astronomía y la astrología y hacían horóscopos. El tiempo con sus múltiples divisiones en días, meses o años era omnipresente, con buenos o malos augurios; por eso los meses del calendario maya simbolizan más que el paso del tiempo.

[10]*chicha* bebida fermentada hecha de maíz, frutos, raíces o miel   [11]*cebadilla* Indian caustic barley   [12]*cabuya* árbol o fibra del género del maguey   [13]*obsidiana* especie de vidrio volcánico   [14]*desengrasaba* eliminaba la grasa de   [15]*se depilaba* se sacaba los pelos indeseables

La vida de los mayas Creadores y la Creación

«He aquí la relación por la que se ve que todo estaba en suspenso, todo estaba en calma y silencioso; todo estaba inmóvil, todo tranquilo y vacía estaba la inmensidad de los cielos.

«He ahí, pues, la primera palabra y el primer discurso. No había aun un solo hombre ni un solo animal; no había pájaros, ni pescados, ni cangrejos, ni bosques, ni piedras, ni barrancas, ni quebradas, ni yerbas, ni florestas; solo el cielo existía.

«La faz de la tierra no se manifestaba aun: solo el apacible mar y todo el espacio de los cielos.

«No había nada que existiese parado, no había más que las tranquilas aguas, que el mar en calma y solo dentro de sus límites, porque no había nada que existiese.

«No había más que la inmovilidad y el silencio en las tinieblas, en la noche. Solos también el Creador, el Formador, el Dominador, el Serpiente[16] cubierto de plumas.»

De este modo describían los indios mayas de la nación Quiché de las altiplanicies de Guatemala el espacio, antes de la Creación. Las citas son del *Popol Vuh*, que trata de la creación del mundo y del hombre.

Los dioses se sentían solos; decidieron crear la tierra.

«Que así sea hecho. Llenaos, se dijo. Que esta agua se retire y deje de estorbar, a fin de que la tierra exista aquí, que se afirme y presente su superficie para ser asemillada y que brille el día en el cielo y en la tierra.

«Así fue verdaderamente como tuvo lugar la creación porque la tierra existe: <tierra>, dijeron ellos y al instante ella se formó.

«Y desde luego se formó la tierra, los montes y los llanos; el curso de las aguas fue dividido;

IMIX   IK   AKBAL   KAN

Glifos que representan algunos de los veinte días del mes entre los mayas.

los arroyos comenzaron a serpentear entre las montañas.»

Los animales se crearon para poblar los bosques. Y, por fin, los dioses crearon al hombre.

Cuando el Creador y el Formador oyeron que los animales no podían hablar, se dijeron el uno al otro que estos seres vivientes no podían expresar sus nombres aunque ellos los habían creado.

«¿Cómo haremos para que seamos invocados y conmemorados sobre la faz de la tierra?» se preguntaron los dioses. En el principio del *Popol Vuh* los dioses parecen preocuparse principalmente de la creación de un hombre que les rezara y llevara dádivas.[17]

Crearon un hombre de barro, pero se dieron cuenta inmediata de que era un fracaso, pues no podía moverse ni tenía fuerzas. Le dieron el habla pero olvidaron darle inteligencia; por lo tanto se vieron obligados a destruirlo.

Hicieron un hombre de palo que hablaba y pensaba. «Ellos existieron y se multiplicaron: ellos engendraron hijos e hijas, maniquíes[18] trabajados de madera; pero ellos no tenían ni corazón, ni inteligencia, ni recuerdo de su Formador y de su Creador; llevaban una vida inútil y existían como animales».

---

[16]el Serpiente En casi todas las religiones, los dioses creadores del mundo eran masculinos, tal vez un reflejo de la superioridad del hombre manifestada socialmente. Por eso *la* serpiente aquí es masculina. Es interesante observar que según la tradición cristiana la serpiente aparece a menudo como símbolo de la lujuria y del pecado atribuido a la mujer. [17]dádivas ofrendas, regalos [18]maniquíes dummies

De modo que estos hombres también fueron destruidos. Los dioses ordenaron una gran inundación que cubrió la tierra. Los hombres de palo quisieron subirse a los techos de las casas, pero las casas se desplomaban y caían al suelo; quisieron subirse a los árboles, pero los árboles los echaban; corrieron a esconderse en las cuevas, pero las cuevas se cerraron; los descendientes de aquellos pocos que lograron salvarse ahora viven en los árboles: especie de monos chiquitos.

Por fin lograron los dioses crear un hombre a su gusto... Lo hicieron de maíz, que ellos descubrieron con alguna dificultad y con la ayuda de varios animales. ...

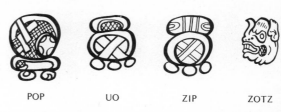

POP   UO   ZIP   ZOTZ

Glifos que representan cuatro de los dieciocho meses del calendario maya.

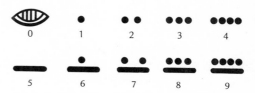

0   1   2   3   4

5   6   7   8   9

Glifos que representan el sistema de numeración maya.

Un día

Veamos cómo pasaba el día la familia maya en tiempo de la Conquista, así como lo había pasado miles de años antes, y lo pasa hoy, cuatrocientos y tantos años más tarde.

Dispersas por la tierra maya están las ruinas de muchas grandes ciudades, mudos testimonios de la grandeza maya. Estas ruinas de piedra y mampostería[19] son los restos de los palacios de los dioses y sacerdotes. En torno suyo había miles de casas en las que vivían mercaderes, artesanos, labradores y guerreros: casas con paredes de palo o adobe y con techos de palma.

El obispo Diego de Landa nos dice que vivían en casas bien dispuestas, en tierras limpias y sin hierbas, pero sembradas de árboles. «Y la habitación era de esta manera: en medio del pueblo estaban los templos con hermosas plazas y en torno de los templos estaban las casas de los señores y de los sacerdotes, y luego la gente más principal; y que así iban los más ricos y estimados más cercanos a éstos, y a los fines del pueblo estaban las casas de la gente más baja».

En otra parte de su libro nos dice que: «La manera de hacer las casas era cubrirlas de paja que tienen muy buena y mucha, o con hojas de palma que es propia para esto y que tienen muy grandes corrientes para que no se lluevan,[20] y que después echan una pared por medio al largo que divide toda la casa, y que en esta pared dejan algunas puertas para la mitad que llaman las espaldas de la casa, donde tienen sus camas, y que la otra blanquean de muy gentil encalado,[21] y que los señores las tienen pintadas de muchas galanterías[22] y que esta mitad es el recibimiento y aposento de los huéspedes». Sólo los muy grandes señores vivían en casa de piedra como la casa del gobernador en Uxmal o el palacio en Palenque.

Entremos en una de las casitas en las afueras de la ciudad, y notemos la vida que llevan sus moradores.

Muy temprano cada mañana, cuando aún no han desaparecido todas las estrellas, se levantan las mujeres a su tarea diaria de moler el maíz para hacer la fina masa con la que hacen las tortillas. Se

[19]mampostería masonry   [20]tienen ... lluevan dejan resbalar la lluvia   [21]muy gentil encalado a good layer of whitewash or lime   [22]galanterías figuras y símbolos

Templo maya en Tikal, Yucatán: restos de una civilización que floreció hace más de mil años.

visten de faldas de algodón hiladas a mano, ya blancas con un listón o con bandas de azul, rojo o amarillo. Cubren la parte superior del cuerpo con una ligera blusa de algodón, bordada en diseños de alegres colores en el cuello y mangas. Su cabellera negra y reluciente, la trenzan o la andan en

Entre los mayas predominaban el arte estilizado y el dibujo complejo. Este fresco del Palacio Nacional de Guatemala se inspira en las tradiciones mayas del libro sagrado Popol Vuh.

moños,[23] y con frecuencia la adornan con cintas de colores o con flores.

Acostumbradas a llevar jarras de agua o grandes *güiros* llenos de compra[24] en la cabeza, tienen un andar muy garboso, y su piel es de un delicado color de chocolate.

Empieza la faena. Van a la cocina de la casita, que generalmente está a corta distancia de la casa principal, e inclinándose sobre las piedras de moler, muelen el maíz para hacer su pan, las tortillas.

. . .

Los hombres se levantan casi con el alba y se preparan para su faena diaria. ...

Acabados de vestir, van a la cocina de su casa para desayunarse con tortillas, un poco de carne asada, frijoles o carne seca, o quizá carne sazonada con hierbas.

Sólo los ricos gozaban de una buena taza de barro del rico y espumoso chocolate caliente. ¿Cuántos de nosotros sabemos que esta deliciosa bebida tuvo su origen entre las gentes de la América Media y que la palabra «cacao» o «cocoa» viene del maya *cacáu*?

Esa excelente y nutritiva bebida fue adoptada inmediatamente por los soldados españoles con gran disgusto de los frailes, que la llamaban bebida de hereje, no digna de usarse por cristianos. En su afán predicaban desde los púlpitos contra la bebida y la declararon fuera de las leyes del ayuno.

Los hombres parten a las *milpas*,[25] a las minas de sal, a los trabajos públicos, y en la alforja[26] tejida de hoja de palma llevan un bollo de masa que deshecho en agua se llama *pozole* y que constituye su almuerzo. El maíz era y es aún tan importante al indio de la América Media, como el arroz al chino.

Mientras los hombres cultivan el campo, las mujeres se ocupan de cuidar a los niños, tejer, hacer artículos de barro para la casa o de otros

[23]**la andan en moños** put in a bun   [24]**güiros ... compra** hollowed gourds in which food or other objects are placed   [25]**milpas** campos sembrados de maíz, la comida esencial del indio   [26]**alforja** knapsack

quehaceres domésticos. Casi todas las industrias estaban en manos de los especialistas. Ciertos pueblos tenían fama por su alfarería, otros por los petates[27] de paja y aun otros por la pericia en hacer herramientas de piedra.

Al atardecer regresan los hombres, cada uno trayendo una red llena de maíz o una carga de leña. Con frecuencia traen regalos de flores o algún gajo extraño o piedra o cualquier otra cosa que hubiesen encontrado durante el día. Dejan caer la carga en la puerta, e inmediatamente entran a bañarse y cambiarse la ropa por una limpia. Se reúnen para cenar. Los hombres siempre comen solos atendidos por las mujeres; tal era la costumbre y tal sigue siendo hasta hoy. Entre las tribus de la altiplanicie,[28] las jóvenes primero os ofrecen una jícara de agua tibia para que os enjuaguéis[29] la boca y, después, otra para que os lavéis[30] las manos. Las comidas con caldo se sirven en jícaras o en tazas de barro, y la carne en grandes fuentes, sacando cada quien con los dedos lo que desea. Comen. Acabada la cena, vuelven a ofrecerse jícaras de agua para enjuagar la boca y lavar las manos.

Después de la comida, se reúnen fuera de la casa, sentándose en el suelo; encienden un rollo de hoja de tabaco y se ponen a discutir los hechos del día, o los rumores de guerras lejanas o las extrañas señas vistas en la selva o en el cielo que puedan tener siniestros resultados, pero que sólo los sacerdotes saben interpretar.

Pasa un día, otro y otro. Se siembra el maíz. Crece el maíz. Se cosecha el maíz. A las lluvias sigue la sequía; a un cacique, otro cacique; y al final de todo está la Cimi, la muerte. La vida y la muerte, el bien y el mal, fueron los factores dominantes del pensamiento maya.

El maíz, ante todo, era el mantenimiento principal. Cuando llega el tiempo, hacia el fin de la sequía, todos los hombres van al monte y escogen un trozo de tierra propia para cultivar. Derriban los árboles, siempre trabajando en grupos, ayudándose los unos a los otros en las sementeras[31] de cada uno, y siempre preparan una sementera cuya cosecha será para los caciques y sacerdotes; se puede comparar con el quinto[32] del Rey.

Ángel Garibay K.

Por más que los poetas aztecas de los siglos XIV y XV no tuvieran contacto con las culturas occidentales, sus temas y modos de expresarse tienen cierta similitud con la poesía lírica europea, sobre todo con la española del Siglo de Oro. *La vida es sueño* no sólo es el título de un poema azteca sino también el título de la comedia más destacada que produjo España; y la *Sed de inmortalidad* del poeta máximo azteca, Nezahualcóyotl, tiene su equivalente en la poesía de los místicos españoles o de Unamuno en nuestro siglo. Los dos poemas que hablan de la derrota y del exterminio del pueblo azteca por los conquistadores demuestran grandes recursos técnicos, necesarios para crear un espíritu de desolación irreparable.

[27]petates sleeping mats   [28]altiplanicie altiplano, meseta   [29]que os enjuaguéis enjuagarse   [30]que os lavéis lavarse   [31]sementeras seedings, sowing   [32]quinto el 20 por ciento de las cosechas que en España se debía al Rey

La literatura de los aztecas
Poema de la Conquista

Con suerte lamentosa nos vimos angustiados.
En los caminos yacen dardos rotos;
los cabellos están esparcidos.
Destechadas están las casas,
enrojecidos tienen sus muros.
Gusanos pululan por calles y plazas,
y están las paredes manchadas de sesos.
Rojas están las aguas, cual si las hubieran teñido,
y si las bebíamos, eran agua de salitre.
Golpeábamos los muros de adobe en nuestra ansiedad
y nos quedaba por herencia una red de agujeros.
En los escudos estuvo nuestro resguardo,
pero los escudos no detienen la desolación.
Hemos comido panes de colorín[33]
hemos masticado grama[34] salitrosa,
pedazos de adobe, lagartijas, ratones
y tierra hecha polvo y aun los gusanos ...

*Del manuscrito de 1528. El poema está incompleto, pero es de los más
emotivos que dio el México antiguo.*

Muerte fatal

¿Adónde iremos que muerte no haya?
Por eso llora mi corazón.
¡Tened esfuerzo[35]: nadie va a vivir aquí!
Aun los príncipes son llevados a la muerte:
así desolado está mi corazón.
¡Tened esfuerzo: nadie va a vivir aquí!

Canto mexicano. De Tenochtitlán.

La vida es sueño

Sólo venimos a dormir,
sólo venimos a soñar:
¡No es verdad, no es verdad
que venimos a vivir en la tierra!
Como hierba en cada primavera
nos vamos convirtiendo:
está reverdecido, echa sus brotes,
nuestro corazón.
Algunas flores produce nuestro cuerpo
y por allá queda marchito.

Canto mexicano. De Tenochtitlán.

[33]colorín pájaro mexicano, especie de *finch*   [34]grama grass   [35]tened esfuerzo
brace yourself

Belleza del canto

Llovieron esmeraldas;
ya nacieron las flores:
Es tu canto.
Cuando tú lo elevas en México,
el sol está alumbrando.

*Canto mexicano. Probablemente de
Motecuhzoma II, principios del siglo XVI.*

¿Qué es la poesía?

¡Lo he comprendido al fin:
oigo un canto; veo una flor:
oh, que jamás se marchiten!

Probablemente de Nezahualcóyotl, 1450.

Sed de inmortalidad

Me siento fuera de sentido,
lloro, me aflijo y pienso,
digo y recuerdo:
Oh, si nunca yo muriera,
si nunca desapareciera ...
¡Vaya yo donde no hay muerte,
donde se alcanza victoria!
Oh, si nunca yo muriera,
si nunca desapareciera ...

Canto mexicano. De Nezahualcóyotl, cerca 1459.

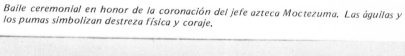

Baile ceremonial en honor de la coronación del jefe azteca Moctezuma. Las águilas y los pumas simbolizan destreza física y coraje.

León Cadegan

Había y hay todavía una gran cantidad de pueblos indios en el continente americano, algunos de un nivel de vida que se consideraba avanzado cuando llegaron los primeros europeos, y otros luchando contra una naturaleza casi implacable en un plano bastante primitivo. En la actualidad quedan grupos aislados de indios en la cuenca del Amazonas que viven en la Edad de Piedra. Los guaraníes, o tupiguaraníes, son una nación india que vive en el interior de Sudamérica, desde el Norte del inmenso Brasil hasta el Paraguay donde sus descendientes todavía constituyen una mayoría. Viviendo en lucha continua con la selva tropical, su génesis, sus deidades y su concepto de vida reflejan una lucha darwiniana.

La literatura de los guaraníes La selva

El guaraní pertenece a la selva. Aparentemente, y así lo cree, él es su dueño: Dios entregó la selva al guaraní, y al extranjero le mandó vivir en tierra llana y abierta. Pero la selva es del voraz mundo vegetal que en ella se desgarra, se destroza y se renueva; de los troncos que se elevan esbeltos hacia la región de la luz, allá donde pueden, al fin, extender sus brazos y cubrirse del follaje que acarician los rayos del sol; ... mundo oscuro, sofocante, húmedo de la bóveda verde; de las bacterias que disuelven y transforman la materia muerta para reponer al pobre suelo el jugo que esperan con avidez los gigantes apiñados.[36]

Vida rápida, fugaz, desesperada. Lucha constante por la luz y por la materia nutricia en un mundo anegado que excita a crecer ...

Abajo, el agua. Penetra, disuelve, circula, roba, pudre, alimenta, lava, se evapora y envuelve, sofoca, impide el crecimiento de los frutos... Pasan los ríos negros, espejos límpidos de las tinieblas, con su pureza devastadora que se lleva la materia orgánica; y los ríos blancos, cargados, fecundos, que restituyen lo que en su origen han sustraído.

. . .

De pronto, engañados como el hombre, despiertan los animales con gritos de dueños de la selva, y rugen, y chillan y braman, confundiendo sus gritos el jaguar, las guacamayas,[37] el potente mono colorado. Después, ya cansados, vuelven a su existencia abúlica de sopor y calma que sólo agita el restallar de músculos y el olor penetrante de la sangre.

En este mundo vegetal, entre el ciervo, el manatí,[38] el tapir, el lince, el coatí,[39] el hormiguero, vive el hombre. Busca con avidez entre las sombras el exiguo alimento de una tierra que se ofrece ubérrima, pero que azota con su avaricia al ser humano.[40] Arranca, destrozando, las semillas silvestres, los insípidos frutos, las raíces. Llega a sembrar, entre los residuos carbonizados de los claros ganados a fuego, un poco de maíz, frijol, mandioca, arroz. Se hastía de alimentos grasos entre el calor sofocante. Y sin embargo, ama a la selva.

Es que el guaraní pertenece a la selva. Podrá alejarse de ella; pero seguirá llevándola impregnada en su cuerpo. Sus ojos, acostumbrados al caleidoscopio de fuertes claroscuros, casi perciben a los misteriosos agentes de Mba'é Pochy, el ser

---

[36]**gigantes apiñados** altos árboles apretados uno contra otro   [37]**guacamayas** grandes papagayos   [38]**manatí** vaca marina, paquidermo de unos tres metros de largo   [39]**coatí** especie de zorro del interior de Sudamérica   [40]**ubérrima, ... humano** exuberant, yet reluctant to yield its riches

Día de fiesta en la comunidad de los indios colorados en Ecuador.

maligno, que infieren heridas furtivamente a los hombres con los guijarros de los meteoros o con hojas de hierbas venenosas que introducen en sus vísceras. Huye del lapacho, árbol de alma indócil,[41] cuya madera jamás utiliza. Conoce las moradas de los duendes de los arroyos, barreros y barrancos.

Vive en la selva y es selva, desde su vientre vermiculoso[42] hasta su alma de bestia, que se une a la divina por toda la vida terrenal y queda después vagando tenebrosamente.

Prisionero de su deficiente régimen alimenticio, de una naturaleza dominante, del extraño y del mestizo, se eleva como los bejucos y las lianas hacia la luz de la Morada del Gran Padre, con sus rezos y cantos, luciendo las flores preciosas de un cuerpo material que se protege del medio con su laxitud.

Los extensos bosques del Brasil y el Paraguay son su morada. Ahí deambula empujado por el hambre, por la explotación, por la ilusión de llegar

a encontrar la tierra divina o simplemente por su innata sed de viajar. Muchas veces se le encuentra en la Argentina y Bolivia. Otras muchas el mar interrumpe su camino, y espera cruzarlo algún día para arribar al Paraíso. Sólo allá será mejor la selva, y será, al fin, sólo suya.

La raza

Una vieja leyenda habla de la existencia de dos hermanos, Tupí y Guaraní, que llegaron a la selva brasilera procedentes de una tierra misteriosa del otro lado del mar. Fundaron en su nuevo hogar la toldería y sembraron la tierra. Ahí vivieron en paz por algún tiempo, hasta que las disputas entre sus esposas hicieron imposible que los dos hermanos continuasen juntos. El mayor de ellos, Tupí, quedó en la región del Mato Grosso.[43] Guaraní emigró hacia el sur y fundó la nueva raza que se extendió por el actual Paraguay.

[41]de alma indócil en el que viven espíritus maléficos   [42]vermiculoso sinuous, rooted   [43]Mato Grosso región selvática inmensa que abarca gran parte del Brasil, el Paraguay y el Noreste argentino (Véase el mapa de Sudamérica en la página 116.)

Alfonso Caso

Aunque México tuvo su famosa Revolución, que en parte pudo crear un sentimiento nacional inspirado en las culturas precortesianas, las realidades políticas y económicas se mostraron a menudo adversas al indio a medida que avanzaba este siglo. Por más que sus antepasados hayan sido glorificados por el artista y el escritor, el indio se encuentra aislado del ritmo moderno y dominante del país. El problema del indio mexicano en la actualidad no es racial sino cultural, puesto que está separado de la sociedad mayoritaria por su modo de vida comunal y hermético. Por este motivo los ensayistas o intelectuales mexicanos que andan en busca de soluciones nacionales tratan de encontrar un modo de imbuir al indio con una conciencia mexicana.

¿El indio mexicano es mexicano?
¿En qué consiste el problema indígena?

En primer lugar, ¿hay indígenas en México?

Si de acuerdo con los censos y con los estudios que se han hecho, sabemos que existen tres millones de personas que sólo hablan lenguas indígenas, o hablan además algunas palabras castellanas pero de un modo tan deficiente como si fueran de una lengua extranjera, tendremos ya una primera razón para contestar que por lo menos en un aspecto fundamental—la expresión del pensamiento—hay tres millones de mexicanos que se expresan en lenguas que no son la lengua nacional.

¿Qué consecuencia tiene esto? Imagínese por un momento, cualquiera de nosotros, viviendo en un país cuya lengua no habla, encerrado forzosamente dentro de una comunidad pequeña, de la que no sólo no podrá salir sino que no querrá salir, ante el temor de un mundo extraño y hostil, que ni lo comprende ni se siente capaz de entender.

Pero el idioma es sólo una de las manifestaciones espirituales de todo hombre que vive en sociedad. La lengua, las creencias, las costumbres, los hábitos, el vestido, la técnica, etc., forman en su conjunto lo que los antropólogos designamos con el nombre de «cultura».

La diferencia de la lengua entre los indígenas y el resto de la población del país es un índice de un hecho mucho más importante: la diferencia de cultura entre los grupos indígenas y el resto de la población mexicana. Y por cultura entendemos, volvemos a repetirlo, no sólo las manifestaciones más altas de la cultura, sino el conjunto de técnica, de prácticas, de hábitos, de creencias, etc., que forman la vida social de una comunidad.

El problema indígena, en consecuencia, sí existe en este sentido, ya que hay por lo menos tres millones de mexicanos que por su cultura difieren del resto de la población de México.

El problema indígena no es racial

No se trata—y en esto hay que hacer hincapié[44]—no se trata de un problema racial, sino de un problema social o cultural. A nadie se le ocurriría en México, donde no existe discriminación, preocuparse por saber si la raza indígena es apta o no apta para la civilización. Raza es un concepto puramente biológico y nada tiene que ver con las capacidades intelectuales o

[44] hacer hincapié   insistir

culturales de un individuo; la diferencia que hay entre las comunidades del país no es una diferencia racial. Desde el punto de vista de la raza, puede ser que esas comunidades no difieran de las otras, o difieran muy ligeramente. Pero es la cultura, es decir, el conjunto de ideas, de prácticas, de hábitos, de objetos y de técnica, lo que distingue a las comunidades indígenas.

¿Y qué consecuencia ha tenido esto para la vida de los indios? Por una parte el indígena vive en las regiones más remotas y aisladas del país. Ha sido expulsado de los valles a las montañas, de las vegas[45] a los desiertos; durante cinco siglos, aquellos que estaban mejor armados que él, desde el punto de vista de la cultura, han logrado despojarlo de sus tierras, de sus aguas, de sus bosques y arrojarlo a los límites del territorio. Suelos pobres para la agricultura, situados en las laderas de las montañas, donde la población no puede concentrarse, pues no hay suficiente tierra que les permita vivir, sino parcelas aisladas que sólo permiten el sostenimiento de unas cuantas familias; tierras que no son capaces de mantener a un poblado, en el sentido en que nosotros entendemos esta palabra, lo que origina la enorme dispersión de la población indígena en las zonas en que habita; y esta dispersión dificulta llegar a esas poblaciones por medio de caminos, y hace difícil construir escuelas y clínicas y explotar otros recursos naturales y establecer industrias. La pobreza de las tierras no permite sino el sostenimiento estricto de la familia; la producción es tan pequeña que casi no hay excedentes que cambiar por otros productos y entonces la familia indígena vive exclusivamente, o casi exclusivamente, de lo que produce. Ni produce para el país, ni consume lo que México produce.

Atraso desde el punto de vista técnico, desde el punto de vista sanitario, desde el punto de vista económico, desde el punto de vista educativo. Familias aisladas en las montañas o en los desiertos, con una producción que apenas es

Mercado en Ocotlán, en el Sur de México. La forma y el diseño tradicional nunca varían.

suficiente para el sostenimiento diario, sin posibilidades—por su aislamiento y por lo abrupto y pobre de los lugares en los que vive—de recibir los beneficios que el gobierno federal o los gobiernos de los estados otorgan a la otra población, al construir carreteras, obras de riego, hospitales y clínicas, escuelas, etc.

Pero hay más. El indígena que vive en su comunidad aislada no puede sentirse mexicano; sabe sí que hay una especie de fuerza natural llamada «Gobierno», cuyas disposiciones hay que acatar porque utiliza la fuerza para hacerse obedecer. Sabe que Gobierno se presenta a veces en forma de inspectores de alcoholes, que saquean sus pobres chozas para buscar alambiques clandestinos,[46] y sabe también que a veces Gobierno exige que se cumplan una serie de requisitos que producen como resultado multas y exacciones; y allí termina su concepto de la patria; no se siente mexicano, no tiene el sentimiento de que forma parte de una entidad más vasta que su pequeña comunidad. Fuera de ella, todo le es hostil. Sólo dentro de ella encuentra simpatía, calor y comprensión.

[45]vegas campos irrigados   [46]alambiques clandestinos stills

¿Qué de extraño tiene que el indígena sienta fuertemente los lazos que lo unen con los suyos y que para él, fuera de su comunidad, no exista nada? México es sólo una palabra.

Falta a esos tres millones de indígenas el sentimiento esencial del ciudadano, la solidaridad política, que es la base misma en la que descansa el principio de nacionalidad.

En esto consiste el problema indígena: hay tres millones de mexicanos por lo menos que no reciben los beneficios del progreso del país, que forman verdaderos islotes incapaces de seguir el ritmo del desarrollo de México, que no se sienten mexicanos. ¿Podremos preguntar, ahora, si hay en México problema indígena?

Pero en esta materia, como en todas aquellas que se refieren a asuntos sociales, hay una gran cantidad de conceptos equivocados y de procedimientos equivocados que es menester discutir y rechazar.

Concepciones equivocadas del problema indígena

La primera, que ya hemos analizado someramente, consiste en declarar que el problema indígena es un problema racial, es decir, que existe la raza indígena, distinta del mexicano. Esto es claramente una actitud colonial. Los pueblos que han conquistado a otros pueden tener la idea de distinguir fundamentalmente dos razas: la de los conquistadores y la de los conquistados, la de los señores y la de los esclavos; pero en México, desde el verdadero principio de la Conquista se efectúa la mezcla de razas. Pronto surge el mestizo, y a través de los siglos de la Colonia y de lo que llevamos de vida independiente, la mezcla racial se ha operado en tal forma que es muy difícil que existan mexicanos que no tengan en sus venas sangre indígena, y también es posible que en muchos indígenas haya antepasados mestizos y blancos.

Pero, ¿qué nos importa y qué objeto tiene preocuparnos por la cantidad de sangre indígena o blanca que tenga un individuo? Lo que nos interesa no es la raza, sino la situación cultural y social de los hombres. Por tal motivo son ridículas las teorías que creen que se puede resolver el problema indígena importando población europea. ¿O se cree realmente que el problema indígena de México, que abarca tres millones de mexicanos, ha de resolverse con la importación de unos cuantos garañones[47] del Viejo Continente?

La segunda actitud equivocada considera, en un falso indigenismo romántico, que hay que dejar a los indígenas solos, aislados. En vez de llevarles los beneficios de una cultura superior, de una medicina científica, de una lengua que pueda servir de vehículo universal, de una técnica agrícola más moderna, debemos dejarlos como están en sus comunidades, aislarlos encerrándolos en unas especies de reservaciones y conservarlos para delicia de los futuros etnólogos y de los presentes y futuros turistas. Esta teoría preconiza un sistema de segregación, y se horroriza al pensar que podemos llevar a una población indígena el molino de nixtamal[48] para desterrar el uso del autóctono y pintoresco metate,[49] al que permanece atada y de rodillas, durante horas y horas de trabajo, la mujer indígena.

---

[47]garañones studs   [48]nixtamal (México) maíz para hacer tortillas   [49]metate piedra para moler cacao y maíz y otros granos usados por los indios

John Collier

Como defensor del indio en las Américas, el profesor Collier se refiere aquí a factores a menudo ignorados por los que evaluaron el proceso político y la suerte del indio en la América Latina. En México—igual que en otros países con una numerosa población indígena—la independencia de España ayudó poco al indio. A menudo le fue peor porque le quitaron las tierras que hasta los administradores coloniales habían respetado. Los terratenientes criollos se aprovecharon del indio bajo las dictaduras clásicas del siglo XIX, y hasta los gobiernos de la Revolución mexicana no llegaron a cumplir con uno de sus objetivos principales: la restitución de una existencia comunal para el indio.

Los indios de las Américas La Conquista española

El relato comienza con Colón.[50] Encontró que los nativos de La Española ... eran gentiles, almas hospitalarias, gentes curiosas y alegres, veraces y dignas de fe, entusiastas de la belleza y poseedoras de una religión espiritual. A todo esto se refirió él en sus propios escritos. No obstante, sin apariencia alguna de incongruencia, se apoderó de esos nativos para venderlos como esclavos en Europa. Poco después implantó la encomienda en el Nuevo Mundo. Era ésta una concesión de tierras, juntamente con la mano de obra indígena, gratuita, forzosa y vitalicia. La reina Isabel[51] desaprobó ostensiblemente el comercio de esclavos indios como si fuesen bienes muebles; pero el tráfico continuó y aumentó, después con su aprobación. Cortés, en su juventud, fue un cazador de esclavos: en efecto, México fue descubierto durante una expedición de caza de esclavos, después de la cual Cortés entra en escena.

Pero en las Indias Occidentales, lo que cayó sobre los indígenas—la gente que Colón había descrito como seres gentiles, alegres y enamorados de la belleza—no fue que los diezmaran, sino que los aniquilaran en forma absoluta. Como en los primeros tiempos se suponía que la oferta era ilimitada, los rebaños de esclavos trabajaban hasta la muerte. Tan terrible era su vida que fueron empujados al suicidio colectivo, al infanticidio en masa y a la general abstinencia respecto a la vida sexual, para que los hijos no fueran engendrados para el horror. Tras de la voluntad de morir vinieron las epidemias exterminadoras. Crímenes y desolaciones excedieron a los de los más despiadados tiranos de la historia primitiva, y ni en los tiempos ulteriores han sido sobrepasados.

. . .

En su segundo viaje, Colón tardó varios meses hasta someter la isla que él llamó La Española, y en la que hoy están Haití y Santo Domingo [la República Dominicana]. Impuso a los individuos (a partir de los catorce años), a las familias, a las comunidades y a los distritos tributos que hubieran sido terribles para cualquier género de habitantes. Pero para estos nativos de las Indias

[50]Colón Cristóbal Colón (1446? -1506), descubridor de América, cuyo diario de a bordo constituye la primera literatura europea sobre lo que se creía que eran las Indias del Oriente   [51]la reina Isabel Reina de Castilla y más tarde de la España unificada (1451-1504) que ayudó a Colón en la realización de sus viajes y exploraciones

Indios plantando papas en el altiplano de Bolivia. Siempre existe la necesidad de imponerse a la naturaleza hostil en las alturas.

Descenso al pueblo de Viloco en las montañas de Bolivia. A 15.000 pies de altura la ida se hace increíblemente difícil.

Occidentales, inhabituados a trabajar más allá de las necesidades de su género de vida «gentil y alegre», la carga resultó intolerable. Retiráronse a las montañas, esperando que sus enemigos, sin indios que los alimentaran, murieran de hambre. Pero en este estado de sitio fueron, por supuesto, los indios quienes más sufrieron. Los españoles no sólo pudieron llevar, en sus naves de blancas velas, abastos a la isla, sino que lograron importar otros indios por la fuerza. Los nativos de las Bahamas y otras islas «inútiles», como oficialmente se las denominaba, fueron secuestrados y llevados a La Española, donde murieron más rápidamente que los nativos de ésta. Durante trescientos años no quedó ninguno de la cepa indígena originaria, ni de los importados a Haití. ...

Los indios de las Bahamas fueron vendidos a cuatro pesos la pieza.[52] Los indígenas de las diversas islas que hicieron resistencia fueron colgados o quemados, y los que escapaban, cazados con jaurías de rabiosos canes.[53] En el siglo XVI la despoblación de las Indias Occidentales se había consumado ya. La Conquista de México había comenzado desde 1519.

La tradición española subsiguiente

... En 1609, la Corona recibió un detallado informe acerca de los beneficios morales de los indios en virtud del régimen minero de las «mitas». Messía[54] informó que los indios, enviados en mitas a las minas de Potosí, en el Perú, tenían que recorrer frecuentemente ciento cincuenta leguas de ida y otras tantas de vuelta. Por dos veces había él asistido a la partida, desde la provincia de Chutquito. Siete mil partieron; de ellos sólo unos dos mil regresaron. Cinco mil murieron o fueron incapaces de hacer el viaje de

[52]la pieza cada uno   [53]jaurías de rabiosos canes grupos de perros feroces   [54]Messía religioso español que oficiaba en el Virreinato del Perú

vuelta. Cada trabajador iba acompañado de su familia y de ocho a diez llamas y algunas alpacas, para su alimentación. Llevaban consigo mantas, porque dormían en el suelo y hacía mucho frío. Cada uno de esos viajes requería dos meses, ya que los animales eran lentos y los niños tenían que caminar también. Cuando terminaba la mita (el trabajo forzado que se asignaba durante seis meses) era frecuente que los indios no contaran con animales de carga o de alimento para el viaje de regreso; sabían, además, que volverían a ser tomados para otra temporada de trabajo forzado. Ocasiones había en que los enganchaban inmediatamente después de su llegada a su casa, siendo devueltos a las minas de Potosí. Algunas provincias quedaron tan despobladas que no tenían indios bastantes para cubrir la cuota. En semejantes casos los «justicias» (procuradores de las mitas) y los propietarios de las minas obligaban a los caciques indígenas a contratar indios de otros distritos, a expensas de los propios caciques. Cierto sacerdote dijo a Messía que un cacique se había acercado sollozando a él y le había dicho: «Padre, estoy obligado a entregar treinta y uno indios, y de éstos me han faltado dieciséis por seis meses: he pagado ciento veintiséis pesos por la contratación de los suplentes; para ello he vendido la mula que tenía, mis llamas y mis ropas, y he puesto un tributo sobre mis gentes. No teniendo otros medios para hacerme de[55] los dieciséis indios, la semana pasada empeñé mi hija a un español quien me dio por ella sesenta y cuatro pesos que me faltaban, pero la semana que viene ignoro lo que haré, a menos que me ahorque».

Los indios en la mita trabajaban doce horas diarias, descendían hasta profundidades de ciento ochenta metros,[56] trabajando con candelas, en un aire irrespirable. Al subir a la superficie tenían que cargar ellos mismos el mineral arrancado; esa operación de salida duraba cinco horas, y un paso en falso podía significar la muerte. Al llegar afuera,

El indio como bestia de carga existe todavía: vendedor indígena camino a la ciudad en Guatemala.

un capataz solía denunciarlos como vagos o por ser sólo portadores de una minúscula carga; en este caso eran devueltos a la mina. Su salario era tan bajo que ni siquiera alcanzaba para procurarles las cosas necesarias para la vida.

Ciertamente, el lector podrá suponer que las observaciones de Messía acaso no tengan carácter representativo: los indios hubieran sido aniquilados totalmente.

Pues *fueron* aniquilados. En las Audiencias[57] de Lima y Charcas, por ejemplo, el número de indios descendió de 1.490.000 en 1561 a 612.000 en 1754. Antes de 1561 la despoblación había sido enorme. En 1953, Francisco de Vitoria, del Consejo de Indias, informó que «las abominaciones clamaban al Cielo». Hombres y mujeres, jóvenes y viejos—según el Informe—se veían obligados a trabajar sin descanso en las minas, y como alimento sólo se les entregaba un puñado de maíz al día. A medida que iba extinguiéndose la disponibilidad de indios, las

[55]hacerme de   procurarme   [56]ciento ochenta metros   unos seiscientos pies
[57]Audiencias   regiones administrativas establecidas por la Corona española y regidas por una Corte

Niña del altiplano con su animal favorito.

mismas mujeres eran enviadas a las minas, despiadadamente, trabajando con agua a la rodilla durante la estación más fría del año.

Finalmente, la Corona misma empezó a preocuparse. En 1581 Felipe II se dirigió a la Audiencia de Guadalajara. Un tercio de los indios había sido aniquilado ya, según declaraba la Corona. Los que aún vivían se veían obligados a pagar tributos por los muertos. Además, eran comprados y vendidos. Dormían en campo abierto. Las madres daban muerte a sus hijos para que no fueran mandados, más tarde, a las minas. Así escribía el monarca mismo a sus subordinados.

Los indios y las repúblicas

Conviene referirse ahora a otro hecho fundamental. El México rural—el México indio—ha tenido, desde las más remotas épocas, la comunidad agrícola como unidad final. Ha sido un mundo de pueblos y aldeas. Antes de los últimos años del dominio azteca, miles de poblados poseían cada uno sus propias tierras comunales. En el siglo anterior a la Conquista, lo que puede equipararse[58] a un título tributario se otorgaba a guerreros y otras personas que, de modo ostensible, habían servido al Estado. Cuando, bajo el dominio de España, se establecieron en forma coercitiva[59] la encomienda y el repartimiento, todavía los pueblos seguían siendo las unidades básicas de la vida indígena. La ley y la administración españolas las reconocieron y consolidaron, tratando de proteger sus tenencias. De diversos modos la Independencia[60] les arrebató sus tierras, y durante el régimen de Porfirio Díaz[61] la expropiación llevó el problema a su doloroso término. *Pero los pueblos continuaron subsistiendo.* Hondamente clavado en la mente de las masas mexicanas estaba el concepto del pueblo indígena y su aspiración: el pueblo se mantuvo como un factor indestructible.

En 1910, cuando la Revolución tomó ímpetu, 10.632.000 indios puros y mestizos vivían en 61.284 pueblos rurales. Con excepción de unos cuantos de esos pueblos y de sus habitantes, la inmensa mayoría dependía, prácticamente y en cuanto a su mantenimiento físico y espiritual, de las grandes haciendas. Cuando sobrevino la Revolución agraria, no hubo duda de cuál sería el destino de las tierras. De una manera ideológica, sentimental, administrativa y práctica, llegaría a manos de los pueblos. Así fue como se realizó uno de los más grandes propósitos de democracia descentralizada de nuestra era, el programa «ejidal»[62] de México.

¿De qué mente de la Revolución surgió el programa ejidal, el cual comprendía mucho más que la mera devolución de la tierra a las gentes? No fue Madero, el humanitario hacendado que dirigió la Revolución de 1910-1911, quien concibió el programa. No formaba parte del programa inicial, fundamentalmente político, de los principios de la Revolución. El hombre que dio el programa y luchó hasta llevarlo a cabo fue un pobre peón, un labrador que no sabía leer ni escribir. Emiliano Zapata apoyó a Madero con ardor. Pero cuando Madero relegó el programa agrarista, que había aceptado de Zapata pero al cual no había dado ninguna validez, Zapata se rebeló; los indios acudieron a apoyarlo y pronto controló los estados de Morelos, Jalisco, Guerrero, Puebla y, en ocasiones, el propio Distrito Federal. Madero trató de aplastar con su ejército a Zapata. Pero Zapata contraatacó con el Plan de Ayala[63]: era el momento para la devolución de las tierras a

[58]**puede equipararse** equivale   [59]**en forma coercitiva** a la fuerza   [60]**la Independencia** La rebelión contra la Corona española no benefició al indio sino a los terratenientes criollos que obtuvieron los títulos a las llamadas encomiendas que habían pertenecido al Rey.   [61]**Porfirio Díaz** dictador mexicano de 1876 a 1911, hoy considerado enemigo del indio y defensor de una pequeña minoría que controlaba la riqueza nacional   [62]**ejidal** basado en el concepto indígena de vivir en una comunidad donde todos compartían el trabajo, las herramientas y los productos cosechados   [63]**Plan de Ayala** programa político y económico para restituir las tierras perdidas a los indios y darles autonomía, firmado por Zapata y sus «generales» en la localidad de Ayala en noviembre de 1911

los ejidos; si el gobierno no actuaba, el pueblo se apoderaría de las tierras por acción directa. El pueblo—los indios—se lanzó al ataque. Esto ocurría en 1911.

... En 1914...Carranza asumió el poder ejecutivo. Carranza había aceptado el partido de Zapata, y bajo la presión de este caudillo—casi a la fuerza—promulgó el Plan de Veracruz, que implicaba la distribución de tierras a los ejidos.

Pero Carranza no tomó acción en favor de dichos ejidos. De 1915 a 1920 sólo ciento noventa pueblos recibieron tierras; únicamente se distribuyeron 180.000 hectáreas entre 48.000 ejidatarios. Zapata emprendió otra revolución y dirigió a Carranza la siguiente proclama en favor de los indios:

≪Me dirijo a ti, ciudadano Carranza, por primera y última vez.

≪No me dirijo a ti como Presidente de la República, porque no te reconozco como tal.

≪En la reforma agraria has traicionado nuestra confianza; el pueblo ha visto burladas sus esperanzas ... No se han devuelto los ejidos a los pueblos.≫

Discusión

1. ¿Cuál era la base económica de las civilizaciones azteca y maya?
2. ¿Qué representan el *calpulli* y el *ayllu*?
3. ¿Cuáles eran las obligaciones principales de las mujeres azteca y maya?
4. ¿De qué modo afectaba la relación del indio y su comunidad el sistema legal?
5. ¿Cuál era la función del *puric* dentro del sistema decimal de la sociedad incaica?
6. ¿Qué exigía el código social de los Incas en cuanto a la crianza de niños?
7. Dé ejemplos de una orientación fatalista en las sociedades precolombinas.
8. Hable de la función de los sacerdotes en las sociedades indígenas precolombinas.
9. ¿Qué rol se asignaba a los muertos entre los mayas, aztecas e incas?
10. ¿Por qué rechazaban los mayas la idea del acto involuntario?
11. Hable de la llamada síntesis de las religiones precolombinas con la católica después de la Conquista.
12. Comente sobre el realismo histórico de Picón Salas.
13. Diferencie entre el ≪repartimiento≫ y la ≪encomienda≫.
14. Opine sobre el futuro del indio: mestizaje urbano o tradición comunal.
15. ¿Se puede reconciliar la continuada transculturación del indio a la vida moderna con la ≪glorificación≫ de su pasado cultural por parte de artistas y autores contemporáneos en la América Latina?

16. Según Louis Baudin, ¿qué sentido del orden imperaba en la mentalidad incaica?
17. ¿Qué comprensión del destino humano aparece en la poesía azteca?
18. ¿Cuál es la posición del indio mexicano de hoy hacia el gobierno y estado mexicano, según Alfonso Caso?
19. Diferencie entre la actitud prevaleciente en México y en los Estados Unidos en lo referente a la definición de «indio».
20. Ofrezca algunos ejemplos del tratamiento del indio caribe o peruano bajo la dominación española, de acuerdo con John Collier.

Capítulo tres

Herencia étnica y cultural africana

Celebración anual del Carnaval en el Brasil: síntesis de la negritud y lo europeo.

ORIGEN Y DISTRIBUCIÓN DE LOS NEGROS

Es casi paradójico hoy en día que no existiera mayor interés en la «cuestión negra» durante los siglos en que el elemento africano constituía un factor preponderante en la economía netamente agraria de muchas regiones del Nuevo Mundo, donde los esclavos y sus descendientes cohabitaban con los dueños blancos en las plantaciones y haciendas. Como pasó con el estado social y económico del indio latinoamericano, la condición del negro mejoró muy poco cuando las diversas naciones obtuvieron su independencia política de España y de Portugal. La dependencia de los negros continuaba, ya sea en las plantaciones o en los servicios domésticos en las ciudades. En cambio, la síntesis étnica produjo un reajuste social. En 1900 existía ya una clase mulata que—igual que la clase mestiza que se diferenciaba de la india—significaba una evolución en la jerarquía social y cultural.

Fue en aquella época que el incipiente estudio de la antropología trajo consigo la necesidad de investigaciones etnológicas, demográficas y socioculturales de los pueblos africanos. Reconocemos hoy la labor infatigable de un Leo Frobenius en Alemania con su historia de las civilizaciones africanas y la de sociólogos-ensayistas como Nina Rodrigues en el Brasil quien a fines del siglo pasado juntaba datos sobre la procedencia y aculturación de los negros que constituyen un porcentaje muy elevado de la población del Norte y Centro de su inmenso país.

Desgraciadamente, es más fácil documentar la condición actual que la historia de la evolución africana en el Nuevo Mundo. En este sentido existe un paralelo con la historia de la etnología y civilización de los indios en la América Latina. En ambos casos nos encontramos con informes o impresiones de administradores, clérigos o viajeros, que iluminan sin método ni simpatía, en la mayoría de los casos, aspectos de la vida cultural india o negra. Es así que inevitablemente nos encontramos hoy día frente a conclusiones y aseveraciones contradictorias o altamente hipotéticas. Mientras que Arthur Ramos, en su conocido libro *Las culturas negras en el Nuevo Mundo*, afirma que aproximadamente una cuarta parte de los esclavos embarcados en la costa africana perdieron la vida en la travesía, el profesor Jahn en su obra reciente, *Muntu*, eleva esta cifra a un terrible 75 por ciento. Similarmente, la procedencia, el idioma o dialecto, las bases religiosas y las costumbres cotidianas de los africanos traídos a las Américas no han sido determinadas con unanimidad hasta ahora.

Según la evidencia disponible, los primeros esclavos fueron traídos de África en 1502 para trabajar en las minas de La Española, isla que hoy está dividida políticamente entre Haití y la República Dominicana. Vinieron como sustitutos de los indios que no resistían estos trabajos forzados. La cantidad de esclavos enviados a las Antillas fue pequeña hasta 1517, año en que el rey Carlos I de España concedió a algunas compañías comerciales el monopolio de importar esclavos de África a Santo Domingo, Cuba, Jamaica y Puerto Rico. Al ver las posibilidades lucrativas de este tráfico humano, negreros holandeses e ingleses, como el conocido Sir John Hawkins, comenzaron a rivalizar con los traficantes de almas de la península ibérica.

En nuestra época, testigo del anticolonialismo y de una nueva conciencia moral, la compra y venta abierta de seres humanos parece algo inconcebible. Pero hay que acordarse de que sólo en la segunda parte de este siglo se independizaron los diferentes pueblos del continente africano y que en siglos anteriores las doctrinas políticas, morales y teológicas permitían la imposición de naciones europeas sobre pueblos y países de África, Asia y América. Fue así que el indígena de las Américas tampoco pudo zafarse de este yugo de la historia. Y fue, curiosamente, el buen padre Bartolomé de Las Casas quien se apiadó de los pobres indios explotados y diezmados por los españoles y quien propuso la sustitución de los indios por esclavos africanos en pleno siglo XVI. Más tarde reconoció su error y trató de aliviar la suerte de los negros llevados a las regiones de Nueva Granada, hoy Venezuela y Colombia; pero las ventajas económicas de los traficantes y los dueños de plantaciones pesaron mucho más que sus argumentos morales.

Sigue hoy en día la discusión sobre la cantidad de esclavos embarcados en la costa oeste de África. Se calcula el número total en unos doce millones, de los cuales varios millones perecieron durante la travesía, amarrados en el fondo de los navíos o tirados al mar en caso de necesidad. Estos casos se dieron sobre todo cuando la marina de guerra inglesa comenzó a patrullar el Atlántico Sur para interceptar el tráfico de esclavos. Esta práctica no comenzó hasta mediados del siglo XIX ya que los convenios internacionales contra la esclavitud y el transporte de esclavos carecían de medidas adecuadas para impedir el tráfico. Las potencias europeas mostraron escaso interés en el derecho de los africanos exportados y el gobierno de los Estados Unidos sólo ratificó un tratado con el británico sobre la revisión de navíos procedentes de África en 1862.

Aunque los negreros dejaron poco en materia de documentación, se calcula que los puertos de embarcación más frecuentados estaban situados entre lo que corresponde a la franja costera entre Ghana y Angola. Aparentemente muchos esclavos procedían del interior del continente, donde los compraban los jefes de tribus de la costa que los vendían a su vez a los negreros. Se estima, a base de indicios lingüísticos y prácticas religiosas, que la gran mayoría de los esclavos provenían de los grupos bantu, congo y sudanés. Dentro de estos grupos se considera un número de subgrupos como los fanti-ashanti, prominentes en el Sur de los Estados Unidos, y los yoruba que forman parte de las tribus sudaneses. Pero también estas clasificaciones varían según el punto de vista de los expertos.

En los siglos XVIII y XIX la expansión demográfica africana en la América Latina había alcanzado su punto culminante: desde el Caribe hasta el Río de la Plata, y desde México hasta el Perú. Aunque hoy no quedan rastros étnicos visibles, en 1778 la composición de la población de Buenos Aires arrojaba oficialmente un total de 16.000 españoles, 1.200 indios o mestizos y 7.200 negros. En 1826 en la Gran Colombia había aproximadamente 650.000 blancos, más de un millón de indios y mestizos y un millón de negros y mulatos. También en México se presenció la importación de esclavos africanos, sobre todo desde Cuba en la época colonial; pero ahí se notó un hecho interesante: un buen número de esclavos se refugiaba en las regiones poco accesibles donde a veces formaba grupos organizados para ayudar a libertar a sus hermanos en cadenas. En la actualidad la presencia africana desapareció en el Río de la Plata y quedó muy diluida en la costa de México. Sin embargo el mapa demográfico africano cubre enormes masas de tierra, extendiéndose desde Cuba hasta casi el Sur del Brasil.

En lo que se refiere a la preponderancia de ciertas tribus africanas en la América Latina, tampoco existe una concordancia absoluta entre los etnógrafos. Básicamente, los bantu dominan la costa del Brasil; los yoruba se encuentran en la región de Bahia, Cuba e islas antillanas; los fanti-ashanti viven en las llamadas Guayanas y Jamaica; los congo están en Panamá; los dahomey se expandieron por Puerto Rico e islas adyacentes; y los ewe predominan en Haití.

Naturalmente, hay que darse cuenta de que la mera presencia de los descendientes de ciertos grupos africanos no determina la estructura social, el idioma o la forma política en la actualidad. En 1935 la proporción de la población africana en la América Latina ascendía a unos veintitrés millones de un total de casi cien millones de habitantes. De aquéllos, muchos viven al presente en una sociedad dominada por la cultura inglesa, francesa, holandesa o estadounidense. Los negros de Guadalupe hablan un dialecto francés; los de Jamaica usan el inglés y lo exportaron a Panamá en las últimas décadas; y en Surinam y Curacao se sirven de una especie de holandés. En las Bahamas se nota una cultura estadounidense.

Políticamente somos testigos de la liquidación de los últimos vestigios del colonialismo y observamos el establecimiento de países independientes aunque a menudo minúsculos. En la zona del Caribe se están formando nuevas naciones que no sólo estarán en busca de una personalidad política sino también de una identidad cultural. Si la composición étnica de estos nuevos estados es principalmente de origen africano, será interesante observar las posibilidades del desarrollo de un modo de vida neoafricano en esta parte del hemisferio.

LAS CULTURAS AFRICANAS EN LA AMÉRICA LATINA

El comercio con los esclavos continuó hasta 1880 en Cuba y 1888 en el Brasil. Pero los recién llegados se encontraron con descendientes africanos cuyo idioma y cuya conducta mostraban en muchos casos siglos de permanencia en el Nuevo Mundo. No sólo es difícil hablar de la existencia de culturas africanas en la América Latina sino también precisar su tipo. Sabemos que había una discrepancia muy grande en la manera de ser y de comunicarse entre las diferentes tribus. Parece que a menudo las tribus más «civilizadas» traficaban con sus hermanos más primitivos del interior de África y los vendían en la costa a los negreros. El conocido ensayista brasilero Gilberto Freyre afirma que en la región de Minas Gerais se encontraba un tipo africano de facciones agradables y de una gran capacidad de adaptación a trabajos de la industria minera y ganadera y que se pagaba precios mucho más elevados por estos negros, procedentes de tribus sudaneses, ya que sabían trabajar metales y cuidar el ganado. También, para Freyre, los negros traídos a Bahia y Pernambuco se mostraban culturalmente superiores a los que fueron llevados a Rio de Janeiro porque los dueños de las grandes plantaciones podían ofrecer más dinero en aquellos tiempos en que la riqueza estaba basada en la producción agrícola.

En cuanto a los idiomas africanos, la proliferación de dialectos, la absoluta falta de medios educativos y la distribución de los esclavos a través del remate contribuyeron a su desaparición o, en el mejor de los casos, a la incorporación de centenares de palabras africanas al portugués o al español criollo. La política de separar a los miembros de la misma tribu y la condición misma de la esclavitud conspiraron contra la sobrevivencia de culturas negras, extrañamente mezcladas y hasta cierto punto desiguales, frente al modo de vida criollo. La convivencia entre «casa grande» y «sensala», o sea entre los dueños blancos en la casa principal y los negros en sus barracas o chozas, produjo el tan mentado sincretismo cultural afrolatino.

Según historiadores como Richón y Lea, los españoles y portugueses estaban acostumbrados a tratar con moderación a los que habían esclavizado, lo que en la península ibérica se refería al estado de moros, árabes y algunos judíos alrededor de 1600. Tannenbaum, en su trabajo sobre el negro en la América Latina, dice que el tratamiento de los esclavos se caracterizó por su elasticidad y cierta tolerancia. Cita que en muchos casos los negros podían ir a las ciudades a vender sus productos o a encontrar trabajo por su cuenta, con tal de remitir parte de la ganancia al amo, y que les era posible comprar su libertad mediante pagos razonables, a veces hasta en cuotas. También la posición oficial de la Iglesia católica mejoraba las relaciones entre blancos y negros ya que en varios edictos papales se condenaba la compra y venta de seres humanos. Al mismo tiempo, la práctica de bautizar y convertir a los africanos al catolicismo produjo una comunidad de intereses. Si, por ejemplo, una pareja de esclavos se casaba por la Iglesia, el amo no podía separarla de ahí en adelante.

Tannenbaum insiste en calificar de «benévola» la actitud de los latinos frente al negro y la contrasta con la intolerancia de los ingleses, holandeses y colonos estadounidenses que, según él, negaban en principio una personalidad moral a los negros y hasta los excluían de su protestantismo. Tannenbaum añade que en el siglo XIX había ya sacerdotes y hasta obispos de sangre africana en el Brasil, mientras que en el Sur de los Estados Unidos estaba terminantemente prohibido enseñar a leer o escribir a los esclavos.

En general, podría afirmarse que la estructura social y el ambiente religioso permitieron una transición bastante fácil de la esclavitud a la ciudadanía para los descendientes de esclavos en los países latino-americanos. Pero los «quilombos», o insurrecciones, de los negros en el Brasil y de los «cimarrones», o negros prófugos, en México y las revueltas sangrientas en Haití contra los colonos franceses evidencian claramente que la esclavitud per se era inhumana, no importa en qué ambiente.

Si nos ponemos ahora a examinar lo que sobrevive en forma total o parcial de la estructura social africana, nos quedamos, más que nada, con interrogantes. ¿Es que se sustituyó la familia patrilínea por la matrilínea con la esclavitud? Sabemos que los hijos de esclavos eran adjudicados a la madre y que si ella ganaba su libertad lo mismo pasaba a sus hijos por más que el padre siguiera esclavo. ¿Qué ocurrió, por ejemplo, con las jerarquías sociales, el rol de la mujer, los deberes filiales, la división del trabajo en la comunidad, el derecho del individuo frente a las leyes comunales o lo que el conocido africanista Herskovits llama la actitud negra frente a la vida?

Para Herskovits y otros antropólogos, las bases de las civilizaciones africanas comenzaron a disiparse al distribuirse a los esclavos arrancados de su ambiente social propio obligándoles a vivir bajo un sistema moral y social foráneo. Pero al buscar rasgos comunes a la población negra desde

Cuba hasta el Sur del Brasil, quedan algunos factores constantes: la expresión religiosa en ritos y supersticiones, el folklore en leyendas y creencias, la afinidad hacia el ritmo, el baile y la música, la sonoridad en el lenguaje, y los gestos o las reacciones kinéticas. En muchas regiones rurales todavía se usan gestos para indicar la sed, el hambre, el cansancio o la negación (la chupada de un dedo significa «sí»; acercar un dedo al labio superior equivale al «no»). De los diferentes idiomas quedan sobre todo palabras relacionadas con actividades religiosas, ritos, hechizos, comida, bebida y plantas. De la vestimenta, se impuso la túnica y el turbante de los dahomey en partes del Brasil y las Guayanas, aunque hay que notar que el origen de esta ropa es netamente islámico. En cuanto a rasgos culturales colectivos, algunos sociólogos o ensayistas se han aventurado a asignar ciertas características a grupos africanos. Arthur Ramos, por ejemplo, describe a los descendientés de los grupos congo-angola en el Norte del Brasil como locuaces, imaginativos, artísticos y sensuales, pero también los califica de perezosos e irresponsables. Para Gilberto Freyre los negros de la región de Bahia representan un elemento humano que irradia una alegría espontánea y una sociabilidad expansiva, mientras que los del interior carecen de esta gracia y franqueza. Naturalmente, estos adjetivos altamente descriptivos encierran juicios valorativos muy personales y hasta etnocéntricos.

Es, sin embargo, difícil dar un punto de partida africano a manifestaciones culturales que por varios siglos han existido dentro de sociedades criollas americanas. Tenemos muy poca documentación de las épocas más tempranas de la historia del negro en el Nuevo Mundo. En 1891 se quemaron todos los archivos de documentos relacionados con la esclavitud en el Brasil por decreto oficial del gobierno. El mismo Gilberto Freyre declara que ya no podemos estudiar a los pueblos africanos en las Américas sino sólo a los negros esclavos y sus descendientes. Debido a nuestro escaso conocimiento de la cultura traída del continente africano, no podemos en la actualidad indicar claramente si, por ejemplo, la supuesta pereza o la exuberancia entre los cubanos y bahianos es de origen latino o africano o es una mezcla de rasgos culturales. Sin duda, el sincretismo cultural domina entre latinos y negros. Debido a esto, la historia de la evolución social del negro en la América Latina no dio lugar a que éste se convirtiera en un ser marginal. Aunque el negro en la América Latina por lo común forma parte de la clase baja, se identifica fácilmente con las normas y los valores de la cultura llamada latina, y eso ya es mucho en nuestra época, fuente de la alienación y del nacionalismo cultural.

ASPECTOS RELIGIOSOS Y PSICOLÓGICOS AFRICANOS

Como vimos en la sección anterior, el sentimiento religioso africano y sus prácticas o, si se quiere, sus supersticiones son las manifestaciones culturales que más han perdurado entre los descendientes de los esclavos en la América Latina. Aparte de un incipiente monoteísmo, las diversas sociedades africanas cuyos miembros fueron traídos al Nuevo Mundo tenían varias categorías de deidades. Las más importantes eran las que intervenían directamente en la vida diaria de las personas. Según el brasileño Arthur Ramos eran las deidades secundarias que mejor podían prestar ayuda, ofrecer protección y hasta amenazar a los enemigos. Entre ellas figuran Xangó entre los yoruba, el Legbá de los bantu y los jimaguas o mellizos mágicos venerados desde Haití hasta el Brasil. Estas deidades representan el llamado orixá o espíritu potente que se manifiesta en varias formas. A menudo aparece a través de los sacerdotes o hechiceros que juegan el viejo papel de intermediarios entre el mundo de los espíritus y el del individuo. Estos intermediarios, llamados «wintiman» u «obeahman», se dicen recipientes temporarios de deidades buenas y malas como también de los winti, o sea de los espíritus personales que habitan en las personas que vienen a consultarlos. La diferencia básica entre los dos tipos de sacerdote se debe a que el wintiman se cree poseído por el espíritu de los dioses o winti, mientras que el obeahman actúa mediante la manipulación de algún objeto con fines mágicos. Los sacerdotes de ambas categorías naturalmente gozan de gran prestigio en la comunidad africana. No obstante, sus funciones son sustituidas por un fenómeno interesante: la comunicación directa del individuo con los espíritus o dioses a través de un estado semihipnótico producido por un fervor religioso y comunal conjurado por el lenguaje y ritmo de los tambores en los bailes rituales. La mezcla de sonidos, cantos y movimientos que se repiten prolongadamente produce el estado iluminado en el que persona y espíritu se reconocen en estrecha comunión.

En estas danzas ceremoniales se combinan elementos arquetipales que están ligados a la expresión más antigua de experiencias colectivas, tan corrientes en los festivales prehelénicos dedicados a Baco y Demeter. Pero al mismo tiempo estos ritos africanos sirvieron de modelo a una variedad de bailes modernos en ambos hemisferios americanos, desde la samba brasilera, el tango argentino, la rumba antillana, la plena puertorriqueña, el calipso y el joropo venezolano, hasta los *spirituals*, los *blues* y el *pop rock* de los Estados Unidos de donde fueron exportados a su vez a Europa. Es significativo que en estas variaciones de bailes y cantos la autoexpresión y un sentimiento casi metafísico continúan una tradición mucho más primitiva pero muy común en la búsqueda de algo divino, trascendente y espiritual.

Antes de examinar la conversión al catolicismo ortodoxo por parte de los negros en las países latinoamericanos, deberíamos tomar en cuenta lo que Herskovits llama la etnopsicología africana. Los habitantes del África Occidental se imaginaban un mundo poblado de espíritus. Los había buenos y, naturalmente, malos que existían tanto en los vivos como en los muertos, en los bosques, en los ríos y hasta en los vientos. Estas creencias se han perpetuado en las regiones rurales de la América Latina donde hay una alta concentración de sangre africana.

De los espíritus personales, hay dos que parecen tener una importancia primordial: el akra y el winti. El akra nace y muere con cada individuo y su función principal es la de proteger a la persona contra los dioses y espíritus maléficos. También es posible poseer más de un espíritu, aunque estas creencias varían de una sociedad africana a otra. Existen almas o sombras que están constantemente de viaje, que vienen y van en sueños y pueden pasar de una persona a otra, que pueden ser capturadas por espíritus dañinos y divulgar secretos a gente enemiga y otros capaces de producir enfermedades, mala suerte y discordia. El winti era considerado el espíritu más esencial para muchas de las tribus pertenecientes al grupo sudanés y al bantu ya que se ocupa del bienestar del individuo. El winti se une a la persona al pasar del alma del padre a la del hijo, por capricho del winti mismo o a través del buen o mal oficio de otros espíritus o los que controlaban a éstos. Aquí se destaca una vez más la figura del wintiman, único capacitado para manipular al winti y estudiar su condición y sus exigencias para el solicitante. Pero en muchísimos casos el winti se comunica directamente con la persona en la que habita, es decir, habla, canta o baila para expresarse. Aunque existe la posibilidad de «atar» al winti antes de participar en una fiesta o en un baile como los famosos candomblés de los yoruba, en general se cree que negarle la libertad de expresión al winti sería invitar su ira. Por eso se perdonan los excesos de conducta a los participantes de los ritos y bailes ya que se les considera poseídos por el winti.

Es obvio que se puede interpretar la existencia y función del winti de acuerdo con los preceptos básicos de la psicología freudiana, haciendo referencia sobre todo al famoso ensayo *Tótem y Tabú*. La mera aceptación del winti como un espíritu de voluntad propia que obliga al individuo a satisfacer los deseos y caprichos del mismo permite al individuo hacer responsable de sus actos al winti invisible. No hay duda de que se puede

En las prácticas religiosas de los negros se combinan influencias africanas y católicas.

fácilmente establecer un paralelo entre el id freudiano y el winti africano ya que ambos representan fuerzas orgánicas—mayormente libidinosas, según Freud—a las que el cuerpo necesita dar salida para mantener un equilibrio continuo entre las exigencias biológicas y morales.

Por más que falten estudios detallados sobre las prácticas de la religión y la superstición en las regiones predominantemente negras de la América Latina, se puede afirmar que la convivencia de estas prácticas africanas con las doctrinas morales estipuladas por la Iglesia católica trajo consigo un sincretismo. En este sincretismo sobrevive un mundo mágico cuyas funciones incluyen la satisfacción de los instintos, la posibilidad de una expresión personal frente a lo inexplicable y la continuación de fuertes lazos comunales.

En lo que se refiere a los conceptos cristiano-católicos—la conciencia de pecado, de culpa y de castigo doctrinario—habría que declarar que la teología medieval europea ha sido en general incomprendida y mal asimilada por los esclavos africanos y sus descendientes. En cambio, la creencia en una deidad, la trinidad cristiana, la existencia de un sólo diablo y, sobre todo, el rol esencial de los santos y de las santas dentro de la estructura católica fueron fácilmente incorporados a la cosmología africana y sus diferentes niveles de dioses y espíritus buenos y malos. Si seleccionamos algunos nombres de una lista parcial de deidades africanas pertenecientes a varios grupos principales del África Occidental y venerados en distintas regiones de la América Latina, podemos establecer equivalencias entre estas deidades y ciertos santos católicos.

Deidad africana	Brasil	Cuba	Haití
Shangó o Xangó (dios o diosa del trueno)	Santa Bárbara	Santa Bárbara	Ste. Anne
Esú o Legbá (dios maléfico)	Diablo	Guardián del purgatorio	
Osún (mujer de Shangó)	Virgen María	Virgen María	
Ogún (dios de guerra y lucha)	San Jorge	San Pedro	
Oxossi (dios de la caza)	San Jorge	San Alberto	
Ifá (acto de fecundación)	Sagrado Sacramento		
Olorún (deidad principal)	Dios		
Jimaguas o Ibeji (mellizos mágicos)	San Cosme y San Damián		San Cosme y San Damián

Participantes de un candomblé en Bahia, en el Norte del Brasil.

Tal vez el cantor folklórico más popular de la música africana de la actualidad es un negro del estado de Bahia en el Brasil quien se da el nombre de Camafeu de Oxossi. En un disco que grabó hace poco se puede leer los siguientes títulos de canciones: «Ijeca» (candomblé), «Exú-Ona» (diablo participante en los ritos de vodú), «Oxum» (Osún o dios-diosa de aguas y ríos) y, naturalmente, «Oxossi» (gran dios cazador).

LA CULTURA AFRICANA EN EL NIVEL ESTÉTICO Y SOCIAL

Como ya observamos con anterioridad, las condiciones de vida en la América Latina no se establecieron de acuerdo con demarcaciones políticas sino por regiones. Vimos que el elemento étnico negro se extiende por muchos países, desde Cuba hasta el sur de la franja costera del inmenso Brasil. Políticamente la población negra pertenece a naciones independientes y colonias europeas. Lingüísticamente habla diferentes lenguas: el francés de Haití y de La Martinica, el inglés de Jamaica y de Trinidad, el holandés de Surinam y de Curaçao, el español de Puerto Rico y de Panamá y el portugués de Bahia y de Santos. Por más que estos idiomas hayan sido modificados por una sonoridad, acentuación y sintaxis de origen africano y contengan palabras y exclamaciones africanas, por lo común relacionadas a cuestiones de religión y superstición, plantas y comestibles, los negros de Trinidad, La Martinica y la costa de Venezuela no se comprenden, es decir, no se comprenden en cuanto al idioma, porque culturalmente estos grupos se diferencian bastante poco.

Su ambiente cultural ha sido determinado por un pasado común y la presencia de una zona tropical o subtropical que casi obliga al individuo a aceptar modos de vida estrechamente ligados al clima y al terreno. La única división básica que se podría establecer dentro de la cultura negra de la zona atlántica se refiere al ambiente rural y ambiente urbano. La vida en

Alienation of the city man (marginal note)

las plantaciones, desde los ingenios de azúcar en el Caribe hasta los cafetales del Brasil, conserva normas tradicionales, sobre todo entre el patrón y los campesinos, y mantiene un ritmo de vida bastante primitivo. También los colonos independientes negros, sean los «caboclos» del Noreste brasilero o los bushmen de las Guayanas, viven y trabajan en un mundo hostil y primitivo, dominado casi siempre por el desierto o la selva. En contraste con este primitivismo de la zona rural, el ambiente negro de las ciudades muestra un espíritu hedonista y moderno. Aquí se observa una fuerte existencia callejera en la que dominan el roce social y una interacción cultural ya muy compleja, debido a la presencia de otras razas y culturas a menudo a través de películas, discos y revistas de varias nacionalidades. La lucha diaria del negro en las ciudades no se dirige contra la naturaleza sino contra la sociedad misma. A causa del bajo nivel económico, hay un creciente resentimiento social entre los negros urbanos, pero también una especie de compensación psicológica que lleva el nombre de «bachata» en Cuba y Puerto Rico, o sea la tendencia de cultivar la risa, el juego, la sensualidad y la despreocupación.

Al ocuparnos ahora de la expresión artística africana en la América Latina, también será necesario distinguir entre la sociedad rural-primitiva y su equivalente urbana, o—según la clasificación de Emilio Ballagas y otros africanistas—entre el arte negro y el arte mulato. Para citar a Ballagas, «El arte negro puro será pues el encuentro del hombre negro con la poesía elemental—aire, fuego, agua, tierra, cielo—una comunión mística con la naturaleza ... panteísmo, mitología, humor, fábula, exaltación de la astucia como en Homero». Este concepto arquetipal de la expresión de un grupo de pueblos pudo sobrevivir dentro de los límites impuestos por la estética primitiva en regiones rurales del Brasil o de las Guayanas, paraísos para antropólogos en busca de ritos y hechizos, objetos religiosos de madera o arcilla y otras expresiones primordiales.

En cambio, en el ambiente urbano la negritud fue sustituida por la mulatez, o sea por la síntesis de dos o más culturas. En vez de una mitología selvática, el ambiente mulato urbano ha creado en la literatura, a menudo ampliada por la música y el baile, el cultivo de la sátira social, referencias costumbristas y escenas folklóricas que se basan en rasgos psicológicos mulatos. Debido a la mezcla de culturas, las formas artísticas corresponden muchas veces a las tradicionales europeas; y un poeta mulato como Nicolás Guillén utiliza conscientemente estructuras tan clásicas como el madrigal renacentista y el romance español. La expresión artística mulata combina elementos étnicos o sociales con la cuestión estética, o sea la escala de valores criolla que decreta lo que es bello o feo, armonioso o desagradable. Si en esta escala de valores el pelo crespo, el labio grueso y la nariz chata son inaceptables, algo similar ocurrirá en la escala de valores sociales. La literatura mulata refleja fielmente el conflicto entre las escalas de valores criolla y negra. Mucho antes que en los Estados Unidos, esta literatura tomó en cuenta la alternativa de adaptar al negro a la cultura blanco-criolla o, de lo contrario, de buscar un punto de apoyo dentro de la estética africana para ofrecer sentimientos de identidad y de dignidad al descendiente de los esclavos. En las zonas rurales de las islas antillanas y del Noreste brasilero donde las subculturas negras existen dentro de una sociedad netamente negra, los factores étnicos, sociales y estéticos coinciden. En cambio, el cholo de la costa del Pacífico vive consciente de su condición étnica y cultural frente al indio y sobre todo frente al criollo con su herencia «castiza».

En la convivencia de dos y a veces hasta tres culturas es inevitable una rivalidad y fricción entre los diferentes sistemas de valores, conducta, pensamiento y concepto artístico. En algunas regiones del Caribe, por ejemplo, el descendiente rural africano encuentra tradiciones negras en su casa, tradiciones latinas en la escuela y tradiciones anglosajonas en la pantalla del televisor en el bar de la esquina. La condición de esclavitud y su evolución hacia una clase social negro-mulata, que ocupa el último escalón en la jerarquía social y económica, han contribuido grandemente a desacreditar los modos de ser negros. Por eso debe esperarse hoy en día una de dos alternativas en la interacción negra y criolla: la adaptación a un modo de vida forjado por los valores sociales que provienen de la clase dominante y que se diseminan a través de los modernos medios de comunicación, o el repliegue hacia lo autóctono africano. En cualquiera de estos casos habrá un reajuste de las expresiones estéticas.

En nuestro siglo la literatura negra se ha ocupado principalmente de expresar un enfoque mulato en el nivel folklórico, político o costumbrista. El investigador del africanismo Enrique Noble compuso la siguiente lista de temas importantes dentro de la literatura considerada mulata, añadiendo a esta lista breves comentarios sobre el origen y el idioma correspondiente.

Hablemos ahora acerca de la poesía negra latinoamericana, debidamente llamada «poesía mulata» por el distinguido erudito cubano Fernando Ortiz. Esta poesía presenta las características siguientes:

1. Es esencialmente una poesía social.
2. Es una poesía de contrastes y asimilación de culturas: la blanca, la negra y la mulata; o como nos gusta llamarla, un real *pluribum* racial, una poesía mulata.
3. Es una poesía en la cual encontramos la plenitud espiritual y estética de los poetas de estas regiones, el acento de los poetas en una síntesis unitiva.
4. Por esta razón es un arte de relación—humano, cultural y estético—peculiar de esas áreas culturales.

Los temas o motivos de esta poesía son:

1. El drama de la esclavitud.
2. El conflicto de sangres en el mulato.
3. La plasticidad formal de la mujer negra.
4. La belleza sensual y sorprendente de la mujer mulata.
5. El niño blanco y el niño negro.
6. Descripción de danzas, instrumentos musicales, cantos populares o «pregones» como el muy conocido del compositor cubano Moisés Simons, «El manisero».
7. Ceremonias religiosas y supersticiones de origen folklórico.
8. Temas satíricos e irónicos de naturaleza e inspiración psicosociológica.
9. Cantos de cuna de origen estrictamente negro o de transculturación afroamericana.

La lengua de la poesía mulata es también de origen mixto. Es una especie de poesía «multilingüe»: palabras españolas, africanas, afroespañolas y deformaciones idiomáticas del vocabulario de estas regiones.

Las sociedades antillanas del tipo cubano y puertorriqueño ofrecen excelentes ejemplos de una interacción y de un conflicto de culturas, y no es sorprendente que la mulatez tenga allí sus intérpretes más destacados. Para autores cubanos como Nicolás Guillén y, últimamente, Manuel Granados, los problemas de la mulatez están estrechamente ligados al nivel económico indeseable, que a su vez se debe a la condición de inferioridad estética frente al blanco. Ya durante la década de 1930, Guillén y otros comenzaron a desarrollar una conciencia estética africana en que la fisonomía y el idioma juegan un papel esencial. Los negros de Guillén que aparecen en los poemas de *Sóngoro Cosongo* (1931) tratan de superar psicológicamente su inferioridad social que fue decretada por un sistema estético de raíces europeas. En la novela de Granados, *Adire y el tiempo roto* (1967), el protagonista es un joven negro que durante el comienzo de la Revolución castrista necesita desahogar su resentimiento racial y cultural. Lo consigue al emplear sus fuerzas físicas—dote africana—dirigiéndolas contra el cubano blanco y, naturalmente, contra la mujer blanca. La posición de Granados dista mucho de ser una excepción. A algunos miles de kilómetros de distancia la canción de Camafeu de Oxossi y su grupo de cantantes bahianos repite monótonamente: «Crioula pariu mulata», o sea «La criolla dio a luz una hija mulata».

Se comprende que cualquier pueblo o grupo subcultural necesita participar en un modo de vida que ofrezca expresiones artísticas, psicológicas y sociales basadas en lo que sobrevive de su pasado. Hasta cierto punto la posibilidad misma de esta expresión constituye un gran paso hacia el sincretismo cultural en la América Latina.

USA

Chicago

New York (Harlem)

VIRGINIA
CAROLINA

Mississippi
ALABAMA
GEORGIA

New Orleans

FLORIDA

Repatriation

EFIK

CUBA

YORUBA
JAMAICA

DAHOMEY

HAITI

PORTO RICO
DAHOMEY
ASHANTI

GUADELOUPE
MARTINIQUE
BARBADOS

FANTI
ASHANTI

PANAMA

TRINIDAD

YORUBA

VENEZUELA

COLUMBIA

FANTI/SURI-
NAM
GUIANA
ASHANTI

ECUADOR

Amazon

BRAZIL

YORUBA
BANTU

BANTU

SOUTH
AMERICA

YORUBA
DAHOMEY • Bahia

BANTU

Rio de Janeiro

CONGO URUGUAY

La Plata

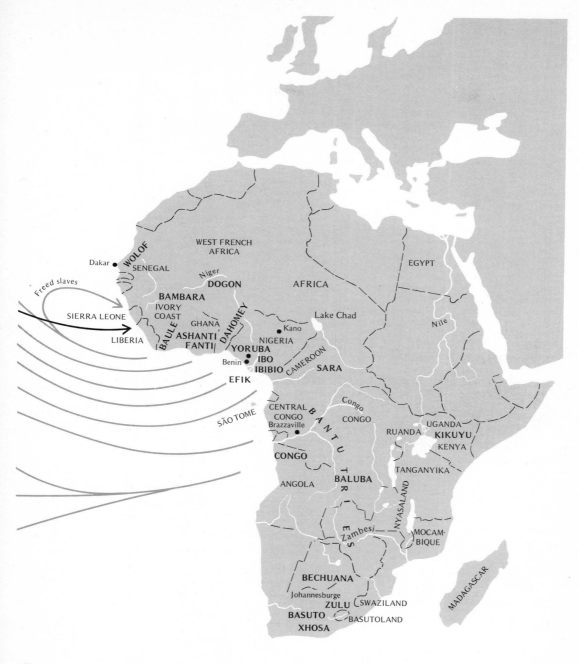

Freed slaves

SIERRA LEONE

LIBERIA

Dakar • WOLOF

SENEGAL

WEST FRENCH
AFRICA

Niger

DOGON

BAMBARA

IVORY
COAST

GHANA

BAULE

ASHANTI
FANTI

DAHOMEY

Kano •

NIGERIA

YORUBA

Benin • IBO

IBIBIO

EFIK

SÃO TOMÉ

AFRICA

EGYPT

Lake Chad

Nile

CAMEROON

SARA

CENTRAL
CONGO

Brazzaville •

CONGO

ANGOLA

Congo

BANTU

CONGO

BALUBA

RUANDA

TRIBES

UGANDA

KIKUYU

KENYA

TANGANYIKA

NYASALAND

Zambesi

MOCAM-
BIQUE

MADAGASCAR

BECHUANA

Johannesburge

ZULU

SWAZILAND

BASUTO

BASUTOLAND

XHOSA

⟶ = Diffusion of African cultural elements through the slave trade.
⟶ = Diffusion of African cultural elements through further migration.
ASHANTI = Tribes and cultures in Africa; predominant traces of African
culture in America.
CUBA = Countries.
Benin = Cities.

Gilberto Freyre

Freyre has distinguished himself as a sociologist who explored the interrelationship of the Africans and the Portuguese creoles in his native Brazil. The original title of his best known work is *Casa grande e senzala,* or *The Big House and the Slaves' Quarters,* and it emphasizes the social and sexual relations that existed between masters and slaves within the context of the plantation subculture. In spite of the obvious abuses that formed part of a master-slave relationship, Freyre insists that in Brazil the transition toward an integrated society was accomplished with a minimum of friction or cruelty, an important factor in the overwhelmingly black North of Latin America's largest nation.

The Masters and the Slaves
The Negro Slave in the Sexual and Family Life of the Brazilian

In Brazil the relations between the white and colored races from the first half of the sixteenth century were conditioned on the one hand by the system of economic production—monoculture and latifundia [one-crop economy and preponderance of big estates]—and on the other hand by the scarcity of white women among the conquerors. Sugar raising not only stifled the democratic industries represented by the trade in brazilwood and hides, it sterilized the land for the forces of diversified farming and herding for a broad expanse around the plantations. It called for an enormous number of slaves. Cattle raising, meanwhile, with the possibilities it afforded for a democratic way of life, was relegated to the backlands. In the agrarian zone, along with a monoculture that absorbed other forms of production, there developed a semifeudal society with a minority of whites and light-skinned mulattoes dominating, patriarchally and polygamously, from their Big Houses of stone and mortar not only the slaves that were bred so prolifically in the *senzalas,*

but the sharecroppers as well, the tenants or those who dwelt in the huts of mud and straw, vassals of the Big House in the strictest meaning of the word.

Conquerors, in the military and technical sense, of the indigenous populations, the absolute rulers of the Negroes imported from Africa for the hard labor of the *bagaceira,* the Europeans and their descendants meanwhile had to compromise with the Indians and the Africans in the matter of genetic and social relations. The scarcity of white women created zones of fraternization between conquerors and conquered, between masters and slaves. While these relations between white men and colored women did not cease to be those of "superiors" with "inferiors," and in the majority of cases those of disillusioned and sadistic gentlemen with passive slave girls, they were mitigated by the need that was felt by many colonists of founding a family under such circumstances and upon such a basis as this. A widely practiced miscegenation here tended to modify the enormous social distance that otherwise would have been preserved between Big House and tropical forest, between Big House and slave hut. What a latifundiary monoculture based upon slavery accomplished in the way of creating an aristocracy, by dividing Brazilian culture into two extremes of gentry and slaves, with a thin and insignificant remnant of free men sandwiched in between, was in good part offset by the social effects of miscegenation. The Indian woman and the *mina*, or Negro woman, in the beginning and later the mulatto, the *cabrocha*, the quadroon and the octoroon, becoming domestics, concubines and even the lawful wives of their white masters, exerted a powerful influence for social democracy in Brazil. A considerable portion of the big landed estates was divided among the mestizo sons, legitimate or illegitimate, procreated by these white fathers, and this tended to break up the feudal allotments and latifundia that were small kingdoms in themselves.

. . .

But admitting that the influence of slavery upon the morality and character of the Brazilian of the Big House was in general a deleterious one, we still must note the highly special circumstances that, in our country, modified or attenuated the evils of the system. First of all, I would emphasize the prevailing mildness of the relations between masters and household slaves—milder in Brazil, it may be, than in any other part of the Americas.

The Big House caused to be brought up from the *senzala*, for the more intimate and delicate service of the planter and his family, a whole set of individuals: nurses, housegirls, foster brothers for the white lads. These were persons whose place in the family was not that of slaves, but rather of household inmates. They were a kind of poor relations after the European model. Many young mulattoes would sit down at the patriarchal board as if they were indeed part of the family: *crias* (those who had been reared in the house), *malungos* (foster brothers), *muleques de estimação* (favorite houseboys). Some would even go out in

the carriage with their masters, accompanying them on their jaunts as if they had been their own sons.

As for the *mães-pretas* (black mammies), tradition tells us that it was truly a place of honor that they held in the bosom of the patriarchal family. Granted their freedom, they would almost always round out into enormous black figures. These women were given their way in everything; the young ones of the family would come to receive their blessing, the slaves treated them as ladies and coachmen would take them out in the carriage. And on feast days anyone seeing them, expansive and proudly self-possessed among the whites of the household, would have supposed them to be well-born ladies and not by any means ex-slaves from the *senzala*.

This promotion of individuals from the slave quarters to the more refined service of the Big

Vendedora de comestibles en una calle de Salvador, en el Norte del Brasil.

House was, of course, dependent upon their physical and moral qualities and was not done carelessly or at random. It was natural that the Negro or mulatto woman who was to suckle the master's son, rock him to sleep, prepare his food and his warm bath for him, take care of his clothing, tell him stories and at times take the place of his own mother should have been chosen from among the best of the female slaves; from among the cleanest, the best-looking, the strongest; from among the less ignorant ones, or "ladinas," as they called them in those days to distinguish the Negroes who had already been Christianized and Brazilianized from the ones who had only recently come over from Africa or who were more stubborn in clinging to their African ways.

Víctor Franceschi

Panamá representa en la actualidad una sociedad en evolución, fuertemente impulsada por la inmigración de negros provenientes de las antiguas colonias británicas del Caribe. El elemento negro existía ya en tiempos de la Colonia, pero su expansión despertó un nuevo interés en el pasado del negro, tanto en África como en el Nuevo Mundo. El artículo de Franceschi explora este pasado, en especial la adaptación de ideas y temas del catolicismo a la mentalidad africana y su folklore. Es interesante notar, por ejemplo, que las deidades africanas comparten las funciones de la Virgen, los santos, los ángeles y el Diablo y que los esclavos pudieron unir elementos de religión y superstición para protegerse de sus amos.

Los negros congos en Panamá   Origen de los negros congos

No fue la debilidad física del indio americano para realizar fuertes trabajos, sino su rebelde sentido de libertad lo que obligó a la Corona de España a traer negros africanos sobre la costa de América, para que hicieran las más penosas, duras y humillantes faenas de la época. Así apareció en el virgen continente una nueva industria: *el tráfico negrero*, negocio dedicado al cambalache[1] de hombres sencillos, ignorantes y robustos pero no por todo ello menos inteligentes. El pasaporte de que nacieron herederos para ir camino a la esclavitud[2] fue el color con que la naturaleza les envolvió la piel. ...

La riqueza hinchó su apetito en los ojos de los hombres blancos y, más tarde, colmó sus manos con oro a cuestas del tráfico negrero.[3] Así fue

---

[1]cambalache compra-venta   [2]el pasaporte ... esclavitud their ticket to slavery
[3]La riqueza ... negrero. The white man's greed whetted his appetite for gold from the slave trade.

como un día las torres de Panamá la Vieja y las murallas del Fuerte de Portobelo, en la provincia de Colón[4] recibieron en sus playas la forzada migración enviada en las ondas del mar desde el África lejana.

Gran parte de esos negros fueron cazados en el Congo africano y otra en la región de Guinea. De allí que hoy se conozcan en Panamá dos grupos: el reino congo de «Cerro Brujo»[5] y el de negros esclavos de Guinea, reino también. Ambos se entienden y conjugan hoy su alegría y su esperanza en el recuerdo ingrato de un ayer lejano viciado de dolor y muerte.

Los esclavos fueron mercadería apetecible. Y en el intercambio comercial sus pasos llegaron hasta España, como contribución a la Corona. En Panamá, como en los otros puntos de América a que arribó en su tragedia el negro,[6] sirvieron los esclavos a los más exigentes caprichos del amo. Fueron bestia de carga, fueron moneda de cambio, fueron carne para el látigo y fueron también ardor de trópico que sació la aberración sexual de sus poseedores. ...

Los amos de empolvada peluca, de fusta en la mano y espada al cinto, hicieron gala de[7] su poderío económico en el número creciente de sus víctimas encadenadas. ... Bien se podía vender la unidad,[8] como en igual forma era posible la transacción de toda una familia con sus pequeños e inocentes niños y sus agotados y venerables abuelos.

Pero en los breves ratos de ocio y de malicia, los amos ganaban tiempo en cierto tipo de orientación para sus esclavos. Les enseñaron, por ejemplo, que existía el Diablo, personaje destinado a llevarse a los negros al infierno, cuando éstos observaban mala conducta, cuando no guardaban obediencia,

tolerancia, respeto y lealtad a sus señores; y mucho más encarnizado era el Diablo si los negros pensaban en rebeliones o en fugas. Pero que en cambio existía el Ángel de la Guarda[9] que protegía a los negros humildes, serviciales, delatores y tolerantes. Este virtuoso Ángel, encaminaba por la senda del bien, a los esclavos de malos pensamientos, buscaba a los prófugos y los devolvía a su sitio original y era capaz, incluso, de proteger a los negros contra la acción del Diablo. ...

De esta manera, la única ley que protegía al esclavo era el buen corazón de su amo, si es que los negros podían creer en la posesión de tan sensible órgano por parte de sus mercaderes.

Los oscuros hijos del Congo y de Guinea fueron marcados como bestias. No usaban calzado y sólo un raído pantalón los guarecía del frío, del calor y del mosquito. Fueron víctimas de ensordecedor cruce sexual,[10] porque los amos ansiaban una

Contraste de la vida mecanizada y la edificación colonial: vida callejera en Panamá.

mejor especie: fuerte y dócil. Para ello se hacía una municiosa selección. ...

Fue por ese proceder del hombre blanco, por lo que dicen los negros que ellos visten, hablan y actúan en revesina.[11] Por ello contestan «no» cuando es «sí» y viceversa. La intención del blanco fue siempre convencer al negro de que era bruto e incapaz de igualarse a los rubios.

El amo y señor evitaba lo mayormente posible la educación para sus esclavos, pues temía que algún negro inteligente alzara la bandera libertaria. Y para evitar, nada mejor que estratificar las sombras de la ignorancia en la mente del hombre.

. . .

Mientras Simón Bolívar abogaba por la libertad de los esclavos en su primer mensaje al Congreso de la Gran Colombia y mientras los negros del Norte padecían el horror de las cadenas, los esclavos del istmo de Panamá incubaban[12] solos su acto de libertad, ajenos a la gestión de los héroes del continente americano, a costa de muchas vidas, dolor y sacrificio. Un 13 de enero a las doce de la noche, de un año no localizado en el itinerario del tiempo,[13] los negros se dieron al enorme vuelo que a unos llevó hacia la montaña y a otros hacia la costa. Tal movimiento lo encabezó un personaje hoy desconocido en la leyenda conga como «Juan de Dioso». Este acto ha debido ocurrir, sin lugar a dudas, mucho antes de 1851, fecha en que mediante una ley expedida por el gobierno del Istmo[14] se dio libertad a los esclavos, [doce] años antes de que aconteciera lo mismo en los Estados Unidos de Norteamérica.

Éste es el origen de los famosos «congos»; ésta es su dolorosa odisea en el continente mestizo y ésa la página de gloria por ellos rubricada.[15]

Y de toda esa historia novelada[16] y difundida verbalmente de generación en generación, arrancan las costumbres, los bailes, la música, el vestuario y la tradición, la comida y el encanto de la antigua raza esclavizada. Ése es su tesoro... Y es también el argumento[17] sobre el que se levantan «El juego de los congos» y «El baile del terrible».

Crítica social del congo

... Según la doctora Felicia Santizo, ese juego «representa la epopeya de una raza humillada, pero no vencida». En el proceso del juego emerge la denuncia rebelde y valiente puesta frente a la distraída civilización.

... Hay características distintas entre los grupos de Guinea y los llamados congos, fenómeno originado por la forma de vida que cada grupo llevaba en su respectiva comarca. Por ello han surgido dos juegos, cada uno en su grupo pero con idéntica finalidad: el juego de los congos y el baile del terrible. Pero en ambos casos, lo esencial es que persisten la denuncia, el dolor, la protesta y la sorna.

Dichas danzas de valiente dramatización se vienen presentando y transmitiendo de abuelos a hijos, con la participación de hombres, mujeres, ancianos y niños.

El negro fue supersticioso por naturaleza, como producto de sus falsas creencias traídas de África. Y mucho más perfil adquirió[18] por la persuasión del blanco que le pintaba al Ángel, al Diablo y a las ánimas como seres capaces de ejercer designios extraterrenales en el negro. El mental juego fantasioso de los esclavos, mucho contribuyó a su propia liberación, pues aunque parezca increíble, los blancos fueron presa del pavor, el nerviosismo, es decir, de una catastrófica inestabilidad sicológica,[19] producida por el contagioso estado de terror incubado en el espíritu de los negros. A tal grado llegó la zozobra de los amos al ver el

---

[11]en revesina al revés   [12]incubaban preparaban   [13]no ... tiempo no precisado   [14]Istmo Isthmus of Panama   [15]por ellos rubricada firmada por ellos   [16]novelada explicada   [17]argumento base   [18]y ... adquirió y su superstición se intensificó   [19]sicológica psicológica: Algunos escritores prefieren omitir la p delante de la s.

pánico de sus esclavos que veían perros vomitando fuego por los ojos que no se atrevían a salir de noche. Y cuando eran enviados los negros a efectuar quehaceres y diligencias nocturnas, éstos aprovechaban la sombra para darse a la fuga, llevándose ollas, comestibles, ropa y otros enseres útiles en la selva, atados a la cintura.

Demos, pues, una superficial ojeada a los maravillosos personajes que desfilan en el impresionante juego de los congos, para que nos demos una más clara idea del mismo.

Juan de Dioso. Éste es el negro esclavo, misterioso e invisible, a quien se le atribuye haber organizado a sus hermanos enseñándoles el camino de la libertad. Tiene consignas que son acatadas, como ésta: «Los negros no son nuestros enemigos, sino los blancos; los negros deseamos vivir unidos y en franca amistad». Juan de Dioso viste de acuerdo a con el lugar congo a que pertenece. Lleva camisa blanca y corbata cuyo nudo va hacia atrás. Encabeza los desfiles de la reina, impone sanciones y cobra las contribuciones del reino.

La Reina. Es la señora de Juan de Dioso, valerosa y fiel, vigila porque se cumplan sus mandatos. Organiza los juegos, autoriza comidas y festejos, dicta decretos, concede gracias[20] y contribuye los haberes[21] del reino. Tiene más autoridad que el rey. Hay que pagarle para bailar con ella. En la Costa Abajo se le llama María Mescé y en la Costa Arriba, Mi Señodo.[22]

El Pajarito. Hijo de Juan de Dioso y la reina. Explora el campo y avisa lo que acontece en...el reino; es encargado del protocolo; va adelante en los desfiles. Sin embargo, en el reino de la Costa Abajo, es el villano traidor que vende los negros esclavos a los blancos, razón por la que su madre, con dolor en el alma, lo condena a la pena de muerte.

Juan de Diosito. Es hermano del pajarito, guardaespaldas de la reina y hermano de las «mínimas» o princesas.

Hojarasquines. Son conocidos también como los «negros machos», llamados así porque fueron los primeros en fugarse y se internaron en el monte. Allí se cubrieron de hojarasca, no se sabe si porque perdieron la ropa, o si fue para confundirse con la

selva, desde donde atacaban a los negreros que perseguían a los esclavos, cubriendo así la retirada de los fugitivos.

. . .

Agarradó. Este personaje es el policía del reino. Se encarga de llevar ante los reyes a los infractores. A veces se hace acompañar de ayudantes y carga siempre una soga en las manos o cintura para atar al reo.

El Letrado. Es el comentarista e intérprete del reino, en lo que se refiere a códigos y leyes. Es el único a quien se confían los grandes secretos y es quien señala al rey las penas y sanciones aplicables en cada caso.

El Troyano. Representa al comprador principal de esclavos fugitivos. Cuando llega a los contornos del reino no pierde de vista al pajarito, quien se ve obligado a traicionar a los suyos y los vende por un guineo[23] o una guayaba. Es entonces cuando su madre lo condena a muerte.

El Cazador. Por mandato de la reina, es el encargado de dar muerte al pajarito. Tiene a su cargo denunciar y acabar con los traidores.

Muchas veces, durante el desarrollo del juego, entran otros personajes de menor importancia como el gusano, el tigre, la hormiga, el conejo y otras especies del monte y de la selva que habitaron los esclavos. Pero ya al finalizar el juego, aparecen personajes de gran importancia como:

El Diablo. Éste entra con la firme decisión de llevarse a los negros y los castiga con fuertes latigazos; al final el diablo es capturado y bautizado para que no siga moro,[24] después de lo cual es vendido en pública subasta.

El Arcángel. Previa invocación de la reina, y para distraer al diablo, entra en escena. Mientras esto acontece, los congos se proveen de cruces para afrontar el peligro.

La Muerte. Entra a recoger las ánimas, tan pronto tiene conocimiento de la captura del diablo, labor en que las ánimas están ocupadas.

El señor Cura. Este personaje tiene la misión de bautizar al diablo, lo cual se hace sobre una mesa, ya que Lúcifer está proscrito de la causa de Dios.

---

[20]**gracias** favores [21]**contribuye los haberes** furnishes the wealth [22]**María Mescé, Mi Señodo** María Merced, Mi Señora: The *r* is often softened or changed in Afro-Antillean speech. [23]**guineo** banana [24]**no siga moro** se haga cristiano

El muelle de los pescadores en Belém. Como en todo el Noreste brasilero, predomina la raza negra.

Como puede apreciarse, en la constitución de la sociedad de los congos, en las costumbres, bailes y juegos, hay siempre una fulminante gota de sorna, una embriaguez de[25] crítica y una enfática denuncia frente a los blancos. Específicamente no puede hablarse de odio de los negros contra los blancos, pues son aquéllos seres sencillos. En sus símbolos como en sus cantos, asoma la advertencia, más que el reproche. Así, por ejemplo, los congos tienen su bandera con un cuartel negro y otro blanco, lo cual significa que el negro y el blanco deben vivir en paz. En sus cantos tenemos como ejemplo uno que se usa cuando la reina de Guinea llega a los dominios del reino de Cerro Brujo. Dice así la letra:

—¿Este mundo de quién son?
— ¡De todo mundo son!
—¿Esta tierra de quién es?
— ¡De todo mundo es!

Y esta otra letra que es un búmerang que le va a los blancos como consecuencia de las maliciosas enseñanzas cristianas que dieron a los congos esclavos. Dice:

—Los blancos no irán al cielo
por una solita maña:
les gusta comer panela[26]
sin haber sembrado caña.

También tenemos esta otra letrilla, en cuya valiente decisión se refleja el espíritu del negro en la hora de las grandes hazañas frente al blanco:

Hermanito mío quiribí,
llegó la hora de morí.
Hermanito mío cayayá,
llegó la hora de matá.

Apuntamos ya que los congos dicen «sí», cuando es «no», y lo contrario a su vez. Pues bien, cuando se saludan lo hacen con los pies en vez de hacerlo con las manos. El nudo de la corbata hacia atrás cuando lleva camisa y hacia adelante cuando no la lleva es la actitud de burla contra aquellos rubios que pretendieron meterles en la cabeza que los negros, por brutos, no podrían igualar al blanco. Los personajes que intervienen en el juego de los congos y la finalidad de los mismos, evidencian las enseñanzas cristianas y del sistema político imperante en la época, con la diferencia de que los congos, intencionalmente, desfiguran a son de crítica tales doctrinas y sistemas políticos. Vemos, por ejemplo, en el orden político, como la reina posee más poderes que el rey, y que el diablo puede bautizarse y ser susceptible a conversión cristiana, en el plano religioso. Otro tanto podemos decir en cuanto a la jerga que hablan, cortando las palabras y haciéndose difíciles de entender por el mismo hecho de decir las cosas al revés.

[25]embriaguez de   fuerte   [26]panela   sweetened biscuit

Lydia Cabrera

Este cuento pertenece a las leyendas folklóricas del Cuba africano. Lydia Cabrera lo recogió en la década de 1920 cuando el primitivismo estaba de moda en Francia y los latinoamericanos imitaban a menudo los modelos europeos. Este cuento popular es una expresión perfecta del dilema del negro frente a la superioridad que el blanco reclamaba para sí y que le ofreció el derecho de privilegios especiales. Lukankansa sólo hace narices para los que le pagan, y éstos son los blancos. Que los dos jimaguas—deidades yorubas—le obliga a hacer narices, gratis, aunque inferiores, para los negros demuestra un espíritu de protesta social, pero también una nota de pesimismo ya que las narices mal hechas condenan a los negros a un estado perpetuo de inferioridad.

Por qué las nariguetas de los negros están hechas de fayanca

Lukankansa, diablo alfarero, hizo las narices con arcilla bruja. Él fue quien las ideó y las puso en boga[27] llenando así, agradablemente, el espacio que, a su juicio, no debía dejarse vacío y tan liso, de oreja a oreja, de ojos a boca.

La fisonomía humana mejoró mucho, sin duda; gustaron con pasión las narices, y Lukankansa no daba abasto[28] modelándolas y plantándolas en los rostros presumidos. Cada hombre y cada mujer blanca lució una, más o menos larga, recta, curva, respingada, a gusto del consumidor, todas finamente modeladas, que pagaban a muy buen precio; porque los blancos fueron ricos desde un principio, habiendo sabido su antecesor escoger a tiempo[29] lo mejor y lo más lucrativo.

Los negros en cambio, que no tenían fusiles sino arcos y flechas, eran pobres: no podían permitirse el lujo como los blancos de comprarle una nariz a Lukankansa. Se contentaban con admirarlas ingenuamente sin atreverse siquiera a desearlas: lo mismo que el fusil, la pólvora y la decantada blancura; éstas, con las cuentas translúcidas de sus ojos, eran un privilegio más que disfrutaban los descendientes afortunados de Manú-Puto.

Fueron dos jimaguas los primeros negros que adquirieron narices. Dos jimaguas que debieron venir al mundo con el deliberado propósito de poseer una nariz en medio de la cara como cualquier mundele.[30]

Nacieron, crecieron y fueron a pedírselas a Lukankansa.

Y fue un día en que éste estaba tan atareado como de costumbre.

Dentro y fuera, en torno a su taller, esperaba la multitud de clientes que afluía de todas partes del mundo. Venían a recibir la nariz que habían ordenado de antemano o a encargarla.

Rayando[31] el alba, se entregaba a su labor el Naricero y daba los últimos toques a los pedidos que debía entregar más avanzada la mañana.[32] Cuando todas estaban terminadas a conciencia, hacía pasar al cliente, y con pasmosa maestría, de un movimiento de mano rápido y delicado, le dejaba fijada la nariz, tan firme y segura que podía garantizar que ésta permanecería en su puesto inmovible y allí duraría exactamente lo que la vida

[27]puso en boga hizo popular   [28]no daba abasto could not work fast enough   [29]habiendo ... tiempo puesto que sus antepasados obtuvieron   [30]mundele blanco   [31]rayando toward   [32]más ... mañana más tarde por la mañana

93

de su dueño; con la ventaja nada desdeñable—justificándose así de sobra los altos honorarios de Lukankansa—que el dueño la trasmitiría indefectiblemente, aunque con imprevistas variaciones, a toda su prole venidera. Luego, para la buena conservación de la nariz que acababa de adquirirse, Lukankansa aconsejaba enfáticamente una conducta de moderación y templanza. En este punto cobraba sus honorarios; nunca cometía la indelicadeza de hacerlo por adelantado. Pasaba otro cliente, lo sentaba en un pilón y, con igual dominio y celeridad, repetía la misma operación, renovaba el mismo consejo centenares de veces, hasta que implantada la última nariz por aquel día se sentaba a su vez en el pilón para atender nuevos pedidos.

Por entre los blancos, abriéndose paso con los codos, se colaron los jimaguas negros.

¡Cómo! ¿Negros en su taller? Dos negrillos mostrencos, atrevidos.

— ¡Queremos narices!

— ¡Qué osadía!

Era la primera vez que un negro, y por duplicado, le hacía un pedido a Lukankansa.

— ¡Largo de aquí[33]—dijo el Naricero indignado.

—No nos iremos si no nos das una nariz ...

— ¡Cuando miles de mundeles me apremian y me pagan las suyas contantes y sonantes[34]! ¿Dónde está el oro que vale mi trabajo?

—Señor Lukankansa, pónganos la nariz de balde.[35]

— ¡De balde, señor Lukankansa!

—Otro día discutiremos esto—dijo Lukankansa asiéndolos del brazo bruscamente para ponerlos en la puerta. Pero los jimaguas estaban fijos en el suelo, fijos como las famosas narices después de colocadas. Tiró de ellos fuertemente; empujó con ímpetu mayor, *¡Uf!* con todas sus fuerzas, y no logró desprenderlos ni moverlos de su sitio. Insistió y en inútil forcejeo perdió mucho tiempo.

Demasiado para quien aún tenía que proveer de nariz a media humanidad.

Así, la multitud que esperaba afuera gritaba su impaciencia en todos los tonos.

— ¡Hasta cuándo,[36] señor Lukankansa!

— ¡Despache, señor Lukankansa!

— ¡Por favor, señor Lukankansa!

—Está bien—dijo, dándose por vencido, agotado del esfuerzo—¡pues ahí se pudran!—y haciendo caso omiso de los jimaguas, se dispuso a recibir la clientela. Apenas pedía excusas a uno por su tardanza y a otro le medía el rostro atentamente, cuando los jimaguas cantaron:

—Don Fáino, Fáino: ¡Chí! ¡Chí!—

y soplando fuego por los ojos—¡Chí! ¡Chí! Don Fáino, Fáino—llenaron el taller de chispas y candelas.

Naricero y comprador huyeron encandilados, ocasionando un pánico en el gentío que se desbandó a los gritos de ¡fuego! y Lukankansa no pudo anotar un solo encargo aquella tarde.

Sin embargo a la mañana siguiente, con los millares de compradores del día anterior, acudieron otros tantos; y volvieron también los jimaguas.

—Señor Lukankansa, las narices.

—Señor Lukankansa, si no nos las hace pronto no nos iremos nunca, y otra vez le cantaremos:

Don Fáino, Fáino...

— ¡Eso no!—saltó Lukankansa—¡que yo les haré unas narices a la carrera!—y tomando un poco de barro, apresuradamente y como quiera, en dos pellas, abrió dos agujeros, y de un torniscón, se las plantó en la cara a los jimaguas.

—Ya está.

— ¡Gracias, señor Lukankansa!

Ahora los dos negrillos, que se paseaban ufanos con sus toscas narices por todas las naciones de

---

[33] ¡Largo de aquí!   Get out!   [34]contantes y sonantes en moneda   [35]de balde gratis   [36]hasta cuándo how much longer

El tambor fue el instrumento básico de las culturas africanas. Grupo de cubanos tocando para una fiesta.

hombres de piel oscura, les decían a éstos:

—¿Es posible que anden todavía desnarigados? ¡Qué dejadez, qué abandono! Si también Lukankansa hace narices para los negros. Claro está que, como los negros no le pagamos, no se esmera mucho con nosotros ... pero de todos modos, ¡esto que nos puso no deja de ser una nariz! Y los jimaguas estornudaban, se sonaban, para no dejar lugar a dudas.

Aconsejados por ellos todos los negros fueron de dos en dos a pedirle a Lukankansa narices de balde.

En cuanto éste los veía asomar, se ponía un dedo en la boca advirtiéndoles nerviosamente que guardasen silencio, y cuidaba de no hacerles esperar demasiado; sobre todo si la negra pareja insinuaba distraída ...

¡Don Fáino, Fáino, Fai! ...

en menos de un abrir y cerrar de ojos, haciéndoles pasar por delante de algún blanco copetudo, dispuesto a pagar largamente una nariz de a palmo, les incrustaba gratis de un porrazo, el montoncito de barro que nunca se dio la pena de perfilar.[37]

[37]se ... perfilar   bothered to sculpture

Emilio Ballagas (blanco)

Crítico literario, poeta e historiador, este hombre de letras cubano dejó una lista impresionante de poemas y trabajos sobre la poesía. Entre estos últimos se destacan sus estudios de la poesía afrocubana y la poesía negra liberada. El fragmento incluido a continuación proviene de su ensayo que apareció en *Revista Cubana* en 1946.

Situación de la poesía afroamericana

Nuestras observaciones sobre el negro y la poesía afroamericana nos llevan a las siguientes conclusiones que han de tenerse en cuenta para acometer todo estudio de esta índole.

1. La poesía afroamericana no puede llamarse propiamente «poesía negra» sino más bien «poesía mulata» por cuanto en su verso se expresa el contraste y asimilación de cultura; expresión de la sensibilidad del negro, del mulato y del blanco a través de la sensibilidad del negro de América cuya psique ha sido modificada por el transplante y por la vivencia del drama de la esclavitud.

2. Para acometer el estudio de la poesía afroamericana no puede perderse de vista la identidad de la especie humana y el poder de simpatía que une a los hombres de todas las razas para afirmar que la expresión de la sensibilidad del hombre de color pueden darla el negro y el mulato desde su propio centro intuitivo lírico, e igualmente el blanco, por un afortunado fenómeno de reflejo.

3. Tampoco puede acometerse seriamente el estudio de la poesía afroamericana sin partir del punto de vista de la poesía adoptando un criterio estético sin escamotear la naturaleza de la «cosa poética» en sí[38] sustituyéndola por la historia y por la sociología, lo cual no indica que se nieguen los otros factores, sino que se mantengan dentro de su jerarquía.

(mulato)   "el mejor poeta "

Nicolás Guillén

Guillén es un afrocubano que siempre ha sentido la necesidad de crear una poesía al servicio de su pueblo, aunque en dos niveles muy diferentes. Por un lado nos ofrece magistrales cuadros costumbristas que retratan a personajes del ambiente afrocubano, casi siempre de La Habana; por otro lado cultiva la poesía social que ataca la explotación del negro o mulato por el capitalismo internacional, la oligarquía nacional o una dictadura al servicio de ambos.

[38]sin ... en sí   without ignoring poetry as an end in itself

Sabás y *Guadalupe W. I.* pertenecen a la literatura de protesta social. En *Sabás* Guillén apela a la hombría del negro para que deje de aceptar la limosna de los que lo mantienen en un lugar de absoluta inferioridad; y en *Guadalupe W. I.*[39] el poeta lanza su grito de rebelión no sólo a los West Indies sino a todo el Caribe mulato.

En los últimos tres poemas encontramos retratos sociales: la mulata en *Búcate plata* es típica en su afán de alcanzar una vida de lujo que su hombre no le puede ofrecer. *Negro bembón* tiene una modalidad más irónica ya que el poeta le está diciendo al protagonista que no se debiera quejar de su atributo africano, o sea sus labios gruesos y grandes, porque su condición de «negro bembón» le da la oportunidad de vivir sin trabajar. En *Mulata* encontramos la demarcación social que existe entre el mulato y el negro, que se aplica aquí a un tema de sabor psicológico, o sea el deseo frustrado.

Sabás

Yo vi a Sabás, el negro sin veneno,
pedir su pan de puerta en puerta.
¿Por qué, Sabás, la mano abierta?
(Este Sabás es un negro bueno.)

Aunque te den el pan, el pan es poco,
y menos ese pan de puerta en puerta.
¿Por qué, Sabás, la mano abierta?
(Este Sabás es un negro loco.)

Yo vi a Sabás, el negro hirsuto,
pedir por Dios para su muerta.
¿Por qué, Sabás, la mano abierta?
(Este Sabás es un negro bruto.)

Coge tu pan, pero no lo pidas;
coge tu luz, coge tu esperanza cierta
como a un caballo por las bridas.
Plántate en medio de la puerta,
pero no con la mano abierta,
ni con tu cordura de loco:
aunque te den el pan, el pan es poco,
y menos ese pan de puerta en puerta.

¡Caramba, Sabás, que no se diga[40]!
Sujétate los pantalones,
y mira a ver si te las compones[41]
para educarte la barriga!
La muerte, a veces, es buena amiga,
y el no comer, cuando es preciso
para comer, el pan sumiso,
tiene belleza. El cielo abriga.
El sol calienta. Es blando el piso
del portal. Espera un poco,
afirma el paso irresoluto
y afloja más el freno...
¡Caramba, Sabás, no seas tan loco!
¡Sabás, no seas tan bruto,
ni tan bueno!

---

[39]W. I.   West Indies: El título de la colección de poemas es *West Indies, Ltd.* que indica la actitud irónica del poeta en cuanto a la explotación económica por los «sajones».   [40]que no se diga implied is thereafter: que te falta coraje   [41]compones arreglas

Guadalupe W. I.

Pointe-à-Pitre

Los negros, trabajando
junto al vapor. Los árabes, vendiendo,
los franceses, paseando y descansando,
y el sol, ardiendo.

En el puerto se acuesta
el mar. El aire tuesta
las palmeras... Yo grito: ¡Guadalupe! pero nadie contesta.
Parte el vapor, arando
las aguas impasibles con espumoso estruendo.
Allá, quedan los negros trabajando,
los árabes vendiendo,
los franceses paseando y descansando,
¡y el sol, ardiendo!

Búcate plata

Búcate[42] plata,
búcate plata,
porque no doy un paso má:
etoy a arró con galleta,
na má.

Yo bien sé cómo etá to,[43]
pero viejo, hay que comer:
búcate plata,
búcate plata,
porque me voy a correr.

Depué dirán que soy mala,
y no me querrán tratar,
pero amor con hambre, viejo,
¡qué va[44]!
Con tanto[45] zapato nuevo,
¡qué va!
Con tanto reló, compadre,
¡qué va!
Con tanto lujo, mi negro,
¡qué va!

[42]**búcate** búscate: En casi todas las selecciones de Guillén, como también de los autores siguientes del capítulo, hay que rectificar la omisión de la *s* o su cambio hacia la *z* o *j*. [43]**etá to** está todo: things are tough all over [44]**qué va** nothing doing [45]**con tanto** cuando otros tienen

Mulata

Ya yo me enteré, mulata,
mulata, ya sé que dice
que yo tengo la narice[46]
como nudo de corbata.

Y fíjate que tú
no ere tan adelantá,
porque tu boca e bien grande,
y tu pasa,[47] colorá.

Tanto tren[48] con tu cuerpo,
tanto tren;
tanto tren con tu boca,
tanto tren;
tanto tren con tu sojo,
tanto tren...

Si tú supiera, mulata,
la verdá;
ique yo con mi negra tengo,[49]
y no te quiero pa ná!

Negro bembón

¿Por qué te pone tan bravo,
cuando te dicen negro bembón,[50]
si tiene la boca santa,[51]
negro bembón?

Bembón así como ere
tiene de to;
Caridad[52] te mantiene,
te lo da to.

Te queja todavía,
negro bembón;
sin pega y con harina,[53]
negro bembón...,
majagua[54] de dril blanco,
negro bembón;
zapato de do tono,
negro bembón;

Bembón así como ere,
tiene de to;
¡Caridad te mantiene,
te lo da to!

---

[46]narice nariz: Guillén experiments with poetic form and here has a stanza called a *redondilla* in which he needs a consonantic and eight syllable rhyme; thus he changed the *z* to a *c* to necessitate an extra syllable.   [47]pasa kinky hair   [48]tanto tren tanto movimiento   [49]que ... tengo me basta mi negra   [50]bembón de labios muy gruesos y grandes   [51]santa masculine, "sexy"   [52]Caridad nombre de mujer, la que lo mantiene   [53]sin ... harina sin preocupaciones y con plata en el bolsillo   [54]majagua traje

Jacques Romain

Haití es la nación más africana del hemisferio. Tuvo una guerra de independencia feroz de 1791 a 1804, en la que los blancos y hasta muchos mulatos fueron exterminados u obligados a dejar la isla o huir a Santo Domingo. Aunque el idioma oficial es el francés, la población usa un dialecto que mezcla palabras africanas con francesas; y el ritmo de vida pertenece básicamente al de la costa del África Occidental. El poema de Romain fue traducido al español e indica claramente la afirmación de una identidad cultural negra.

Cuando bate el tam-tam

Tu corazón tiembla en la sombra
como un rostro reflejado en el agua turbulenta.
El antiguo espejismo se eleva en el abismo de la noche.

¿Conocéis el dulce sortilegio del pasado,
un río que te lleva lejos de los bancos,
que te conduce hacia el boscaje ancestral?
Escucha esas voces: ellas cantan la tristeza del amor.
Oye el tam-tam en la montaña
palpitando como el seno de una jovencita negra.

Tu alma es un reflejo en las susurrantes aguas
donde tus antepasados inclinaban sus oscuros rostros.
Secretos movimientos se perciben en la oscuridad.
Y el blanco que te hizo mulato
es solamente un copo de espuma abandonado lejos
como salivazo[55] en la cara del río.

[55]salivazo spitting

Adalberto Ortiz

Ecuador se divide en dos regiones completamente contradictorias: el altiplano con sus indios serranos, hoscos y tradicionalistas; y la costa, húmeda y tropical, donde viven el negro, el mulato y el zambo y donde el ritmo de vida es más ágil. Ortiz, conocido novelista mulato, también se expresó en forma poética sobre la triste condición sufrida por su raza. Sus dos poemas indican lo obvio: a pesar de las contribuciones hechas por el negro para las sociedades del Nuevo Mundo, no mejoró su nivel social.

Yo no sé

¿Po qué será,
me pregunto yo,
que casi todo lo negro
tan pobre son
como soy yo?

Yo no lo sé
Ni yo ni Uté.

Ma, si juera un gran señó,
rico, pero bien rico,
me lo gatara todito
entre negroj como yo.

Ma, rico yo no he de sé,
esa sí que e' la verdá,
nunca plata he de tené.
Ma, si juera un gran señó,
siempre negro sería yo.

¿Po qué será?
Yo no lo sé.
Ni yo ni Uté.

Contribución

África, África, África,
tierra grande, verde y sol
en largas filas de mástiles
esclavos negros mandó.
Qué trágica fue la brújula
que nuestra ruta guió.
Qué amargos fueron los dátiles
que nuestra boca encontró.
Siempre han partido los látigos
nuestra espalda de Cascol
y con nuestras manos ágiles
tocamos guasa[56] y bongó.[57]
Sacuden sus sones bárbaros
a los blancos, a los de hoy,
invade la sangre cálida
de la raza de color,
porque el alma, la del África
que encadenada llegó
a esta tierra de América
canela y candela[58] dio.

[56]guasa a sort of musical joke [57]bongó tambor pequeño [58]canela y candela spice and fire

Luis Palés Matos

Puerto Rico es hoy en día una isla sacudida por la incesante lucha de dos culturas: la hispánica y la estadounidense. A pesar del proceso de americanización, Puerto Rico produjo uno de los poetas más imaginativos y africanistas de este siglo. El poema *Numen*[59] de Palés Matos recrea la magia y el ritmo de lo que fue el espíritu y el genio africano a través de símbolos religiosos negros y de una desbordante naturaleza tropical.

Numen

Jungla africana—Tembandumba.[60]
Manigua[61] haitiana—Macandal.[62]

Al bravo ritmo del candombe[63]
despierta el tótem[64] ancestral:
pantera, antílope, elefante,
sierpe, hipopótamo, caimán.
En el silencio de la selva
bate el tambor sacramental,
y el negro baila poseído
de la gran bestia original.

Jungla africana—Tembandumba.
Manigua haitiana—Macandal.

Toda en atizo de fogatas,
bruja cazuela tropical,
cuece la noche mayombera[65]
el negro embó[66] de Obatalá.[67]
Cuajos de sombra se derriten
sobre la llama roja y dan
en grillo y rana su sofrito
de ardida fauna nocturnal.[68]

Jungla africana—Tembandumba.
Manigua haitiana—Macandal.

Es la Nigricia.[69] Baila el negro.
Baila el negro en la soledad.
Atravesando inmensidades
sobre el candombe su alma va
al limbo oscuro donde impere
la negra fórmula esencial.[70]

Dale su fuerza el hipopótamo,
coraza bríndale el caimán,
le da sigilo la serpiente,
el antílope agilidad,
y el elefante poderoso
rompiendo selvas al pasar,
le abre camino hacia lo profundo
y eterno numen ancestral.

Jungla africana—Tembandumba.
Manigua haitiana—Macandal.

[59]numen deidad   [60]Tembandumba reina africana que encarna a la mujer negra o mulata   [61]manigua terreno cubierto de maleza   [62]Macandal negro de Haití que huyó de la esclavitud, fue capturado y quemado vivo; hoy un mártir de los negros   [63]candombe baile en ceremonias religiosas africanas   [64]tótem animal venerado como antepasado personal o de toda una tribu   [65]mayombera llena de brujas y brujerías   [66]embó hechizado   [67]Obatalá un dios de los yoruba, que predominaban en Cuba   [68]dan ... nocturnal offer crickets and frogs sizzling in the hissing frying pan of the dark   [69]Nigricia Nigeria, un país de África   [70]la negra ... esencial the essence of blackness

Alejo Carpentier

Considerado como uno de los novelistas más destacados de este siglo, Carpentier también se aventuró a enfocar el tema negro en su isla.

Esta novela cubana está basada en las actividades de los ñáñigos, o sea las sociedades secretas de los negros en Cuba y Haití, y la práctica del vodú. Menegildo, el protagonista, es una víctima del ambiente de la clase baja, dominado por la superstición, el fatalismo y el machismo, trinidad funesta.

Ecue-Yamba-O   El diablo

Nubes de tormenta se cernían sobre la guerra invisible. Los truenos del otoño habían velado el cielo aquella tarde, enfundando el sol y dejando luz de eclipse en la ciudad. Todavía el horizonte no olía a lluvia, y las olas del mar eran tan pesadas que no llevaban espuma. Menegildo estaba tumbado en la colombina, con el pecho húmedo de sudor, cuando el Cayuco entró en la habitación.

—Dice e negro Antonio que vaya pal parque en seguía, que hay un asunto malo por ayá.

—Voy.

Menegildo se abotonó la camisa, se apretó el cinturón y ocultó el cuchillo en uno de sus bolsillos. Bajo el portal del Café de París, el negro Antonio le aguardaba al pie de su sillón de limpiabotas. Tenía el ceño fruncido.

—¿Qué hubo?—preguntó Menegildo.

—¡Quédate por aquí, que puede pasal[71] algo!

—¿Y eso?

—Hay uno del Efó-Abacara[72] que va a venil a buccalme bronca.[73] Si viene con otro le caemo entre lo dó. Tú hatte el bobo.[74]

—¡Ya sabe que aquí hay un macho![75]

Comenzó una espera silenciosa. Antonio lustró dos pares de zapatos, con aire distraído, atisbando

Compra de tabaco en Santana, Brasil.

[71]pasal pasar   [72]Efó-Abacara una de las sociedades secretas de los negros en Cuba   [73]buccalme bronca buscarme para pelear   [74]Tú ... bobo. Tú hazte el desentendido que no me conoces.   [75]¡Ya ... macho! Menegildo refers to his own courage here.

Mercado y comedor callejero en Pernambuco, Brasil.

de tiempo en tiempo los cuatro costados de la plaza. De pronto exlamó entre dientes:

—¡Ahí vienen!

Tres negros, que Menegildo veía por primera vez, se habían detenido en la esquina más próxima. Uno de ellos se separó del grupo, acercándose al limpiabotas. Antonio tomó una expresión distante y hostil, mirando obsesionadamente hacia la gaveta llena de cepillos y latas de betún. El enemigo apoyó un brazo en el sillón, con aire de desafío. Antonio comentó, sin inmutarse:

—Hay mucho sitio donde podel uno descansal.

El negro apoyó el otro brazo:

—¡Aquí e donde se está cómodo!

—¡Así se clavó uno!

—¡No se ocupe, que yo no me clavo!

Hubo un instante de expectación. Menegildo se preguntaba lo que estaba esperando el primo para «caerle» a ese desgraciao,[76] cuando Antonio se levantó súbitamente, echándose una mano al bolsillo:

—¡Mira cómo está el diablo!

En sus dedos crispados, entre cinco uñas rosadas, un pequeño collar de cuentas negras se retorcía como una culebra herida. Lentamente, Antonio alzó la mano hasta las narices del adversario, cuyos ojos espantados fijaban el extraño objeto viviente. Dio un salto atrás:

—¡Oye! ¡El diablo está duro!

Y volviéndoles las espaldas fue a reunirse con sus compañeros en la esquina. Los tres se alejaron rápidamente. El diablo regresó al bolsillo, mientras Menegildo contemplaba al primo con admiración.

—¡El collar está *trabajao* en forma[77]!—exclamó Antonio—. ¡Con *eso* no hay quien puea![78]

Menegildo reconstruía mentalmente la ceremonia de preparación de aquellos talismanes. El brujo, sentado detrás de una mesa de madera desnuda, sacando de jícaras llenas de un líquido espeso aquellos collares, aquellas cadenas, que se doblaban en espiral, formaban el 8, dibujaban un círculo, se arrastraban y palpitaban sobre el corazón del hombre con una vida tan real como la que hacía palpitar el corazón del hombre.

—¡Me voy a tenel que comprar un muerto!—sentenció Antonio para sí mismo.

—¿Un muerto?

—Sí. En el sementerio.[79]

Menegildo sintió un escalofrío en la base del cráneo. ...

—¡Voy a il esta mima noche!—proseguía Antonio.—Santa Teresa, que es macho un día y hembra al otro día, es la dueña de todos los muertos. Hay que hablarle: «Santa, *ivéndeme un ser!*»

—¿Y dipué[80]?—preguntó Menegildo con tono inseguro.

—Tú no pué entendel de eso... Aggún día tú me

---

[76]desgraciao   desgraciado (son of a bitch)   [77]trabajao en forma   made right
[78]¡Con ... puea!   There is no one who can challenge this charm!   [79]sementerio cementerio   [80]dipué   después

Cazadores de cocodrilos en la isla de Marajó, en el Norte del Brasil.

dirá: «Antonio, itú *sabe!*»... Uno saca un *ser* que está malo. ¡Malo! ¡Que no haiga descansao entodavía! Te lo llevas contigo y se lo echa a tu enemigo...

—¿Se lo *echa*?

—Sí. ¡Se lo suelta!

—¿Y él lo ve?

—¡Ni él, ni tú tampoco! ¡Pero ahí está! Lo coge por el pescuezo y se lo lleva pal sementerio... Y ya el *ser* puede descansal...

—¿Y si le echan un muelto a uno?

—¡Pa eso traigo el diablo!

Antonio se palpó el bolsillo:

—¡Y está duro!

Su voz cambió de entonación:

—Bueno, ya te puede il. Ellos no vuelven.

—Adió, entonce.

—Adió.

Menegildo se alejó del negro Antonio. Estaba angustiado. ¿Quién podía asegurarle que el adversario de hace rato, el salao ñáñigo[81] ése, no traía un *ser* consigo? ¿No lo llevaría montado en el cogote, como un güije,[82] espíritu malo...? Pero, ¡no! El diablo había estado demasiado cerca. El collar trabajado era una barrera que los mismos muertos no escalaban. Recinto mágico que ponía a los fuertes en situación de sitiados, pero nunca de vencidos.

---

[81]salao ñáñigo desgraciado miembro de la sociedad secreta de los ñáñigos   [82]güije enano maléfico o espíritu de los ríos que acostumbra llevarse los niños

Discusión

1. ¿Quiénes traficaban principalmente con los esclavos africanos?
2. ¿Cuál fue la base de la política africana del buen padre Bartolomé de Las Casas?
3. ¿Cuál fue la zona máxima de expansión africana en la América Latina?
4. ¿Qué rol jugó la Iglesia católica en la humanización del tratamiento otorgado a los negros en la América Latina?
5. Según Tannenbaum, ¿qué diferencias básicas existían en el tratamiento del esclavo africano en Latinoamérica y los Estados Unidos?
6. ¿Cuál es la tesis de Gilberto Freyre sobre el estudio de la cultura africana en la América Latina?
7. Establezca una diferencia entre «wintiman» y «obeahman».
8. ¿Qué ventaja psicológica ofrece el winti a su portador?
9. ¿Qué sincretismo observamos en el caso de deidades africanas y figuras sagradas católicas?
10. ¿Qué diferencia existe entre el arte negro y el arte mulato, según Emilio Ballagas?
11. Nombre tres temas de importancia en la poesía mulata de acuerdo con Enrique Noble.
12. ¿Qué uso hicieron de la religión los dueños de los esclavos, según el artículo sobre los negros congos en Panamá?
13. ¿Qué propósito tienen las representaciones simbólicas de los «congos»?
14. ¿Qué satisfacciones psicológicas encierran los «congos» para los participantes?
15. ¿Qué relación se establece entre la condición social y la económica de los negros en el cuento de Lydia Cabrera?
16. ¿Qué rol juegan los jimaguas en este cuento y qué relación tienen con las creencias religiosas africanas?
17. ¿Qué interacción existe entre lo estético y lo social en el cuento de Lydia Cabrera y cuál es la posición estética determinante?
18. ¿En qué se basa el resentimiento del negro en *Mulata* de Guillén?
19. ¿Cómo se perfila el elemento costumbrista en *Mulata* y en *Negro bembón* de Guillén?
20. ¿Qué relación establece Guillén entre la fisionomía del negro y su condición social en *Negro bembón* y en *Sabás*?

21. ¿Qué tema o temas unen las poesías de los autores de Haití, de Ecuador y de Puerto Rico, que se encuentran en este capítulo?
22. Construya una lista de palabras que sirven para evocar un pasado africano.
23. Compare el tratamiento de las relaciones entre blancos y negros por los tres autores, Romain, Ortiz y Palés Matos.
24. Haga una lista de cinco a diez peculiaridades fonéticas del habla afroantillana.
25. Analice el elemento de la superstición como instrumento del culto ñáñigo.

Capítulo cuatro
Cultura y ecología del campo

Talando la maleza en plena selva. El minifundio rinde poco, y no hay tierra cultivable.

EL HOMBRE Y LA NATURALEZA

Al examinar detenidamente el mapa demográfico de Sudamérica, notamos inevitablemente una altísima concentración de la población en las zonas metropolitanas a lo largo de la costa del Atlántico y del Pacífico. En los siglos anteriores era natural que los conquistadores y colonizadores buscaran puntos de apoyo para recibir el tráfico marítimo de la península ibérica y luego despachar las riquezas del Nuevo Mundo a Sevilla y Lisboa. Con el paso del tiempo los puertos llegaron a ser centros de concentración para millones de inmigrantes europeos y contingentes de indios o mestizos que venían del interior para encontrar trabajo en las ciudades. Desgraciadamente, la mayoría de los europeos, en general poseedores de ciertos conocimientos técnicos y una instrucción básica, despreciaron la posibilidad de poblar el interior y aprovechar su experiencia para crear una base tecnológica donde hacía más falta, porque les atraía una vida más grata en medio de un ambiente europeizante con facilidades culturales.

Alrededor de 1910 los edificios céntricos de Lima conservaban un aire muy español y muy barroco, Santiago de Chile mostraba sus numerosas galerías comerciales de tipo londinense y las avenidas principales de Buenos Aires, Montevideo y Rio de Janeiro parecían una copia exacta de los bulevares de la capital francesa. En la actualidad son relativamente pocos los que dejan una Europa próspera para buscar fortuna en las Américas. Pero nuestra época tecnológico-industrial con su alta concentración de fábricas, comercios y multitud urbana que exige toda clase de servicios ha creado numerosas oportunidades de empleo, lo que a su vez ha puesto en marcha un fuerte movimiento migratorio del interior del continente hacia las zonas metropolitanas que, con la excepción de la capital de México, Quito y Bogotá, están sobre la costa o a poca distancia.

Ciertamente una breve ojeada al mapa demográfico de los Estados Unidos también arroja dos franjas superpobladas que se extienden por los océanos Atlántico y Pacífico. Sin embargo, la distribución de la población total no es paralela a la que existe en los países latinoamericanos; y esto se debe en gran parte a dos factores: el terreno y la producción tecnológica. En el continente norteamericano, excluyendo a México, la topografía se opone poco a la comunicación directa entre los cuatro puntos cardinales, desde el golfo de México hasta la llanura canadiense y desde el Atlántico hasta las cordilleras del Oeste. Y donde el clima o el terreno opone dificultades, la capacidad tecnológica e industrial las ha superado mayormente.

En cambio, basta citar algunos datos y números para mostrar que en la América Latina la naturaleza todavía se impone al habitante. Dotado de **109** una superficie mayor que la de los Estados Unidos sin Alaska, el Brasil posee por ahora sólo un 4 por ciento de tierra arable. La cuenca del Amazonas con sus pantanos y selvas intransitables representa un 40 por ciento de la superficie total de Sudamérica. Las cordilleras de los Andes se elevan a alturas de más de veinte mil pies a lo largo de la espina dorsal del continente, separando la costa del océano Pacífico del interior del hemisferio y haciendo intransitables los pocos caminos con las nieves invernales. Por faltar represas casi no se utilizan los caudales de los grandes ríos. El Amazonas, el río Negro y el Paraná, por ejemplo, vierten sus enormes masas de agua inútilmente al Atlántico, y la carencia de sistemas de irrigación adecuados mantiene una gran parte de la meseta de México, del Gran Chaco y del Noreste brasilero en las condiciones de un desierto.

Debido a la escasez de medios tecnológicos y de fondos adecuados, la falta de vías ferroviarias, caminos asfaltados, puentes, túneles y sistemas de drenaje continúa a un nivel muy crítico, lo que dificulta el transporte y la comunicación de una región a otra, a menudo dentro del mismo país. Hace ya tiempo que el avión es el único medio de transporte para ir de una provincia de Guatemala a otra a pesar del tamaño reducido de esta nación. De acuerdo con algunos geógrafos, Ecuador se encuentra dividido en nada menos que nueve diferentes zonas topográficas. El Perú está separado en tres regiones que hasta hoy en día tienen poca comunicación entre sí: la costa del Pacífico, el altiplano y las montañas, y la selva tropical que forma parte de la cuenca amazónica. Para llegar a la ciudad peruana de Iquitos es mejor comenzar por la boca del Amazonas en el Atlántico que tratar de partir desde Lima.

Los geógrafos que se ocupan del mapa físico en vez del político han dividido la América Latina en regiones naturales, división que obviamente no concuerda con las fronteras nacionales en la actualidad. Tomando en cuenta el terreno, el clima y la vegetación, el profesor A. L. Kroeber nos da las siguientes líneas de demarcación:

1. La meseta mexicana, árida, rocosa, seca, de una altitud que tiene un promedio de unos cuatro mil pies, con lluvias infrecuentes y sin ríos caudalosos.

2. La zona que comprende las islas antillanas y la costa del golfo de México y de Venezuela, con su vegetación y clima tropical.

3. Las regiones selváticas que comprenden las cuencas del Amazonas, el Orinoco y el Alto Paraná, predominantemente bajo la influencia del ambiente tropical con una estación lluviosa excesiva.

En muchos países latinoamericanos faltan medios adecuados de transporte, Perú.

4. La franja andina que se extiende desde Ecuador hasta el altiplano peruano y la costa chilena, frecuentemente árida, casi siempre dominada por cadenas de montañas inaccesibles y amenazada por actividades volcánicas intermitentes.

5. Las llanuras argentinas incluyendo el Uruguay y las provincias más australes del Brasil, tierras propicias para la agricultura y ganadería en gran escala, con un clima moderado.

6. El Noreste del Brasil, un semidesierto con frecuentes sequías y un clima caluroso.

En casi todas estas regiones se observa una continua dominación de las fuerzas naturales sobre el habitante. Tanto los descendientes de los indios serranos en el altiplano como los indios guaraníes del Gran Chaco y los negros del Noreste brasilero son prisioneros de un terreno y clima adverso. El «soroche», o sea la enfermedad de la altura, la fiebre amarilla y los parásitos de las selvas tropicales, la aridez de las sierras y el fango de la jungla, todo conspira a dificultar la existencia diaria del habitante, en contraste absoluto con los preceptos románticos que exaltaban la naturaleza como amiga y confidente de los que se sentían en franca rebeldía contra las exigencias de su sociedad. Queda la llanura, en Venezuela, Colombia y, principalmente, la parte austral del hemisferio. La pampa argentina o uruguaya es monótona, al parecer interminable, y casi sin protección contra el sol o la lluvia, dando una sensación de infinita tristeza al que la recorre.

El conocido ensayista argentino Ezequiel Martínez Estrada, quien estudió la herencia de la ocupación de la tierra americana por los colonizadores, habla del territorio tomado con violencia y sin amor, con el espíritu de la ganancia que buscaba transformarlo en latifundios. Para Martínez Estrada el resultado de esta lucha fue un sentimiento de hostilidad y desamparo en el hombre que practicó la agricultura de la selva, quemando la maleza y el monte para dejar la tierra después de varios años nuevamente a la naturaleza salvaje en acecho. William L. Schurz, destacado historiador, también enfoca este tema ecológico al afirmar que la constante lucha contra la naturaleza produce en el hombre una tendencia hacia la inercia y la melancolía, nacidas de un fuerte sentimiento de futilidad. Queda la constatación de que el habitante de la América Latina no ha podido subyugar las fuerzas de la naturaleza hasta ahora, condición que influye poderosamente en la psicología de los que viven diariamente una existencia darwiniana.

LATIFUNDIO Y MINIFUNDIO

El latifundio nació con la Conquista ibérica de las inmensas tierras que para los recién llegados no pertenecían a los indios y que debían ser reclamadas automáticamente para la Corona española o portuguesa. Cuando el Rey adjudicó estas tierras a sus capitanes, y, más tarde, a miles de cortesanos y funcionarios, se establecieron haciendas y plantaciones en las que se combinaron los factores tierra, cultivo y mano de obra barata y abundante para el provecho del propietario. Hernán Cortés, conquistador de la Nueva España, fue premiado por su joven rey Carlos I con vastísimas tierras que abarcan lo que hoy es la parte sur de México al conferirle el monarca el título de Marqués del Valle de Oaxaca. Lógicamente, la mano de obra para las duras faenas agrícolas tenía que provenir de las filas de indígenas. Cuando y donde los nativos quedaron exterminados debido a que no podían sobrevivir los trabajos forzados en los campos, día tras día y de sol a sol, se importaban esclavos africanos, como ya hemos observado

Día de pago en una hacienda mexicana. Los sueldos son mínimos, pero hay muchos campesinos sin tierra y sin trabajo.

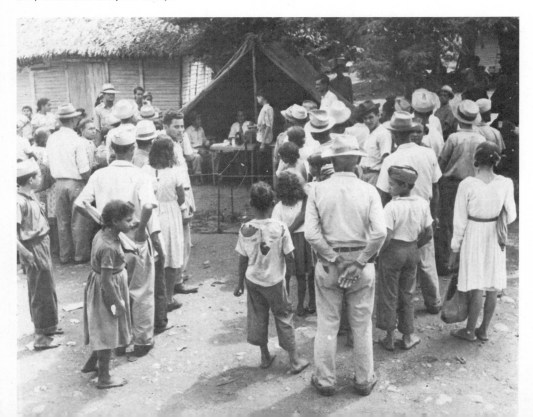

Entrada a una plantación de Venezuela.

en el capítulo anterior. Y donde escaseaban indios y negros, la tierra quedó virgen hasta que en siglos posteriores vinieron millones de europeos dispuestos a trabajarla, cosa que ocurrió sobre todo en las planicies de la Argentina, del Uruguay y del Sur del Brasil.

La tierra otorgada por el Rey en forma de repartimiento, cuyo título permanecía con la Corona, pasó a ser la hacienda y la plantación que juntas formaban la base de una economía rural y de una oligarquía terrateniente hasta nuestra época. Desafortunadamente, los términos hacienda y plantación varían en significado de una región latinoamericana a otra, y hasta los sociólogos que se especializan en problemas rurales no siempre están de acuerdo en cuanto a estas definiciones. Según muchos especialistas rurales, la hacienda está dedicada sobre todo a la cría de ganado o a la siembra de cereales, comprende un mínimo de trabajadores y tiene relativamente poca cohesión social y bajo nivel de eficiencia y rendimiento. La plantación, en cambio, utiliza una gran cantidad de trabajadores y tiene un sistema económico autosuficiente, más cohesión social y un rendimiento superior.

En su forma clásica la plantación representaba una subcultura casi autónoma, regida por las normas del paternalismo y dedicada casi siempre al monocultivo. Los trabajadores y sus familias formaban parte de esta subcultura, obedientes a la voz del amo y adaptables a las necesidades de la tierra. El dueño asignaba tareas domésticas a las mujeres, el cuidado de los animales a los chicos, las faenas más arduas en la lucha perenne contra la naturaleza a los hombres y el servicio en la casa grande a las muchachas más bonitas. Las novelas de Lins do Rego, que tienen lugar en el Noreste del Brasil, nos dan una muestra cabal de la vida cotidiana en las plantaciones donde el café, el arroz o el cacao constituían la única base económica de cuya fortuna dependía el bienestar de la comunidad. *Casa grande e senzala*, la obra maestra de Gilberto Freyre, exploró detalladamente las relaciones de los habitantes masculinos de la casa grande con las jóvenes campesinas de la *senzala*, que producían cantidades de hijos ilegítimos nacidos en las chozas reservadas para las indias o negras. Para Freyre la condición feudal de la vida en las plantaciones sirvió para acentuar la rapacidad sensual del propietario y su casta.

En la actualidad los investigadores de la vida rural latinoamericana han encontrado una enorme variación entre las condiciones que rigen en las plantaciones y haciendas. En las zonas andinas de Ecuador y del Perú y en los países de Centroamérica persiste el sistema tradicional, que en su forma más abusiva y paternalista fue tan dramáticamente retratado por novelistas como el ecuatoriano Jorge Icaza en *Huasipungo* y el peruano Ciro Alegría

AMÉRICA DEL SUR

Maracaibo
Barranquilla
Cartagena
Cauca
Magdalena
Medellín
Bogotá
Cali
COLOMBIA

Ciudad Bolívar
Orinoco
Caracas
VENEZUELA
Georgetown
GUAYANA
Paramaribo
SURINAM
Cayena
GUAYANA FRANCESA

Quito
ECUADOR
Guayaquil

PERÚ

Callao Lima
Cuzco
Lago Titicaca
Tacna
La Paz
BOLIVIA
Sucre

Amazonas
Manaus
Belém
Fortaleza

BRASIL
São Francisco
Recife
Salvador (Bahia)

Brasilia

Belo Horizonte

PARAGUAY
Asunción
Tucumán
Córdoba
Mendoza
Rosario
Buenos Aires
Valparaíso
Santiago
CHILE
ARGENTINA
Valdivia

Paraná
Uruguayo
Pôrto Alegre
São Paulo
Rio de Janeiro

URUGUAY
Montevideo
Río de la Plata

Ushuaia

en *El mundo es ancho y ajeno*. En cambio, la Revolución mexicana de 1910 trajo consigo la tentativa de suprimir la hacienda y establecer ejidos comunales bajo el auspicio del gobierno. Algo parecido ocurrió en Bolivia después del levantamiento de los campesinos indios y mestizos en 1952 que reclamaban tierras. Y en el sur del hemisferio, los trabajadores rurales de las haciendas argentinas, uruguayas y chilenas no sólo reciben hoy en día sueldos en efectivo sino que también negocian a menudo sus contratos a través de sindicatos, amparados por leyes laborales.

En el nivel políticosocial, la hacienda y la plantación son consideradas latifundios, es decir, propiedades de gran tamaño que ocupan las mejores tierras en países predominantemente agrarios cuya población campesina se encuentra sin tierra arable ni otros medios de existencia. Por eso hay que considerar como peligroso y explosivo el hecho de que el 90 por ciento de la tierra cultivable en la América Latina pertenezca todavía a un 10 por ciento de la población total. En los países menos desarrollados la situación es más extremada todavía. En Guatemala, país predominantemente indio, quinientos latifundios representan casi la mitad de la tierra cultivable. Una estadística similar rige para Ecuador y Nicaragua y hasta para países más modernizados como lo son Venezuela y el Brasil.

MÉXICO, AMÉRICA CENTRAL Y LAS ANTILLAS

AMÉRICA DEL SUR

Pico Cristóbal Colón (18.947)
Península de la Guajira
Mar Caribe
Río Magdalena
Lago Maracaibo
Río Cauca
Golfo del Darién
Río Orinoco
Océano Atlántico
CORDILLERA OCCIDENTAL
CORDILLERA ORIENTAL
CORDILLERA DE MÉRIDA
Pico Bolívar (16.427)
LLANOS
SIERRA PACARAIMA
Río Japurá
Río Amazonas
SIERRA DA IBIAPABA
Río Tigre
Golfo de Guayaquil
SELVAS
Río Juruá
Río Madeira
SIERRA DO CHIMBO
SIERRA DO RONCADOR
PLANALTO DA BORBOREMA
Río Marañón
CORDILLERA DE CARABAYA
Desierto de Sechura
Huascarán (22.204)
SIERRA DOS PARECIS
PLANALTO DE MATO GROSSO
SIERRA GERAL DE GOIAS
Río São Francisco
SIERRA DO ESPINHACO
CORDILLERA DE LOS ANDES
Lago Titicaca
Ancohuma (23.012)
PLANALTO BRASILEIRO
SIERRA DOS AIMORES
Pico de Bandeira (9.462)
Lago Poopó
Volcán San Pablo (20.072)
GRAN CHACO
Río Paraguayo
SIERRA DE MARACAJU
Río Grande
Volcán Llullaillaco (22.056)
Río Paranapanema
Desierto de Atacama
Océano Pacífico
SIERRAS DE CÓRDOBA
Río Paraná
Río Uruguayo
Lago dos Patos
Lago Mar Chiquita
PAMPAS
Volcán Domuyo (15.453)
Río Negro
Río Colorado
Golfo San Matías
Península Valdés
PATAGONIA
Golfo San Jorge
Lago Buenos Aires
Río Gallegos
Estrecho de Magallanes
Cabo de Hornos

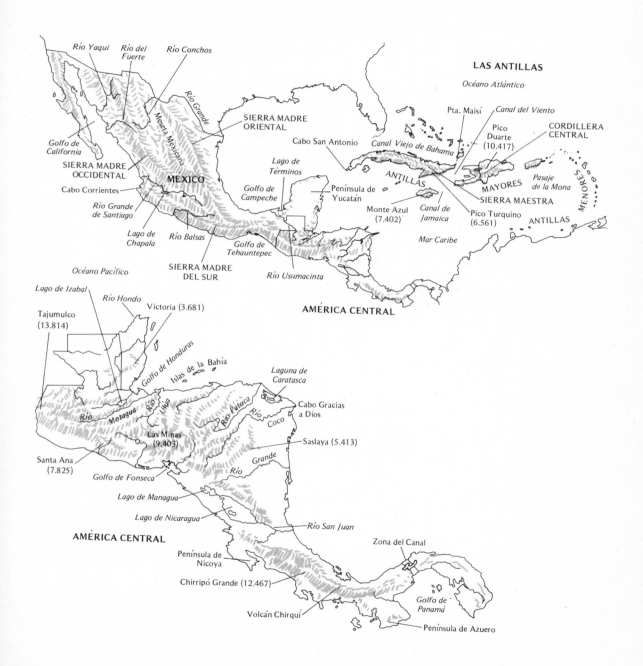

En el polo opuesto en cuanto a la tenencia de la tierra se encuentra el minifundio, término que se aplica sobre todo a millones de pequeñas parcelas, con un posible promedio de dos a cuatro hectáreas, que constituyen la propiedad de los que tienen que ganarse el pan de cada día con el cultivo de este pedazo de tierra insuficiente. En su forma más extremada el minifundio no es otra cosa que el cultivo primitivo del terreno transitoriamente arrebatado a la selva por los campesinos migratorios que han talado y quemado la maleza y los árboles para sembrar el maíz, el poroto o la patata, haciendo un hoyo en el suelo con la punta del pie descalzo o con una vara. Sin el beneficio de conocimientos técnicos, capital de inversión, fertilizantes, maquinaria agrícola, métodos de irrigación o medios adecuados de distribución para su producto, el campesino minifundista cultiva su parcela y se alimenta malamente de su producto, comiendo sus porotos, papas o frijoles trescientos sesenta días al año, hasta que el suelo queda exhausto. Entonces trata de repetir el mismo proceso en un lugar adyacente. Los campesinos que continúan trabajando y subdividiendo sus parcelas entre los descendientes en las sierras del altiplano andino o la meseta mexicana tampoco pueden hacer otra cosa que sobrevivir frugalmente de su cultivo incesante, amenazados de sequías, torrentes y parásitos.

Es irónico que la tan anhelada repartición de tierras entre millones de campesinos desamparados no aportara la solución económica a un nivel nacional ya que el rendimiento por hectárea es insuficiente y la falta de medios de transporte o distribución no permite un intercambio con los centros urbanos industrializados. No por eso cesa el clamor de la reforma agraria, y los colonos que trabajan como arredatarios en latifundios o haciendas buscan adueñarse de tierra cultivable, por más improductiva que sea. Hace algunos años la rebelión de los campesinos bolivianos produjo una redistribución de tierras cuando los indios ocuparon y dividieron los latifundios. Hasta en México, país donde la política agraria de los sucesivos gobiernos del Partido Revolucionario Institucional tuvo como meta la repartición del terreno nacional entre el pueblo, hoy en día hay centenares de miles de campesinos en busca desesperada de un pedazo de tierra que los alimentara malamente. Para millones de campesinos latinoamericanos cada día trae consigo una lucha renovada para imponerse no sólo a una naturaleza hostil sino también a una sociedad indiferente. Puesto que la población rural aumenta de un 3 a 4 por ciento anual en la mayoría de los países latinoamericanos, el problema del latifundio y de la distribución de tierra arable está llegando a su punto culminante. Aparentemente la solución no consiste en una simple división de las haciendas o plantaciones existentes entre los campesinos. Hasta si se las repartiera entre los trabajadores o arrendatarios actuales, millones de jóvenes campesinos estarían sin tierras y la conversión del latifundio al minifundio colectivo reduciría el rendimiento actual. Los expertos en agricultura han afirmado repetidamente que sólo el cultivo científico y altamente mecanizado puede producir un rendimiento aceptable. Pero, para eso haría falta la inversión de sumas enormes acompañada de una transformación social, tanto en las relaciones entre dueño y trabajadores como en el desarrollo de una conciencia económica nacional de parte del campesino y latifundista.

EL PROVINCIALISMO

La tiranía topográfica de la América Latina, sobre todo en Sudamérica, obliga al habitante a vivir entre obstáculos, ya sean cadenas de montañas, desiertos o selvas. Una vez alejado de la costa con su franja de puertos, industrias y comercio, uno encuentra poco más que una serie de puntos demográficos asediados por los huestes de la naturaleza. Con las excepciones de la planicie del Río de la Plata y las zonas costaneras en la periferia del continente, las comunicaciones son pobres. Se calcula que más de un tercio de los productos comestibles enviados por camiones del interior a las ciudades llegan en mal estado. En el Brasil el terreno montañoso, la cuenca amazónica y la falta de caminos o vías ferroviarias han creado muchas regiones cuyos productos no son fácilmente transferibles de una a otra. Todavía hay que tener sangre aventurera para usar la sección de la carretera Panamericana de Bogotá a Buenos Aires. En muchos países ciertas provincias pertenecen más bien a una región que a

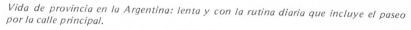

Vida de provincia en la Argentina: lenta y con la rutina diaria que incluye el paseo por la calle principal.

una nación. Partes de Venezuela, Colombia, Bolivia y el Perú pertenecen a la región amazónica por la selva y sus habitantes. El terreno y la gente, mayormente descendientes de indios aymará y quechua, de las provincias montañosas del extremo Noroeste argentino se complementan en realidad con las provincias bolivianas adyacentes, mientras que la provincia boliviana de Santa Cruz forma parte del Norte argentino en cuanto a la economía agraria y tradiciones sociales.

Cada región presenta entonces condiciones de vida propias y sus centros de población reflejan estas condiciones en el ritmo de vida diaria que contiene cierto espíritu hermético y un ambiente social que casi siempre perfila el aislamiento físico y cultural. Para romper este hermetismo el expresidente Rafael Kubitschek plantó la nueva capital del Brasil en medio de la selva más impenetrable; pero hasta ahora aquella acción personifica más un gesto simbólico que una realidad demográfica.

Ahora, ¿cómo se diferencia el carácter de las ciudades de provincia del que reina en las grandes urbes latinoamericanas y qué tienen en común? Ante todo, lo obvio: el ambiente físico y étnico y el clima presentan factores importantes que influencian fuertemente el ritmo de vida de estos lugares. En Cartagena, Colombia, tenemos, por ejemplo, un clima y una vegetación tropical y la población es visiblemente afroantillana, mientras que en Sucre, Bolivia, vieja capital incaica, predomina un ambiente austero, una combinación del mutismo indio y de la desolación del frío y árido altiplano. En Antigua, Guatemala, y Quito, Ecuador, quedan muchos rastros del colonialismo en las fachadas de los edificios y en los pasajes céntricos, además de una sociabilidad ceremoniosa castellana, mientras que en Puerto Montt, los inmigrantes alemanes y sajones dan cierto aire nórdico a este lugar azotado por los vientos fríos del Sur de Chile.

Pero, a pesar de esta disimilitud tan obvia al incluir todo un continente, hay un buen número de características que las ciudades de provincia tienen en común. En su aspecto físico ofrecen menos presencia que lugares de igual número de habitantes en los Estados Unidos. Esto se debe a que la gente pobre, la mayoría en fin, vive en general amontonada en cuartos humildes y una casa de familia alberga no dos sino a menudo cuatro generaciones, desde abuelos hasta nietos, y siempre una sirvienta. Las viejas casas son de tipo español con dos salas a la calle, a veces con rejas de hierro, un zaguán que lleva al patio embaldosado o de tierra pisada, alrededor del que están ubicados los cuartos interiores, la cocina con estufa a carbón y el baño. Hacia el centro las calles rectilíneas y asfaltadas muestran filas de casas de familia interrumpidas por tiendas, colegios privados, iglesias, cafés y oficinas. Las calles principales desembocan en la inevitable plaza principal con la iglesia mayor, la intendencia y un parque con paseos, flores y la estatua de algún héroe plantado sólidamente sobre su caballo de bronce.

El ritmo de vida es lento y rutinario. Por la mañana las amas de casa y las sirvientas van de compras a las tiendas de comestibles o a los mercados al aire libre donde los campesinos llevan sus legumbres, frutas y gallinas. En las regiones predominantemente indias estos mercados constituyen un foco social para indios de diferentes comunidades de los alrededores. Los vendedores ambulantes todavía pregonan su mercadería por las calles y los carritos estacionados delante de las iglesias a la hora de misa están llenos de maní tostado, manzanas azucaradas y bebidas de muchos colores. Después del mediodía los comerciantes cierran sus puertas con llave y bajan las persianas, los empleados de escritorio van a su casa y un silencio sepulcral reina en las calles desiertas. Bien o mal, todo el mundo se sienta a la mesa casera para almorzar y después, si puede, echa la siesta. A eso de las cuatro el lugar se anima nuevamente. En los comercios despachan de cuatro a ocho, en los cafés los parroquianos discuten la política y hablan de negocios. Los niños vuelven a la escuela y los jóvenes al colegio, a menudo particulares y alojados en alguna casa céntrica, y las muchachas que salen de paseo flirtean más o menos discretamente por la vereda.

Las normas sociales y la conducta personal son bastante tradicionales. Los hombres van al café mientras que las esposas quedan en casa, preparan la comida o charlan con las vecinas. La juventud va al cine o baila en los salones de un club deportivo o social los sábados y domingos por la tarde y la noche; los colegiales se encuentran a la salida del colegio en la botica para tomar helados y escuchar los discos de moda importados de la capital. De noche, las «chicas decentes» todavía no suelen salir solas. Los días de fiestas religiosas mucha gente participa en las procesiones acostumbradas. Detrás de las cortinas las buenas amas de casa vigilan la moral ajena. Y todavía hay bastantes ventanas con rejas donde el galán nocturno le dice al objeto de su pasión las mismas frases ardientes, y gastadas, que se oían en un Siglo de Oro ya muy lejano.

La economía local depende de las riquezas naturales de la región y del azar provisto por el estado del tiempo y las cotizaciones de los productos

La Patagonia: tierra llana, árida y vacía. Es el Alaska argentino y chileno. A lo largo de la costa dominan las gaviotas y las ovejas.

locales en el mercado nacional y hasta mundial. El monocomercio continúa siendo un factor vital en muchas regiones de la América Latina; y la baja de un centavo de dólar en el mercado de Londres o Nueva York en el precio del café, cacao, cobre o estaño, de la carne vacuna o la lana, puede resultar en una catástrofe económica para las zonas rurales y sus ciudades. El trabajo escasea y los jóvenes se van a buscar fortuna en los centros industriales mientras que más de una muchacha dulce y resignada se queda en la casita paterna para vestir santos y escuchar los sentimentales episodios de la radiodifusión y, en algunos lugares, de la televisión.

PRIMITIVISMO, MACHISMO Y CAUDILLAJE

No hay como el ensayo clásico de Sarmiento sobre las condiciones en el interior de la Argentina a mediados del siglo XIX para un enfoque claro y preciso de un problema que básicamente ha cambiado poco en los últimos cien años en muchas regiones de Latinoamérica. En su obra *Facundo*, subtitulada *Civilización y barbarie*, el famoso estadista argentino estableció el contraste que existía entre la vida cultural de la zona urbana y la desolación reinante en las provincias. Sarmiento propuso cambiar la conducta y orientación social de los habitantes de la pampa argentina mediante una educación civilizadora, ya que para él el primitivismo de los gauchos representaba una fuerza bruta y caótica tanto como una fuente de energía mal dirigida y destructora.

Sin duda Sarmiento documentó su tesis irrefutablemente, pero también hay que reconocer que en el caso del gaucho, este habitante de la llanura representa en su nivel una adaptación exitosa a su ambiente natural ya que tiene que vivir de lo poco que le ofrecen las tierras secas e interminables del Sur. Viviendo y trabajando en medio de manadas de animales, el gaucho y sus descendientes modernos necesitan utilizar constantemente su fuerza y destreza física. No hay otra manera de domar un potro, curar un ternero, capar un toro o evitar la estampida de quinientas reses asustadas por una tormenta. Que la adaptación del llanero a este ambiente implique una actitud desdeñosa frente al mundo de las artes y letras o la educación es justificable desde el punto de vista psicológico.

Un proceso ecológico similar existe en las regiones donde la selva, el desierto o la cordillera impone obstáculos y condiciones de subsistencia al habitante. En vez del facón del resero, el machete del que se abre paso en la maleza es el símbolo de una lucha que todavía no ha perdido una vigencia casi darwiniana en el interior de la América Latina, y por eso la violencia sigue formando una parte inescapable de la vida diaria.

La literatura latinoamericana en su apogeo regionalista, desde fines del siglo pasado hasta más o menos el fin de la Segunda Guerra Mundial, ha reflejado fielmente dos aspectos principales del hombre en su reacción ante la naturaleza dominadora: uno, el ser humano como víctima de la selva, del desierto o de la montaña, sufriendo bajo un sol tropical, picado por insectos y parásitos, agotado por la falta de nutrición adecuada y atacado por el paludismo, el soroche, la fiebre amarilla, la disentería y las lombrices intestinales; dos, el habitante del infierno verde, de la meseta árida y la cordillera nevada como enemigo de sí mismo, brutalizado por la continua lucha darwiniana, verdugo y víctima en sus relaciones sociales, acostumbrado a la violencia que traslada del nivel ecológico al social, y explotado por sistemas políticos semifeudales. Es casi natural que el puño que empuja el facón y el machete en las duras tareas diarias esté listo para usar el cuchillo cuando llega el momento de decidir diferencias y rivalidades personales.

Estadísticamente, el 95 por ciento de los habitantes de las zonas rurales pertenecen a la clase baja, lo que significa aquí un ingreso anual que en cifras arbitrarias alcanza tal vez a cien dólares o menos, un analfabetismo casi automático para millones y una gravísima escasez de hospitales, médicos e instalaciones sanitarias la que trae consigo una mortalidad infantil de 50 por ciento. Bajo estas condiciones la expresión personal se reduce fácilmente a la destreza o dominación física y la vida se precia menos que en las ciudades donde ya abunda una clase media.

En este respecto debe mencionarse el concepto cultural del machismo, palabra usada y abusada en la interpretación de la conducta del latinoamericano. Como de costumbre, los ensayistas que se ocupan del tema son, casi exclusivamente, hombres y analizan al hombre en sus relaciones con la mujer; por consiguiente nunca consiguen compenetrarse del punto de vista de la mujer frente al hombre. Aunque algún día se tomarán en cuenta factores esenciales en la formación de la psicología femenina en la América Latina, por ahora debemos contentarnos con una evaluación de las necesidades sociales y las causas psicológicas que llevan al latinoamericano a la práctica de este machismo cuyo origen parece más difícil de explicar que su forma. Entre las causas puede considerarse una predisposición hacia la agresividad nacida de la lucha diaria por la vida, la escasez de mujeres en épocas pasadas y, ciertamente, la internalización del código social masculino que los conquistadores trajeron de la península ibérica. En la manifestación del machismo lo social domina lo individual a través del culto de la hombría, la relegación de la mujer a un estado pasivo y servil y la necesidad de reafirmar continuamente una actitud de coraje mediante un despliegue de masculinidad. Esta masculinidad se concreta en el acto, el gesto y la palabra desafiante y hasta soez, que sirven para subrayar el espíritu de un machismo que en casos extremos raya en lo salvaje. Las crónicas policiales en los periódicos arrojan su generosa cuota diaria de personas matadas a cuchillazos o balazos en nombre del sagrado machismo. A menudo basta una mirada fija para provocar la ira de un «macho». Nos acordamos del «güero» Margarito en *Los de abajo* quien durante la Revolución mexicana mataba a campesinos inocentes para mostrar que era «muy macho». Casi cincuenta años más tarde otro mexicano mata a uno de los protagonistas de *La región más transparente* simplemente diciendo: «A mí nadie me mira así».

Volviendo de nuevo al tema principal de *Civilización y barbarie*, observamos como el espíritu de la violencia y hasta del salvajismo ha invadido la esfera política desde los comienzos de la Independencia hasta nuestro tiempo. Facundo, el protagonista de la obra de Sarmiento, encarna la mentalidad de la barbarie que imperaba en el interior del continente. En vida, la carrera de este caudillo, llamado el «tigre de los llanos», resultó en una cadena de matanzas, destrucciones y violencias en las provincias argentinas hasta que cayó acribillado por las balas de la gente de Juan Manuel de Rosas, entonces jefe de las fuerzas que habían llevado el salvajismo de la pampa a la zona metropolitana del Río de la Plata e

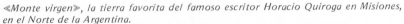

«Monte virgen», la tierra favorita del famoso escritor Horacio Quiroga en Misiones, en el Norte de la Argentina.

impuesto un largo reino de terror en Buenos Aires. Pero hay que reconocer que tanto Facundo como Rosas eran caudillos, y poseían las cualidades necesarias para imponerse a los rudos labradores y gauchos de la llanura como también a los criados negros y mulatos que vivían entonces en la capital, que gustosamente se identificaban con la posición antiburguesa y filosofía simplista de estos líderes.

Ser caudillo en la América Latina ha significado siempre contar con el apoyo popular de una región o de un país entero. Solano López llevó el Paraguay a luchar hasta el último hombre con un fanatismo pocas veces igualado contra los ejércitos de la Argentina, del Brasil y del Uruguay. Doroteo Arango fue un campesino analfabeto de Durango, responsable del saqueo de muchas ciudades y de la ejecución de innumerables soldados y civiles como jefe de la famosa División del Norte durante la Revolución mexicana. Para disputar el control del país a los constitucionalistas en 1915 ordenó matar a un grupo de ciudadanos estadounidenses, lo que motivó la intervención de tropas bajo el mando del general Pershing. Sin embargo, se convirtió en un héroe legendario del campesino mexicano bajo el nombre de Pancho Villa.

En época más reciente Juan y Evita Perón persiguieron al intelectual, al académico y a la burguesía, proclamándose campeones de los «descamisados», es decir, los trabajadores argentinos, que todavía hoy admiran la orientación populista de este matrimonio tan singular. Fidel Castro Ruz, a pesar de doctorarse en Derecho, comenzó su carrera de caudillo según las reglas del oficio: mostró un coraje excepcional en el asalto quijotesco a la fortaleza de Moncada en Santiago de Cuba, en 1953; repitió esta audacia al desembarcar en 1956 con un grupo de ochenta y seis revolucionarios cerca de la Sierra Maestra; y se enfrentó con el ejército regular del gobierno de Batista alistando la ayuda de los guajiros rurales. En la actualidad la población rural lo apoya mientras que la clase media urbana y educada se ha exilado mayormente en los Estados Unidos.

Mientras que la América Latina continúa siendo el continente de la violencia social y la naturaleza hostil, el caudillaje abundará en pequeña o mediana escala. Sólo en las últimas dos décadas en Colombia murieron más de trescientas mil personas en el interior del país debido al terrorismo local durante la época de la llamada «Violencia». Dentro de este marco social, las características del caudillo, su coraje, sus ideas simplistas y su personalidad de «hombre de pueblo» constituyen los elementos carismáticos que atraen a los que buscan un símbolo expresivo de su modo de vida violento y primitivo. Al mismo tiempo, el caudillaje perpetúa el modelo cultural del hombre macho para millones de seres humanos en busca de reconocimiento social.

Gilberto Freyre

Freyre sees his rural Brazil largely as the continuation of a system that centered around the plantation as an autonomous, patriarchal unit. To understand the mentality of most Brazilians, according to Freyre, one should keep in mind that it is steeped in family religion, African superstitions and the acceptance of a sheltered although paternalistic way of life. The stable elements that are built into today's Brazilian culture, then, emanate from the *casa grande* with its one-crop economy and spirit of self-sufficiency. No doubt, the transition toward an independent, urban way of life will prove to be disruptive for the millions of rural inhabitants who are presently flocking to the industrial centers of Latin America's largest nation.

The Masters and the Slaves   Introduction

The Big House completed by the slave shed represents an entire economic, social and political system: a system of production (a latifundiary monoculture); a system of labor (slavery); a system of transport (the ox cart, the *banguê*,[1] the hammock, the horse); a system of religion (a family Catholicism, with the chaplain subordinated to the paterfamilias,[2] with a cult of the dead, etc.); a system of sexual and family life (polygamous patriarchalism); a system of bodily and household hygiene (...the banana stalk, the river bath, the tub bath, the sitting bath, the foot bath); and a system of politics (*compadrismo*). The Big House was thus at one and the same time a fortress, a bank, a cemetery, a hospital, a school and a house of charity giving shelter to the aged, the widow and the orphan. The Big House of the Noruega plantation in Pernambuco,[3] with its many rooms, drawing rooms and corridors, its two convent kitchens, its dispensary, its chapel and its annexes, impresses me as being the sincere and complete expression of the absorptive patriarchalism of colonial times.

The Big House in Brazil, in the impulse that it manifested from the very start to be the mistress of the land, overcame the Church. It overcame the Jesuit[4] as well, leaving the lord of the manor as almost the sole dominating figure in the colony, the true lord of Brazil, or nearer to being than either the viceroys or the bishops.

For power came to be concentrated in the hands of these country squires. They were the lords of the earth and of men. The lords of women, also. Their houses were the expression of an enormous feudal might. "Ugly and strong." Thick walls; deep foundations, anointed with whale oil. There is a legend in the Northeast to the effect that a certain plantation owner, more anxious than usual to assure the perpetuity of his dwelling, was not content until he had had a couple of slaves killed and buried beneath the foundation stones. The sweat and at times the blood of Negroes was the oil, rather than that of the whale, that helped to give the Big House foundations their fortress-like consistency.

. . .

[1]banguê old-fashioned sugar mill   [2]paterfamilias head of the family and, by extension, of the people on the plantation he owns   [3]Pernambuco port city in Northeastern Brazil where the population is mainly of African descent   [4]Jesuit At different times during the Colonial era, the Company of Jesus held an enormous influence in some regions of Latin America, usually by controlling the missions and educational centers.

The patriarchal Big House was not only a fortress, chapel, school, workshop, house of charity, harem, convent of young women and hospital; it fulfilled another important function in Brazilian economy: it was also a bank. Within its thick walls, in the ground beneath the bricks or tiles, money was buried and jewels, gold and other valuable objects were stored. The jewels were sometimes kept in the chapel, being used to adorn the saints; whence all the images of Our Lady, laden down in the Bahian[5] manner with trinkets of all sorts, with *balangandans*,[6] hearts, little horses, little dogs, gold chains and the like. ...

. . .

In contrast to the adventurous nomad life of the *bandeirantes*[7]—the majority of whom were mestizos, part white and part Indian—the Big House gentry represented, in the formation of Brazilian society, the most typical of Portuguese tendencies: namely, settledness, in the sense of a patriarchal stability. A stability based upon sugar (the plantation) and the Negro (the slave hut). ...

The truth of the matter is that around the plantation owners was created the most stable type of civilization to be found in Hispanic America, a type that is illustrated by the squat, horizontal architecture of the Big Houses: enormous kitchens, vast dining rooms, numerous rooms for the sons and guests, a chapel, annexes for the accommodation of married sons, small chambers in the center for the all but monastic seclusion of unmarried daughters, a gynaeceum, an entryway, a slave hut. The style of these Big Houses—style in the Spenglerian sense—might be a borrowed one, but its architecture was honest and authentic. Brazilian as a jungle plant. It had a soul.

It was a sincere expression of the needs, interests and the broad rhythm of a patriarchal life rendered possible by the income from sugar and the efficient labor of Negro slaves.

The Big House, although associated particularly with the sugar plantation and the patriarchal life of the Northeast, is not to be looked upon as exclusively the result of sugar raising, but rather as the effect of a slave-holding and latifundiary monoculture in general. In the South it was created by coffee, in the North by sugar; and it is as Brazilian in the one case as in the other.

The social history of the Big House is the intimate history of practically every Brazilian: the history of his domestic and conjugal life under a slave-holding and polygamous patriarchal regime; the history of his life as a child; the history of his Christianity, reduced to the form of a family religion and influenced by the superstitions of the slave hut. The study of the intimate history of a people has in it something of Proustian introspection—the Goncourts had a name for it: *"ce roman vrai."*[8]

It is in the Big House that, down to this day, the Brazilian character has found its best expression, the expression of our social continuity. In the study of their intimate history, all that political and military history has to offer in the way of striking events holds little meaning in comparison with a mode of life that is almost routine; but it is in that routine that the character of a people is most readily to be discerned. In studying the domestic life of our ancestors we feel that we are completing ouselves: it is another method of searching for the *"temps perdu,"*[9] another means of finding ourselves in others, in those who lived

---

[5]**Bahian**   of Bahia, perhaps the most vital center of African culture in Brazil   [6]**ba-langandans**   ornamental silver buckles with trinkets or amulets attached, worn mainly by the women of Bahia   [7]**bandeirantes**   members of armed bands that roamed the Brazilian Northeast around 1900, made famous in Euclides da Cunha's *Os sertoes*   [8]**Proustian ... vrai**   Marcel Proust and the Goncourt brothers were French novelists whose writing exhibited a type of psychological realism that could recreate the past more meaningfully than the events per se had perhaps warranted.   [9]**"temps perdu"** Proust's favorite theme: to recapture the past

before us and whose life anticipates our own. The past awakens many strings and has a bearing on the life of each and every one of us; and the study of this past is more than mere research and a rummaging in the archives: it is an adventure in sensitivity.

Domingo F. Sarmiento

El caudillo latinoamericano es una figura que simboliza la fuerza primitiva y, a menudo, destructora de la naturaleza que sigue dominando al habitante del interior. Las cualidades esenciales del caudillo incluyen un coraje a toda prueba, su gran destreza física, su astucia y una presencia carismática que subyuga a los que están acostumbrados al triunfo del más poderoso. Facundo Quiroga encarnaba al caudillo típico. Conocido como «el tigre de los llanos» mantuvo un reino de terror en las provincias del Oeste argentino durante la guerra civil que había comenzado en la época de 1830. Para Sarmiento, que buscaba civilizar la pampa y sus gauchos, su compatriota Facundo representaba el espíritu de la barbarie y nada más.

Facundo: Civilización y barbarie
Infancia y juventud de Juan Facundo Quiroga

Aquí termina la vida privada de Quiroga,[10] de la que he omitido una larga serie de hechos que sólo pintan el mal carácter, la mala educación y los instintos feroces y sanguinarios de que estaba dotado. Sólo he hecho uso de aquellos que explican el carácter de la lucha, de aquellos que entran en proporciones distintas, pero formados de elementos análogos, en el tipo de los caudillos de las campañas que han logrado, al fin, sofocar la civilización de las ciudades y que, últimamente, han venido a completarse en Rosas, el legislador de esta civilización tártara,[11] que ha ostentado toda su antipatía a la civilización europea en torpezas y atrocidades sin nombre aún en la historia.

Pero aún quédame[12] algo por notar en el carácter y espíritu de esta columna de la Federación.[13] Un hombre iliterato, un compañero de infancia y de juventud de Quiroga, que me ha suministrado muchos de los hechos que dejo referidos, me incluye en su manuscrito, hablando

[10]Quiroga Juan Facundo Quiroga, el Facundo de Sarmiento, era, junto con Juan Manuel de Rosas, el caudillo más famoso durante el período caótico de las guerras civiles argentinas entre 1828 y 1852. Antes de ser asesinado por orden de Rosas, Quiroga controlaba vastas regiones del Oeste argentino. [11]civilización tártara referencia al espíritu primitivo de los tártaros, pueblo de Asia que llevaba una vida nómada y a caballo, similar a la de los gauchos [12]quédame me queda [13]Federación En las guerras civiles argentinas los federales representaban la autonomía regional, entre ellos Quiroga y Rosas, mientras que los unitarios favorecían un gobierno fuertemente centralizado; Sarmiento era unitario.

de los primeros años de Quiroga, estos datos curiosos: «Que no era ladrón antes de figurar como hombre público; que nunca robó, aun en sus mayores necesidades; que no sólo gustaba de pelear, sino que pagaba por hacerlo, y por insultar al más pintado[14]; *que tenía mucha aversión a los hombres decentes;* que no sabía tomar licor nunca[15]; que de joven era muy reservado, y no sólo quería infundir miedo, sino aterrar, para lo que hacía entender a hombres de su confianza que tenía agoreros[16] o era adivino; que con los que tenía relación los trataba como esclavos; *que jamás se ha confesado, rezado ni oído misa;* que cuando estuvo de general, lo vio una vez en misa; que él mismo le decía que no creía en nada». El candor con que estas palabras están escritas revela su verdad.

Toda la vida pública de Quiroga me parece resumida en estos datos. Veo en ellos el hombre grande, el hombre genio, a su pesar, sin saberlo él, el César, el Tamerlán, el Mahoma.[17] Ha nacido así y no es culpa suya; descenderá en las escalas sociales para mandar, para dominar, para combatir el poder de la ciudad, la partida de la policía. ¡Si le ofrecen una plaza en los ejércitos, la desdeñará, porque no tiene paciencia para aguardar los ascensos, porque hay mucha sujeción, muchas trabas puestas a la independencia individual; hay generales que pesan sobre él, hay una casaca que oprime el cuerpo y una táctica que regla los pasos: todo esto es insufrible! La vida a caballo, la vida de peligros y emociones fuertes, han acerado[18] su espíritu y endurecido su corazón; tiene odio invencible, instintivo, contra las leyes que lo han perseguido, contra toda esa sociedad y esa organización a que se ha sustraído desde la infancia y que lo mira con prevención y menosprecio. Aquí se eslabona insensiblemente el lema de este capítulo: «es el hombre de la naturaleza que no ha aprendido aún a contener o a disfrazar sus pasiones; que las muestra en toda su energía, entregándose a toda su impetuosidad». Éste es el carácter original del género humano; y así se muestra en las campañas pastoras de la República Argentina. Facundo es un tipo de la barbarie primitiva; no conoció sujeción de ningún género; su cólera era la de las fieras; la melena de sus renegridos y ensortijados cabellos caía sobre su frente y sus ojos en guedejas, como las serpientes de la cabeza de Medusa[19]; su voz se enronquecía; sus miradas se convertían en puñaladas.

Dominado por la cólera, mataba a patadas, estrellándole los sesos, a N., por una disputa de juego; arrancaba ambas orejas a su querida porque le pedía una vez treinta pesos para celebrar un matrimonio consentido por él; y abría a su hijo Juan la cabeza de un hachazo, porque no había forma de hacerlo callar; daba de bofetadas en Tucumán[20] a una linda señorita, a quien ni seducir ni forzar podía. En todos sus actos mostrábase el hombre bestia aún, sin ser por eso estúpido... Incapaz de hacerse admirar o estimar, gustaba de ser temido; pero este gusto era exclusivo, dominante, hasta el punto de arreglar todas las acciones de su vida a producir el terror en torno suyo, sobre los pueblos como sobre la víctima que iba a ser ejecutada, como sobre su mujer y sus hijos. En la incapacidad de manejar los resortes del gobierno civil, ponía el terror como expediente para suplir al patriotismo y a la abnegación; ignorante, rodeándose de misterios y haciéndose impenetrable, valiéndose de una sagacidad natural, una capacidad de observación no común y de la credulidad del vulgo, fingía una presciencia de los acontecimientos que le daba prestigio y reputación entre las gentes vulgares.

---

[14]**pintado** vistoso, destacado   [15]**que ... nunca** nunca tomaba bebidas fuertes   [16]**agoreros** fortune tellers   [17]**el César, el Tamerlán, el Mahoma** Julius Caesar (Roman emperor), Tamerlane (Persian conqueror), Mohammed (prophet of Islam and architect of the Arabs' holy war)   [18]**acerado** steeled   [19]**Medusa** la sola mortal de las tres hermanas mitológicas griegas cuyos cabellos se convertían en serpientes   [20]**Tucumán** ciudad argentina en la provincia del mismo nombre

Martín Luis Guzmán

Casi un siglo después de la aparición de Facundo Quiroga en la Argentina, el famoso «bandido-providencia» mexicano, conocido bajo su nombre revolucionario, Pancho Villa, tenía bajo su control militar inmensas regiones del Norte de su país. Fue el líder más popular y temido en la etapa de la Revolución de 1913 a 1915. Hoy, como en aquellos años, vive en las leyendas y la imaginación del pueblo, que se identifica libremente con la personalidad de su héroe máximo: generoso, caprichoso y letal.

El águila y la serpiente   Justicia revolucionaria

En la puerta de la habitación donde esperábamos ser recibidos Villa apareció de pronto para preguntar alguna cosa a su secretario—Luis Aguirre Benavides—el cual conversaba con nosotros a fin de hacernos la espera menos larga. Empezaba septiembre y se sentía calor. Villa salió en camisa. Tenía puesto el sombrero, cosa frecuente en él cuando estaba en su oficina o en su casa. Mientras hablaba con Aguirre Benavides, su forma robusta, envuelta en caqui,[21] se destacó con fuerza sobre la pintura blanca de la puerta. Le salían por debajo del sombrero, orlándole la frente, unos cuantos rizos medio azafranados que hacían juego con el mechón de su bigote descuidado, torpe. Pero nada resaltaba tanto en toda su figura como el enorme pistolón que le bajaba desde la cadera hasta lo hondo de una funda holgadísima. Brillaban las cachas con el lustre de las cosas muy usadas, no con el resplandor afeminado de lo que sólo es para lucir. La culata le dibujaba en el costado una curva ancha, prolongada, semejante, por sus dimensiones, a la cola de los cometas fantásticos que suelen verse en los libros de los niños. A uno y otro lado le corría por la cintura la fila maciza de los cartuchos, grandes hasta recordar los torpedos. Simulaban una verdadera columnata de fustes de cobre sin capitel, cortados en dos por la tira oscura que los sujetaba a la canana. Debajo, las balas de acero, enormes y primorosamente pulidas, devolvían en destellos fríos la luz de las ventanas. Ante semejante espectáculo era imperativo que el sentido muscular se pusiera en juego por su cuenta y se entregara a calcular—por sí solo—la densidad, la forma, la inercia mortífera de aquellas balas de cutis fino al tacto como una caricia.

«Este hombre no existiría si no existiese la pistola», pensé. «La pistola no es sólo su útil de acción: es su instrumento fundamental; el centro de su obra y su juego; la expresión constante de su personalidad íntima; su alma hecha forma. Entre la concavidad carnosa de que es capaz su índice y la concavidad rígida del gatillo hay una relación que establece el contacto de ser a ser. Al disparar, no será la pistola quien haga fuego, sino él mismo: de sus propias entrañas ha de venir la bala cuando abandona el cañón siniestro. Él y su pistola son una sola cosa. Quien cuente con lo uno contará con lo otro, y viceversa. De su pistola han nacido, y nacerán, sus amigos y sus enemigos».

. . .

La gran preocupación de Villa era en aquellos días el nombramiento del Presidente Provisional. A primera vista parecía dispuesto a sostener a cualquiera, siempre que no fuese Carranza. Luego, mirando más de cerca las cosas, dilataba interesarse por algún hombre verdaderamente

[21]caqui   khaki

suyo. Su candidato era entonces el general Ángeles, sobre quien, como podía suponerse, versó poco después nuestra plática. ¡Conjunción rara, aquella del guerrillero analfabeto y el supremo de nuestros técnicos de la guerra! Villa, irresponsable, halló en Ángeles, que vivía atormentado por la hiperestesia de su conciencia revolucionaria, un complemento al cual entendió. En esto—como en otras muchas cosas—fue superior a los líderes semileídos de Sonora—salvo Maytorona—y de Coahuila,[22] los cuales odiaron y calumniaron a Ángeles desde el primer momento por el simple hecho de no llegarle ni a la suela del zapato en técnica y cultura. ...

Horacio Quiroga

Quiroga, uno de los cuentistas más geniales de la literatura latinoamericana hasta el presente, dejó el Uruguay para vivir en la selva de Misiones, provincia del Norte argentino. Quiroga se mostró muy distinto de sus colegas literarios. Estudió ciencias exactas y matemáticas en la Universidad de Montevideo, y se fue al interior para conquistar la selva con la ayuda de su inteligencia, sus conocimientos científicos y un espíritu de Prometeo. Si fracasó en sus múltiples e incansables empresas fue porque se encontraba solo en esta lucha titánica. Pero su tentativa se perfila a través de sus mejores páginas, y el protagonista de *El monte negro*, el italiano Braccamonte, lleva el sello inconfundible del autor.

El monte negro

Cuando los asuntos se pusieron decididamente mal, Borderán y Cía., capitalistas de la empresa de Quebracho y Tanino[23] del Chaco, quitaron a Braccamonte[24] la gerencia. A los dos meses la empresa, falta de la vivacidad del italiano, que era en todo caso el único capaz de haberla salvado, iba a la liquidación. Borderán acusó furiosamente a Braccamonte por haber visto que el quebracho era pobre; que la distancia a puerto era mucha; que el tanino iba a bajar; ... que según informes, los bueyes eran viejos y las alzaprimas[25] más, etc., etc. En una palabra, que no entendía de negocios.

Braccamonte, por su parte, gritaba que los famosos 100.000 pesos invertidos en la empresa, lo

[22]**Sonora, Coahuila** estados en el Norte de México bajo el control de Villa en 1915, año en que tuvo lugar la Convención de Aguas Calientes para nombrar al Presidente Provisional del país   [23]**Quebracho y Tanino** Quebracho es el nombre común de varios tipos de árboles de madera durísima del que se extrae también el tanino, sustancia usada en la industria del cuero.   [24]**Braccamonte** apellido italiano que aquí simboliza al inmigrante europeo que trata de imponerse en plena selva a través de su conocimiento técnico y su empuje personal   [25]**alzaprimas** levers or pulleys

fueron con una parsimonia tal, que cuando él pedía 4.000 pesos, enviábanle 3.500; cuando 2.000, 1.800. Y así todo. Nunca consiguió la cantidad exacta. Aun a la semana de un telegrama recibió 800 pesos en vez de 1.000 que había pedido.

Total: lluvias inacabables, acreedores urgentes, la liquidación y Braccamonte en la calle, con 10.000 pesos de deuda.

Este solo detalle debería haber bastado para justificar la buena fe de Braccamonte, dejando a su completo cargo la deficiencia de dirección. Pero la condena pública fue absoluta: mal gerente, pésimo administrador y aun cosas más graves.

En cuanto a su deuda, los mayoristas de la localidad perdieron desde el primer momento toda esperanza de satisfacción. Hízose broma de esto en Resistencia.

«¿Y no tiene cuentas con Braccamonte?» era lo primero que se decían dos personas al encontrarse. Y las carcajadas crecían si, en efecto, acertaban. Concedían a Braccamonte ojo perspicaz para adivinar un negocio, pero sólo eso. Hubieran deseado menos cálculos brillantes y más actividad reposada. Negábanle, sobre todo, experiencia del terreno. No era posible llegar así a un país y triunfar de golpe en lo más difícil que hay en él. No era capaz de una tarea ruda y juiciosa, y mucho menos visto el cuidado que el advenedizo tenía de su figura; no era hombre de trabajo.

Ahora bien; aunque a Braccamonte le dolía la falta de fe en su honradez, ésta la exasperaba menos, a fuer de[26] italiano ardiente, que la creencia de que él no fuera capaz de ganar dinero. Con su hambre de triunfo, rabiaba tras ese primer fracaso.

Pasó un mes nervioso, hostigando su imaginación. Hizo dos o tres viajes a Rosario,[27] donde tenía amigos, y por fin dio con su negocio: comprar por menos de nada una legua de campo en el suroeste de Resistencia[28] y abrirle salida al Paraná, aprovechando el alza del quebracho.

En esa región de esteros y zanjones la empresa era fuerte,[29] sobre todo debiendo efectuarla a todo vapor; pero Braccamonte ardía como un tizón.[30] Asocióse con Banker, sujeto inglés, viejo contrabandista de obraje,[31] y a los tres meses de su bancarrota emprendía marcha al Salado, con bueyes, carretas, mulas y útiles. Como obra preparatoria tuvieron que construir sobre el Salado una balsa de cuarenta bordalesas.[32] Braccamonte, con su ojo preciso de ingeniero nato, dirigía los trabajos.

Pasaron. Marcharon luego dos días, arrastrando penosamente las carretas y alzaprimas hundidas en el estero, y llegaron al fin al Monte Negro.

Sobre la única loma del país hallaron agua a tres metros, y el pozo se afianzó con cuatro bordalesas desfondadas. Al lado levantaron el rancho campal, y en seguida comenzó la tarea de los puentes. Las cinco leguas desde el campo al Paraná estaban cortadas por zanjones y riachos, en que los puentes eran indispensables. Se cortaban palmas en la barranca y se las echaba en sentido longitudinal a la corriente, hasta llenar la zanja. Se cubría todo con tierra, y una vez pasados bagajes y carretas avanzaban todos hacia el Paraná.

Poco a poco se alejaban del rancho, y a partir del quinto puente tuvieron que acampar sobre el terreno de operaciones. El undécimo fue la obra más seria de la campaña. El riacho tenía sesenta metros de ancho, y allí no era utilizable el desbarrancamiento en montón de palmas. Fue preciso construir en forma pilares de palmeras, que se comenzaron arrojando las palmas, hasta lograr con ellas un piso firme. Sobre este piso colocaban una línea de palmeras nivelada, encima otra transversal, luego una longitudinal, y así hasta conseguir el nivel de la barranca. ... Desde esta base repetían el procedimiento, avanzando otros cuatro

---

[26]**a fuer de** como   [27]**Rosario** ciudad importante sobre el río Paraná en la Argentina   [28]**Resistencia** capital del Chaco argentino sobre el Paraná   [29]**la empresa era fuerte** la tarea era dura   [30]**ardía como un tizón** was all fired up   [31]**viejo contrabandista de obraje** an old hand at getting timber for his sawmill, even if illegally   [32]**bordalesas** grandes toneles de vino

metros hacia la barranca opuesta. En cuanto al agua, filtraba sin ruido por entre los troncos.

Pero esa tarea fue lenta, pesadísima, en un terrible verano, y duró dos meses. Como agua, artículo principal, tenían la límpida, si bien oscura, del riacho. Un día, sin embargo, después de una noche de tormenta, aquél amaneció plateado de peces muertos. Cubrían el riacho y derivaban sin cesar. Recién al anochecer, disminuyeron. Días después pasaba aún uno que otro. A todo evento, los hombres se abstuvieron por una semana de tomar esa agua, teniendo que enviar un peón a buscar la del pozo, que llegaba tibia.

No era sólo esto. Los bueyes y mulas se perdían de noche en el campo abierto, y los peones, que salían al aclarar, volvían con ellos ya alto el sol, cuando el calor agotaba a los bueyes en tres horas. Luego pasaban toda la mañana en el riacho luchando, sin un momento de descanso, contra la falta de iniciativa de los peones, teniendo que estar en todo, escogiendo las palmas, dirigiendo el derrumbe, afirmando, con los brazos arremangados, los catres de los pilares, bajo el sol de fuego y el vaho asfixiante del pajonal, hinchados por tábanos y bariguís.[33] La greda amarilla y reverberante del palmar les irritaba los ojos y quemaba los pies. De vez en cuando sentíanse detenidos por la vibración crepitante de una serpiente de cascabel,[34] que sólo se hacía oír cuando estaban a punto de pisarla.

Concluida la mañana, almorzaban. Comían, mañana y noche, un plato de locro,[35] que mantenían alejado sobre las rodillas, para que el sudor no cayera dentro, bajo un cobertizo hecho con cuatro chapas de cinc, que enceguecían entre moarés de aire caldeado. Era tal allí el calor que no se sentía entrar el aire en los pulmones. Las barretas de fierro quemaban en la sombra.

Dormían la siesta, defendidos de los polvorines[36] por mosquiteros de grasa que, permitiendo apenas el aire, levantaban aún la temperatura.

Con todo, ese martirio era preferible al de los polvorines.

A las dos volvían a los puentes, pues debían a cada momento reemplazar a un peón que no comprendía bien—hundidos hasta las rodillas en el fondo podrido y fofo del riachuelo, que burbujeaba a la menor remoción, exhalando un olor nauseabundo. Como en estos casos no podían separar las manos del tronco, que sostenían en alto a fuerza de ribones, los tábanos los aguijoneaban a mansalva.

Pero, no obstante esto, el momento verdaderamente duro era el de la cena. A esa hora el estero comenzaba a zumbar, y enviaba sobre ellos nubes de mosquitos, tan densas que tenían que comer el plato de locro caminando de un lado para otro. Aun así no lograban paz; o devoraban mosquitos o eran devorados por ellos. Dos minutos de esta tensión acababa con los nervios más templados.

En estas circunstancias, cuando acarreaban tierra al puente grande, llovió cinco días seguidos, y el charque se concluyó.[37] Los zanjones, desbordados, imposibilitaban nueva provista, y tuvieron que pasar quince días a locro guacho—maíz cocido en agua únicamente. Como el tiempo continuó pesado, los mosquitos recrudecieron en forma tal que ya ni caminando era posible librar el locro de ellos. En una de esas tardes, Banker, que se paseaba entre un oscuro nimbo de mosquitos, sin hablar una palabra, tiró de pronto el plato contra el suelo y dijo que no era posible vivir más así; que eso no era vida; que él se iba. Fue menester todo el calor elocuente de Braccamonte y, en especial, la evocación del muy serio contrato entre ellos para que Banker se calmara. Pero Braccamonte, en su interior, había pasado tres días maldiciéndose a sí mismo por esa estúpida empresa.

El tiempo se afirmó por fin, y aunque el calor creció y el viento norte sopló su fuego sobre las

---

[33]**tábanos y bariguís** types of horseflies
[35]**locro** cocido de maíz, legumbres y carne
se concluyó the jerked beef ran out
[34]**serpiente de cascabel** rattlesnake
[36]**polvorines** gnats   [37]**el charque**

caras, sentíase aire en el pecho por lo menos. La vida suavizóse algo—más carne y menos mosquitos de comida—y concluyeron por fin el puente grande, tras dos meses de penurias. Había devorado 2.700 palmas. La mañana en que echaron la última palada de tierra, mientras las carretas los cruzaban entre la gritería de triunfo de los peones, Braccamonte y Banker, parados uno al lado del otro, miraron largo rato su obra común, cambiando cortas observaciones a su respecto, que ambos comprendían sin oírlas casi.

Los demás puentes, pequeños todos, fueron un juego, además de que al verano había sucedido un seco y frío otoño. Hasta que por fin llegaron al río.

Así, en seis meses de trabajo rudo y tenaz, quebrantos y cosas amargas, mucho más para contadas que pasadas, los dos socios construyeron catorce puentes, con la sola ingeniería de su experiencia y de su decisión incontrastable. Habían abierto puerto a la madera sobre el Paraná, y la especulación estaba hecha. Pero salieron de ella las mejillas excavadas,[38] las duras manos jaspeadas por blancas cicatrices de granos, con rabiosas ganas de sentarse en paz a una mesa con mantel.

Un mes después—el quebracho siempre en suba—Braccamonte había vendido su campo, comprado en pesos 8.000, en 22.000. Los comerciantes de Resistencia no cupieron de satisfacción[39] al verse pagados, cuando ya no lo esperaban—aunque creyeron siempre que en la cabeza del italiano había más fantasía que otra cosa.

Luis Carlos López

López es el poeta burgués y provinciano por excelencia. Observador agudo de su ambiente, evoca el ritmo pesado y lento de su ciudad natal, Cartagena, en Colombia. López posee el don de darnos con unas pinceladas, en un soneto, la esencia de tipos o situaciones comunes, desde el alcalde vulgar de un poblacho en *Hongos a la riba*, hasta la triste resignación del compañero de juventud que fue derrotado por las realidades cotidianas: el catre y el puchero, o sea la cama y la comida, en *Medio ambiente*.[40] *Siesta del trópico* retrata con ironía el estancamiento social y moral de lo que pudiera ser cualquier lugar de provincia.

Hongos a la riba

El Alcalde, de sucio jipijapa de copa,[41]
ceñido de una banda de seda tricolor,
panzudo a lo Capeto,[42] muy holgada la ropa,
luce por el poblacho su perfil de *bulldog*.

[38]excavadas hundidas   [39]no ... satisfacción were all smiles   [40]medio ambiente social scene   [41]jipijapa de copa sombrero de paja   [42]a lo Capeto Several Capetian kings were known as inept, fat and corrupt.

Hombre de pelo en pecho, rubio como la estopa
rubrica con la punta de su machete. Y por
la noche cuando toma la lugareña sopa
de tallarines y ajos, se afloja el cinturón...

Su mujer, una chica nerviosamente guapa,
que lo tiene cogido como con una grapa,
gusta de las grasientas obras de Paul de Kock,[43]

ama los abalorios y se pinta las cejas,
mientras que su consorte luce por las callejas
su barriga, mil dijes y una cara feroz...

Tráfico fluvial sobre el río Magdalena en Colombia. Los grandes ríos ofrecen todavía el mejor medio de transporte en el interior del continente.

Siesta del trópico

Domingo de bochorno, mediodía
de reverberación
solar. Un policía
como empotrado en un guardacantón,[44]

durmiendo gravemente. Porquería
de un perro en un pretil. Indigestión
de abad, cacofonía
sorda de un cigarrón...

Soledad de necrópolis,[45] severo
y hosco mutismo. Pero
de pronto en el poblacho

se rompe la quietud dominical,
porque grita un borracho
feroz: —¡Viva el partido liberal!...

Medio ambiente

Mi buen amigo el noble Juan de Dios, compañero
de mis alegres años de juventud, ayer
no más era un artista genial, aventurero...
Hoy vive en un poblacho con hijos y mujer.

...Y es hoy panzudo y calvo. Se quita ya el sombrero
delante de un don Sabas, de un don Lucas... ¿Qué hacer?
La cuestión es asunto de catre y de puchero,
sin empeñar la «Singer»[46] que ayuda a mal comer...

Quimeras moceriles—mitad sueño y locura;
quimeras y quimeras de anhelos infinitos,
y que hoy—como las piedras tiradas en el mar—

se han ido a pique oyendo ias pláticas del cura,
junto con la consorte, la suegra y los niñitos...
¡Qué diablo! Si estas cosas dan ganas de llorar.

---

[43]**Paul de Kock** French nineteenth century writer who specialized in giving sentimental portraits of Parisian women   [44]**como ... guardacantón** as if cooped up in his traffic tower   [45]**necrópolis** ciudad de los muertos   [46]**la «Singer»** la máquina de coser marca Singer con la cual la mujer gana un poco de dinero al trabajar en casa para clientes o una casa comercial

Rómulo Gallegos

Las novelas de Gallegos se desarrollan a menudo en la llanura o en la selva de su país natal, Venezuela. En sus dos obras más famosas, *Doña Bárbara* y *Canaima*, se destaca la figura central del hombre mesiánico con su misión de traer el humanismo y la civilización a los que viven dominados por los elementos de una naturaleza primordial. Es así que el protagonista de *Canaima*,[47] Marcos Vargas, se enfrenta con el espíritu indomado de la selva en el episodio ofrecido a continuación. Al final de la novela queda encargado de una tribu india en la selva y envía a su hijo mestizo a Caracas en busca de una síntesis feliz de dos culturas.

Canaima Tormenta

Y advirtió que la selva tenía miedo. Los troncos de los árboles se habían cubierto de palidez espectral ante la tiniebla diurna que avanzaba por entre ellos y las hojas temblaban en las ramas sin que el aire se moviese. Se sintió superior a ella, libre ya de su influencia maléfica, ganosa de descomunal pelea la interna fiera recién desatada en su alma, y así le habló:

—Es la tormenta. Viene contra nosotros dos, pero sólo tú la temes.

Se quitó el sombrero y lo arrojó al monte, se abrió la camisa haciendo saltar los botones, ensanchó el pecho descubierto, irguió la frente, acompasó el andar a un ritmo de marcha imperiosa. Luego se descalzó y se desnudó por completo, abandonando a la vera del camino ancho y verde cuanto pudiese desfigurar al hombre íngrimo[48] contra la tempestad elemental, y dejando el camino del regreso conocido tiró[49] por la primera vereda que le salió al paso y se internó por el monte intrincado a la aventura de la tormenta. Quería encontrar la medida de sí mismo ante la naturaleza plena, y de cuanto fue cosa aprendida entre los hombres sólo una llevaba consigo: las palabras del conde Giaffaro[50] aconsejándole intimidad hermética y válvula de escape al grito de Canaima.

Aumentaba la palidez de los árboles y ya se estremecían todas sus hojas, sin que aun se moviese el aire. La pequeña cosa lejana, el sordo mugido de los abismos del silencio, se estaba convirtiendo en fragorosa inmensidad y se acercaba por instantes... Pero todavía quedaba silencio bajo la fronda angustiada, un silencio cada vez más denso, de zozobra contenida, mientras aquello[51] avanzaba cercándolo y apretándolo.

Lo fundió todo y de golpe el estallido de un rayo, simultáneos el relámpago deslumbrante y el trueno ensordecedor. Vacilaron las innumerables columnas, crujieron las verdes cúpulas, se arremolinaron las lívidas tinieblas, se unieron arriba los bordes del huracán desmelenando la fronda intrincada[52] y la vertiginosa espiral penetró en el bosque, levantó una tromba de hojas secas, giró en derredor del hombre desnudo, silbando, aullando, ululando y luego se rompió en cien

[47]Canaima espíritu maléfico y destructor de la selva, según las creencias indias [48]íngrimo solitario [49]tiró se desvió [50]conde Giaffaro Este protagonista representa al conde Keyserling quien en su libro *Meditaciones sudamericanas* analizó las bases psicológicas del ser sudamericano y dejó una honda impresión en escritores como Gallegos. [51]aquello la tormenta [52]desmelenando ... intrincada slashing the thick foliage of the tree tops

Carretera de Belém a Brasilia a través de la selva. La naturaleza todavía domina al hombre.

pequeños remolinos que se dispersaron en todas las direcciones. Y se desgajó el chubasco fragoroso.

. . .

—¿Se es o no se es?

Las raíces más profundas de su ser se hundían en suelo tempestuoso, era todavía una tormenta el choque de sus sangres en sus venas, la más íntima esencia de su espíritu participaba de la naturaleza de los elementos irascibles y en el espectáculo imponente que ahora le ofrecía la tierra satánica se hallaba a sí mismo, hombre cósmico, desnudo de historia, reintegrado al paso inicial al borde del abismo creador.

Era allí, en lo profundo de su intimidad, donde debía de aparecerse aquel insólito morador de una tierra sobre la cual todavía se agitaba el torbellino de donde surgieron el agua, el viento y el rayo. Y ya había aparecido, en efecto, en la tormenta de la ira que acababa de ennegrecerle las pupilas. ¡Ira, cólera! ...

La lluvia le azotaba el rostro, todo su cuerpo era rompiente contra la cual se estrellaba la oleada de la racha,[53] el huracán venía a colmarle los pulmones con el aliento del mundo embravecido y el relámpago le ponía instantánea vestidura magnífica.[54] ... Caían en torno suyo los árboles que tuvieron la raíz podrida o menguada, pero sobre el retemblar del suelo desgarrado se asentaban acompasadamente sus plantas firmes. Era el morador señero de un mundo sacudido por las convulsiones del parto de los abismos creadores y un robusto orgullo de pleno hallazgo propio lo hacía lanzar su voz ingenua entre el clamor grandioso.

— ¡Aquí va Marcos Vargas!

. . .

Vaciló el tronco de un palodehacha, que estuvo cien años creciendo para asomarse, otros cientos, por encima de las copas más altas, haz de columnas trenzadas por recios bejucos. Cayó con formidable estruendo...

Saltó por encima del gigante vencido y prosiguió su camino, despacio, por la vereda ancha y recta que le iluminaba la tormenta.

Pero la vereda se detuvo, de pronto, contra el bosque intrincado a tiempo que la tempestad

---

[53]rompiente ... racha a breaker battered by the incessant waves   [54]el relámpago ... magnífica the lightning appeared to surround him

redoblaba su furor, retorciendo los árboles, ululante, bramorosa, un rayo tras otro, un solo relámpago inmenso.

... Se confió a su suerte ineludible y se guareció bajo el amplio ramaje de una mora gigante que se destacaba del macizo.

Pero el huracán se le echó encima para asfixiarlo y desalojarlo del cobijo que lo protegía del chubasco, y él dándole la espalda y el viento buscándole el rostro estuvieron largo rato rodeando el árbol del tronco inconmovible, grueso, ancho como un muro. ...

Pero al cambiar de sitio, para ofrecerle temerariamente el rostro a la racha irrespirable, pisó algo blando que rebulló y gimió. Se inclinó hacia ello.

Era un mono araguato,[55] párvulo, aterido, ya sin instinto arisco, toda espanto el alma elemental. Se dejó apresar y se acurrucó lloriqueante, tembloroso, contra el pecho del hombre que lo levantó en sus brazos.

—¡Hola, pariente!—exclamó Marcos Vargas—. ¿Qué te pasó? ¿Te tumbaron el dormidero? ¿Y tu gente qué se ha hecho?[56] Por qué te dejaron solo?

Gabriel García Márquez

Aunque las palabras «revolución», «violencia» y «caudillismo» han formado parte de la historia de casi todos los países latinoamericanos, la lucha entre liberales y conservadores en Colombia que comenzó con el asesinato del candidato liberal y laborista Gaitán en 1948 produjo un clima de terror tan intenso que en la década siguiente unas trescientas mil personas murieron trágicamente en el interior del país. García Márquez, uno de los novelistas de más fama en la actualidad, se ocupó de esta lucha fratricida en *Un día de éstos* que muestra un clima de brutalidad, venganza y amargura.

Un día de éstos

El lunes amaneció tibio y sin lluvia. Don Aurelio Escovar, dentista sin título y buen madrugador, abrió su gabinete a las seis. Sacó de la vidriera una dentadura postiza montada aún en el molde de yeso y puso sobre la mesa un puñado de instrumentos que ordenó de mayor a menor, como en una exposición. Llevaba una camisa a rayas, sin cuello, cerrada arriba con un botón dorado, y los pantalones sostenidos con cargadores elásticos. Era rígido, enjuto, con una mirada que raras veces correspondía a la situación, como la mirada de los sordos.

Cuando tuvo las cosas dispuestas sobre la mesa rodó la fresa hacia el sillón de resortes y se sentó a pulir la dentadura postiza. Parecía no pensar en lo que hacía, pero trabajaba con obstinación,

[55]mono araguato   mono aullador, de un metro de altura, barbado y oscuro   [56]¿Y tu ... hecho? ¿Y qué pasó con tu familia?

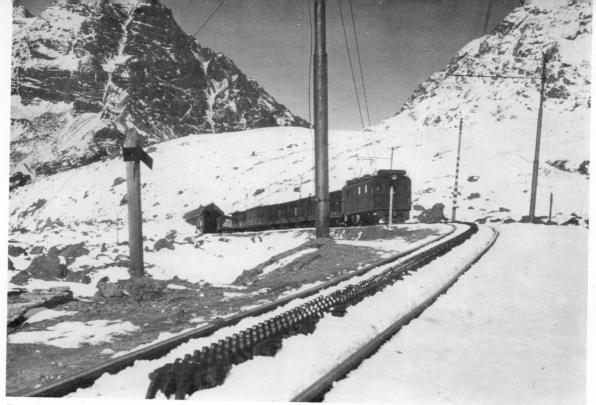

Tren chileno. Los Andes en el Oeste de Sudamérica se elevan a alturas de hasta 24.000 pies. En invierno las comunicaciones se dificultan a causa de la nieve.

pedaleando en la fresa incluso cuando no se servía de ella.

Después de las ocho hizo una pausa para mirar el cielo por la ventana y vio dos gallinazos pensativos que se secaban al sol en el caballete de la casa vecina. Siguió trabajando con la idea de que antes del almuerzo volvería a llover. La voz destemplada de su hijo de once años lo sacó de su abstracción.

—Papá.

—Qué.

—Dice el alcalde que si le sacas una muela.

—Díle que no estoy aquí.

Estaba puliendo un diente de oro. Lo retiró a la distancia del brazo y lo examinó con los ojos a medio cerrar. En la salita de espera volvió a gritar su hijo.

—Dice que sí estás porque te está oyendo.

El dentista siguió examinando el diente. Sólo cuando lo puso en la mesa con los trabajos terminados, dijo:

—Mejor.

Volvió a operar la fresa. De una cajita de cartón donde guardaba las cosas por hacer, sacó un puente de varias piezas y empezó a pulir el oro.

—Papá.

—Qué.

Aún no había cambiado de expresión.

—Dice que si no le sacas la muela te pega un tiro.

Sin apresurarse, con un movimiento extremadamente tranquilo, dejó de pedalear en la fresa, la retiró del sillón y abrió por completo la gaveta inferior de la mesa. Allí estaba el revólver.

—Bueno—dijo—. Díle que venga a pegármelo.

Hizo girar el sillón hasta quedar de frente a la puerta, la mano apoyada en el borde de la gaveta. El alcalde apareció en el umbral. Se había afeitado la mejilla izquierda, pero en la otra, hinchada y dolorida, tenía una barba de cinco días. El dentista vio en sus ojos marchitos muchas noches de desesperación. Cerró la gaveta con la punta de los dedos y dijo suavemente:

—Siéntese.

—Buenos días—dijo el alcalde.

—Buenos—dijo el dentista.

139

En mayo de 1960 el Sur de Chile fue nuevamente devastado por un terremoto. Habitante de Puerto Montt sentada delante de su casa demolida. Por toda la costa del Pacífico los terremotos son un peligro constante.

Vista del volcán Paricutín en Michoacán. La meseta central de México es árida e inhospitalaria.

Mientras hervían los instrumentos, el alcalde apoyó el cráneo en el cabezal de la silla y se sintió mejor. Respiraba un olor glacial. Era un gabinete pobre: una vieja silla de madera, la fresa de pedal[57] y una vidriera con pomos de loza. Frente a la silla, una ventana con un cancel de tela hasta la altura de un hombre. Cuando sintió que el dentista se acercaba, el alcalde afirmó los talones y abrió la boca.

Don Aurelio Escovar le movió la cara hacia la luz. Después de observar la muela dañada, ajustó la mandíbula con una cautelosa presión de los dedos.

—Tiene que ser sin anestesia—dijo.

—¿Por qué?

—Porque tiene un absceso.

El alcalde lo miró en los ojos.

—Está bien—dijo, y trató de sonreír. El dentista no le correspondió. Llevó a la mesa de trabajo la cacerola con los instrumentos hervidos y los sacó del agua con unas pinzas frías, todavía sin apresurarse. Después rodó la escupidera con la punta del zapato y fue a lavarse las manos en el aguamanil. Hizo todo sin mirar al alcalde. Pero el alcalde no lo perdió de vista.

Era una cordal inferior. El dentista abrió las piernas y apretó la muela con el gatillo caliente. El alcalde se aferró a las barras de la silla, descargó toda su fuerza en los pies y sintió un vacío helado en los riñones, pero no soltó un suspiro. El dentista sólo movió la muñeca. Sin rencor, más bien con una amarga ternura, dijo:

—Aquí nos paga veinte muertos, teniente.

El alcalde sintió un crujido de huesos en la mandíbula y sus ojos se llenaron de lágrimas. Pero no suspiró hasta que no sintió salir la muela. Entonces la vio a través de las lágrimas. Le pareció tan extraña a su dolor que no pudo entender la tortura de sus cinco noches anteriores. Inclinado sobre la escupidera, sudoroso, jadeante, se desabotonó la guerrera y buscó a tientas el pañuelo en el bolsillo del pantalón. El dentista le dio un trapo limpio.

—Séquese las lágrimas—dijo.

---

[57]**la fresa de pedal**   an old-fashioned dentist's drill operated by a foot pedal

El alcalde lo hizo. Estaba temblando. Mientras el dentista se lavaba las manos, vio el cielorraso desfondado y una telaraña polvorienta con huevos de araña e insectos muertos. El dentista regresó secándose las manos. —Acuéstese—dijo—y haga buches de agua de sal.— El alcalde se puso de pie, se despidió con un displicente saludo militar y se

dirigió a la puerta estirando las piernas, sin abotonarse la guerrera.

—Me pasa la cuenta—dijo.

—¿A Ud. o al municipio?

El alcalde no lo miró. Cerró la puerta, y dijo, a través de la red metálica:

—Es la misma vaina.[58]

Charles Wagley

In the twentieth century the Indian continues to be part of the rural life in many areas of Latin America, from Mexico to Bolivia; but he is largely confined to his age-old communal structure, a corn, bean or potato economy and a pattern of life that has not varied too much over the centuries. Pre-Columbian religious and social traits survive in communities such as the ones in Guatemala cited by Professor Wagley. However, those Indians who leave to find work in the cities will lose their tribal identity and amalgamate with the modern Hispanic culture.

The Peasant   Santiago Chimaltenango: The Indian Peasants

In the nineteenth century the lands of Chimaltenango were held in common, but by 1937 all tracts, except a very high and rugged piece of *ejido* (common land) had been reduced to individual tenure. Yet at that time community sanctions were still strong against selling land to outsiders, and the community retained its corporate character to a large extent. There was a marked difference, however, in the size of individual holdings, which ranged from over five hundred *cuerdas*[59] to less than ten. Most landholdings were so small that men had to seek wage labor from more fortunate fellow villagers or

from coffee *fincas* to provide for their families. Each year a few families who were landless or whose plots of land were so small that they provided little income remained permanently on the *fincas* as *colonos*. Such people, living away from their community, became in time what has been called "transitional Indians"—people of intermediate status between the "traditional Indian" of the community and the ladino.[60]

Chimaltenango also retained its traditional political and religious hierarchy, with *principales* (elders), *alcaldes* (mayors), *regidores* (town councilmen) and others, although at the time these

---

[58]Es ... vaina. It's the same damned thing.   [59]cuerdas A *cuerda* is 68.6 feet square and there are 9.2 *cuerdas* to an acre.   [60]ladino a non-Indian who might be white or mestizo

Indian officials were not recognized by the Guatemalan federal government. Still, most males served at least one year in these public offices without remuneration, donating approximately half their time during the year. Many served several years, rising with age through the hierarchy. The expenditures of office and the time off from productive work acted as economic leveling factors that reduced the accumulated wealth of the individual. The officials were selected each year by the *principales*, who had themselves served in several important offices. A man's financial status, his age and his record in

Un viaje de Cuzco a las ruinas incaicas Machu Picchu por autocarril en el Alto Perú.

lower offices were important criteria in these selections.

Political life in a western sense did not exist in 1937. The Guatemalan dictator, Jorge Ubico, was a face in a picture that hung in the town hall. People were subject to "vagrancy laws" requiring them to give proof of full-time agricultural or wage activities—or be subjected to labor on the roads. A tax was levied on the family sweatbath, but it was seldom collected. The ladino officials were irritants to community cohesion, but their intrusion into community life was minimal. Recourse to such officals took place only if the efforts of the Indian officials failed.

In 1937, all Chimaltecos were Catholics in the local sense of the term, and religion was a community affair fostering considerable esprit de corps and cohesion. Catholic saints and the "Owners of the Mountains" (aboriginal deities) were worshiped equally; prayers and ceremonies in honor of the saints and the aboriginal deities were led by native priests, the *chimans*, who had a knowledge of the Mayan calendar system and of the appropriate prayers and rituals. A Catholic priest came perhaps once a year, chiefly for the baptism of children—the only sacrament of the Church almost universally received in Santiago Chimaltenango.

National institutions were already impinging on the isolation of Santiago Chimaltenango in 1937. There was a school for boys and one for girls in the pueblo-center, but few families sent their children to them. With minor exceptions, Chimaltecos were farmers specializing in maize production. They sold their surplus at local Indian markets or to ladino merchants in the city of Huehuetenango. They were subjected to national fluctuations in price, and thus participated in the national economic system. Yet, in 1937, Santiago Chimaltenango retained its identity as an almost homogeneous Indian peasant community to a remarkable degree.

By 1956, Santiago Chimaltenango had changed both internally and in relation to the nation. In two decades Guatemala had witnessed the fall of the Ubico dictatorship, the relatively democratic government of Juan José Arévalo (which reorganized the municipal structure) and, finally, the rise and overthrow of the left-wing regime of Jacobo Árbenz. In the years following the fall of Ubico in 1944, there was an official interest in Indian affairs, an attempt at agrarian reform and an intrusion of national politics into the peasant communities. National programs in public health and education, often with United States aid, were

felt in Santiago Chimaltenango. The social changes that had occurred in this one community were similar to those taking place even more drastically in other Guatemalan Indian communities, and in broad terms they were similar to those that have taken place in similar groups throughout Latin America.

The total population of Santiago Chimaltenango grew appreciably between 1940 and 1950, approximately at the same rate (25.6 per cent) as the total population of Guatemala during this

Balsas sobre el lago navegable más alto del mundo, que comunica el Perú con Bolivia. Las balsas del lago Titicaca sirvieron de modelo para el barco del antropólogo Thor Heyerdahl, Kontiki.

period. This population growth, which in itself would have meant less land per capita, was by 1956 combined with a trend for the villagers to sell plots of land to ladinos and to Indians of neighboring *municipios*. Population expansion and land diminution forced more villagers to migrate permanently to coffee *fincas* or even to the cities seeking work. Simultaneously, the sale of land to outsiders brought individuals into the community who were largely unversed in community traditions such as service in the politicoreligious hierarchy, celebration of saints' days and the local norms of interpersonal relations. Thus, the shortage of land and the changing pattern of land tenure in such corporate Indian peasant communities have the dual effect of forcing many individuals into new social and economic systems and destroying the community's cultural and ideological homogeneity. This is a basic trend working slowly toward the "ladinoization"[61] of whole communities.

[61]"ladinoization" the process of changing the Indian way of life in favor of a mestizo or urban social pattern

Discusión

1. ¿Por qué no recibió el interior de Sudamérica un número adecuado de inmigrantes europeos?
2. ¿Qué clase de obstáculos existen entre las diferentes regiones latinoamericanas?
3. ¿Qué divisiones geográficas estableció el profesor Kroeber para Latinoamérica?
4. ¿De qué acusa el ensayista Martínez Estrada a los colonizadores en el Nuevo Mundo?
5. Diferencie entre los términos «hacienda» y «plantación».
6. ¿Qué significado social encierran las palabras «casa grande» y «*senzala*»?
7. ¿Qué desventajas económicas representa el cultivo del minifundio?
8. Mencione algunos aspectos tradicionales en las ciudades provinciales latinoamericanas.
9. ¿Qué relación directa existe entre la cotización de productos agrícolas y la economía rural?
10. ¿Qué es el monocultivo?
11. Mencione algunas condiciones sociales que posiblemente han contribuido al fenómeno del machismo.
12. ¿Qué características esenciales necesita un caudillo?

13. ¿Qué representa Facundo para Sarmiento?

14. ¿Qué peligro social encarna el gaucho para Sarmiento?

15. Explique la frase «este hombre no existiría si no existiese la pistola» que se encuentra en el fragmento de *El águila y la serpiente.*

16. Describa la personalidad de Pancho Villa, de acuerdo con la selección de Guzmán.

17. ¿Cómo retrata Horacio Quiroga la lucha entre el hombre y la naturaleza en su cuento *El monte negro?*

18. Describa el ambiente selvático en el cuento de Quiroga.

19. ¿Cuál es la misión del hombre civilizado en la selva, según Gallegos?

20. Analice el estilo de Gallegos con referencia a su visión de la selva.

21. ¿Cómo logra García Márquez darnos el fondo de violencia de su país natal, Colombia?

22. Haga una lista de detalles del cuento de García Márquez que ilustran el culto del coraje.

23. ¿Qué representan el alcalde y el dentista en el cuento?

24. ¿Qué saldo positivo o negativo representan los cambios sociales ocurridos en Santiago Chimaltenango?

Capítulo cinco

Cultura y sociedad
de la ciudad

La migración a las ciudades acelera su ritmo: indias bolivianas en la estación de Viacha.

LA INMIGRACIÓN Y LA MIGRACIÓN

Ya en otros capítulos se observó que los caprichos de la historia pueden dejar resultados sorprendentes. Los ilustres centros incaicos de Sucre y Cochabamba que todavía florecieron en tiempos coloniales hoy tienen pocos habitantes y apenas dan señales de vida mientras que la región del Río de la Plata, ignorada por los españoles debido a la ausencia de mano de obra india y de metales preciosos y por consiguiente vacía hasta la época de la Independencia, hoy se encuentra poblada de millones de inmigrantes europeos y sus descendientes.

Es difícil establecer un paralelo entre los sucesos históricopolíticos y las corrientes inmigratorias del siglo XIX en la América Latina. Durante los siglos anteriores los barcos venían llenos de pasajeros peninsulares que se habían embarcado en Sevilla o Lisboa, muchos de ellos enviados por cierto tiempo como funcionarios del gobierno portugués o español. Después de las campañas de Independencia de San Martín y Bolívar que culminaron en 1824, los inmigrantes españoles seguían llegando, tanto para establecerse permanentemente en los restos del imperio—es decir, Cuba y Puerto Rico—como también en las nuevas repúblicas.

Entre 1880 y 1914, o sea el comienzo de la Primera Guerra Mundial, millones de personas dejaron países como España, Italia, Alemania o Polonia rumbo al Nuevo Mundo, pero la mayoría de ellas fueron atraídas hacia la costa del Atlántico. Si alrededor de 1900 una de cada tres personas en Buenos Aires, Montevideo o Pôrto Alegre había nacido en Europa, en Lima, Bogotá o México la proporción de extranjeros era mucho menor. Después de 1914 la inmigración perdió su ímpetu. Europa sufrió dos largas guerras paralizadoras y una crisis económica que afectó todo el Occidente, incluso la América Latina. Después de la Segunda Guerra Mundial, Europa fue dividida en dos bloques: el comunista que controla la salida de sus gentes, y el democrático que con su ampliado Mercado Común ofrece hoy día una vida próspera a todos los que quieren trabajar. Puesto que no existe una política migratoria que facilite la entrada de africanos u orientales, hace rato que no se puede hablar de corrientes migratorias. Al mismo tiempo el carácter multinacional de los centros cosmopolitas ha sido superado, ya que la cultura urbana contemporánea se está formulando a través de hijos y nietos de inmigrantes. Si en la actualidad existe un aire cosmopolita, no se debe a la presencia de extranjeros sino más bien a la presencia de productos culturales que llegan diariamente desde Europa y los Estados Unidos en forma de películas, revistas, discos y programas de televisión.

Aunque la inmigración de ultramar terminó básicamente en la década de 1930, el crecimiento de las ciudades latinoamericanas continúa y a paso   **147** cada vez más acelerado debido a otro movimiento migratorio: el de los campesinos y provincianos que llegan en trenes, camiones y autobuses trescientos sesenta y cinco días al año. La industrialización en casi todos los países, sobre todo en México, el Brasil, la Argentina, Colombia y Chile, atrae un número cada vez más elevado de gente del interior que vienen en busca de trabajo y con la esperanza de encontrar una oportunidad para educar a los hijos. Por eso la urbanización se intensifica, y en algunas naciones más del 50 por ciento de la población total vive ya en zonas urbanas. Las ciudades de México y Buenos Aires, con sus alrededores, cuentan con unos siete millones cada una; São Paulo tiene ya cinco; y Santiago de Chile, tres.

Pero la asimilación urbana de los campesinos y sus familias no es tarea fácil. En otro capítulo se discute la tremenda escasez de vivienda, la falta de empleos y el rápido aumento de la población: enfermedades crónicas en casi toda la América Latina. Con un aumento anual de un promedio del 3,0 a 3,2 por ciento la población total dobla cada dieciocho a veinte años, y la mayoría de los habitantes tendrán menos de veinte años de edad. También se calcula que en los próximos cinco años habrá que crear un mínimo de veintiocho millones de empleos adicionales para ocupar a los jóvenes

Familia de inmigrantes alemanes en Blumenau, en el Sur del Brasil.

Las favelas, ciudad de los pobres, en Río.

en busca de trabajo, pero que desgraciadamente sólo se preven un total de seis millones de puestos para esta juventud. Sin embargo se espera que los veintidós millones que se quedarán sin trabajo vendrán a las ciudades, cada vez más congestionadas, impacientemente, para tratar de ganarse la vida de una forma u otra.

Para la inmensa mayoría de los trabajadores migratorios, la vida urbana consiste en buscarse un lugar donde dormir y levantarse cada mañana con ánimo y energía suficientes para lanzarse a la lucha diaria para «ganarse el puchero». La vivienda barata escasea a tal punto que para cada unidad construida por una agencia social del Estado o de la municipalidad hay centenares y hasta miles de familias en una lista de espera interminable. Los alquileres de pisos, casitas y hasta de simples habitaciones sin agua o cocina son tan altos que al trabajador migratorio no le queda más recurso que meterse en una de las «barriadas» que en Chile se llaman «callampas», en la Argentina «villas miseria», en el Brasil «favelas» y en Puerto Rico «arrabales». No importa el nombre. Casi todas son iguales: filas y filas de chozas increíbles, hechas de madera, hojalata y arpillera; las calles se convierten en lodazales cuando llueve; hay una fuente de agua y un baño que parece una cloaca para unas cien familias; los niños semidesnudos juegan en la basura que se acumula y que atrae insectos y roedores. En algunas barriadas hay luz eléctrica y una bomba de agua cada doscientos metros; son las afortunadas. Los habitantes de estas barriadas tienen plena conciencia de su condición física y de su estado marginal en relación a los demás ciudadanos; pero hacen lo posible por incorporarse al ritmo de vida, tan moderno y agitado, de las urbes. Ninguno de ellos piensa volver a su existencia desesperante en medio del campo yerto, en el desierto o en la selva asfixiante. Sobreviven de la esperanza. El día de mañana el padre de la familia consigue un empleo temporario; la mujer y la hija mayor se colocan de sirvienta; y tal vez los chiquitos puedan por fin asistir a la escuela por un par de años. Ellos saben que con el tiempo se integrarán a la vida urbana.

Vida callejera de un barrio humilde de Quito.

LA CIUDAD FÍSICA

Crispín, el antihéroe picaresco de la celebrada comedia de Jacinto Benavente, *Los intereses creados*, le dijo a su amo Leandro que dondequiera que iban se encontraban con dos ciudades. Puesto que Leandro no lo comprendió muy bien, Crispín le explicó que siempre había la de los pobres y la de los ricos. Las ciudades latinoamericanas todavía dan muestras de esta división social, y de cierto modo añaden una tercera dimensión: la barriada que sirve de residencia primitiva para los campesinos recién llegados y sin recursos. En la ciudad misma hay barrios viejos, a menudo céntricos, donde predominan las casas roídas por el tiempo y el descuido. Aquí se acumulan familias en pequeños cuartos, y cinco o más mujeres se disputan el uso de una cocinita o usan una estufa a carbón de leña para preparar una tortilla o un guiso mientras que sus hijos juegan en la calle, tan a menudo llena de baches y desperdicios. La vivienda barata y moderna apenas existe. Hay una que otra casa de pisos y a veces un bloque de edificios modernos que fueron construidos con fondos nacionales o en combinación con préstamos internacionales, para servir a las familias de pocos ingresos. En la capital de México, en Río, en Bogotá y en Buenos Aires, por ejemplo, existen unidades de vivienda popular, aunque no alcanzan ni para el 1 por ciento de las familias necesitadas. Pero hasta con la mejor voluntad del mundo, las municipalidades de estos países no tienen los fondos necesarios para implementar un vasto programa de construcción de vivienda barata para millones de familias.

La clase adinerada tiene su barrio elegante o se refugia en algunos suburbios donde vive en *chalets* o antiguas mansiones rodeadas de rejas y tapias. También existen todavía barrios tranquilos donde la nueva clase media está desplazando a las viejas familias criollas que no supieron mantener su posición económica privilegiada. Últimamente, los profesionales y ejecutivos están comprando lo que se llama «propiedad

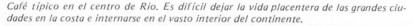

Café típico en el centro de Río. Es difícil dejar la vida placentera de las grandes ciudades en la costa e internarse en el vasto interior del continente.

horizontal≫ en las casas de pisos que se multiplican sin cesar en las grandes ciudades. Aquí la vida se parece a la de los grandes centros cosmopolitas de Europa y los Estados Unidos ya que nos encontramos en un mundo donde dominan el costo por metro cuadrado, la cocina con heladera y lavarropa, el ascensor, el teléfono, el aparato de televisión, el constante ruido del tráfico y hasta el aire contaminado.

En realidad no hay dos grandes urbes latinoamericanas que sean similares en ambiente geográfico, plan físico y tren de vida. En su aspecto céntrico la capital mexicana recuerda la fisionomía de Los Ángeles, mientras que Guadalajara se muestra mucho más señorial. Pero ambas denotan la relativa proximidad de los Estados Unidos con su influencia comercial y destacan la presencia étnica del mestizo y del indio. Caracas, aunque ya en el continente sudamericano, muestra un mundo comercial estrechamente ligado al de los intereses petroleros internacionales. Es un mundo tecnológico y ultramoderno que, sin embargo, también tiene el contraste en una población en buena parte mestiza y mulata, que crea un ambiente antillano. Desde La Habana hasta Santos, las ciudades que son al mismo tiempo puertos del Atlántico combinan un clima y una vegetación tropical con una población fuertemente africana; pero el ritmo de vida depende en gran parte de la economía local. La Habana prefidelista vivía del turismo yanqui; San Juan de Puerto Rico refleja una vida americanizada superpuesta a las tradiciones hispánicas que regían exclusivamente en estas

El distrito de Copacabana en Rio, residencia de los ricos.

colonias hasta la famosa fecha de 1898; y Recife y Salvador (Bahia) mezclan aspectos de un viejo puerto portugués con un sabor predominantemente africano. Ceñida contra su bella bahía con el puerto y las playas, como la famosa Copacabana, Río de Janeiro ofrece una aparente existencia de placer y refinamiento en sus avenidas frondosas, sus cafés y tiendas para aquellos cariocas que no están obligados a subsistir en las miserables favelas que cubren las colinas que se extienden hacia las montañas. Su gran rival, São Paulo, en cambio está llena de rascacielos, fábricas y autopistas; y sus habitantes, muchos de ellos alemanes e italianos, sienten el intenso orgullo de participar en el dinamismo de este gran centro industrial, considerado la Chicago de Sudamérica. En la cuenca del Río de la Plata, Montevideo y Buenos Aires impresionan al visitante como réplicas de ciudades mediterráneas. Aquí no hay arquitectura colonial puesto que casi todas las zonas urbanas se levantaron entre 1880 y la actualidad. La población combinada de Montevideo y Buenos Aires alcanza a unos ocho millones; no hay elemento negro, y el indio se asoma sólo a través de los que llegan de remotas regiones del interior del continente. Buenos Aires tiene cierto aire francés con sus bulevares parisienses y su red de «Metro» subterránea; pero se está poblando de más y más rascacielos de cromo y vidrio que se extienden hacia las aguas opacas del Río de la Plata. El ritmo de vida porteña es agitado, pero los porteños demuestran cierta afinidad hacia una actitud que cultiva lo correcto y lo impecable, muy en contraste con la gracia tropical de países más cálidos. Los que quisieron notar una especie de frialdad en los porteños, reservaron igual juicio para los habitantes de Santiago de Chile y Valparaíso, que forman el gran eje demográfico de un país donde los apellidos ingleses, alemanes y vascos son prominentes. Hubo su tiempo en que hubiera sido difícil operar en el puerto de Valparaíso sin vinculaciones con el mundo de los negocios y el idioma inglés. Si en Montevideo y Santiago escasea la arquitectura colonial, todavía abunda en Lima y Quito, antiguos centros virreinales con sus catedrales barrocas, las residencias de los virreyes, pasajes de columnas moriscas y estas callejuelas con casas cuyas rejas y portales recuerdan al Sevilla de Don Juan Tenorio, y donde los descendientes de los criollos viejos sienten cierta tradición hispánica frente a la masa indígena que afluye desde las sierras. Los habitantes cultos de Bogotá la consideran la Atenas sudamericana debido a su gentil cultura y tradiciones castizas, muy en contraste con los montevideanos y porteños que hacen un uso abundante de un vocabulario que contiene miles de palabras italianas.

Lo que une a todas estas urbes es la convivencia de lo antiguo y lo moderno, lo provisorio de los «campamentos» de los campesinos migratorios, los viejos barrios de épocas criollas ya bastante superadas y las construcciones ultramodernas de bancos, consorcios y casas de pisos elegantísimas. Lo que une a los que viven en cualquiera de las tres partes es la vida urbana misma. Todos forman parte de la gran multitud, participan en la expresión, siempre cambiante, de la vida callejera, ven las vitrinas decoradas y los avisos iluminados nocturnos y comparten este espíritu urbano que nace del asfalto, de las nubes de gasolina, de las luces de neón y de la multiplicidad de lo que puede ocurrir de un día a otro en cualquier esquina céntrica.

EL AMBIENTE SOCIAL

Los sociólogos dividen la masa en dos facciones básicas: el público y la multitud. La diferencia es bastante fácil ya que el público comparte ciertos gustos o inquietudes artísticos y sociales, mientras que la multitud es básicamente nada más que un conglomerado de personas que por coincidencia se encuentran en el mismo lugar. Ambos grupos constituyen la esencia de la urbe. En las ciudades latinoamericanas la vida diaria todavía da muestras de una pujanza e intensidad que han desaparecido de muchas ciudades estadounidenses debido a la mutilación a través de autopistas, la división racial y la fuga de la clase media hacia las afueras.

Vida callejera en el ambiente tropical de Panamá.

La vida callejera latinoamericana nace de la necesidad de participar plenamente en un intercambio social, de tener una charla en el café, la tertulia entre amigos y festejos, almuerzos o homenajes para amigos o colegas. En los aeropuertos—representantes de una edad tecnológica—se nota a toda hora del día una multitud que en la terraza espera la llegada de amigos o parientes. Sin excepción, los centros urbanos de la América Latina están situados en zonas templadas o cálidas, lo que fomenta la vida callejera. En general, las ciudades latinas decepcionan al observador estadounidense en su tamaño, es decir, una ciudad como Mexicali o Medellín no parece tener arriba de trescientos mil habitantes si uno se fija en la superficie edificada. Pero la falta de medios económicos, la escasez de vivienda barata, el número elevado de hijos por familia y el sistema tradicional del compadrazgo crean en conjunto una densidad de tres a cinco personas por habitación. Donde aparece este número de habitantes es en las calles, delante de las vitrinas de las tiendas, en las esquinas, los cafés, los paseos, en las procesiones religiosas y en los partidos de fútbol. Hay un movimiento incesante de obreros y empleados que van al trabajo, de mujeres que visitan a sus parientes, de jóvenes camino de la escuela, de los que andan en busca de un empleo. Relativamente muy poca gente tiene la fortuna de poseer un automóvil, pero un viaje en autobús, subterráneo o tren eléctrico suburbano cuesta muy pocos centavos de dólar y el servicio es frecuente.

Es difícil querer encerrarse en un cuartito mal amueblado o en una casucha llena de niños y ancianos y de mujeres que se pasan la mayor parte del día preparando comida en una estufa de carbón o lavando ropa en una palangana. Lo opuesto a esta existencia comienza en la esquina para los muchachos y en la puerta que da a la calle para las chicas. Por las calles de los barrios van y vienen los vendedores ambulantes, los vecinos, mozos de tiendas de comestibles con sus canastas y sirvientas o matronas que van de compras en el vecindario. Los muchachos en la esquina hablan de sus jugadores de fútbol o béisbol preferidos; discuten, se ríen y a veces se pelean. En realidad imitan a sus mayores que hacen lo mismo en los cafés y bares del vecindario. Es allí donde los que no tienen trabajo o los que son empleados públicos y van al despacho por la tarde se pasan la mañana leyendo las páginas deportivas, las crónicas policiales o los avisos de puestos vacantes. Por la tarde caen los que vuelven de sus empleos y discuten las últimas novedades tomando el café o la copa de costumbre. ¿Para qué ir a casa si sólo son las seis o las siete y se cena a las ocho o las nueve? Además, allí no hay nada que hacer sino escuchar a la cuñada o la suegra mientras los chicos corren de un lado a otro y todo el mundo está malhumorado porque los vecinos ya nunca los invitan a mirar la televisión y la plata no alcanza ni para comer debido a la inflación.

Si el café, sobre todo el del barrio, pertenece más bien al mundo de los

Barrio humilde en Santiago de Chile. El mercado de Vega Chica.

hombres, la confitería, el salón de té y el café del centro atraen al público femenino. Por la tarde, de cuatro a siete, las calles céntricas de Buenos Aires o Río por ejemplo, se ven animadas por una multitud de mujeres que, solas o en grupitos, van de compras o simplemente de paseo y después se sientan a una mesa del local donde unen sus voces a la charla constante que llena el local. Claro que hay lugares elegantes, hasta con aire acondicionado, y otros que son sucios, malolientes y grasientes donde la gente toma un café o una coca-cola de pie y se come una tortilla en el mostrador.

También en el centro, la calle es un elemento social básico que en su acción circular ofrece un espectáculo siempre cambiante y al mismo tiempo repetitivo en el que participan el pobre y el rico, el criollo y el europeo, el mulato y el mestizo, el indio y el negro. Si existen denominadores comunes en cuanto a la psicología urbana, son, posiblemente, un espíritu algo picaresco y una conciencia de lo provisorio en el destino humano. La mentalidad picaresca, personificada por ejemplo en el famoso Pito Pérez del mexicano José Rubén Romero, es una continuación de los arquetipos españoles como el Lazarillo del siglo XVI y los vagabundos madrileños de un Pío Baroja a principios de este siglo. En cualquier ciudad latinoamericana, desde Juárez en México hasta Valdivia en Chile, uno puede notar a los lazarillos modernos, huérfanos legales y sociales que se pasan el día viajando en los parachoques de los camiones, pidiendo comida, robando lo que quedó en el interior de un automóvil cuyo dueño se olvidó de cerrarlo con llave, fumando a los ocho años y

Las grandes avenidas de Buenos Aires conservan el aspecto de los bulevares parisienses. La población es netamente de descendencia europea.

muchas veces saliendo de un instituto correccional a los catorce. Pero personifican una esencia urbana debido a un factor especial: el uso del ingenio, la única arma disponible al Lazarillo que sólo pudo sobrevivir a fuerza de su destreza mental. El ingenio es un elemento esencial que distingue la existencia campestre de la urbana ya que simboliza una lucha por la vida, no a fuerza del músculo y de la destreza física, sino a través de la astucia, la inteligencia y el conocimiento. Los miles de jóvenes que asisten de noche a los colegios comerciales que funcionan en toda ciudad, para aprender taquigrafía, dibujo mecánico o inglés práctico, se dan cuenta de que hay que adaptarse a las exigencias de la vida urbana y estudiar para obtener un puesto más o menos deseable.

Pero, adaptarse a las exigencias del momento también significa aceptar el aspecto provisorio de la vida. Mientras que el campesino continúa labrando sus tierras del mismo modo año tras año, la economía urbana es caprichosa y obliga a los habitantes a cambiar con los tiempos; y lo que hoy es negocio, mañana está fuera de moda. El ensayista argentino Raúl Scalabrini Ortiz observó hace años que en Buenos Aires casi nadie planeaba su porvenir con la intención de continuar en su puesto actual. Es decir, los que hoy son policías mañana serán panaderos o al revés, el vendedor de camisas o de pólizas de seguro al año se ubica de tenedor de libros y la maestra normal obtiene un puesto en el archivo del Ministerio de Agricultura gracias a la influencia de un tío paterno. Miguel Delibes, conocido escritor español, hizo una gira por las capitales sudamericanas y concluyó que el latinoamericano improvisa su futuro mucho más que el habitante peninsular. Tal vez esta improvisación forma parte de un espíritu particular del Nuevo Mundo donde falta hasta cierto punto la rigidez de pensamiento que proviene de muchos siglos de tradiciones y donde ya no rige el refrán español «zapatero a tus zapatos».

En los centros cosmopolitas de Latinoamérica cualquiera es zapatero, pero también hay una superabundancia de médicos, abogados, contadores y hasta de ingenieros o químicos. La promesa de una vida interesante en Río de Janeiro o México los mantiene alejados del campo primitivo y monótono. El ideal de los que no están preparados para una profesión o un oficio es la oficina, preferentemente en una agencia gubernamental. Ahí uno se puede pasar el día en un ambiente social de charla, del cafecito y de la llamada telefónica antes de volver a la calle con avisos de neón, tráfico congestionado, edificios en construcción, pequeños bares con sus máquinas de café expreso y la multitud que inunda las calles principales. Todo esto en conjunto crea ese espíritu urbano que poco a poco transforma a los que llegan de «tierra adentro» para participar en la curiosa aglomeración de seres humanos y cosas que llamamos la ciudad moderna latina.

LA CULTURA DE LAS MASAS

En nuestro siglo la cultura para el consumo de la masa se impuso a través de la democratización y del ensanchamiento de la clase media, como lo observó muy bien Ortega y Gasset en su ensayo clásico, *La rebelión de las masas.* Para el pensador español esta rebelión tuvo su lado negativo ya que, según su criterio, esta masa no se hallaba preparada para juzgar el mérito de una obra teatral, el valor de una pieza musical o la importancia de un libro. La minoría selecta, supuestamente educada estéticamente para ejercer su buen gusto en cuanto a las artes y el entretenimiento, perdió su predominio o tal vez monopolio cuando el poder adquisitivo de la masa le permitió a ésta imponer su propia predilección, o su mal gusto según Ortega y Gasset.

En realidad, la minoría latinoamericana, formada por la clase alta y la incipiente clase media durante el siglo pasado, no mostraba siempre un buen gusto. Se leía lo que venía de Francia o España; se esperaba impacientemente la llegada de los barcos de ultramar para comprar la última novela de moda y las revistas publicadas en París o Londres; y los que podían, viajaban a Europa para pasar la temporada social. Pero tanto en Bogotá como en México o Montevideo se leían novelas por entregas, folletines románticos y autores de páginas «picantes» y muy de moda que, con mucha razón, han sido olvidadas. Claro que llegaban también las novelas naturalistas de un Emilio Zola y las poesías simbolistas de un Paul Verlaine de París, pero sería interesante determinar qué porcentaje de la élite social las leía y comprendía. Los espectáculos musicales y teatrales dependían largamente de la presencia de compañías europeas en gira y representaban un mundo bastante exclusivo y generalmente de alta calidad artística.

En el siglo XX todo fue distinto. Con el rápido desarrollo de la tecnología, la radiodifusión, la revista popular, la película muda y sonora y finalmente la televisión, se llegó a crear un inmenso mercado para el consumo de la masa. Al mismo tiempo estos medios culturales moldearon el gusto del público con sus modelos y las infinitas variaciones de los mismos. De todos los medios de difusión cultural para la masa, la radio y el cine han producido y siguen produciendo el impacto principal sobre lo que viene a ser la gran mayoría de la población en las ciudades. Hay que acordarse de que estos medios tienen la ventaja de ofrecer una fuente de diversión fácil para millones y millones de analfabetos y gente de poquísima instrucción puesto que no necesitan utilizar la palabra escrita. Hoy en día, como en décadas pasadas, las innumerables estaciones de radiodifusión, desde la Baja California hasta la Patagonia, día tras día

«Blondie» o Pepita y el rol de la mujer moderna: cambio de tradiciones y pautas a través del impacto cultural que llega por medio de medios publicitarios y de diversión.

transmiten interminables episodios melodramáticos; y hay pocas sirvientas, cocineras y hasta amas de casa que se resisten escuchar el episodio doscientos cincuenta y cinco de «Corazones a la deriva».

Últimamente el televisor está suplantando al aparato de radio en las ciudades importantes, y será una simple cuestión de tiempo hasta que la mayoría de la población urbana tenga acceso a esta pantalla mágica que de cierto modo no es otra cosa que la visualización de lo que transmite el receptor radiofónico. En otras palabras, la dimensión visual no mejora la calidad del programa. Hay, sin embargo, una diferencia esencial entre la producción técnica de programas de radio y las de televisión, diferencia que afecta de un modo todavía imprevisible la orientación cultural del público latino. Mientras que las producciones de radiodifusión se podían hacer mediante el uso de uno o dos micrófonos, unos discos y locutores para la mayoría de los programas, el aspecto técnico de un programa de televisión es tan complicado y costoso que ningún país latinoamericano puede permitirse todavía una constante producción de programas para un consumo monstruoso de quince horas diarias para varios canales.

Se asoma entonces la cuestión de la transculturación para la masa espectadora latinoamericana ya que las estaciones de televisión de México, Lima, Caracas o Santiago de Chile muestran diariamente programas populares de los Estados Unidos y, en menor escala, de Europa. En el pasado las películas también se importaban de los Estados Unidos o de Europa; pero el público veía generalmente una película por semana, mientras que ahora existe un desfile continuo de programas «típicos» estadounidenses en la pantalla del televisor. Estos programas con su acción, motivación y tipo de vida «americana» dejan naturalmente una constante y profunda impresión en la mente de los espectadores caseros.

Corrida de toros en Colombia: diversión para la multitud.

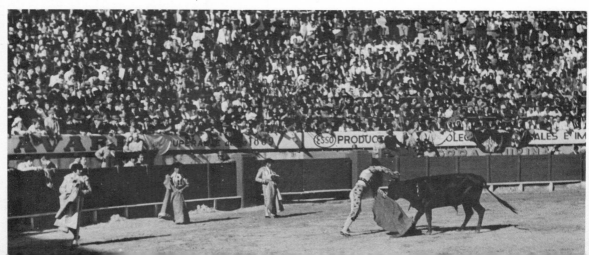

En resumen, el cine, la radio, la televisión así como la revista en fotoserie ofrecen un espectáculo a base de aventuras, amoríos, sentimentalismo o sensacionalismo para el consumo instantáneo de la masa moderna en las urbes de la América Latina. En este sentido, estas urbes se parecen más y más a cualquier gran centro cosmopolita del llamado Mundo Occidental ya que la tecnología moderna actúa como el gran denominador común de la vida urbana en cualquier parte. No extraña que los intelectuales y críticos de arte en los Estados Unidos tanto como en México o en la Argentina ataquen la falta de mérito o calidad en la industria de los medios de diversión y comunicación. Hace poco el gobierno militar argentino, por medio de uno de sus generales a cargo de comunicaciones, dio un plazo de treinta días a la industria televisora para elevar el nivel artístico de sus programas.

La clase alta es otra cosa; consciente de su condición social de minoría selecta y de la necesidad de mantener su prestigio social a base de la exclusividad de sus actos, sus miembros hacen lo posible por evitar la cultura de la masa. Cultivan, entonces, una especie de continuación del arielismo, aquel espíritu estético de la antigua élite de generaciones pasadas de damas y caballeros que se sentían protectores de las artes y de los artistas y cuyo símbolo durante mucho tiempo fue el cisne, animal inútil pero llamativo dentro de un marco apropiado. La clase alta, hoy junto con los hijos de inmigrantes españoles, italianos o judíos pobres que cursaron estudios universitarios y se hicieron estetas e intelectuales, siguen asistiendo a conciertos sinfónicos, exposiciones de pintores de vanguardia, conferencias sobre la poesía antipoética, exhibiciones de películas experimentales o a cualquier cosa que esté de moda; y la moda cambia de una temporada a otra. Naturalmente, la exclusividad también puede tomar como base el refugio hacia el abolengo o simplemente el dinero. Quedan aquellas asociaciones como el Círculo de Armas y los *Yachting* Clubs para los que pueden gastar en una cena en un restaurante de lujo lo que gana un campesino en doce meses de trabajo.

LA ALIENACIÓN Y EL ESPÍRITU COLECTIVO

A pesar de las enormes diferencias geográficas, étnicas y económicas, existen denominadores psicológicos comunes a los centros cosmopolitas de la América Latina que proyectan un carácter especial de anonimidad sobre el ambiente social en el cual se rozan diariamente millones de seres humanos. Mucho se ha escrito en los últimos años sobre el impacto social negativo de la existencia en medio de millones de desconocidos, con especial referencia a los puntos cardinales: individuo, multitud, desarraigo, alienación.

Siempre existió el desarraigo del campesino que dejó su tierra natal para buscar fortuna en las ciudades, pero en el pasado la asimilación a la sociedad urbana parecía más factible, más simple. En la época actual, el indio que dejó su comunidad y el habitante de un pueblito donde se le saludaba al pasar por la única calle principal se enfrentan con colas interminables de automóviles cubiertos de nubes de gasolina y pasan por edificios altísimos donde un mundo incomprensible los intimida con sus máquinas y computadoras complejas. Los millones de seres que se incorporan a la anonimidad urbana andan en busca de compartir alguna idea, una emoción o una actitud con la turba de desconocidos. Los seres solitarios que llenan las salas de cine, los subterráneos y los autobuses no se conocen uno al otro. La proximidad física aquí no implica ni comprensión ni simpatía humana; la multitud es siempre amorfa, siempre cambiante y siempre anónima. También en un nivel más mundano y socialmente «deseable» tenemos un factor de alienación cada vez más pronunciado. La pantalla de cine o de televisión, el disco y la cinta magnetofónica ponen al receptor humano en una posición del «yo» frente a algo impersonal, algo simulado, un producto técnico que no responde sino mecánicamente.

Resultaría natural entonces que casi cualquier hecho o espectáculo que permite una participación activa al habitante urbano fuera aceptado como

La famosa calle Florida en Buenos Aires, deleite del peatón y del que va de compras.

un remedio para sacarlo de su anonimidad a través de una posible identificación con una causa común. Puesto que el habitante urbano cultiva una actitud notoria de cinismo hacia todo lo que es una entidad impersonal, y sobre todo estatal (hace unos años el electorado del gran centro industrial brasilero São Paulo dio su voto al rinoceronte del jardín zoológico local para mostrar su desprecio por todos los candidatos políticos), la causa común para la masa urbana tendrá que formarse sobre una base de sentimientos personales hondamente emotivos. Quedan entonces el fervor de una procesión religiosa, el desfile con la bandera en las fiestas patrióticas, el mitín político populista, el ambiente del carnaval callejero en las regiones cálidas y el frenesí de gritar locamente en favor del equipo favorito durante un partido de fútbol. Entre estas manifestaciones de solidaridad colectiva se destaca el entusiasmo deportivo. La religiosidad ha perdido su aspecto colectivo en las grandes ciudades, la expresión populista ha sido suprimida en el nivel político por las dictaduras que rigen en la mayoría de los países latinos y el carnaval sólo ocurre una vez al año. Quedan el sentimiento nacionalista y el fútbol, dos elementos muy útiles para las autoridades que tienen la sabiduría de fomentar un poco de aquel *panem et circensis* que ya usaban los césares para ofrecer una válvula de escape a la multitud.

Los cien mil o más espectadores que se aprietan en uno de los estadios colosales de México, Rio de Janeiro o Buenos Aires los domingos por la tarde han venido a identificarse con los once jugadores de su equipo de fútbol y para compartir el ansia y la fascinación de los seres humanos que forman una masa con un propósito y una causa. Al sentirse parte de este gran todo y compartir la idéntica emoción frente al gol y la victoria de los que constituyen los héroes de la vida moderna, el espectador urbano participa en un rito cuya función mítica se remonta a tiempos prerromanos. Aquí el «yo» solitario establece contacto con sus vecinos cuyos nombres no conoce ni conocerá en una experiencia de solidaridad colectiva al coincidir los gritos de júbilo frente al gol mágico.

Pero dos horas más tarde la magia de la lucha elevada a un nivel de rito termina, y al empujarse a codazos hacia la salida para disputarse un lugarcito en los autobuses, trenes o subterráneos, el participante vuelve a resumir su existencia anónima. La vida urbana sigue intensificando su aspecto anónimo y sintético. Al mismo tiempo los demógrafos nos indican que en los próximos diez años el éxodo de los campesinos hacia las ciudades depositará a la mayoría de la población rural en las zonas urbanas.

Syria Poletti

Como millones de sus compatriotas Syria Poletti vino de Italia a la Argentina para ganarse la vida en la franja urbana que comprende la zona del Río de la Plata. Aunque llegó después de la Segunda Guerra Mundial, encontró una variedad de rasgos culturales europeo-mediterráneos: el casamiento por poder, la dote, el sentido del honor y la unidad de la familia. Excelente observadora de su nuevo ambiente metropolitano, la autora nota cómo entran en juego las leyes de la adaptación cultural que ejercen una presión constante sobre los inmigrantes. En Buenos Aires, como en cualquier metrópoli latinoamericana, el inmigrante necesita adaptarse a la vida criolla si quiere superar el status inferior del que vino a «hacer la América».

En el episodio presentado a continuación la autora narra sus experiencias de traductora oficial en Buenos Aires al servir de intermediaria entre la familia del novio y la novia reticente, casada por correspondencia.

Gente conmigo Capítulo 8

Pocos minutos después estaba en el taxi junto al atropellado[1] pelirrojo.

Él consultaba el reloj entre ansioso y radiante. Su impaciencia resultaba cómica. Tendría unos cuarenta años de edad y varios siglos de oficio.[2]

—¿Por qué la novia se casa hoy si llegó ayer? ¿No podían esperar?

—¡Es que ya estamos casados! ¡Por poder[3]!— contestó, trastornado de felicidad. Y se colocó el sombrero con fuerza—. ¡Pero ahora nos vamos a casar por la Iglesia! Es lo justo. Ella es una muchacha muy seria, muy callada...

Al darse cuenta que yo lo miraba, se quitó el sombrero:

—¡Yo la hice venir! Le pagué el pasaje. En el *Conte Grande*.[4] ¡Clase especial! Seis mil pesos.

—¿Ya estaban de novios en Italia?

—No. Hace varios años que yo estoy aquí... Hice mi fortunita—dijo ajustándose el clavel—. Nos conocimos por carta... Esas cosas... Ud. sabe.

—¿Cómo... por carta?

—Bueno. Le voy a contar—dijo con el aire de quien revela el secreto de su triunfo—: Yo aquí vivía en la casa de los parientes, de los tíos de ella. Y ella escribió que quería venir a la Argentina... Entonces, los tíos me dijeron: «Es una buena muchacha...».

El taxi se detuvo frente a una iglesia suburbana. Desde el atrio, un grupo de inmigrantes meridionales[5] se precipitó a nuestro encuentro. Y me recibieron con la misma efusión que si yo hubiese sido la madrina de bodas. Todos bullían de impaciencia.

—¡Pronto, señorita! ¡Venga, venga!—me dijo una matrona fresca y rolliza estampándome dos besos en las mejillas.

Llevaba un emplumado sombrero, bastante torcido, que, en el acto, se torció más. Me tomó del brazo y me llevó hacia la sacristía.

---

[1]atropellado excitado have worked all his life. [2]Tendría ... oficio. He was about forty but seemed to [3]por poder by a power of attorney, by proxy [4]Conte Grande Italian ocean liner [5]meridionales del Sur de Italia: Hay una marcada diferencia entre los italianos del Sur y del Norte, y la autora de esta novela, que es norteña, parece considerar un poco rústicos y demasiado emocionales a los del Sur.

—¡Vamos, señorita! El cura la está esperando— dijo abriéndose paso animosamente—. Después, Ud. también vendrá a la fiesta con nosotros... ¿Verdad? ¿Le gustan las canciones italianas? ¡Alquilamos una orquesta! ¡Eh! ¡Paga todo el novio! ¡Pero la novia es hermosa! No porque sea mi sobrina...

Yo pensaba en qué consistiría mi actuación y si llevaba conmigo los documentos necesarios.

De repente vi a la muchacha y quedé impresionada. Estaba cercada por un corro de mujeres que charlaban todas juntas, alborozadas, en tanto ella permanecía impasible. Era alta y morena, de cutis claro, terso. Su cara era una máscara extraña, donde el cruce de razas se volvía hechizo. Tenía rasgos clásicos, pero tallados sobre un fondo exótico, y casi rudo, de tótem. No tendría más de veinte años.

Un velo de novia, colocado con cursi ingenuidad, cubría apenas su cabellera, tupida y crespa. Levantó hacia mí dos maravillosos ojos rasgados, turbios, líquidos, saturados de hostilidad. Estaba pálida. Y las intensas ojeras acentuaban esa sugestión de bruja que había en ella.

Me acerqué y le dije en italiano:

—Venga conmigo.

Quería aislarnos de ese grupo que nos asfixiaba. Pero ella siguió inmóvil, mirando al suelo, indiferente a mi sonrisa. Los demás apremiaban.

Le levanté el mechón de pelo que le ensombrecía la frente. Se lo guardé bajo el velo. Ella tuvo un imperceptible temblor: era hermosísima. Pero era tan lisa, tan plástica, que se volvía impenetrable. Le levanté la barbilla para obligarla a mirarme.

—Así estás más linda—le dije—. ¡Sonríe! ¿No estás contenta? ¡Te vas a casar!

Levantó y bajó los párpados. Nada más; pero me di cuenta de que acababa de decir una estupidez. A mí no me hubiese gustado casarme con ese hombrecito pelirrojo. La observé mejor. Ella también me espiaba con miradas furtivas.

—¡Cómo no va a estar contenta! —se interpuso la matrona rolliza sacándole otra vez el flequillo. Eso pareció la señal de orden porque todas

Inmigrantes europeos en la América Latina en la época de 1920.

cayeron nuevamente encima de la muchacha como cigarras alrededor de un árbol.

Y todas comenzaron a hablar, tocándola, arreglándole algo, alabando al novio, el oficio del novio, los regalos del novio y la casa que el novio le había preparado...

—¡Una casa nueva, con cocina celeste, y el gas y la pileta con el agua caliente! ¡Y un baño con la bañera de color rosa! ¡Un baño que en Italia ni se sueña!

La muchacha permanecía ajena. Entonces la matrona rolliza, algo indignada, creyó oportuno confiarme al oído:

—¿Ud. sabe, señorita, que en Italia no tenía nada? ¡Ni zapatos para ponerse! ¿Qué me dice de esta suerte?

Apareció el novio y miró como un bobo la inexplicable actitud de la muchacha.

—Tengo que estar a solas con ella—dije desatinadamente.

Los ojos de la muchacha parecieron abalanzarse en los míos.

A duras penas logré llevarla a un rincón. Y

comencé a interrogarla despacio, bajo la recelosa mirada de los parientes. Le pregunté las formalidades de rutina:

—¿Cómo se llama?

—¡Valentina!

—¿Valentina qué?

Contestaba apenas, con estupor y desgana a la vez. Yo anoté, por hacer algo, y pronto me sentí cohibida. Nos atrapó un silencio embarazoso, mientras a pocos pasos de nosotros hervía la expectativa y el bullicio.

Desde la sacristía, los monaguillos nos espiaban divertidos, con los ojos llenos de malicia.

Volví a interrogarla y volví al «Ud.».

—¿Cuándo se casó por el civil?

—Hace un mes. Más o menos...

—¿Hace mucho que estaban de novios?

—Seis meses...

—¿Cómo se conocieron?

Hubo un largo silencio. Por fin ella dijo:

—Por carta—y miró el suelo

—Eso ya lo sé. Pero, ¿quién fue el primero en escribir?

Otro silencio hostil.

—¿Fue él?

—No...

—¿Fue Ud.?

—Sí...

—¿Quería casarse?

No contestó. Entonces apremié.

—¿Quería venir a la Argentina?

—Sí.

—¿Por qué? ¿Pasó algo allí?

Ella ni siquiera me atendió. Miró por la ventana. En la calle había unos chicos jugando al fútbol.

—¿Aquí también juegan al fútbol?—preguntó con interés.

—Por supuesto—dije. Y dejé caer un silencio. Luego, volví a indagar—: ¿Era muy dura la vida allí?

—Sí—dijo con ligereza y echó un suspiro de impaciencia.

Su aspecto no era macilento, sino lo contrario. Tampoco denotaba fatiga ni angustia. Su cara tenía la tersura de las estatuas. Y de toda ella fluía una vitalidad cálida, instintiva, de cachorrito. Entonces, ante ese silencio torpe y desconsiderado, estallé:

—¡Bueno, muchacha! ¡Yo no sé lo que guardas adentro! ¡Pero cualquiera puede equivocarse y volver atrás! ¡Aquí no te va a faltar trabajo!

Como por efecto de un resorte, la muchacha descubrió ante mí una mirada enloquecida. Pero en seguida agachó la cabeza y clavó los ojos sobre la punta de los flamantes zapatos de novia. Reflexionó y dijo:

—Me pagó el viaje.

—Le devolverás el dinero.

—Me preparó la casa.

—Bueno... No creo que sea una razón suficiente para casarse.

—Es muy linda la casa. Muy linda.

—Mejor así. Entonces, ¿por qué estás triste?

—¿Triste?—preguntó con sorna—. No. No estoy triste. Ahora me voy a casar... ¡Todos lo quieren! ¡Vamos, vamos!—apremió fastidiada, cambiando repentinamente de tono.

—Si tú lo quieres...vamos—dije—. Pero estoy contigo...—añadí. Y le apreté el brazo.

Apenas los parientes se dieron cuenta que nuestra conversación había concluido, nos sumergieron en un oleaje de festiva impaciencia. Prácticamente, nos llevaron ante el altar.

Una señora me alcanzó un pañuelo para que me cubriera la cabeza. Un hombre vestido de negro, que parecía el jefe del clan, se acercó y me dijo:

—Señorita: Ud. va a ser también testigo de bodas.

Entonces el novio, alegre y reanimado, se aventuró:

—¡Comadre! ¡Después se viene a la fiesta!

La matrona rolliza, al notar mi sorpresa, quiso remediar la situación con elegancia:

—¡Madrina[6]! ¡Comadre ya no se usa!

---

[6]madrina As these immigrants move up on the social scale, their behavior and speech habits adjust to a higher class pattern. Thus, here the term *comadre* sounds too rustic.

Casi en seguida apareció el sacerdote.

—¿La traductora?—saludó—. Mucho gusto. ¡Por fin! Venga, venga. Ud. va a ser intérprete; pero también testigo por parte de la novia.

El cura quería recuperar el tiempo perdido. Me colocó al lado de la muchacha. Ella seguía mirando el suelo. No sé por qué, su proximidad me inquietaba. El novio movía la cabeza por todas partes y de pronto se quedaba duro, con los ojillos fijos. Parecía uno de esos muñecos de movimientos automáticos que de repente se atascan.

La ceremonia se desarrolló muy formal y rápidamente.

Cuando el sacerdote dirigió al novio la fórmula de rito, el hombrecito levantó el arco rojizo de las cejas y con voz enronquecida por la emoción, contestó:

—Sí, quiero—y quedó a la espera, tieso, anhelante.

El sacerdote dirigió la misma pregunta a la novia, en tono convencional y en castellano. Yo traduje la fórmula a su idioma natal. Y la repetí en tono lento, casi íntimo, mirándola directamente a los ojos. Esperé. Esperamos. La respuesta no vino. Repetí la fórmula con paciente claridad, como se hace con un chico encaprichado...

—¡No! ¡No quiero casarme! ¡No quiero!—estalló la muchacha.

Y en seguida se echó en mis brazos.

El estupor nos desconcertó.

Por un instante hubo silencio. Luego se levantó un murmullo de desaprobación. El novio quedó electrizado, incapaz de reacción alguna, con el pelo apuntando hacia arriba.

El sacerdote, investido de calma oficial,[7] nos hizo pasar a la sacristía.

La muchacha seguía escudada contra mi pecho. Se abrazaba a mi cuello hasta sofocarme con su opresión y con su llanto.

Apenas entramos en la sacristía, el novio se abalanzó furioso contra ella y contra los parientes:

—¡Si no se casa, la mato!—gritó.

Entonces, todos los parientes, recuperados del

Vista de Buenos Aires.

estupor, dieron libre cauce a la reacción más disparatada. La matrona rolliza estaba tan trastornada que sin darse cuenta se quitó el sombrero y esgrimiéndolo en el aire repetía:

—¡Mi sobrina se ha vuelto loca! ¡Se ha vuelto loca!

Y el pelirrojo, fuera de sí, insistía:

—Pero yo la mato... ¡La mato!

El sacerdote debió emplear toda su autoridad para obligar a los parientes a callar y a esperar unos minutos en el atrio de la iglesia. Fueron reculando despacio, recelosos. ...

---

[7]investido ... oficial   tratando de usar su prestigio

Augustín Yáñez

El título *Ojerosa y pintada* proviene de un poema del mexicano López Velarde, *La suave patria*, y constituye una referencia al carácter fascinador y mundano de la ciudad de México. Yáñez explora este carácter a través de un recurso novelístico que le permite recorrer las calles de la inmensa ciudad y examinar los diversos tipos sociales que suben al taxi del protagonista y agente catalítico.

En la selección presentada aquí encontramos un tipo común: el joven que llega de la provincia lleno de ánimo y energía para triunfar en la gran metrópoli. Al pasar por el centro este joven automáticamente establece un contacto personal con los nombres históricos y monumentos nacionales, que son símbolos del destino de su país, centralizados en la capital.

Ojerosa y pintada · Capítulo 10

Siguió[8] por las calles de la Soledad. Merodeó entre los comercios de Jesús María, de paso al mercado de la Merced. Rehusó cargas excesivas o sucias. No era todavía hora de que anduvieran en el mandado las amas que usan coche para volver con la despensa.

Pasó por el hospital Juárez, donde suele haber clientela madrugadora de médicos, enfermeros y dolientes que han hecho guardia nocturna. Esperó inútilmente varios minutos.

Poco distan de allí los lugares en que paran camiones de pasajeros procedentes de diversos rumbos de la República. Llegado a la avenida 20 de Noviembre, torció la dirección al sur. En la calle de Netzahualcóyotl, frente al jardín, a media banqueta, con dos bultos envueltos en cobijas y un pequeño veliz,[9] esperaba un joven; al acercarse el coche hizo seña indecisa.

—Libre—prorrumpió el chófer, deteniendo la marcha.

Todavía el joven observó con mirada tenaz e irresoluta.

—Cuánto me cobra por llevarme a la calle de Serapio Rendón 198, interior 20—aunque tímida, la voz era incisiva; el porte, inconfundible; contra su costumbre, no pudo resistir el chófer la gana de bromear en tono amable:

—Precisamente al interior no lo dejaré. A la puerta de la casa sí. Que sean seis pesos.

—¿Seis pesos?—el joven abrió los ojos desmesuradamente—si hace rato, cuando bajaba todo el pasaje y los carros no se daban abasto,[10] lo más que llegaron a pedirme fue cinco pesos; mejor esperé a que se fuera la gente y ya sin competencia[11] me llevaran más barato, porque al venir me dijeron los que allá saben[12] que no pagara más de tres pesos y que hasta por dos o menos conseguiría quien me llevara—la voz entraba en confianza y se hacía categórica; el chófer quiso seguir la plática:

—Lo que no le dijeron es que por principio de cuentas tengo que dar aquí al agente[13] un peso por dejarme cargar, pues las terminales de camiones son tomadas por sitios. Que sean cinco

---

[8]siguió Aquí el protagonista es un taxista independiente que trabaja en el Distrito Federal de México. [9]veliz pequeña valija [10]y ... abasto y los taxis andaban llenos [11]sin competencia when business was slack [12]los ... saben back home [13]agente policía de tráfico

pesos, lo menos.

—Me dijeron que a estas horas en que no hay mucho tránsito no pagara más de tres y, para qué lo engaño, también me previnieron que algunos chóferes, cuando camelan[14] que, como yo, es la primera vez que llego a México, se sueltan haciendo rodeos para cobrar más, aunque la llevada sea a la vuelta[15]; no lo digo por Ud., que tiene cara de buena gente.

Cayó bien al chófer la franqueza y el tono de cordialidad. Lo animaron a prolongar la plática:

—Le propongo un trato: si hacemos menos de diez minutos, me paga tres pesos, y si no, seis, sin rodeos ni nada.

—Ya me había dicho que cinco. Le digo la verdad: aunque vengo decidido a conquistar a México, llego muy recortado de dinero, pues no tengo quién vea por mí[16]; después de todo vale más así, rascarse con sus propias uñas.[17] Conque...

—Coopero a la conquista, por más que no me guste regatear: voy a cobrarle cuatro pesos.

El joven cargó los bultos y se instaló en el asiento con el chófer. Éste preguntó:

—¿Dice que nunca había venido a México?

—Nunca, por más que me moría de ganas. Yo soy de Tixtla, Guerrero, la tierra de don Vicente y del maestro Altamirano[18]; allí nacemos y vivimos con el ánimo de igualar a esos y otros conterráneos que consiguieron la admiración de la capital, después de luchar con sus desprecios. Yo vengo decidido. Allá en mi estado me recibí de normalista rural.[19] Poca cosa para mis ambiciones. Veremos cómo me va. Ya sé que México es muy duro para el recién llegado; pero traigo las manos hechas puño para golpear y si es necesario tumbar puertas; también traigo el estómago impuesto a pasar hambres; y mucha paciencia, junto con

mucho coraje, aunque parezca contradictorio; no sé si me dé a entender. ¿Aquello es Catedral? Ya me lo imaginaba. Es emocionante tener enfrente las cosas tantas veces vistas en retratos, y que tanto deseaba conocer. Créamelo, desde que el camión entró en las calles de la ciudad y me sentí extraño, al gusto de realizar mi vieja ilusión se junta el miedo. Qué, ¿no iré a salir derrotado? Sé que no; pero la cara de las gentes, su modo de andar, los ruidos, los edificios, los tranvías, camiones, automóviles me infunden desconfianza, y esto que la ciudad está todavía dormida, ¿o no? ¿Podré triunfar en medio de toda esta confusión? Ahora mismo, estos edificios altos parece que me apachurran el corazón. Ah: el famoso Palacio de Hierro, el Puerto de Liverpool. Realmente es grandiosa la Catedral—cuando entraron a la Plaza de la Constitución,[20] exclamó—: ¡el Zócalo!—se le cortaron las palabras, hasta que con esfuerzo pidió—: si me hiciera el favor de irse más despacio para contemplar esto. ¿El Palacio Nacional? Todo parece gritarme. Tengo un grabado en que mis paisanos, los *pintos*,[21] ocupan este lugar, cuando llegaron comandados por don Juan Álvarez—las frases entrecortábanse a pausas, ávida la mirada de uno en otro rumbo del Zócalo—: ¿y esta gente?—preguntó al advertir un grupo de hombres puestos de pie o en cuclillas, al extremo sureste de la Plaza.

—Son albañiles que se juntan aquí todas las mañanas en espera de que alguien venga a contratarlos para las distintas obras de la ciudad. Cosa de suerte.

—Constructores de México, ¿no es así? Los veo en el mismo sitio como sucesores de mis paisanos, los *pintos*.

El chófer hizo señal afirmativa.

[14]**camelan** se dan cuenta   [15]**aunque ... vuelta** even if the destination is just around the corner   [16]**quién vea por mí** quién me ayude   [17]**rascarse ... uñas** imponerse por su propia fuerza   [18]**don Vicente ... Altamirano** Vicente Riva Palacio e Ignacio Altamirano son dos novelistas mexicanos hoy pasados de moda.   [19]**normalista rural** having a Normal or high school diploma that allows him to teach in rural grade schools   [20]**Plaza de la Constitución** inmenso lugar céntrico de donde parten muchas líneas de transporte, flanqueado por la Catedral y el Palacio Nacional   [21]**los pintos** de color rojizo y oscuro

Vista del centro de la capital mexicana.

—Quisiera estar en el pellejo de alguno para ver qué suerte me tocaría hoy: trabajar en algún palacio, quién sabe si en el remiendo de alguna pocilga.

Pasando por frente al Palacio Nacional, entrelazáronse las informaciones del chófer y los descubrimientos del recién llegado:

—Por esta puerta no más el Presidente entra.

—La Campana de Dolores.[22]

—El Sagrario.

—¿Y esa estatua que se divisa al fondo?

—Le dicen la fuente del padre Las Casas.[23]

—¿Por dónde queda el museo?

—A la derecha, no más a la vuelta.

—Cuánto periódico amontonado: en mi vida había imaginado tamañas pilas.

—Y eso que no más es uno de los muchos centros de distribución a los papeleros.

—Con razón dicen que la prensa tiene fuerza.

—Mire, allí en la esquina, unas piedras de antes de los españoles, y encima la estatua de Cuauhtémoc,[24] adonde todavía vienen los indios con flores.

—Todo esto me hace revivir la historia entera.

—Vamos a tomar la avenida 5 de Mayo. Allí tiene el Monte de Piedad, para cuando se le ofrezca.[25] Bonita avenida, ¿eh?

El chófer le fue nombrando las calles transversales: Palma, Isabel la Católica, Motolinía, Bolívar...

—Allí tiene la Alameda y a la izquierda el Palacio de Bellas Artes. Esos edificios, los más altos, las Compañías de Seguros.

—Por más que todo me lo imaginaba, es como un sueño verlo así, en junto; parece cine: que cuando se quiere ver un detalle, ya pasó. ¿El hemiciclo a Juárez[26]? Al fondo el monumento a la Revolución,[27] ¿verdad? Qué vista magnífica. De dar miedo esta serie de edificios, esta calle para ser recorrida en triunfo. Más montones de periódicos; pero, ¿hay quién lea tanto?

—No ve cómo se los arrebatan los papeleros.

—El famoso Caballito. Aquí debe comenzar la Reforma.

—Véala Ud., a la izquierda; y al fondo, Chapultepec.

—¡Chapultepec!

—Esa es la calle de Bucareli; de allí, vea, salen los

[22]**la Campana de Dolores** reliquia de la lucha por la Independencia que formó parte del levantamiento del padre Hidalgo en la ciudad de Dolores en 1814   [23]**padre Las Casas** Bartolomé de Las Casas, fraile español que levantó su voz solitaria en defensa del indio durante la Conquista   [24]**Cuauhtémoc** último Emperador azteca quien murió bajo la mano de los españoles   [25]**Allí ... ofrezca.** Allí está la Casa de Préstamos, en caso de que necesite dinero. (In many Latin American cities, municipal or state-owned pawnshops are run for the benefit of the poor and charge a very low fee or rate of interest.)   [26]**Juárez** Benito Juárez, precursor de la Revolución de 1910 y arquitecto de la Constitución de 1857 que proclamaba que las tierras mexicanas pertenecían al pueblo   [27]**Revolución** La conciencia de la Revolución de 1910 y la consiguiente glorificación del México precortesino se refleja incesantemente en los nombres de las calles, avenidas, plazas, monumentos y edificios de la capital.

periódicos; más papeleros: esa aglomeración.

Después de un prolongado alto, continuaron por la calle del Ejido, pasaron por el monumento de la Revolución, pronto llegaron al domicilio señalado.

—Es dudoso que me quede. Voy a ver si una familia que aquí vive, y que hospeda a un paisano, me admite mientras me acomodo; espéreme a ver si siquiera está ese paisano, a ver qué me dice.

—Pero rápido.

—No, váyase. Aquí están sus cuatro pesos. Me haré como Hernán Cortés cuando llegó a Veracruz y dicen que quemó sus barcos. Yo liquido la cuenta del coche, a ver qué pasa. Ud. habrá de verlo tarde o temprano: ahora que me he asomado a México y me ha llenado de asombro y de miedo, puedo asegurarle que triunfaré, que lo conquistaré, cualquiera sea el precio. Me hierve la sangre para empezar.

—Buena suerte.

Anahí, Córdoba

No es fácil determinar si el gusto popular es determinado por la masa o si ésta imita los modelos presentados en revistas, películas o programas de televisión. En todo caso, predomina una norma que obtiene su tónica de la conducta y las aspiraciones de la mayoría, hoy en día concentrada en las ciudades.

Aunque el fotodrama, aquí presentado, exagera por razones de entretenimiento, queda sin embargo una base realista al ofrecer personajes y situaciones con los cuales se pueden identificar los lectores. Si la selección del fotodrama parece demasiado emocional o cursi para el gusto del lector estadounidense actual, no lo es para el lector promedio de Latinoamérica porque su norma en cuanto a la intensidad o la artificialidad de gestos y palabras es muy diferente.

Rebelde muchacha del Sur

Efraín... ¿quiere que llame a todos los de la casa...? ¿Que les diga que desde que llegué no me ha dejado tranquila?

¡No me importa lo que hagas! ¡El primero en llegar será Daniel!! ¡Nuestro futuro gran arquitecto!! ¡Vendrá a defenderte!

...Y tal vez quiera agarrarse a golpes conmigo. Estoy deseando que lo haga...

Efraín... seamos amigos...

¡Eso es lo que quiero! ¡Pero te has negado!

Es que... tu manera de hacer amistad...

Eso es porque me gustaste desde un principio. Porque tu cuerpo es muy bonito... Porque tus ojos son lindos...

...y porque tu boca tiene algo que hace que uno la desee...

No te acerques tanto...

¡Yo lo he decidido ya, Judith! ¡Esta noche tengo que besarte!¡Porque si no...no podré dormir!

¡No te atrevas a hacerlo!

¡Aunque grites y vengan todos los de la casa, lo haré!

DE REPENTE LA BOCA DE ÉL, OLIENDO A HOMBRE Y A TABACO SE APLASTÓ CONTRA LA SUYA CON FUERZA BRUTAL...

PERO EL AUDAZ TUVO AL INSTANTE SU CASTIGO. LAS UÑAS DE JUDITH

¡Me dejaste ciego!¡Me arrancaste los ojos! ¡Qué dolor!

LA JOVEN ENFURECIDA AÚN LO VEÍA MOVERSE TORPEMENTE EN EL CUARTO.

¡No veo!¡Te juro que no veo! ¡Y me sangran los ojos!

Está bien, Judith. ¡Aunque no vuelva a ver nunca más, no me arrepiento de haberte besado!

SINTIÓ REMORDIMIENTOS Y LLENA DE MIEDO FUE HACIA ÉL, QUE DE PRONTO...

¡Te veo, tonta!¡Te engañé! ¡Ya pagué mi precio!...y voy a besarte otra vez! Y después...

continuará

21 de octubre de 1968

Tomás Blanco

El jíbaro es el habitante del interior de Puerto Rico y representa el elemento tradicional y criollo con su espíritu rústico, genuinamente ligado a la tierra. Su equivalente cubano es el guajiro. En contraste, el habitante de San Juan o La Habana generalmente trata al jíbaro o al guajiro con la condescencia que el hombre urbano reserva para «los provincianos» ya que se considera más educado, civilizado y moderno.

Cultura, tres pasos y un encuentro   El encuentro

Por la calle sanjuanera[28] baja, de norte a sur, el buen jíbaro[29] Menegildo Cruz, desorientado, buscando aun el bufete del compadre de su cuñado leyendo cuanto rótulo, muestra y letrero hay por balcones, portales y paredes, esperando encontrar entre ellos el nombre del abogado que busca. Y la buena de ña[30] Belén sube por la misma calle, de sur a norte, cavilando todavía, abstraída, en la cuenta de los muchachitos que, en su tiempo, ha ayudado ella a traer al mundo. En la estrecha acera, frente a la puerta del café por donde sale eufórica la pareja elegante de los cocteles, se encuentran todos cuatro. El tropezón fue inevitable. El niño bien por poco pierde el equilibrio y los zapatos de su compañera perdieron su inmaculado brillo bajo el pisotón involuntario del jíbaro. Menegildo turbado y ña Belén sonreída se deshacen en corteses y sinceras excusas. Pero

la pareja elegante comenta a dúo, altanera y despectiva:

—¡Jíbaro bruto! ¡Negra imbécil! ¡Gente estúpida! ¡País inculto!

Y tras unos dimes y diretes[31] con el policía de servicio, sobre la ley de tráfico, sube la pareja a un automóvil que durante la última hora ha estado estacionado frente al café en flagrante violación de dicha ley; y arrancan entre bocinazos sin justificación y ruinosas aceleraciones inútiles del motor. Él al volante, ella a su lado, han recobrado ya la euforia momentáneamente perdida por el encontronazo.

—Lo que pasa, chica, es que en este país no hay cultura—dictamina él. Y ella asiente:

—Un pueblo sin cultura, chico, sin pizca de cultura...inconsiderado, inculto.

---

[28]sanjuanera de San Juan, capital de Puerto Rico   [29]jíbaro campesino blanco del interior de la isla   [30]ña doña   [31]dimes y diretes conversación a menudo innecesaria

Guillermo Cabrera Infante

Tres tristes tigres es una novela experimental que amalgama estilos, personajes y episodios inconexos. En las páginas que describen la visita de los Campbell a La Habana—antes de la Revolución de Castro—Cabrera Infante toca un tema que ha sido siempre penoso para el intelectual latinoamericano: la falta de comprensión del turista o público estadounidense frente a las condiciones sociales y las necesidades económicas de su país, que parece tan pintoresco y hasta exótico en los avisos de turismo. El matrimonio Campbell nunca llega a percibir lo que pasa en Cuba porque sólo expresa interés por la superficie artificial creada para el turista, junto al *whiskey and soda*, el *floor show* y los *souvenirs*. No hay duda que la industria del turismo está americanizando el carácter de las ciudades del Caribe, transformación que apena al escritor o artista que, como Cabrera Infante, se siente guardián de su cultura local.

Tres tristes tigres
Historia de un bastón y algunos reparos de Mrs. Campbell

La historia

Llegamos a La Habana un viernes alrededor de las tres de la tarde. Hacía un calor terrible. Había un techo bajo de gordas nubes grises, negras más bien. Cuando el *ferry* entró en el puerto se acabó la brisa que nos había refrescado la travesía, de golpe. La pierna me estaba molestando de nuevo y bajé la escalerilla con mucho dolor. Mrs. Campbell venía hablando detrás de mí todo el santo tiempo y *todo* le parecía encantador: la encantadora pequeña ciudad, la encantadora bahía, la encantadora avenida frente al muelle encantador. A mí me parecía que había una humedad del 90 o 95 por ciento y estaba seguro de que la pierna me iba a doler todo el fin de semana. Fue una buena ocurrencia de Mrs. Campbell venir a esta isla tan caliente y tan húmeda. Se lo dije en cuanto vi desde cubierta el tejado de nubes de lluvia sobre la ciudad. Ella protestó y dijo que en la oficina de viajes le habían jurado que siempre pero siempre había en Cuba tiempo de primavera. ¡Primavera mi adolorido pie! Estábamos en la zona tórrida. Se lo dije y me respondió: *—Honey, this is the Tropic!*

Al borde del muelle había un grupo de estos encantadores nativos tocando una guitarra y moviendo unas marugas grandes y gritando unos ruidos infernales que ellos debían llamar música. También había, como decorado para la orquesta aborigen, una tienda al aire libre que vendía frutos del árbol del turismo: castañuelas, abanicos pintarrajeados, las marugas de madera, palos musicales, collares de conchas de moluscos, objetos de barro, sombreros de paja dura y amarilla y cosas así. Mrs. Campbell compró una o dos cosas de cada renglón. Estaba encantada. Le dije que dejara esas compras para el día que nos fuéramos. *—Honey—*dijo*—they are souvenirs.—* No entendía que los *souvenirs* se compran a la salida del país. Ni tenía sentido explicarle. Afortunadamente en la aduana fueron rápidos, cosa que me asombró. También fueron amables, de una manera un poco untuosa, Uds. me entienden.

Lamenté no haber traído el carro. ¿De qué vale viajar en *ferry* si no se trae el automóvil? Pero Mrs. Campbell creía que perderíamos mucho tiempo aprendiendo las leyes del tránsito. En **175** realidad, temía otro accidente. Ahora tenía una razón más que agregar. —*Honey*, con la pierna así no podrías conducir—dijo ella—. *Let's get a cab.*

Pedimos un taxi y algunos nativos, más de los convenientes, nos ayudaron con las maletas. Mrs. Campbell estaba encantada con la proverbial gentileza latina. Inútil decirle que era una gentileza proverbialmente pagada. Siempre los encontraría maravillosos, antes de llegar ya sabía que todo sería maravilloso. Cuando el equipaje y las mil y una cosas que Mrs. Campbell compró estuvieron en el taxi, la ayudé a entrar, cerré la puerta, en competencia apretada con el chófer, y di la vuelta para entrar más cómodamente por la otra puerta. Habitualmente yo entro primero y luego entra Mrs. Campbell, para que le sea más fácil, pero aquel gesto de cortesía impráctica que Mrs. Campbell, deleitada, encontró *very Latin,* me permitió cometer un error que nunca olvidaré. Fue entonces cuando vi el bastón.

No era un bastón corriente y no debía haberlo comprado por esa sola razón. Era llamativo, complicado y caro. Verdad que era de una madera preciosa que a mí me pareció ébano o cosa parecida y que estaba tallado con un cuidado prolijo, que Mrs. Campbell llamó exquisito, y que pensando en dólares no era tan costoso en realidad. Miradas de cerca las tallas eran dibujos grotescos que no representaban nada. El bastón terminaba en una cabeza de negra o de negro (nunca se sabe con esta gente, los artistas) de facciones groseras. En general era repelente. Sin embargo, me atrajo en seguida y aunque no soy hombre de frivolidades, creo que pierna dolorosa o no, lo habría comprado. (Tal vez Mrs. Campbell al notar mi interés me hubiera empujado a comprarlo.) Por supuesto, Mrs. Campbell lo encontró bello y original y, tengo que coger aliento antes de decirlo, *excitante.* ¡Dios mío, las mujeres!

Llegamos al hotel, tomamos las habitaciones, felicitándonos porque las reservaciones funcionaron, subimos a nuestro cuarto y nos bañamos.

Ordenamos un *snack* a *room service* y nos acostamos a dormir la siesta: cuando estés en Roma... No, en realidad hacía calor y demasiado sol y ruido afuera, y se estaba bien en la habitación limpia y cómoda y fresca, casi fría por el aire acondicionado. Estaba bien el hotel. Verdad que cobraban caro, pero lo valía. Si alguna cosa han aprendido los cubanos de nosotros es el sentido del *comfort* y el Nacional es un hotel cómodo y mucho mejor todavía, eficiente. Nos despertamos ya de noche y salimos a recorrer los alrededores.

Fuera del hotel encontramos un chófer de taxi que se ofreció a ser nuestro guía. Dijo llamarse Raymond Algo y nos mostró un carnet sucio y descolorido para probarlo. Después nos enseñó este pedazo de calle que los cubanos llaman La Rampa, con sus tiendas y sus luces y la gente paseando arriba y abajo. No está mal. Queríamos conocer Tropicana, que se anuncia dondequiera como «el *cabaret* más fabuloso del mundo» y Mrs. Campbell casi hizo el viaje por visitarlo. Para hacer tiempo[32] fuimos a ver una película que quisimos ver en Miami y perdimos. El cine estaba cerca del hotel y era nuevo y tenía refrigeración.

Regresamos al hotel y nos cambiamos. Mrs. Campbell insistió en que yo llevara mi *tuxedo.* Ella iría de traje de noche. Al salir, la pierna me estaba doliendo de nuevo, parece que a consecuencia del frío en el cine y en el hotel, y agarré el bastón. Mrs. Campbell no hizo objeción y más bien pareció encontrarlo divertido.

Tropicana está en un barrio alejado del centro de la ciudad. Es un *cabaret* casi en la selva. Sus jardines crecen sobre las vías de acceso a la entrada y todo está lleno de árboles y enredaderas y fuentes con agua y luces de colores. El *cabaret* puede anunciarse como físicamente fabuloso, pero su *show* consiste, supongo que como todos los *cabarets* latinos, en mujeres semidesnudas que bailan rumba y en cantantes que gritan sus estúpidas canciones y en *crooners* al estilo del viejo Bing Crosby, pero en español. La bebida nacional en Cuba se llama daiquiri y es una especie de

[32] **hacer tiempo**   to kill time

Calle de la vieja Habana, con sus casas españolas.

batido helado con ron, que está bien para el calor de Cuba, el de la calle me refiero, porque el *cabaret* tenía el «típico», según nos dijeron, «aire acondicionado cubano», que es como decir el clima del polo Norte entre cuatro paredes tropicales. Hay un *cabaret* gemelo al aire libre, pero esa noche no estaba funcionando, porque esperaban lluvia. Los cubanos son buenos meteorólogos, porque no bien empezamos a comer una de estas comidas llamadas internacionales en Cuba, llenas de grasa y refritas y de cosas demasiado saladas con postres demasiado dulces, empezó a caer un aguacero que sonaba fuera por encima de una de esas orquestas típicas. Esto lo digo para indicar la violencia de caída del agua, pues hay pocas cosas que suenen más alto que una orquesta

cubana. Para Mrs. Campbell todo era el colmo de lo salvaje sofisticado: la lluvia, la música, la comida; y estaba encantada. Todo hubiera ido bien, o al menos pasable, porque cuando cambiamos para whiskey y soda simplemente casi me sentí en casa, sino es porque a un estúpido *emcee* maricón[33] del *cabaret*, que presentaba no solamente el *show* al público, sino el público a la gente del *show*, si a este hombre no se le ocurre preguntar nuestros nombres (y quiero decir, a todos los americanos que estábamos allá) y empieza a presentarnos en un inglés increíble. No solamente me confundió con la gente de las sopas, que es un error frecuente y pasajero, también me presentó como un *playboy* internacional. ¡Pero Mrs. Campbell estaba al borde del éxtasis de risa!

[33]**maricón** queer

Samuel Ramos

El libro de ensayos de Ramos pertenece al género de la parasociología, es decir, al estudio semisociológico que usa el ensayo para la generalización sobre rasgos o valores colectivos. Como mexicano, Ramos se puede permitir traer a la superficie fantasmas creados por normas culturales que encierran procesos destructivos para el pensamiento de millones de mexicanos. El diagnóstico de Ramos es severo: el mexicano de la ciudad vive preso de una intensa desconfianza hacia los demás, tiene como finalidad lo inmediato, practica una negación total del esfuerzo comunal y muestra una susceptibilidad increíble debido a la discrepancia entre lo que él es y lo que pretende ser. Suponiendo que el diagnóstico de Ramos sea correcto, sería aplicable al habitante de otros centros urbanos dentro de la esfera cultural latinoamericana.

Perfil del hombre y de la cultura en México
El mexicano de la ciudad

El tipo que vamos a presentar es el habitante de la ciudad. Es claro que su psicología difiere de la del campesino, no sólo por el género de vida que éste lleva, sino porque casi siempre en México pertenece a la raza indígena. Aun cuando el indio es una parte considerable de la población mexicana, desempeña en la vida actual del país un papel pasivo. El grupo activo es el otro, el de los mestizos y blancos que viven en la ciudad. ...

La nota del carácter mexicano que más resalta a primera vista es la desconfianza. Tal actitud es previa a todo contacto con los hombres y las cosas. Se presenta haya o no fundamento para tenerla. No es una desconfianza de principio, porque el mexicano generalmente carece de principios. Se trata de una desconfianza irracional que emana de lo más íntimo del ser. Es casi su sentido primordial de la vida. Aun cuando los hechos no lo justifiquen, no hay nada en el universo que el mexicano no vea y juzgue a través de su desconfianza. Es como una forma *a priori*[34] de su sensibilidad. El mexicano no desconfía de tal o cual hombre o de tal o cual mujer; desconfía de todos los hombres y de todas las mujeres. Su

desconfianza no se circunscribe al género humano; se extiende a cuanto existe y sucede. Si es comerciante, no cree en los negocios; si es profesional, no cree en su profesión; si es político, no cree en la política. El mexicano considera que las ideas no tienen sentido y las llama despectivamente «teorías»; juzga inútil el conocimiento de los principios científicos. Parece estar muy seguro de su sentido práctico. Pero como hombre de acción es torpe, y al fin no da mucho crédito a la eficacia de los hechos. No tiene ninguna religión ni profesa ningún credo social o político. Es lo menos «idealista» posible. Niega todo sin razón ninguna, porque él es la negación personificada.

Pero entonces, ¿por qué vive el mexicano? Tal vez respondería que no es necesario tener ideas y creencias para vivir...con tal de no pensar. Y así sucede, en efecto. La vida mexicana da la impresión, en conjunto, de una actividad irreflexiva, sin plan alguno. Cada hombre, en México, sólo se interesa por los fines inmediatos. Trabaja para hoy y mañana, pero nunca para después. El porvenir es una preocupación que ha abolido de su conciencia. Nadie es capaz de

[34] a priori básica

aventurarse en empresas que sólo ofrecen resultados lejanos. Por lo tanto, ha suprimido de la vida una de sus dimensiones más importantes: el futuro. Tal ha sido el resultado de la desconfianza mexicana.

En una vida circunscrita al presente, no puede funcionar más que el instinto. La reflexión inteligente sólo puede intervenir cuando podemos hacer un alto en nuestra actividad. Es imposible pensar y obrar al mismo tiempo. El pensamiento supone que somos capaces de esperar, y quien espera está admitiendo el futuro. Es evidente que una vida sin futuro no puede tener norma. Así, la vida mexicana está a merced.de los vientos que soplan, caminando a la deriva. Los hombres viven a la buena de Dios. Es natural que, sin disciplina ni organización, la sociedad mexicana sea un caos en el que los individuos gravitan al azar como átomos dispersos.

Este mundo caótico, efecto directo de la desconfianza, recobra sobre ella, dándole una especie de justificación objetiva. Cuando el individuo se siente flotar en un mundo inestable, en que no está seguro ni de la tierra que pisa, su desconfianza aumenta y lo hace apresurarse por arrebatar al momento presente un rendimiento efectivo. Así, el horizonte de su vida se estrecha más y su moral se rebaja hasta el grado de que la sociedad, no obstante su apariencia de civilización, semeja una horda primitiva en que los hombres se disputaban las cosas como fieras hambrientas.

Una nota íntimamente relacionada con la desconfianza es la susceptibilidad. El desconfiado está siempre temeroso de todo, y vive alerta, presto a la defensiva. Recela de cualquier gesto, de cualquier movimiento, de cualquier palabra. Todo lo interpreta como una ofensa. En esto el mexicano llega a extremos increíbles. Su percepción es ya francamente anormal. A causa de la susceptibilidad hipersensible, el mexicano riñe constantemente. Ya no espera que lo ataquen, sino que él se adelanta a ofender. A menudo estas reacciones patológicas lo llevan muy lejos, hasta a cometer delitos innecesarios.

Un hombre mexicano.

Las anomalías psíquicas que acabamos de describir provienen, sin duda, de una inseguridad de sí mismo que el mexicano proyecta hacia afuera sin darse cuenta, convirtiéndola en desconfianza del mundo y de los hombres. Estas transposiciones psíquicas son ardides instintivos para proteger al «yo» de sí mismo. La fase inicial de la serie es un complejo de inferioridad experimentado como desconfianza de sí mismo, que luego el sujeto, para librarse del desagrado que la acompaña, objetiva como desconfianza hacia los seres extraños.

Cuando la psique humana quiere apartar de ella un sentimiento desagradable, recurre siempre a procesos de ilusión como el que se ha descrito. Pero en el caso especial que nos ocupa, ese recurso no es de resultados satisfactorios, porque el velo que se tiende sobre la molestia que se quiere evitar no la suprime, sino solamente la hace cambiar de motivación. El mexicano tiene habitualmente un estado de ánimo que revela un malestar interior, una falta de armonía consigo mismo. Es susceptible y nervioso; casi siempre está de mal humor y es a menudo iracundo y violento.

La fuerza que el mexicano se atribuye fundándose en su impulsividad, nos parece falsa.

Desde luego, la verdadera energía consiste en gobernar inteligentemente los impulsos y a veces en reprimirlos. El mexicano es pasional, agresivo y guerrero por debilidad, es decir, porque carece de una voluntad que controle sus movimientos. Por otra parte, la energía que despliega en esos actos no está en proporción con su vitalidad, que, por lo común, es débil. ¿Cómo explicar entonces la violencia de sus actos? Solamente considerándola resultado de la sobreexcitación que le causa adentro el mismo desequilibrio psíquico.

Nuestro conocimiento de la psicología del mexicano sería incompleta si no comparásemos la idea que tiene de sí mismo con lo que es realmente. Hace un instante hablábamos de la fuerza que se atribuye el mexicano, lo cual nos hace suponer que tiene una buena idea de su persona. Sospechamos también que algunos lectores de este ensayo reaccionarán contra nuestras afirmaciones, buscando argumentos para no aceptarlas. Es que aquí nos hemos atrevido a descubrir ciertas verdades que todo mexicano se esfuerza por mantener ocultas, ya que sobrepone a ellas una imagen de sí mismo que no representa lo que es, sino lo que quisiera ser. Y, ¿cuál es el deseo más fuerte y más íntimo del mexicano? Quisiera ser un hombre que predomina entre los demás por su valentía y su poder. La sugestión de esta imagen lo exalta artificialmente, obligándolo a obrar conforme a ella, hasta que llega a creer en la realidad del fantasma que de sí mismo ha creado.

H. A. Murena

Ya en tiempos de los romanos la masa urbana pedía *panem et circensis,* o sea comida y diversiones. Sin entrar en teorías psicológicas, era evidente desde el punto de vista social e histórico que los espectáculos en el Coliseo romano tenían un carácter de «sangre y arena» que ofrecían a la multitud dramas y ritos que tocaban lo más hondo de las emociones humanas. La alternativa entre el triunfo y la derrota, o la vida y la muerte, parece ser algo tan primordial que la participación de los espectadores se hace colectiva. Tal vez la corrida de toros es el descendiente más directo de aquellos ritos antiguos, pero en la actualidad el juego del fútbol lo ha reemplazado en casi todas las urbes latinoamericanas.

El cuento de Murena no enfoca un partido de fútbol sino la necesidad de los seres anónimos en las grandes zonas urbanas de trascender sus existencias insignificantes al compartir el drama colectivo de héroes y vencidos y, a veces, participar en el rito del sacrificio antes de volver a su tarea diaria, monótona y triste.

Fragmentos de los anales secretos El fútbol

Cien mil espectadores se apiñaban en las graderías, más excitados que nunca a causa del particular sentido del combate. Habían comenzado a acudir desde temprano, y como al mediodía por prudencia se había considerado conveniente cerrar las puertas de acceso, éstas habían sido destrozadas por una multitud exacerbada que no había vacilado en golpear y pisotear a todos los policías que había hallado a su paso. Era el día de vida y conquistaban por cualquier medio sus libertades.[35]
Y allí estaban ahora los partidarios de ambos bandos, dispuestos en semicírculo, frente a frente. Sobre las gradas más altas se levantaban largos mástiles de los que pendían, a la derecha, las banderas azules de uno de los competidores y, a la izquierda, las rojas del otro. Y abajo los millares de partidarios se ondulaban amenazadoramente, fundidos en dos masas únicas de vociferación. Olvidados del sexo, del dinero y del orgullo, se mezclaban y hablaban entre sí trabajadores de aliento alcohólico, mujeres que estiraban los dedos crispados hacia la cuenca,[36] obesos hombres de riqueza, seres de aspecto indescriptible que parecían haber nacido espontánea y violentamente de la miseria que rodeaba el estadio, macilentos oficinistas cuyas figuras se veían desmentidas por[37] los insultos que lanzaban. Todos hablaban el dialecto del país, que la indolencia y la confusión habían creado, deformando un noble idioma, pero la ira y el entusiasmo hacían que con frecuencia se oyeran frases en idiomas extranjeros.

El primer período de lucha había trascurrido y hacía ya diez minutos que se desarrollaba el segundo.[38] Los rojos habían sido vencidos dos veces,[39] y el ambiente de violencia era mayor que nunca. El juego había evolucionado con brusquedad y ritmo inusitadamente veloz, y a causa de ello tres atletas habían resultado lesionados. Asimismo, debido a la excesiva rapidez con que se sucedían las acciones, en dos oportunidades se habían producido enconadas reyertas[40] entre los integrantes de ambos equipos, que se acusaban recíprocamente de haber violado las leyes del juego. Ello había enardecido aún más a los espectadores, y durante el intervalo,[41] en la zona de las alambradas que separaban a las dos facciones, numerosos heridos habían requerido la atención de los servicios de auxilio. Se gritaban unos a otros, y por sobre las cabezas se agitaban los puños, palos y botellas. En las caras congestionadas había unos ojos nuevos que recibirían con regocijado brillo el espectáculo de la mutilación o la muerte.

El juez[42] había comprendido. Él era el dios creado para presidir las disputas, el que con la ley conjuraba el caos y la injusticia al borde de la liza. Y había comprendido que tendría que ser más estricto que nunca. Sentía que nada le sería perdonado. Varias veces, sin ninguna razón, había oído destrozarse a sus espaldas botellas arrojadas desde las tribunas; sus vestiduras estaban manchadas por los frutos que se habían convertido en papilla al chocar contra él; a la menor demora en aplicar una sanción se sentía acribillado por la quemante rechifla de los perjudicados.

Los rojos habían vuelto del descanso con el vigor que infunde la visión de la derrota. Pero los azules habían decidido limitarse a la defensa, y casi se negaban a la lucha en su resolución de evitar riesgos.

En las tribunas azules no había gritos: sólo circulaba por ellas el rumor de la temerosa expectativa. En cambio, la facción perdedora

[35]Era ... libertades. This was their day to get rid of their pent-up emotions and frustrations in the worst possible way. [36]la cuenca el campo de juego [37]se ... por belied [38]segundo Los partidos de fútbol tienen dos períodos de cuarenta y cinco minutos cada uno. [39]los rojos ... veces los rojos llevaban dos goles en contra [40]enconadas reyertas all-out fights [41]el intervalo half time [42]juez referee

La vida moderna urbana: televisión, elegancia y Pepsi-cola.

oscilaba entre un concentrado silencio, roto por los insultos hirientes con que algunos intentaban sacar a los jugadores rivales de su posición, y el clamor que cualquier vislumbre de triunfo arrancaba al entusiasmo demasiado fácil.

No obstante, las embestidas continuadas comenzaban a debilitar las defensas de los azules. Y en todo el estadio la atención había reemplazado a la gritería.

«Otra vez delantera roja pelota entre sí y a frente valla remata pero saca arquero azul y hasta línea media pero nuevo avance rojo azul detiene pelota afuera saca rojo amontonamiento peligro valla azul...».[43]

Y la tribuna roja estalla en un solo alarido de triunfo. Se abrazan entre sí. Saltan. Gritan. Arrojan objetos a la cuenca. Se golpean.

El juego se reanuda y los atletas rojos inmediatamente inician acometidas cada vez más ardorosas. Atacan en orden, atacan sin perder coherencia, atacan estimulados por la poderosa corriente que desciende de las galerías, atacan, atacan, atacan.

. . .

Y nuevamente explota el júbilo inhumano en las tribunas rojas. Algunos, en el paroxismo de la alegría, tiran sus sombreros y chaquetas al suelo y saltan sobre ellos. En esto, en las tribunas rojas comienzan a corear el nombre de su equipo y, adelantándose, le agregan el título de campeón del torneo. La facción azul, enfurecida, responde con persistentes silbidos y gritos. ...

. . .

Los azules han cambiado de táctica pasando al ataque, y los rojos oponen cada vez mayor violencia y arrojo a la violencia y el arrojo de sus adversarios. Todos son presa del balanceo de la incertidumbre. Parece por momentos que el triunfo ya no tiene ninguna relación con los esfuerzos. Y cada jugada arranca de las tribunas, alternadamente, quejas compactas, murmullos concertados y ascendentes, muy similares a las plegarias, y gritos de júbilo efímero que se elevan estallando como cohetes para apagarse rápidamente.

Faltan escasos minutos para que el juego finalice. Los azules llevan a cabo una embestida[44] y consiguen penetrar profundamente en el campo contrario. La situación está llena de peligro para los rojos. Varios atletas del equipo rojo se aproximan hacia el jugador azul que avanza con la pelota. Se produce un violento amontonamiento de jugadores. Un rojo cae a los pies del que tiene la pelota. El azul es despojado. Un rojo es dueño ahora de la esfera de cuero y con un violento puntapié la envía fuera del campo. El juez hace sonar el silbato. Los jugadores azules corren hacia él gritando y levantando los brazos. La tribuna azul tiembla a causa del pataleo y de los gritos de protestas. El jugador rojo se ha valido de las manos para despojar de la pelota al azul, y ello tiene una pena muy grave que los dañados exigen que se

43«Otra ... azul ...». This paragraph imitates a typical radio or television commentator during the broadcast of a soccer match. It is understood that the Reds score.
44llevan ... embestida se adelantan con la pelota

cumpla. Por su parte los rojos niegan que haya ocurrido tal cosa. Y responden al tumulto de los adversarios con gritos y amenazas aún más violentas. El juez vacila un instante. Pero en seguida ordena que se cumpla la pena. Los rojos intentan resistirse. En su tribuna la facción roja se lanza con tremendo ímpetu contra las alambradas, y apenas puede ser contenida por los policías que arrojan los caballos contra ella. En esto todos se detienen porque la pena va a ser ejecutada. Apenas acaba de hacerse silencio cuando se oye el seco sonido de la pelota al ser golpeada, y sobre este ruido cae el alarido de victoria y alivio de las graderías azules. El juez hace sonar el silbato dos veces: la disputa ha concluido y los azules son los vencedores.

Pero en las tribunas rojas comienzan a sucederse las avalanchas cada vez más poderosas contra las alambradas. Los atletas rojos abandonan la cuenca introduciéndose en el túnel. Las alambradas caen. Se oyen los chasquidos de las butacas de madera que son reducidas a astillas. Bajo una lluvia de proyectiles los azules se escurren hasta la boca del subterráneo. Queda el juez en la liza. Y él es la víctima que buscan.

Por un instante la turba es contenida por la policía que precipita sobre ella los caballos espantados, estremecidos, dispara las armas de fuego y descarga sablazos mortales. Pero de pronto es una fuerza prehistórica la que irrumpe, y todo se ve arrastrado. Una multitud de seres sin nombre, cubiertos de guiñapos, penetran en la cuenca armados con hierros y palos. Los policías desaparecen bajo los pies. Los que están a caballo caen desmontados. Las bestias relinchan, levantan las patas delanteras por sobre el mar de caras monstruosas y después, arrastradas ellas también, siguen la dirección de la corriente.

El juez, detenido en el centro de la liza, los mira. Tuerce la cabeza hacia la entrada del túnel para calcular la distancia que lo separa de ella, y comprende que ya no podrá llegar. Duda un instante, sin saber qué actitud adoptar. Los

El estadio de fútbol de Maracanã en Río con capacidad de cien mil espectadores. En todas las grandes ciudades la multitud busca la participación en el rito semanal que deja un saldo de vencedores y vencidos.

primeros ya se echan a correr hacia él. Entonces huye. Hacia cualquier parte, como un ciervo cogido en la trampa del bosque, despavorido, como un cristiano ante los leones. Entre los muros de cemento, bajo la aciaga luz de un sol sangriento, no sabe quiénes son esos seres surgidos de la lejana noche de los tiempos[45] que lo persiguen. Y va de una parte a otra hasta que se decide a trepar la alambrada del sector de los azules. Éstos tampoco habían abandonado el anfiteatro porque el espectáculo de la caza los atraía. Pero no están dispuestos a ayudarlo. Ante la ola temible, desconocida, se retiran velozmente. Alguien lo toma por un pie antes que acabe de pasar al otro lado. Pero logra zafarse, y se echa a correr por las gradas. Al llegar a la última ya está cercado. Una botella se estrella contra su cabeza, y de la cara empieza a manarle sangre. Después todos se

[45]de la lejana ... tiempos whose minds are possessed by an ancestral and primitive sway

precipitan contra él y desaparece. Golpes con los pies, que hacen lanzar exclamaciones de esfuerzo a los que los propinan, garrotes que bajan y suben manchados de sangre, brillar de objetos metálicos. Cuando lo alzan, su piel casi totalmente roja es una bolsa en la que bailotean los huesos rotos. Pero aún respira.

—Te vamos a colgar para que aprendas.

Y la misma boca le escupe. La cuerda, el lazo, ya están preparados. Pero, de mano en mano, tarda en llegar. Y al fin las manos temblorosas por la furia y el miedo le ponen el lazo en la garganta. Lo suben a un cajón. Pasan la cuerda por el travesaño de una viga que se levanta sobre la pared de cemento y la atan. Patean el cajón. Le arrancan los pantalones, le escupen, lo golpean. Huyen. Huyen. Y el dios creado por ellos es una masa roja que se balancea con la larga lengua negra pendiendo.

Yo fui testigo de esas escenas junto a la ciudad. Y ellos huyeron hacia el laberinto de piedra para reanudar al otro día el trote circular,[46] al parecer perpetuo, irredimible.

[46]para ... circular   to recommence their routine of a daily and drab existence

Discusión

1. ¿Por qué ignoraron los españoles la región del Río de la Plata durante casi todo el período colonial?
2. ¿Cuál fue la época de la inmigración europea de mayor intensidad?
3. Nombre algunos problemas que ocurrieron a consecuencia de la migración campesina a los centros urbanos.
4. Diferencie entre «público» y «multitud».
5. ¿A qué se debe la gran discrepancia entre el aspecto físico (de extensión) de una ciudad estadounidense y una latinoamericana con un número similar de habitantes?
6. ¿Qué función social cumple el café típico latinoamericano?
7. Discuta la mentalidad picaresca y su función en la vida urbana.
8. ¿Por qué es tan distinta la lucha de sobrevivencia en el campo y en la ciudad?
9. ¿Qué diferencias hay entre un español y un latinoamericano en cuanto al planeamiento del futuro, según Miguel Delibes?
10. ¿Qué graves consecuencias tuvo la «rebelión de las masas» para las artes, según Ortega y Gasset?
11. ¿Por qué se puede afirmar que la influencia cultural extranjera se intensifica en la América Latina debido a los programas de televisión?
12. ¿Qué relación hay entre el nivel artístico de los medios de diversión y la escasa instrucción de la masa?
13. ¿Qué papel juega el arielismo en el nivel del gusto artístico de la clase alta?

14. ¿Qué posibilidades existen para el habitante urbano de superar su condición de anonimidad y alienación?

15. ¿Qué ambiente social establece la autora de *Gente conmigo* en cuanto a los inmigrantes italianos que viven en la Argentina después de 1950?

16. ¿Qué características enfatiza la autora entre estos inmigrantes?

17. ¿Qué características provincianas despliega el recién llegado a la capital mexicana en la narración de Yáñez?

18. ¿Cómo describe Yáñez el aspecto físico de la capital mexicana?

19. Enumere elementos considerados como melodramáticos y sentimentales en la selección del fotodrama «La rebelde muchacha del Sur».

20. ¿Cómo muestra Cabrera Infante el impacto de la cultura estadounidense en la vida urbana de Cuba (en la época prefidelista)?

21. Considere algunos orígenes de la desconfianza del mexicano de la ciudad de acuerdo con las teorías de Samuel Ramos.

22. ¿Por qué no puede construirse un futuro positivo el mexicano, según Ramos?

23. ¿Qué imagen forma el mexicano de sí mismo y qué dificultades le trae esta formación?

24. ¿Qué funciones cumple el partido de fútbol en el cuento de Murena?

25. ¿Qué aspectos de la conducta colectiva presenta Murena aquí?

Capítulo seis
Las instituciones

Evita y Juan Perón, campeones del justicialismo y del movimiento feminista en la Argentina.

GOBIERNOS Y POLÍTICOS

Es necesario considerar la Conquista y la colonización por parte de las fuerzas iberas como antecedentes políticos de los gobiernos que hoy están rigiendo los destinos de los diversos países latinoamericanos. Fue una pequeña minoría lusoespañola la que impuso un régimen monárquico estrictamente europeo sobre los millones de indios subyugados y, más adelante, sobre los esclavos importados de África. El movimiento de Independencia fue llevado a cabo por los descendientes de aquella minoría, los criollos que se rebelaron contra las Coronas española y portuguesa después de 1800. No es coincidencia que en el siglo XX la palabra «criollismo» venga a representar un espíritu regional, esencia del americanismo, opuesto a lo europeo. El criollismo de 1800 tuvo su lado pragmático tanto como idealista. La separación de la «madre patria» fue instigada en parte por motivos de controlar localmente las riquezas económicas del Nuevo Mundo, en parte para poner en práctica los ideales políticos de los pensadores franceses e ingleses que abogaban por la igualdad y libertad cívica universal y en parte por ser impulsada por una corriente romántica que desafiaba tanto el absolutismo como también el orden establecido.

La Independencia trajo entonces una autonomía política y económica para esta minoría criolla, mientras que la gran masa, constituida de indios, negros, mestizos, mulatos y zambos, sufría una continuada dependencia, sobre todo en las zonas rurales donde la mayoría vivía en tierras del patrón criollo. Pero la Independencia también impuso un espíritu de autonomía regional que tenía su lado anárquico en la mejor tradición romántica. Según los defensores del hispanismo en la América Latina, la destrucción del aparato administrativo colonial no sólo produjo el derrumbe de una América latinizada y unificada sino también un fraccionamiento político que resultaría en el establecimiento de una cantidad de países independientes. Fue este fraccionamiento que destruyó el sueño de Bolívar, quien aspiraba a unos Estados Unidos de Latinoamérica, un sueño enterrado desde hacía muchísimo tiempo por el nacionalismo nutrido de los campos y paisajes locales. A partir de las primeras décadas del siglo XIX se evidenciaba una doble tendencia en el plano político: por un lado, la aceptación de ideas democráticas por parte de revolucionarios, estadistas e intelectuales, ideas que se basaban en el pensamiento francés e inglés de la época racionalista; por otro lado, el comienzo de un caudillismo, sobre todo en las regiones del interior, que erigía un control local que constituía una fuerza netamente antidemocrática y que a menudo llegaba a hacerse dueña de toda una nación. Al progresar el siglo XIX observamos un aumento en la incesante lucha entre «civilización y barbarie», según la calificación de Sarmiento. La intoxicación de la Independencia pronto cedió al dominio de dictadores y caudillos en todo el hemisferio, desde un Iturbide en México quien se proclamó emperador, hasta un Melgarejo, dictador caprichoso de Bolivia, y los caudillos Rosas y Facundo, jefes pro gauchos en la cuenca del Río de la Plata.

Las constituciones de estas flamantes naciones, basadas en los preceptos de Payne y Jefferson, servían de guía a una minoría selecta que comprendía su mensaje humanístico; pero los campesinos indios, mestizos o negros no sabían leer y sólo comprendían el gesto visible de un líder popular que les hablaba con palabras simples y fuertes. Tal vez la distancia que separaba, y todavía separa, en muchas regiones, el espíritu de estas constituciones del nivel de vida, instrucción y orientación de la población campesina no permitió hasta ahora la armonía necesaria para crear y mantener las bases democráticas soñadas. Ciertamente muchos viajeros ilustres que han visitado la América Latina constataron que la conciencia cívica de estos países no se encontraba a la altura de las exigencias constitucionales respectivas. Muchos intérpretes de asuntos latino-americanos han afirmado que en este hemisferio la violencia, el analfabetismo, la naturaleza indomable y la falta de comunicaciones han conspirado en contra del florecimiento de esta planta tan rara y delicada: la democracia. Dentro de este contexto no resulta extraña la continua presencia de caudillos o dictadores en el panorama político del continente. Venezuela, la cuna de Bolívar, no vio elecciones presidenciales libres hasta 1948 cuando el famoso novelista Rómulo Gallegos ocupó brevemente la presidencia antes de ser derrocado por un nuevo golpe militar.

Como se había observado con anterioridad, la sustitución de un régimen político español o portugués por gobiernos criollos en sí no mejoró la condición económica de la masa trabajadora a lo largo del siglo pasado. La era del capitalismo absoluto se hacía sentir en las nuevas naciones de América; y en las zonas rurales continuaba un sistema semifeudal en las estancias y haciendas. Compuesta mayormente de familias adineradas y dueñas de las mejores tierras, la oligarquía criolla practicaba una política social y económica que la beneficiaba a ella. Esta política mostraba la ausencia de una responsabilidad cívica o social, parecida a la que existía desafortunadamente también en los países considerados como los más avanzados del Mundo Occidental. La explotación de la mano de obra infantil, la jornada de trabajo de doce horas y la falta absoluta de programas de jubilación, vacaciones o ayuda en caso de enfermedades o accidentes en el trabajo eran la regla en países como Francia, Inglaterra y los Estados Unidos. Pero en los centros urbanos a lo largo de la costa del

Atlántico la inmigración europea acumuló entre 1860 y 1914 un proletariado que trató de defender sus intereses frente a la oligarquía que gobernaba a través de un control de las legislaturas o los gobiernos; y a principios de nuestro siglo se evidenció un cambio con la formación de gobiernos que comenzaron a interesarse por las necesidades de todos los sectores de la población. Se crearon partidos políticos y movimientos populares que duraron lo suficientemente como para mostrar por lo menos la posibilidad de gobiernos populistas, interesados en el bienestar de todos.

Una vez más, sería imposible establecer una base común para todos los países latinoamericanos. México, por ejemplo, constituye un caso especial debido a su famosa Revolución que no sólo produjo cambios sociales sino también creó una nueva mentalidad basada en parte en la fórmula de Emiliano Zapata de ofrecer tierra y libertad al campesino mestizo e indio. Partiendo del año 1917, el año de la Constitución, México tuvo un solo partido político importante, el de la Revolución. Nacido bajo circunstancias caóticas le tomó muchos años para realizar las reformas agrarias o sindicales. Sólo después de la consolidación del Partido Revolucionario Nacional en el Partido Revolucionario Mexicano bajo la presidencia de Lázaro Cárdenas en la década de 1930, se llevaron a cabo tareas tan esenciales como la distribución de tierras, un programa nacional de enseñanza pública para todos y un fomento industrial notable. Hasta ahora este partido, últimamente llamado el Partido Revolucionario Institucional, domina la escena política nacional y determina la futura dirección de este tipo de democracia latinoamericana.

La Argentina tuvo su época más democrática bajo los gobiernos de la Unión Cívica Radical, que se concretó con la presidencia popular de Hipólito Irigoyen de 1916 a 1922 pero corrompida de 1928 a 1930 y terminada por un golpe militar. Más tarde el «justicialismo» o peronismo se estableció de 1946 a 1955 como un movimiento de revolución social y pro masa bajo la dirección de aquel matrimonio tan singular, Juan y Evita Perón. Durante esta década se enfrentaron las fuerzas conservadoras con la masa obrera y los sindicatos de trabajadores. Después de la muerte de Evita Perón y el levantamiento de muchos militares en 1955, la Argentina volvió a tomar un curso político agitado en el cual se han sucedido hasta ahora juntas militares y presidentes que trataron infructuosamente de regir con el apoyo de los antiguos Radicales y los grupos peronistas.

En el Brasil, gigante de Sudamérica, Getulio Vargas ocupó un lugar algo similar al de Perón en el país vecino, de 1930 a 1945 y de 1951 a 1954. Político astuto y caudillo natural, Vargas obtuvo su apoyo principal de la clase obrera y del Partido Trabalhista. Su suicidio en 1954 fue aparentemente motivado por la presión militar para modificar sus planes de reforma. Desde aquella fecha el ambiente político brasilero ha sufrido altibajos parecidos a los argentinos, oscilando entre políticos profesionales de tendencia liberal y juntas militares.

Colombia, que había formado el Virreinato de Nueva Granada en conjunto con Venezuela, sufrió una serie de dictaduras y agitaciones políticas que se intensificaron a tal nivel que se le puede considerar como la tierra más violenta de Sudamérica en este siglo. Se estima que sólo entre 1948 y 1955 más de trescientas mil personas fueron muertas en una lucha fratricida entre conservadores y liberales, tragedia que sólo tuvo rival en los años de 1910 a 1915 en México. Para evitar la desastrosa sangría cívica, los dos partidos principales formaron un pacto de cooperación que asegura la presidencia alternada de conservadores y liberales entre 1958 y 1974. Últimamente, sin embargo, la masa colombiana ha mostrado una creciente apatía frente al proceso electoral, sin duda porque este arreglo político no resolvió ninguno de los problemas básicos de una masa que sufre de un rapidísimo aumento de población, de una escasez de empleos y viviendas y de un continuado analfabetismo, problemas endémicos en tantos países latinoamericanos.

Bolivia, país de indios, montañas y minas de estaño, tuvo su Revolución en 1952. Después de una serie de dictaduras clásicas, una guerra con Chile de 1879 a 1883 que le costó las provincias sobre la costa del Pacífico y otra guerra igualmente desastrosa con el Paraguay de 1932 a 1935 en la que perdió el territorio del Chaco, Bolivia fue el escenario de una genuina evolución social. El Movimiento Nacionalista Revolucionario (MNR) impuso en 1952 un gobierno que disolvió el ejército, armó milicias obreras, nacionalizó la industria minera y aprobó la repartición de los latifundios para los indios hambrientos de tierra. La figura máxima de este movimiento fue Víctor Paz Estenssoro, que dirigió el desarrollo de la Revolución por un espacio de diez años. Un golpe militar lo derrocó y lo exilió. Los generales Barrientos y últimamente Ovando Candia, Torres y otras juntas militares lo sucedieron y a su modo trataron de controlar el movimiento campesino y el sindicalismo minero. A fines de 1971 se instaló un nuevo régimen conservador. Por ahora el ingreso anual por persona se calcula en unos ciento veinticinco dólares, hecho que tal vez explica en parte por qué este país tuvo ciento ochenta y cinco gobiernos distintos en los últimos ciento cuarenta y cuatro años.

Bolívar fue muy pesimista en cuanto al porvenir de un Perú democrático debido a la corrupción del oro y de la esclavitud que existía en este país del altiplano. No queda mucho oro en el Perú, pero el indio serrano, igual que sus hermanos en la vecina Bolivia y en Ecuador, tuvo que vivir pasivamente bajo los regímenes tradicionales de la oligarquía y dictadura militar. En la década de 1930, período de una crisis económica universal que acentuó la miseria del indio y del cholo, nació en el Perú la Alianza Popular Revolucionaria Americana (APRA) que, bajo la dirección de Raúl Haya de la Torre y líderes intelectuales como el conocido escritor Luis Alberto Sánchez, partió de una base ideológica marxista para buscar soluciones nacionales y hemisféricas a los males sociales del Perú y de la América Latina. El APRA fue proscrito aunque sus partidarios representaban fácilmente la mitad de la masa electoral. Sólo después de 1948 pudo el APRA, ya menos izquierdista y más «respetable», jugar un papel activo en la formación de gobiernos elegidos democráticamente. Bajo los gobiernos del general Odría, Manuel Prado y Belaúnde Terry junto con la presencia constructiva de los apristas empezó el Perú a llevar a cabo reformas sociales que le abrían al indio un camino hacia el siglo XX. Pero en 1969, en medio de agitaciones campesinas y de cuestiones de inversión

Estudiantes detenidos en una instalación militar de Córdoba, Argentina, en 1969.

Salud pública en Chile: compañía de vaccinación contra la viruela. La mayoría de la población depende del gobierno para la prevención y el cuidado de enfermedades.

La reforma agraria en Ecuador beneficia al indio. Por primera vez obtiene título de su tierra.

de capitales extranjeros, el ejército peruano volvió a «ejercer su función histórica» exilando al presidente elegido y proclamando un nuevo régimen revolucionario nacionalista.

Venezuela, cuna de Bolívar, produjo dictadores notorios como lo fue Juan Vicente Gómez. Su primer presidente libremente elegido, el novelista Rómulo Gallegos, no pudo poner en práctica sus reformas sociales y educacionales ya que su programa ofendió a dirigentes de la oligarquía y la Iglesia, y una nueva dictadura le fue impuesta al país que duró hasta 1958. Desde entonces un equilibrio entre los diferentes partidos mayoritarios como un partido democrático cristiano, llamado el COPEI, y la Acción Democrática trajo una estabilización democrática, siempre algo precaria debido a las actividades guerrilleras de elementos castristas, al juego de intereses petroleros y a la presencia de los militares.

No es posible enumerar el desarrollo constitucional de todas las naciones que en conjunto constituyen el hemisferio latinoamericano; y tampoco parece necesario para este cuadro sinóptico. Hay un número de países, entre los cuales se pudieran incluir Ecuador, el Paraguay, El Salvador y Haití, donde el nivel de vida es tan bajo y la educación de la masa campesina tan inferior que el hablar de la necesidad de establecer un gobierno democrático equivale a ignorar la realidad económica y social en favor de un mero ejercicio académico. Una vez más, se podría examinar la filosofía política de Ortega y Gasset quien mantuvo que las circunstancias locales deberían determinar las necesidades políticas de un pueblo. Aquí tal vez cabe añadir que en la actualidad la expresión nacionalista fomentada por el africanismo de la dinastía de los Duvalier en Haití y el indigenismo guaraní del gobierno paraguayo constituyen una etapa lógica en el progreso social de estos países rotundamente subdesarrollados.

Queda por examinar un último grupo de países, el más estable en cuanto a una tradición institucional democrática: Chile, el Uruguay y Costa Rica. En los tres domina una clase media amplia que influye fuertemente en todos los aspectos de la administración nacional, es decir, aquí observamos un proceso democrático genuino y duradero a través de la participación y la presión del electorado que tiene el poder de modificar el destino de su país. Si en este proceso el aparato administrativo se ve obligado a ofrecer beneficios económicos que a lo largo crean una marcada diminución de la productividad y una subsiguiente inflación que tiende a disminuir el nivel de vida, habría que admitir que el resultado corresponde al menos a las exigencias de una mayoría que vota libremente y que elige su propio destino. Pero, en 1970 la población de estos tres países llegó más o menos a un 5 por ciento de la que vive en la América Latina, porcentaje poco alentador. También habría que constatar que la elección del candidato marxista

Allende en Chile en 1970 y las actividades de los guerrilleros urbanos, los tupamaros, en el Uruguay representan el saldo de una crisis económica que amenaza la existencia de la clase media.

EL MILITARISMO

Cuando en diciembre de 1968 el mariscal da Costa e Silva clausuró el Congreso brasilero, removiendo con este acto el último vestigio de un gobierno semidemocrático, tres de cada cuatro sudamericanos se hallaban bajo la sombra de un gobierno militar impuesto contra la voluntad de la mayoría de los habitantes en los respectivos países. En efecto, Latinoamérica aparece como el área más marcial del mundo. Tan acostumbrados están los observadores diplomáticos a este fenómeno que se llegó a formar una triste tradición que fluctúa entre lo operático y lo siniestro, un juego exclusivo y monótono en el que participan generales, terratenientes y a veces potencias extranjeras.

Si se buscaran causas, antecedentes o justificaciones para esta dominación militar habría que tomar en cuenta una multitud de factores que naturalmente varían de un país a otro. Edwin Lieuwen, quien estudió a fondo la cuestión del militarismo en la América Latina, mantiene que existen antecedentes hispánicos. La ley del «fuero militar» bajo la monarquía española dio privilegios especiales a la casta militar, librándola de toda jurisdicción civil, lo que estableció una tradición de exclusividad y tal vez indiferencia hacia desprecio de las aspiraciones del pueblo. Al participar en la constante lucha entre las fuerzas liberales y conservadoras en la España del siglo XIX, el ejército se convirtió en una guardia pretoriana[1] cuyos «pronunciamientos» eran un modelo para los cuartelazos y golpes militares que se han sucedido sin tregua en las antiguas colonias de América. Algunos críticos contemporáneos del militarismo creen que la oleada militar suprime las instituciones democráticas sin otro propósito que la toma del poder, el placer del mando y los beneficios al asignarse a sí mismos y de repartir entre sus parientes o amistades altos cargos en ministerios, embajadas y hasta en universidades y sindicatos. Para otros analistas existen causas más generales y complejas: la falta de una clase media mayoritaria, las condiciones semifeudales en muchas provincias del interior, un regionalismo fomentado por los obstáculos formidables de la geografía, la determinación de la clase alta de mantener su posición privilegiada frente a las exigencias de una masa que tiene demasiado poco,

[1]guardia pretoriana los cohortes militares que guardaban a los emperadores en Roma y que a veces intervenían en el destino del Imperio por su mera presencia en la capital

Camaradería militar durante una reunión de altos jefes de las fuerzas armadas.

el consiguiente espectro del comunismo o castrismo y una larga historia de caudillismo que explica la falta de tradiciones y prácticas genuinamente democráticas. El conjunto de estos factores explica la inestabilidad social en el hemisferio, que se hace más visible con el incesante aumento de la población, hoy en día el más alto del mundo, y explica asimismo la presencia persistente de los gobiernos militares.

No se ha descubierto hasta ahora *una* fórmula que permita a las naciones latinoamericanas librarse sus males sociales y dictaduras militares. Los países que en este siglo han logrado mantener una posición antimilitarista parecen diferenciarse poco de sus vecinos más marciales en muchos aspectos sociales y económicos. Veamos algunos ejemplos.

El México moderno nació de una erupción especial, la Revolución mexicana, que alteró profundamente la conciencia colectiva del país. Previamente el 1 por ciento de la población era dueño del 96 por ciento de las tierras cultivables, y más del 80 por ciento del pueblo eran analfabetos; el indio era todavía una bestia de carga; y la mayor parte de la minería, la industria y los servicios públicos eran controlados por compañías extranjeras. La institucionalización de la democracia a través de los preceptos de la Revolución eliminó el problema racial, produjo un nivel económico prometedor a base de inversiones de capital extranjero, superó una etapa de nacionalismo económico, evitó un resurgimiento del militarismo y mantuvo un presupuesto modesto para gastos militares.

Bolivia, nación con una proporción similar de sangre india, comparte otras semejanzas con México. La poca tierra arable estaba en manos de la vieja aristocracia criolla; los indios vivían al margen de la economía nacional y en su propia realidad cultural y lingüística; y las minas o el petróleo pertenecían a compañías con sedes centrales en Londres o en Nueva York. En Bolivia la Revolución que ocurrió en 1952 resultó en que el MNR con ayuda de los mineros y campesinos pudo desalojar al ejército del gobierno. Se comenzó entonces a repartir la tierra entre los indios, se nacionalizó la industria minera y se disolvió el ejército. Sin embargo, el arquitecto de la Revolución, Víctor Paz Estenssoro, no pudo evitar el desastre económico seguido de una inflación que alcanzó una cifra de 12.000 por ciento. La segunda etapa institucional del MNR nunca se concretó ya que otro militar, el general Barrientos, volvió a imponer un régimen militar. Barrientos se mostró protector del indio pero un accidente de aviación lo eliminó. En 1969 se anticipaban nuevas elecciones nacionales en las que Paz Estenssoro hubiera sido el probable candidato victorioso; pero el general Ovando Candia dio un nuevo golpe y anuló los comicios. A su vez fue desplazado por el general Torres, de tendencia izquierdista, quien a su vez fue derrocado por otra junta militar, esta vez de la derecha.

La pequeña nación de Costa Rica se enorgullece de haber disuelto su ejército hace tiempo y de tener más maestros que policías. Efectivamente no posee más recursos naturales o más autonomía económica que sus vecinos, pero goza de una conciencia democrática envidiable. Aunque su composición étnica es casi enteramente europea, este hecho no bastaría en sí para explicar el contraste político con otras naciones de Centroamérica en las que se suceden los golpes militares, las juntas militares o la dictadura disfrazada a través de elecciones totalmente controladas por el gobierno.

Las naciones del Caribe, casi todas islas tropicales situadas dentro de una esfera considerada bajo la influencia política y económica de los Estados Unidos, ofrecen un cuadro bastante parecido al de Centroamérica. Comparten un estado de subdesarrollo total, cultivan el monocomercio (café, bananas, azúcar), tienen una elevada densidad demográfica y sufren naturalmente de un bajísimo nivel de vida. También han producido dictadores notorios, y eso en un hemisferio donde abundan ciertamente los caudillos militares: Juan Vicente Gómez de Venezuela, país sudamericano que por su situación geográfica pertenece a la zona del Caribe, y que es de suma importancia como productor de petróleo; el generalísimo Rafael Trujillo de la República Dominicana; y el doctor Duvalier de Haití. Puerto Rico y Cuba constituyen hoy casos aparte. Últimas colonias de España en el Nuevo Mundo hasta la guerra entre España y los Estados Unidos en 1898, fueron ocupadas y controladas por marinos estadounidenses, destino que también compartieron la República Dominicana, Nicaragua y, brevemente, Venezuela en lo que los historiadores llaman la época del «Destino Manifiesto». Puerto Rico fue convertido en un territorio nacional de los Estados Unidos mientras que Cuba quedó sujeta al control directo de Wáshington bajo la enmienda Platt hasta 1932. Los gobiernos cubanos de aquella época se destacaron por su inepcia, corrupción y dependencia de intereses a menudo poco deseables como occurió en el caso de los «sindicatos» basados en los Estados Unidos que controlaban los casinos, la prostitución y el tráfico de drogas en La Habana. La dictadura del ex-sargento Batista constituyó un ejemplo típico de estos gobiernos, y no sorprendió que la población en general comenzase a apoyar el movimiento revolucionario bajo el mando del doctor Fidel Castro Ruz, que triunfó en 1959. Desde esta fecha Cuba se halla bajo un régimen totalitario que busca establecer una base populista y trata de reinar con la milicia obrera y la brigada campesina más que con el ejército de tipo profesional. No es éste el lugar para especular sobre el apoyo popular o la oposición tocante a Castro entre los campesinos, los obreros o los mulatos y negros de la isla. Tampoco es posible afirmar concretamente que el régimen de Castro hubiera buscado la ayuda e influencia soviética si el aparato de la Organización de los Estados Americanos (OEA) no hubiera impuesto un cordón sanitario, que incluye sobre todo el bloqueo económico, alrededor de la isla. No hay duda, sin embargo, que el llamado Movimiento del 26 de Julio busca el apoyo de la clase baja o campesina cubana y que en este sentido tiene ciertos antecedentes en la Revolución boliviana de 1952 y hasta en las tentativas populistas de dos naciones muy importantes de Sudamérica, el Brasil y la Argentina.

Existen muchos elementos paralelos entre estos dos gigantes del continente: el fomento de la industria de acero, automóviles, textiles y productos químicos; una clase media instruida en los centros urbanos; fuertes recursos agropecuarios; y una rivalidad política debida en parte a la situación geográfica en la que la pequeña república del Uruguay juega el rol de una «zona desmilitarizada». Mientras que el Uruguay pudo mantener el equilibrio neutralizador de una «Suiza sudamericana» y gozar de un siglo de estabilidad democrática sin la presencia de fuerzas armadas significantes, sus dos vecinos atravesaron por ciclos de gobiernos conservadores, regímenes populistas y juntas militares.

Después de varias décadas de regímenes conservadores partidarios de «Ordem e Progresso» de 1889 a 1930, Getulio Vargas, el «gaucho» de Rio Grande do Sul, dominó la escena política brasilera durante veinticinco años. Figura compleja, político astuto, caudillo nacionalista y presidente populista, Vargas se mostró protector de la clase trabajadora y sus sindicatos. Como presidente de facto y candidato elegido legalmente, Vargas usó más de una vez a los militares, pero a su vez fue finalmente derrotado por ellos. Después de 1945 los jefes militares comenzaron a ejercer una presión política que culminó con el suicidio de Vargas en agosto de 1954 cuando los tanques ya habían rodeado el palacio presidencial. Juscelino Kubitschek, el presidente siguiente, fue elegido en 1956, pero ya tuvo que contar con la aprobación de los militares. Su sucesor, Jânio Quadros, renunció sorpresivamente en 1961; y los militares vetaron la ascensión del vicepresidente João Goulart acusándolo de tener simpatías izquierdistas. Desde entonces varios mariscales (hace poco el Brasil contaba con treinta y cinco mariscales de campo) y últimamente una junta de generales han asumido el mando de este inmenso país de casi cien millones de habitantes y están practicando una política de dictadura tradicional que se enfrenta con las fuerzas liberales profesionales o universitarias y los partidarios del antiguo Partido Trabalhista de Getulio Vargas.

Argentina tuvo su período de liberalismo entre 1910 y 1930. Aunque el avance económico para la masa trabajadora y la legislación social distaban mucho de alcanzar un nivel satisfactorio, la figura-padre de Hipólito Irigoyen suscitó el entusiasmo de los que por fin pudieron votar libremente y con la esperanza de que el gobierno se ocuparía de sus necesidades. Irigoyen fue reelegido en 1928, pero dos años más tarde el general Uriburu dio un golpe que reinició la participación del ejército en los asuntos políticos nacionales y reafirmó el poder político de la Iglesia católica argentina. Cuando Irigoyen murió en 1933, centenares de miles de obreros y campesinos desafiaron las tropas para dar un homenaje personal a su amado líder. Diez años más tarde surgió otra figura que excitó la imaginación del pueblo: el coronel Juan Domingo Perón, militar profesional quien comenzó su carrera política como Ministro de Trabajo y Previsión Social en el gobierno militar del general Farrell. Perón

El expresidente brasilero Getulio Vargas acompañado de altos oficiales.

hábilmente utilizó su puesto para crear leyes sociales que beneficiaban al trabajador. Cuando los colegas militares más conservadores se sintieron alarmados frente a la popularidad del coronel y trataron de neutralizarlo políticamente, una huelga nacional de los sindicatos completamente paralizó al país; los militares opuestos a Perón capitularon, y se inició en 1946 la década del justicialismo peronista. Juan Perón y su esposa Evita mantuvieron el poder con el apoyo ferviente de sus «descamisados», los que no tenían nada y que gracias al justicialismo se convirtieron en hijos predilectos del gobierno. El matrimonio Perón les dio aumentos de sueldo, aguinaldos obligatorios, vacaciones con pago y otros beneficios, pero al mismo tiempo crearon una deuda nacional enorme, un fuerte decrecimiento de la productividad y una inflación galopante. Poco a poco, la clase media profesional, la oligarquía antigua, la facción tradicionalista de los militares y finalmente la Iglesia se combinaron para terminar con la demagogia peronista. Debido a la lealtad de los trabajadores, sobre todo de los sindicatos, el derrocamiento de Perón produjo sangrientos choques, el lanzamiento de bombas sobre manifestaciones públicas en Buenos Aires y la amenaza de un bombardeo naval en 1955. Desde aquella fecha los militares se encargaron de ser los guardianes antiperonistas, tarea difícil puesto que la masa trabajadora, recordando su «edad de oro» bajo Perón, mostró su determinación de votar por los candidatos del justicialismo, lo que obligó a los militares a anular o suprimir elecciones y presidentes. El último presidente legalmente elegido, el doctor Arturo Illia, fue depuesto en 1968 por el general Onganía quien con sus colegas estaba determinado a combinar un antiguo nacionalismo conservador con un liberalismo económico para modernizar el país. Hasta ahora las medidas del gobierno militar de Onganía y su sucesor el general Lanusse han traído la desocupación, un alto presupuesto militar, la censura de la prensa y del cine, la prisión para líderes sindicalistas, el control de las universidades estatales, las huelgas estudiantiles y el éxodo de profesores, todo en un ambiente dominado por un estado de sitio semipermanente. La situación política actual es compleja: la clase trabajadora sigue fiel al justicialismo y se opone a la austeridad del gobierno militar; el grupo profesional, universitario e intelectual se mostró antiperonista pero ahora está igualmente opuesto a la dictadura militar; sólo la clase alta y la Iglesia respaldan a los militares, con lo cual la Argentina ha vuelto a una situación de oligarquía clásica.

Hay en la actualidad un régimen militar que está dispuesto a combinar el nacionalismo con la reforma social: el peruano. Este país andino también sufrió repetidas intervenciones militares; y en las décadas pasadas la mera existencia del APRA y su programa proindio fue suficiente para movilizar al ejército. Con el paso del tiempo el APRA y sus propuestas reformas sociales dejaron de alarmar a las fuerzas armadas, y éstas comenzaron a sentir una fuerte atracción hacia el sentimiento nacionalista como solución social. Cuando el presidente Prado no accedió a sus demandas de nacionalizar una subsidiaria de la Standard Oil (New Jersey), los generales lo echaron en 1962. Esta escena se repitió en 1968 cuando el general Velasco Alvarado desterró al presidente Belaúnde Terry, elegido cinco años antes por el partido Acción Popular. Esta vez los generales comenzaron de inmediato la nacionalización de la compañía de petróleo y la división de los grandes latifundios—algunos de propiedad estadounidense como el Cerro de Pasco—para ofrecer tierra a los campesinos.

La acción determinada de los militares peruanos tuvo repercusiones en todo el hemisferio latinoamericano, y parece que el impacto de este espíritu nacionalista está ejerciendo una fuerte influencia sobre los oficiales jóvenes de muchos países. Es evidente que muchos de ellos ya no se sienten inclinados a perpetuar el viejo orden constituido por la oligarquía, la Iglesia y el ejército, sino que ven su función como la de patriotas con la misión de ofrecer justicia social a todos los habitantes del país. Los militares bolivianos están siguiendo el ejemplo peruano en cuanto a la nacionalización del petróleo. Y debido a la presión política el presidente Frei de Chile se vio obligado a iniciar la nacionalización de las minas de cobre, única fuente importante de ingresos del país; su sucesor Allende completó esta expropiación.

La cuestión del militarismo en la América Latina no sólo es, por lo tanto, un problema político sino también social, económico y, siempre, moral. Si un país subdesarrollado gasta un 20 por ciento de sus ingresos anuales en sus fuerzas armadas, la población pierde en nivel de vida. El nacionalismo y el militarismo forman a menudo una alianza costosa. La reciente compra de cincuenta aviones de caza *Mirage* franceses por los generales peruanos y la adquisición de un viejo portaavión por parte de los almirantes argentinos parecerán superfluas desde el punto de vista social. El gobierno de los Estados Unidos extiende ayuda militar y vende armas a la mayoría de los países latinoamericanos y en general cierra los ojos frente a las frecuentes intervenciones militares. Wáshington se justifica citando la necesidad de considerar sus intereses globales lo que incluye la guerra fría y el peligro comunista en Cuba. Irónicamente, el militarismo del tipo peruano cultiva un nacionalismo que afecta los intereses de firmas estadounidenses, y la enmienda Hickenlooper prohibe la ayuda militar o económica a países que expropian compañías americanas; sin embargo, el gobierno de los Estados Unidos continúa ofreciendo armas y crédito a los generales latinos que ignoran los procesos democráticos.

LA IGLESIA CATÓLICA

La importancia de la Iglesia católica en la América Latina tiene un altísimo significado tanto regional como internacional. Actualmente uno de cada tres católicos en el mundo vive en Latinoamérica. Sin embargo, la crisis de valores espirituales y el rápido cambio social del siglo XX también están alterando las relaciones de la Iglesia con sus millones de fieles. Como institución la Iglesia no sólo fue un instrumento primordial en la conversión forzada de los indios y más tarde de los negros sino que también fue un brazo político de los reyes. Los monarcas españoles y portugueses controlaban los nombramientos de sacerdotes u obispos y determinaban la creación de monasterios o iglesias sin siquiera esperar permiso del Vaticano. Pero este control estatal al mismo tiempo trajo la unión política entre la Corona y la Iglesia; y a través de los siglos la Iglesia pudo acumular vastas tierras y propiedades numerosas, gozar de privilegios especiales como el de no pagar impuestos, influenciar en muchos casos la marcha de la administración local, establecer una censura rígida y hasta controlar la conducta social de la población. Los tribunales del Santo Oficio funcionaron a todo vapor de México a Lima hasta la época de la Independencia; y se quemaron en las plazas públicas a muchas personas acusadas de ser herejes y conspiradores contra la Corona en los autos de fe. Pero también se crearon conflictos jurídicos debido a la rivalidad entre las cortes eclesiásticas y los fueros virreinales.

Los movimientos separatistas de los criollos disminuyeron la influencia y el rol de la Iglesia en las flamantes repúblicas. La Independencia también dividió al clero por más que la inmensa mayoría de los sacerdotes hubieran nacido en España o Portugal y sintieran cierta lealtad por sus monarcas. Sin embargo se dio el caso que en México algunos prelados rogaron a la Virgen de los Remedios por el triunfo de la monarquía mientras que otros se dirigieron a la Virgen de Guadalupe para pedir la victoria de los criollos mexicanos. La educación, antes totalmente en manos de los religiosos, comenzó a pasar a las autoridades seculares; y la filosofía racionalista importada de Francia e Inglaterra formó una orientación anticlerical en muchos de los dirigentes criollos que ahora desplazaban a los administradores españoles y portugueses. En general, la Iglesia tuvo que contentarse con una reducción de sus privilegios: perdió su poder de censura, de exigir el matrimonio religioso obligatorio y el monopolio de la fe católica. Pero al mismo tiempo la Iglesia buscó modos de adaptarse a las nuevas situaciones políticas en la segunda parte del siglo XIX. Esto significaba sobre todo que en vez de regir con la administración colonial, ahora se aliaba con la oligarquía reinante y las dictaduras conservadoras.

Mientras que había pocas posibilidades de reformas socioeconómicas, esta alianza no causó mayor resentimiento visible entre el pueblo, sobre todo en las zonas rurales; pero con el auge del proletariado en las ciudades y de la literatura de protesta social, la Iglesia fue el blanco de mucha crítica en el siglo XX. De cierto modo, la Iglesia católica seguía aferrada a una base metafísica que dejaba al lado una actitud de responsabilidad económica o «materialista» hacia la comunidad, desplazándose en un nivel psicológico más bien que social. Volvemos aquí al problema dramatizado tan arteramente por el escritor y filósofo español Miguel de Unamuno en su obra *San Manuel Bueno, mártir.* ¿Cuál es la función primordial de la iglesia? ¿Creadora de ilusiones para los que poco esperan de esta vida, o una fuente de justicia social y bienestar en este mundo? Los diferentes *ismos* que han aparecido en la América Latina en este siglo, desde el aprismo peruano hasta el peronismo argentino, comenzaron a ofrecer una promesa de bienestar material para los millones de necesitados cuyo ingreso anual no alcanzaba a un promedio de cien dólares. Doctrinariamente, estos *ismos* estaban en conflicto con la posición ortodoxa de la Iglesia católica que siempre había rechazado teorías políticas basadas en materialismo o utilitarianismo. Sólo después de 1950 se presenció un cambio básico en la posición del catolicismo oficial en algunos países latinoamericanos; y se hizo notar una fuerte acción de grupos políticos y movimientos sindicales de persuasión cristiana. Se crearon cooperativas y mutualidades católicas para ayudar a los campesinos financieramente; y hay organizaciones estudiantiles que seriamente buscan combinar la reforma social con los preceptos clásicos del catolicismo. En total, se puede afirmar que después de cien años de confrontación con el liberalismo, la Iglesia ha recuperado una buena parte de su prestigio, aunque habrá que añadir que la imagen de la Iglesia como institución social varía bastante entre los distintos países del hemisferio.

Misa en una iglesia en una zona rural de Panamá.

La Revolución mexicana en la época del presidente Calles produjo un conflicto mayor y a menudo sangriento entre los revolucionarios y los «cristeros», los defensores de la Iglesia que había perdido la mayor parte de sus bienes a través del Artículo 23 de la famosa Constitución de 1917, que declara que la tierra mexicana era una propiedad pública. Durante la Revolución misma los campesinos mestizos, los soldados de Pancho Villa y los indios de Emiliano Zapata vieron en la Iglesia un aliado de los odiados federales. Pero en la actualidad las relaciones entre Iglesia y Gobierno son cordiales, aunque domina la secularización en el ambiente oficial. En la Argentina la Iglesia se opuso al justicialismo de Perón y sus descamisados en la década de 1950. Hoy la Iglesia está oficialmente representada en la dictadura de los generales Onganía y Lanusse, y la masa trabajadora que sigue fiel al justicialismo resiente la vieja alianza oligarquía-ejército-iglesia. En Venezuela la Iglesia intervino activamente en contra de la dictadura de Pérez Jiménez en la década de 1950; y algo similar pasó en Colombia contra el régimen de Rojas Pinilla. En 1961 la Iglesia en Chile distribuyó sus tierras entre los campesinos más necesitados. En el Brasil la mayoría de los obispos católicos están dispuestos a utilizar la Iglesia como un instrumento de reformas sociales. La presidencia de Eduardo Frei en Chile y la de Rafael Caldera en Venezuela en los últimos años representan el triunfo de partidos católicos liberales que se están ocupando de las necesidades materiales de estos pueblos. Sin embargo, en muchas naciones latinoamericanas los periódicos publican casi diariamente fotos de altos dignatarios eclesiásticos que están dando su bendición a los actos oficiales de dictadores uniformados. También la Iglesia cubana mantiene hasta ahora relaciones cordiales con el castrismo.

Tal vez sea prematuro hablar de una reorientación social dentro de esta venerada institución que durante tantos siglos gozó de un monopolio en cuanto a la fe y la moral de los habitantes de la América Latina, lo que sin duda creó una fácil complacencia en sus dirigentes. Pero en la década de 1960 se comenzó a notar una división drástica dentro de la Iglesia entre los clérigos militantes y los altos funcionarios eclesiásticos. Notamos una crisis de conciencia y de actitudes sociales entre los miembros de la institución, que parece producir un hiato, hoy en día bastante común: una ruptura espiritual entre la generación joven y la vieja. Los más altos cargos dentro de la institución se encuentran ocupados por hombres que tendrán un promedio de sesenta a setenta años; y los sacerdotes que en la actualidad trabajan en los arrabales más miserables de México, Rio, Caracas o San Juan de Puerto Rico podrían ser cronológicamente sus nietos. En nuestra era tecnológica y secular no es fácil presenciar diariamente la miseria, el hambre, las enfermedades, la prostitución y la desesperanza de los desafortunados y simplemente aconsejarles que todo esto forma parte de la providencia divina que nadie debe poner en duda. Hoy muchos sacerdotes buscan a Cristo en las calles de los barrios más humildes y las aldeas más desoladas. En Mendoza y Rosario, ciudades argentinas, grupos de religiosos jóvenes se rebelaron contra la diócesis y están haciendo causa común con los pobres y sus demandas sociales; en Colombia el reverendo Camilo Torres encabezó un grupo de guerrilleros y fue muerto por soldados del ejército regular; en el Brasil un número de sacerdotes están en prisión por oponerse a la dictadura militar.

Hay una enorme escasez de sacerdotes en el hemisferio. En muchas regiones se calcula una proporción de un sacerdote para cada cinco mil habitantes; la diócesis de San Rafael en la Argentina tiene diecisiete padres para 160.000 habitantes y la de Propia en el Brasil, tres para 200.000 almas. Muchos de los religiosos son europeos, lo que indica una continuada falta de interés en la carrera eclesiástica por parte de los estudiantes latinoamericanos. Aparte de la escasez de sacerdotes nuevos, la Iglesia católica también sufre de una competencia, antes inimaginable, por parte de otras instituciones religiosas. En países como México, Guatemala y Chile, la labor de misioneros protestantes, en su mayoría provenientes de los Estados Unidos, compite con los esfuerzos de los católicos militantes en cuanto a la ayuda social, educativa o sanitaria ofrecida a los necesitados. Se estima que ya hay varios millones de latinoamericanos convertidos a diferentes sectas protestantes, lo que indica la seriedad y eficacia de los esfuerzos misioneros. También el impacto comercial del «Coloso del Norte» sobre pueblos adyacentes como México y Puerto Rico atrae miembros de la clase media y del mundo de los negocios al protestantismo, pero en estos casos se trata más bien de una influencia impuesta por la filosofía del éxito.

Aunque el hombre de la calle no se preocupe por doctrinas religiosas, nacidas a menudo hace muchos siglos y aplicadas a circunstancias nacidas en un pasado ya remoto, las exigencias de la Iglesia referente a las doctrinas que regulan la actitud de los creyentes pueden en sí mismo constituir un problema de consecuencias incalculables. Frente al incesante aumento de la población mundial y una certera batalla de sobrevivencia hacia fines de este siglo, la doctrina católica y la actual posición del Vaticano todavía prohiben un control sistemático de la natalidad. En 1968 el Papa Paulo VI visitó a Colombia para mostrar su interés en la región que contiene un tercio de los católicos del mundo; pero en el mismo año afirmó en su encíclica *Humanae Vitae* su oposición al control científico de la natalidad para los quinientos millones que profesan la fe católica. Frente a los problemas creados por el alarmante aumento de la población, las opiniones del clero latinoamericano se encuentran divididas en cuanto a la doctrina del Vaticano sobre la inmoralidad de limitar artificialmente los nacimientos.

Los economistas y demógrafos, poco inclinados a considerar argumentos religiosos, nos ofrecen una proyección sombría del futuro de la América Latina si el aumento de la población sigue constante. Actualmente el incremento anual llega al menos a un 3 por ciento mientras que el de los Estados Unidos o de la Europa del Norte llega al 1 por ciento. En cifras totales, este porcentaje indica que la población en los países más subdesarrollados del hemisferio doblará cada veinte años y que llegará a los quinientos millones en 1990. Puesto que el aumento de la producción total en la América Latina fue de 1,1 por ciento en 1966, el incremento de un 3 por ciento de la población significa que el nivel de vida está bajando para millones de seres humanos que buscan vivienda, ropa, comida, escuelas, servicio médico y empleos. Si en 1966 faltaba un mínimo de quince millones de viviendas modestas y la mitad de los niños no pudieron asistir a la escuela, el rápido aumento de la población sólo puede empeorar esta situación trágica. Sería fácil dramatizar esta triste condición humana al mostrar un cuadro típico que se desarrolla diariamente en cualquier lugar y con una repetición monótona: la partera entra en una choza inmunda donde una mujer de treinta años, prematuramente envejecida, yace en un suelo sucio rodeada de hijos y un marido analfabeto que gana veinte dólares mensuales.

Sin hacer vaticinios parece indudable que, en un siglo de tremendos cambios sociales que se aceleran con el ritmo de la tecnología moderna, la posición y la función de la Iglesia sufrirán importantes transformaciones.

Semana Santa en Popayán, Colombia. La transformación de la Iglesia no es uniforme en Latinoamérica.

Como institución, todavía continúa defendiendo la doctrina que da más importancia a la salvación del alma individual y la vida eterna que a las condiciones sociales de una existencia efímera en esta tierra. Pero la Iglesia como institución no es sinónima con la religiosidad de la población. De acuerdo con las estadísticas oficiales casi todo el pueblo es designado como católico; pero esta definición merecería un estudio más detallado. Hay millones de indios, oficialmente considerados católicos, que no tienen ningún contacto con la Iglesia y cuya idea del catolicismo se limita tal vez a la adoración de un santo regional que tendrá ciertas características indígenas. En las grandes ciudades donde había comenzado el anticlericalismo en tiempos de la Independencia, continúa la secularización a través de un ambiente dominado por la edad tecnológica. En general, faltan o escasean datos legítimos sobre las prácticas religiosas en los países latinoamericanos. El padre jesuita Pedro Rivera, que estudió el problema religioso en México, dijo que un 25 por ciento de los mexicanos no tienen ninguna religión, que el 30 por ciento de los católicos desconocen por completo las enseñanzas de la Iglesia, que el número de los creyentes que van a misa oscila entre un 10 y 20 por ciento y que muchos fieles practican el culto del santo local más que un catolicismo universal. Hasta existen instancias que representan un retorno a prácticas precolombinas. Los indios tzotziles de México no permiten ya misioneros cristianos en su territorio y aparentemente han resucitado su religión primitiva. Para la Iglesia católica en la América Latina los extremos se tocan y conviven. No le será fácil dar con la fórmula que abarque tanto el primitivismo indígena como la demanda tecnológica de la masa en nuestra época de saturación ecológica.

ESCUELAS Y UNIVERSIDADES

En muchos aspectos el sistema de enseñanza en los países latinoamericanos representa simplemente una adaptación de modelos europeos. Hay, por ejemplo, un ministerio de educación que controla la enseñanza pública para todo el país. Este control nacional ofrece ciertas ventajas: se exige un nivel académico uniforme a través del uso de textos, cursos, exámenes y calificaciones iguales para todas las escuelas del país. El ministerio también adjudica las posiciones vacantes a los nuevos maestros según sus méritos y establece un nivel nacional para los salarios. La uniformidad de cursos o exámenes evita teóricamente un desequilibrio entre la enseñanza ofrecida en las provincias más pobres y en los centros cosmopolitas. Hay, sin embargo, una enorme discrepancia entre lo que debiera ser y lo que es.

Puesto que la América Latina contiene países considerados subdesarrollados, en casi todos ellos falta dinero para construir escuelas y contratar
maestros expertos en cualquier nivel. El rapidísimo incremento de la
población, sobre todo en las naciones más pobres, significa un enorme
aumento de niños para quienes no existen ni existirán facilidades escolares.
Existe un analfabetismo considerable en la mayoría de los países
latinoamericanos; y las estadísticas oficiales no nos ofrecen un cuadro
exacto de esta tragedia moderna. Según cálculos oficiales, la población
analfabeta varía de un 8 por ciento en la Argentina hasta un 55 por ciento
en Bolivia; y países tan importantes como México y el Brasil arrojan un
saldo de 30 por ciento. Pero, habría que ponerse de acuerdo sobre la
definición de lo que constituye ser analfabeto para interpretar estas cifras.
Hay millones de niños clasificados como «alfabetizados» que no han
asistido más que uno o dos años a escuelas que operaban bajo condiciones
tan inferiores como la falta de libros o maestros bien preparados para los
cursos. Pero también en las grandes ciudades las escuelas, tanto públicas
como particulares, distan mucho de pertenecer a nuestra edad tecnológica.
Casi todas se encuentran alojadas en viejos edificios que posiblemente eran
casas particulares en un tiempo, donde no hay lugar para actividades
atléticas ni sociales, donde falta toda clase de equipo de laboratorio y
donde a menudo se establecen turnos de mañana y de tarde para acomodar
un número doble de estudiantes.

El sistema de enseñanza se divide básicamente en tres partes: primaria;
secundaria (también llamada liceo o colegio) y universitaria o superior. La
primaria tiene entre cinco y siete grados o años. Además de la instrucción
básica—lectura, escritura, cálculo aritmético—en muchas escuelas rurales
los niños aprenden trabajos manuales, por ejemplo carpintería para los
varones y corte y confección para las niñas. Las maestras (hay muy pocos
hombres en esta profesión) son egresadas de escuelas normales con un
diploma de bachillerato. La mayoría de los niños de la clase baja no llegan
a terminar este ciclo puesto que tienen que trabajar desde una edad muy
temprana para ayudar a la familia. Uno de diez niños llega a ser alumno
secundario, lo que de por sí crea una exclusividad basada en la estructura
de clases sociales.

En el nivel secundario prevalecen tres tipos comunes: el liceo, la escuela
normal y la comercial. Muchas de las materias son idénticas para las tres
ramas y no hay cursos optativos. En el liceo se estudia gramática y
literatura castellana, geografía, historia nacional y mundial, ciencias
naturales y un idioma extranjero. Con su diploma o bachillerato a mano, el
estudiante puede tomar sus exámenes de ingreso a la universidad, aunque
en algunos países se exigen dos años adicionales de «preparatoria». En la

*Estudiantes universitarios en busca
de información sobre cursos ofre-
cidos.*

Clase de un liceo para niñas en Chile. El guardapolvo blanco es obligatorio en varios países latinoamericanos y tiene la función de dar la misma apariencia a estudiantes de todos niveles socioeconómicos.

escuela normal se combina el estudio secundario con cursos teóricos y prácticos de pedagogía, y los egresados reciben el diploma de maestro. En casi todos los países hay un exceso ficticio de maestros o maestras ya que faltan escuelas. En el colegio comercial los estudiantes se especializan en cursos de contabilidad, taquigrafía e inglés, en vez de pedagogía, y al terminar su ciclo se reciben de perito mercantil. Los egresados tratan de encontrar empleo en el mundo de los negocios, pero también aquí hay más candidatos que puestos.

Ya que el liceo preparatorio a los estudios universitarios ofrece el paralelo más directo con la escuela secundaria estadounidense, valdría la pena examinarlo más detalladamente. Hasta ahora domina el método tradicional; se exige más que nada aprender de memoria y recitar en clase, se evita la discusión libre y no se permite la expresión individual. No hay cursos optativos, y en general tampoco hay posibilidades de participar en deportes ni en actividades artísticas y musicales fuera de la clase. Los profesores poseen casi todos un diploma universitario, pero son de «tiempo parcial», o sea que les pagan por curso. Por eso, la mayoría de ellos se pasan el día corriendo de una escuela a otra, enseñando un promedio de cuatro a cinco cursos en lugares distintos. Los estudiantes tienen que completar cierto número de materias obligatorias. Las notas varían de uno a diez, y un siete es necesario para aprobar. En la mayoría de los sistemas secundarios el estudiante puede presentarse varias veces a rendir un examen para aprobar una materia, digamos historia mundial, lo que explica por qué muchos estudiantes no sienten la urgencia de estudiar debidamente. No hay suficientes escuelas secundarias públicas, y no es exagerado afirmar que uno de tres estudiantes se queda sin matricular. Por eso muchos padres envían a sus hijos a liceos particulares, a menudo católicos. Pero la mayoría de las familias no tienen bastante dinero para permitirse este lujo, y consecuentemente los estudiantes pierden un año o dos esperando turno para matricularse en un colegio estatal. En muchos liceos todavía persiste la separación de los sexos, debido a la actitud tradicional hispánica y católica de evitar un contacto directo entre varón y muchacha a una edad considerada «peligrosa». Las relaciones entre el estudiante y el profesor son impersonales y apuradas, sobre todo porque éste desaparece después de dictar clase para ir a otra escuela.

Una visita a una escuela secundaria durante el invierno en una urbe sudamericana podría dar la siguiente impresión. El colegio está en un edificio viejo de dos pisos en el centro de la ciudad. Lo único que indica su función es un escudo esmaltado con la inscripción Escuela Normal Número 3. El oscuro corredor da sobre un patio de baldosas. A la izquierda hay una oficina iluminada. Al entrar se nota a una señora ya entrada en años con el tapado de piel puesto. A sus pies hay una pequeña estufa eléctrica prendida; no hay calefacción en estas viejas casas y la temperatura alcanza a unos sesenta grados de Fahrenheit. La dama sentada con el tapado es la directora; es locuaz, enérgica e inteligente. Habla de la falta de dinero para muchas cosas, sobre todo para libros y equipo eléctrico como proyectores y cintas grabadoras. Suspira; pero también se muestra orgullosa de sus maestras, sus buenas alumnas, su colección de diapositivas y las acuarelas pintadas por la clase avanzada de arte y dibujo. En las aulas están dictando clases. Hay de veinte a treinta alumnas—no hay varones—por aula; casi todas llevan un abrigo puesto. La profesora, también con un tapado puesto, camina de un lado a otro, hablando incesantemente. Las profesoras son competentes y hasta entusiásticas; las de francés e inglés a menudo hablan con una fluidez y pronunciación excelente. Preguntas y respuestas se suceden con un ritmo agitado que es característicamente «latino». En la clase de literatura latinoamericana están hablando de las famosas

El indio boliviano aprende el español. Escuela rural en Peñas.

Leyendas guatemaltecas escritas por Miguel Ángel Asturias, ganador reciente del Premio Nobel. También aquí el juego de pregunta y respuesta se desarrolla sin variaciones: —¿En qué cultura basa Asturias su literatura? —La maya. —¿Es pagana o cristiana? —¡Pagana! —¿Qué representa el buitre? —El conquistador español. —¿Qué simboliza el colibrí? —El jefe indio. —¿Qué significa el uso repetido del color verde? —La naturaleza. Las chicas en esta clase están en el cuarto año y tienen un promedio de dieciséis años. Un año más y se reciben de maestra. Después buscarán trabajo que a lo mejor sobra en las provincias más remotas, donde los niños vienen a la escuela a caballo y se quedan una semana entera si llueve ya que los caminos serían intransitables, donde nunca pasa nada y donde los sueldos llegan con cinco meses de atraso.

Cuando suena la campana, las profesoras salen precipitadamente, muchas para ir a otra escuela. Enseñan un promedio de quince a veinte horas semanales, lo que les rinde un sueldo aproximado de ciento cincuenta dólares al mes. Casi todas tienen título universitario y permanencia de empleo; casi todas se consideran intelectuales, interesadas en literatura, política y lo que pasa en el mundo de hoy. La directora las alaba; habla de sus años de servicio en el interior donde el personal docente era inepto y los sueldos se pagaban con un año de retraso; habla de sus esperanzas de tener una escuela flamante con salas de lectura y equipo moderno; pero también sabe que su escuela, tal como existe y funciona, sería un modelo de perfección en casi cualquier sitio del interior del país.

A la una se terminan las clases y las muchachas se lanzan a la calle. Algunas suben a los cuatro o cinco automóviles que las están esperando; las demás van caminando a sus casas o se sitúan en la parada de un autobús. La escuela no tiene comedor y las chicas almuerzan en casa. A las tres vuelven y se quedan hasta las seis. Muchas escuelas tienen dos turnos independientes, es decir, el estudiante sólo viene por la mañana o por la tarde, lo que alivia la matriculación pero debilita el plan de estudios. Las alumnas saben que pertenecen al grupo privilegiado del 5 a 10 por ciento de los jóvenes que estudian en la secundaria. Tienen conciencia de minoría selecta aunque se dan cuenta de que hay un exceso de maestras normales o peritos mercantiles. Tener el bachillerato todavía significa prestigio social.

El ambiente más aristocratizante se encuentra en las escuelas particulares, a menudo copias de los liceos franceses o los *English Prep schools*, que están a la disposición de la clase adinerada y en general ofrecen la mejor instrucción y facilidades técnicas y deportivas. Tanto en las afueras de Santiago de Chile como en las de Montevideo o São Paulo uno puede presenciar a muchachas de falda gris y saco azul jugando al hockey en la más rancia tradición británica.

El cambio de un sistema de enseñanza destinada a una minoría a una estructura que abarcara a toda la población necesitaría una visión populista, un planeamiento muy sistemático y, desafortunadamente, una inversión de dinero que alcanzaría cifras casi astronómicas. Debido al estado de subdesarrollo, los gastos militares y el rápido aumento de la población de edad escolar, parece casi imposible mejorar el sistema existente. Ni siquiera extraña que en algunas regiones el analfabetismo y la escasez de escuelas sigan en aumento ya que no hay facilidades para los millones de niños que nacen cada año en países cuya economía está en bancarrota o funciona todavía en el siglo XVIII.

El sistema universitario sigue las prácticas y la filosofía pedagógica del nivel secundario. Naturalmente son muchas las variantes que existen en los diversos países. La universidad típica opera con fondos del ministerio de educación—aunque hay algunas católicas independientes—y está dividida en Facultades tales como las de Ingeniería, Agronomía, Medicina, Ciencias Sociales y Ciencias Naturales. Hasta la época actual, las dos más concurridas han sido la de Derecho y la de Filosofía y Letras. Las universidades más viejas se encuentran en el centro de las ciudades, tal como la de San Marcos en Lima, fundada en 1551. Poco a poco tuvieron

Facultad de Ingeniería con columnas griegas cerca del puerto de Buenos Aires.

que separar sus facultades y alojarlas en cualquier edificio disponible. La Universidad de Buenos Aires, que cuenta con unos cien mil estudiantes, tiene unos edificios viejísimos en la zona céntrica para Filosofía y Letras, una maravilla arquitectónica con columnas griegas para Ciencias Sociales en un barrio elegante y un rascacielos para Medicina en la zona del puerto. En los últimos años se vio el auge de la «ciudad universitaria», un *campus* completo en las afueras de la capital nacional o provincial. Sin duda, el precursor fue la Ciudad Universitaria de México, con sus famosos frescos pintados por Diego Rivera y el lema de Vasconcelos en grandes letras que pronuncia: «Por mi sangre hablará mi espíritu».

Los planes de estudio son generalmente tan rígidos como los del nivel secundario. Después del examen de ingreso el estudiante se especializa en seguida. Si elige, por ejemplo, historia o psicología, necesita rendir exámenes en una cantidad de materias requeridas, digamos un total de veinticuatro o treinta. Muchos estudian tres o cuatro materias por semestre; pero generalmente no se requiere la presencia en clase. En muchos países el estudiante puede presentarse varias veces al año para ser examinado en una materia y puede repetir el examen varias veces si es aplazado. La nota mínima para ser aprobado es siete (de diez), pero el promedio del estudiante no sufre si lo aplazan en una materia. Este sistema explica por qué hay una cantidad de estudiantes «eternos» que se presentan una vez al año para un examen y por qué de diez mil estudiantes matriculados en una universidad nunca aparecen más que mil a la vez. El título más común es la licenciatura, que podrá tener más o menos una equivalencia al *Masters Degree*. También se otorga el doctorado, pero es menos frecuente que el *Ph.D.* de los Estados Unidos. Pero hay muchos abogados que sacan el doctorado, y también hay títulos especiales como el de Ingeniero en países como México.

La mayoría de los profesores son de tiempo parcial y dictan una cátedra, más por el prestigio social que por la paga. La desventaja de este sistema reside en que, por ejemplo, un médico enseña biología y un abogado, ciencia política, y que los dos se ganan la vida en una carrera profesional que funciona aparte de la universitaria y que no les permite ponerse al tanto de lo que pasa en su vocación académica. Pero, tan grande es el prestigio social de tener una posición en la universidad que hay una gran cantidad de jóvenes con doctorado que están esperando turno para ser nombrados asistentes de profesores sin que este empleo les pague un solo centavo.

Las universidades han sido tradicionalmente centros de actividades políticas, lo que de vez en cuando puede causar la intervención o clausura por parte del gobierno. Hay un número de factores que contribuyen a esta situación. Los estudiantes saben que de sus filas salen los futuros dirigentes que van a administrar la economía y la burocracia de la nación. Entonces para estos jóvenes—minoría pequeñísima—la actividad política es un complemento lógico, sobre todo cuando los partidos políticos abiertamente solicitan su apoyo. En muchos países rige una ley de autonomía universitaria que prohibe la intervención de la policía o de tropas en la universidad y que deposita el control de la misma en manos del profesorado y estudiantado. Naturalmente el nivel de autonomía varía también de un lugar a otro. En la Universidad de Caracas, por ejemplo, los estudiantes tienen voto en la contratación de profesores, en el establecimiento de cursos de estudio y en la determinación de exámenes. Desafortunadamente el factor político puede dominar al académico; y un excelente profesor políticamente conservador será inaceptable a un consejo de estudiantes de tendencia izquierdista. En los países actualmente bajo control militar, como ocurre en la Argentina y en el Brasil, las universidades estatales han sido intervenidas, lo que significa que el gobierno nombra a los nuevos rectores y decanos y despide o contrata a los catedráticos. Con la supresión de la libertad académica por parte de las dictaduras, comienza otro ciclo caótico.

En las últimas dos décadas casi no hubo país latinoamericano que no presenciara prolongadas huelgas estudiantiles, manifestaciones callejeras, choques sangrientos entre estudiantes y policía o tropas y la renuncia libre o forzada de profesores o decanos eminentes. Las incertidumbres políticas, la clausura o interrupción de los estudios, la falta de facilidades en el campo de las ciencias y el éxodo de los profesores más capacitados, todo esto dificulta la carrera universitaria; y no sorprende que muchas familias adineradas envíen a sus hijos a estudiar en los Estados Unidos o en Europa. Se calcula que anualmente hay unos diez mil venezolanos matriculados en universidades estadounidenses, o sea el 25 por ciento del estudiantado del país.

En nuestro siglo el estudiante universitario latinoamericano ha mostrado una fuerte tendencia hacia el activismo político, tanto de izquierda como de derecha. Podrá ser miembro de una facción marxista o de la Acción Católica, aunque no cabe duda que el liberalismo o izquierdismo predomina. Pero, más que la afiliación política importa hoy en día la actitud idealista de esta juventud, con su anhelo y su impaciencia de reformar su país a través de soluciones inmediatas y concretar de este modo sueños utópicos. Este afán explica por qué más de uno deja de interesarse en el estudio de la historia romana o la química inorgánica y busca compartir un interés nacional y una reforma social. La revolución estudiantil que se presencia hoy en el Mundo Occidental tiene, en parte, antecedentes en la América Latina, donde los estudiantes han estado tantas veces a la vanguardia de la lucha para imponer su idealismo contra tiranías militares u oligarquías anticuadas. Inevitablemente, existe un descontento de parte del estudiantado universitario en Latinoamérica en cuanto al funcionamiento y la misión de sus instituciones académicas. Pero sería imposible cambiar el sistema de enseñanza superior sin alterar simultáneamente las realidades políticas, económicas y sociales de las respectivas naciones.

Arturo Cancela

No abunda, desafortunadamente, el humor en la literatura latinoamericana. Cancela, prominente satirista argentino, supo tratar del tema de la corrupción y manipulación política con una ironía mordaz y acertada. Para Cancela el oportunismo y la venalidad de los funcionarios públicos igualan la incompetencia y retórica de los candidatos «más destacados» a la presidencia del país. La campaña «contra el conejo» es simplemente un instrumento más para las ambiciones políticas de los que piensan en su propio provecho en vez de pensar en el de su patria. Es de imaginarse que el público argentino o de cualquier país hermano tiene una opinión igualmente pesimista de la política debido a los políticos.

El cocobacilo de Herrlin

Versión abreviada

Capítulos I y II

El cónsul honorario de la Argentina en Suecia, Johann van der Elst, informa al Ministro de Agricultura en Buenos Aires de la existencia de un bacilo muy eficaz para la exterminación de los conejos, enemigos proverbiales de la agricultura, descubierto por el profesor sueco Herrlin. El ministro es aplaudido en la Cámara de Diputados al pronunciar un discurso sobre el posible uso del cocobacilo para ayudar a los colonos.

Capítulo III: La mancha azul

Y al reflexionar en la soledad sobre su triunfo oratorio, advirtió que había sido el intérprete inconsciente de una gran aspiración del alma nacional: la guerra al conejo...

Esta comprobación le llevó prontamente a planear la campaña decisiva contra la plaga, campaña que constituía, según él mismo había dicho, «una improrrogable e imperiosa urgencia nacional».

Quedó así resuelta[2] la contratación del sabio sueco, por el gobierno argentino, para dirigir la campaña en contra del conejo.

Al mismo tiempo el ministro encargó al doctor Simón Camilo Sánchez el proyecto[3] de la oficina que se haría cargo de los trabajos para combatir la plaga y llevaría a la práctica las combinaciones científicas[4] del profesor sueco.

El candidato no podía ser mejor elegido. El doctor Simón Camilo Sánchez era director general de agricultura, ganadería y psicicultura, y catedrático[5] de derecho internacional, procedimiento consular, historia americana, economía política y filosofía del derecho.

Este personaje enciclopédico sometió al ministro, a los pocos días,[6] el plan completo de la nueva repartición que se llamaría «Departamento de Protección Agrícola». Por ese proyecto, el territorio de la República se dividía en veinte zonas, cada una de las cuales se entregaba a la vigilancia de un comisariato que debía informar, semanalmente, sobre los destrozos ocasionados por los conejos y los lugares y circunstancias en que se hubiese visto rondar a los merodeadores de largas orejas.

El ministro aceptó el plan en todos sus detalles y lo incluyó en el presupuesto para el año entrante, destinándole una suma global de medio millón de pesos. Entretanto creó, por simple decreto, el Departamento de Protección Agrícola y constituyó, con doscientos cincuenta empleados, los cuadros del futuro personal de la dependencia.

Ésta comenzó a funcionar al poco tiempo,[7] bajo la dirección del ubicuo y omnisciente Simón Camilo Sánchez. Los veinte comisariatos iniciaron su acción con mucho empuje[8]: desde todos los puntos de la República llegaron telegramas, notas, informes y comunicaciones, señalando los sitios en que los conejos ejercitaban su voracidad y haciendo notar la rapidez de movimientos y el carácter tímido de los perjudiciales roedores. Con tales datos, el Departamento de Protección Agrícola dibujó un mapa, en el que se representaba con una mancha azul el radio de acción de los conejos. La ingeniosa carta, que fue reproducida en todos los diarios, llevó la alarma a los espíritus más indiferentes: la mancha azul lo cubría todo... Parecía que sobre el territorio de la República se hubiera volcado un frasco de tinta Stephens.

Capítulo IV: Preliminares de la campaña

Los comisariatos de la Protección Agrícola no tuvieron al comienzo función ofensiva alguna. Su labor consistió en vigilar al enemigo, descubrir sus puntos de concentración, sus hábitos de vida, el forraje que prefería y las horas que destinaba al reposo. Estas tareas, justo es reconocerlo, fueron admirablemente cumplidas por las veinte secciones.

A los cuatro meses de su creación, pudo asegurarse oficialmente que los conejos eran animales cuadrúpedos, mamíferos, de unos cuarenta y cinco centímetros[9] de largo, muy veloces y extraordinariamente fecundos. Apenas agotados tales reconocimientos,[10] comenzaron a llegar atentas observaciones de algunos comisariatos respecto a la exigüidad del personal

[2]**quedó así resuelta** se decidió   [3]**encargó ... el proyecto** put ... in charge   [4]**llevaría ... científicas** would implement the scientific techniques   [5]**catedrático** university professor: Latin American universities are still largely staffed by part-time instructors who are usually professional men teaching for prestige or political reasons. Dr. Sánchez, apparently an attorney who has taught many subjects vaguely related to his field, would be a typical example of such a teacher.   [6]**a los pocos días** después de algunos días   [7]**al poco tiempo** shortly thereafter   [8]**empuje** entusiasmo   [9]**cuarenta y cinco centímetros** one and one-half feet: In all of Latin America the metric system is used.   [10]**apenas ... reconocimientos** as soon as these findings had been reported

que se les había atribuido.[11] «Para informar a esa dirección sobre el desarrollo y las proporciones de la plaga en toda la provincia», decía, en una nota, Delfín Acuña, el jefe del comisariato de Mendoza,[12] «no bastan los diez empleados que tengo a mis órdenes. Si el señor ministro quiere que nuestro resumen hebdomario[13] se refiera a toda la zona cultivada, es preciso decuplicar, por lo menos, ese personal». Y Delfín Acuña entraba en el detalle de la distribución estratégica que daría a esos empleados.

Simón Camilo Sánchez, al informar al ministro sobre estas notas, sostuvo el aumento del presupuesto, pero como la situación económica no lo permitía, las comunicaciones fueron archivadas.

Delfín Acuña no era hombre de hacer una observación en balde. Se había venido junto con la nota a la capital, y había tenido aquí largas conferencias con los diputados de su provincia.[14]

Así, la primera vez que el Ministro de Agricultura concurrió a la reunión de la comisión de presupuesto, se vio forzado a convenir que el personal de los comisariatos era efectivamente escaso. La comisión propuso en seguida un aumento considerable de los empleados dedicados a la extinción del conejo. En total: 1.200 ciudadanos recibieron emolumentos oficiales gracias a la maravillosa eficacia del cocobacilo de Herrlin.

Semejante acrecentamiento del personal hizo necesaria la ampliación del organismo administrativo central. Se crearon, fuera del presupuesto, las oficinas de «dirección del personal», «estadística» y «propaganda»: trescientos nuevos ciudadanos cobraron sueldos del Estado.

Capítulos V a IX

El profesor Herrlin llega a Buenos Aires para asumir sus funciones de perito en la lucha contra el conejo, pero se ve condenado a esperar la llamada del ministro en una pensión porteña mientras que pasan los meses y el Departamento de Protección Agrícola sigue creciendo sin tregua.

Capítulo X: Síntesis de tres ejercicios financieros

Desde que el Ministro de Agricultura obtuvo aquel triunfo parlamentario a base de los informes de Johann van der Elst, hasta que en el Instituto de Bacteriología pudo abrirse a una vida efímera[15] el primer esporo de un cocobacilo de Herrlin, pasaron muchos meses. Las estaciones se sucedieron unas a otras; las cañas se hincharon de savia y los campos se cubrieron varias veces de avena, cebada, maíz y alfalfa. El presupuesto del Departamento de Protección Agrícola alcanzó sucesivamente las cifras de dos, cuatro y seis millones; las oficinas metropolitanas rebosaron de empleados, los comisariatos se multiplicaron en todo el país y el servicio de propaganda, que seguía siendo el predilecto de Simón Camilo Sánchez, llegó a formas insuperables. Todos los trenes que cruzaban el territorio llevaban avisos luminosos y en las noches serenas de la pampa, las lechuzas doctas y noctámbulas veían, y sin asombro, correr por entre la empalizada de los postes telegráficos esta fúlgida leyenda: «El conejo es el peor enemigo de la agricultura».

Indiferentes a esta continua detracción, los conejos crecían y se multiplicaban sin descanso. A

---

[11]**atribuido** assigned   [12]**comisariato de Mendoza** la oficina a cargo de la provincia de Mendoza, que se encuentra en el Oeste del país junto a la frontera con Chile [13]**hebdomario** semanal: This quote from the report to the Secretary mimics the artificial style used in official correspondence.   [14]**provincia** La Argentina está dividida en veintidós provincias que eligen a senadores y a diputados nacionales al Congreso en Buenos Aires en épocas normales.   [15]**pudo ... efímera** could come into brief existence

pesar de su extraordinaria actividad nutritiva, aquéllos dejaban siempre algo, con lo que el colono podía sembrar para la próxima cosecha.

En cambio no hay recuerdo de que la cuenta anual del Departamento de Protección Agrícola se haya cerrado nunca sin déficit. Semejante insuficiencia crónica de recursos hizo imposible la creación del Instituto de Bacteriología, en que debía prepararse el bacilo aniquilador de la plaga. Herrlin, sin embargo, fue ocupado algún tiempo en la preparación de un nuevo plan de campaña. Por espacio de muchos meses debió redactar un largo informe que nadie se tomaba el trabajo de leer. La conclusión invariable de todos esos documentos, consistía en aconsejar la propagación inmediata del cocobacilo, de acuerdo con el plan que había formulado.

Capítulos XI a XIV

Pasan cuatro años durante los cuales el Departamento de Protección Agrícola sigue creciendo sin que se hayan utilizado los servicios del profesor Herrlin. Cuando los diputados socialistas[16] por fin exigen que se les muestre el cadáver de un solo conejo, el Ministro de Agricultura decide instalar al sabio bacteriólogo sueco en su deseado Instituto.

A la inauguración del Instituto de Bacteriología Agrícola siguió, pocas semanas después, la creación de la «Junta Fiscalizadora[17] Honoraria de los Trabajos en contra del Conejo», que debía informar sobre las investigaciones científicas del profesor Herrlin. Componían esa junta el indispensable Simón Camilo Sánchez, varios altos funcionarios y el doctor Aníbal Gaona, exmagistrado, exministro, exvocal del Consejo de Educación, exembajador, etc., etc.

El doctor Gaona era la persona de mayor prestigio del país. Su reputación de integridad no podía ser igualada por nadie, porque nadie como él había firmado siempre en disidencia en los acuerdos de las cámaras de apelaciones,[18] ni había renunciado tantos ministerios a los pocos días de aceptarlos como una solución nacional,[19] ni había sufrido un número mayor de injustas derrotas en los comicios. Su designación fue acogida con aplauso por todo el mundo y señalada como un indicio de que el gobierno estaba irrevocablemente resuelto a llevar adelante la campaña leporicida.[20]

El profesor Herrlin no podía iniciar sus trabajos hasta tanto la junta no le oyese y aprobase su plan. Tuvo, pues, que aguardar a que se constituyese, redactase su reglamento, eligiese presidente al doctor Gaona, nombrase dos secretarios rentados[21] y discutiese, durante varias semanas, el local en que celebraría[22] definitivamente sus sesiones.

Por fin, cierto día pudo exponer, ante la junta en pleno[23] y en presencia del Ministro de Agricultura, las virtudes de su cocobacilo. Su disertación fue escuchada en medio de un silencio impresionante.

Capítulo XV: Una campaña electoral

A tiempo que la Junta Fiscalizadora Honoraria debía expedirse[24] respecto al informe del profesor Herrlin, las elecciones de renovación presidencial comenzaban a agitar al país. Al principio, como no se conocían aún las candidaturas definitivas, la agitación pública se manifestaba ardorosa, pero confusamente. Algunas elecciones provinciales,

---

[16]socialistas   Aunque los dos partidos principales en la Argentina en la década de 1920 eran la Unión Cívica Radical y el Partido Conservador, en Buenos Aires ganaban siempre los socialistas debido a la masa obrera que votaba en gran número.   [17]Junta Fiscalizadora Congressional Watchdog Committee   [18]nadie ... apelaciones nobody else had always cast the dissenting vote in the Courts of Appeal   [19]solución nacional compromise to end a political crisis   [20]leporicida para matar al conejo   [21]rentados con sueldo   [22]celebraría [the Committee] would hold   [23]en pleno in full session   [24]expedirse enviar un informe

preludio del gran acto comicial,[25] fueron ganadas por los elementos de Delfín Acuña, empleados todos de los comisariatos locales, y esta derrota enardeció a las oposiciones.[26] El Departamento de Protección Agrícola fue calificado de «máquina electoral puesta al servicio del gobierno y alimentada con los dineros del pueblo» y estigmatizada en mil manifiestos.

Y cuando la convención del partido oficial[27] designó su candidato al doctor Aníbal Gaona, presidente de la Junta Fiscalizadora Honoraria de los Trabajos en contra del Conejo, los grupos opositores arreciaron en su campaña.

En contra de Gaona, la coalición opositora[28] alzó el nombre del doctor Juan Carlos Vértiz, que había sido intendente de San Luis durante la revolución de 1896, que, como se sabe, duró tres horas y cuarenta y cinco minutos.

Entre ambos candidatos, de méritos tan equilibrados,[29] el triunfo era indeciso. Sus programas respectivos no iban ciertamente a dividir la opinión: el del doctor Gaona proclamaba «libertad de sufragio, reducción del presupuesto, fomento del comercio y las industrias», y el de su antagonista enunciaba «pureza electoral, diminución de los gastos, propulsión de las industrias y el comercio».

Miembros de la oposición, exasperados por el desarrollo de la campaña, atacan el Instituto donde se encuentra el doctor Herrlin, el que es herido en la cabeza por una piedra. Como consecuencia Herrlin pierde la memoria. Delfín Acuña y Aníbal Gaona organizan un enorme banquete al sabio sueco como aparente muestra de desagravio, pero en realidad con fin de afianzar el triunfo del candidato presidencial. Para fomentar el entusiasmo de los concurrentes, se sirve conejo.

Desfile marcial en celebración de una fiesta nacional, Buenos Aires.

Capítulo XVI: The Rabbit's March

Delfín Acuña había contratado con destino a la comida la provisión de 4.000 conejos, cuyas pieles, después de sacrificados, fueron distribuidas a los elementos de los comités gaonistas que debían formar en la manifestación de antorchas.[30]

El doctor Gaona ofreció la demostración.[31] Cuando, al retirarse el último plato de conejo, se puso de pie, estalló en la sala una ovación ensordecedora. El candidato a la presidencia se inclinó conmovido y encarándose con el «privat-docent»,[32] le expuso cuánta admiración tenía por su talento, cuánto respeto por sus nobles

[25]**gran acto comicial** presidential, congressional and statewide elections   [26]**oposiciones** political parties not in power   [27]**partido oficial** party in power   [28]**coalición opositora** opposing political parties: Like most Latin American nations, Argentina usually has more than two major parties. While the party in power presents its official candidate, at times the other parties combine their voting strength behind one compromise candidate.   [29]**de ... equilibrados** with such matching qualifications   [30]**los elementos ... antorchas** the pro-Gaona Committee people that were to take part in the torchlight parade   [31]**ofreció la demostración** acted as host   [32]**privat-docent** academic title in Sweden roughly comparable to that of assistant professor in the United States

ROSARIO

Manifestación estudiantil para protestar la intervención del gobierno en los asuntos de la universidad.

condiciones personales y cuánta gratitud por los servicios incalculables que había prestado al país... Y mientras desarrollaba extensamente estos tres tópicos, el aludido paseaba la mirada distraída de sus ojos azules por el *plafond*[33] del teatro. En el preciso instante en que terminó la peroración del candidato, Delfín Acuña aplicó al «*privat-docent*» un puñetazo en el estómago que le obligó a doblarse sobre la mesa en señal de agradecimiento, y antes de que se repusiese del golpe, el doctor Gaona lo estrechó cordialmente en sus brazos. En ese momento, en medio de las ovaciones delirantes que suscitó el discurso y la escena del abrazo, la banda del maestro Malvagni atacó[34] los primeros compases de «*The Rabbit's March*» («*La marcha del conejo*»), que había venido a ser el himno nacional de los gaonistas. ¡Qué entusiasmo, entonces! ¡Con qué profunda unción se elevaron las primeras palabras de la canción partidista!

> Combatimos al conejo
> desde el norte del Bermejo
> hasta el cabo Santa Cruz.[35]

El eco de la canción llegó hasta la multitud que, con las antorchas encendidas y tremolando 4.000 pieles de conejo, daba un aspecto fantástico a la Plaza Libertad.[36] Y 10.000 voces trémulas de cívica emoción entonaron el himno augusto:

> Combatimos al conejo
> desde el norte del Bermejo
> hasta el cabo Santa Cruz.

Capítulo XVII: El conejo no existe

Después de esta demostración triunfante el candidato oficial tenía aparentemente asegurada la presidencia. Pero los diputados socialistas, que habían estado examinando cuidadosamente los informes del Departamento de Protección Agrícola, por fin descubrieron que los mapas mostrando una alta concentración de conejos en casi todo el país habían sido un producto de la fecunda imaginación de Delfín Acuña y sus colaboradores.

Es de imaginarse[37] el escándalo que en torno a este asunto promovió la disputación socialista. Las revelaciones que agregaron respecto al manejo de los fondos de la Protección Agrícola y sobre la inercia criminal que había reinado en las gestiones para la aplicación del cocobacilo produjeron en todo el país una sensación de estupor.

El presidente de la República declaró que ayudaría con todo su poder al esclarecimiento del «*affaire*»[38] y dio órdenes al jefe de policía[39] para que se pusiera al servicio de la comisión investigadora parlamentaria.[40]

Ésta inició la instrucción del sumario[41] en medio de una gran expectativa pública. Se tomó declaración al Ministro de Agricultura, a Simón

---

[33]plafond (French) ceiling   [34]atacó empezó   [35]Bermejo ... Cruz Bermejo is a river close to Paraguay in the North, whereas Cape Santa Cruz marks the southern continental limit of Argentina.   [36]Plaza Libertad una plaza en el centro de Buenos Aires cerca del Teatro Colón y de los Tribunales   [37]es de imaginarse uno se puede imaginar   [38]affaire The use of the French term gives the scandal a seedy note. [39]jefe de policía probablemente el jefe de la Policía Federal, comparable a la FBI [40]para ... parlamentaria to carry out the instructions of the Congressional Investigating Committee   [41]instrucción del sumario Congressional hearing

Camilo Sánchez, al doctor Gaona y en fin a todos los que habían tenido alguna participación en la campaña contra el conejo. Cuando le llegó el turno a Delfín Acuña, se anunció que acababa de partir para Montevideo[42] y, en su lugar, la comisión investigadora hizo traer a su seno[43] al profesor Herrlin. Los taquígrafos de la prensa no pudieron recoger ni una sola palabra de las pocas pronunciadas en sueco por el sabio.[44] Después de una serie de tentativas para entender al «privat-docent», la comisión dictaminó que ese individuo no podía ser autor de los brillantes trabajos que figuraban en el Informe,[45] y que éstos, con toda seguridad, eran fraguados, como

los mapas. Augusto Herrlin fue devuelto a casa de doña Asunción[46] y exonerado, en el día,[47] por el superior gobierno. El doctor Gaona declinó su candidatura a la presidencia y el Ministro de Agricultura presentó su dimisión, que le fue aceptada. En cuanto a Simón Camilo Sánchez, emprendió discretamente un viaje al Brasil, con la intención de renunciar a la vuelta.

El doctor Juan Carlos Vértiz fue elegido presidente sin oposición. El día de su asunción del mando,[48] después de prestar juramento[49] ante el Congreso, se encaminó a su quinta de Morón,[50] para meditar sobre los hombres que debían compartir con él la pesada carga del gobierno.

Víctor Alba

Aunque la mayoría de las instituciones que existen en los Estados Unidos y la América Latina sean similares, su función no es siempre idéntica. Las actividades de las fuerzas armadas y de los sindicatos latinoamericanos, por ejemplo, se orientan hacia problemas locales. La posición social de los oficiales jóvenes hoy en día los empuja hacia la intervención del ejército en el plano social para construir viviendas, escuelas y caminos y crear una reeducación del pueblo en favor de un fuerte espíritu nacional. El sindicalismo sufre de males que incluyen sobre todo la falta de organización en el interior, un altísimo porcentaje de analfabetismo y un espíritu regional que excluye una visión nacional referente a los problemas de empleo, sueldo o beneficios sociales.

[42]Montevideo Capital del Uruguay: Tradicionalmente los políticos argentinos se refugiaban en Montevideo, que queda al otro lado del Río de la Plata, durante épocas adversas.   [43]hizo ... seno summoned to its chambers   [44]... sabio. Due to the concussion received during the attack on the Institute of Bacteriology, Professor Herrlin is still suffering from partial amnesia that has erased any recollection of his stay in Buenos Aires.   [45]Informe el informe oficial de la dependencia encabezada por el doctor Sánchez   [46]doña Asunción Professor Herrlin's landlady, in whose boardinghouse he has been living for the past four years   [47]exonerado, ... día fired instantly   [48]el día ... mando on Inauguration Day   [49]prestar juramento being sworn in   [50]su quinta de Morón su casa de campo cerca de la capital

El general Onganía entrega espadas bendecidas por el cardenal a los cadetes egresados.

Los subamericanos Los militares

Estos militares jóvenes, sin embargo, no dejan de ser, de una manera nueva, militaristas, es decir, intervencionistas,[51] como lo vemos, por ejemplo, en el hecho de que en algunos países siguen detentando[52] el poder (El Salvador) o de que influyen en las decisiones gubernamentales (la Argentina, el Brasil). Se consideran a sí mismos como guardianes de los movimientos antidictatoriales en los que participaron. Tienen, además, una mentalidad tecnocrática; quisieran que la economía de sus países fuera planificada, que la eficacia se estableciera como norma suprema de la política, y se muestran a veces impacientes por las componendas, transacciones y aplazamientos de la política civil parlamentaria. Es todavía prematuro pretender adivinar cuál será la evolución de este nuevo militarismo. Dependerá en gran parte de tres elementos: (1) la consolidación de la democracia y la estabilidad económica de Iberoamérica, que les quitará la tentación de intervenir en política, puesto que no habrá nada «por salvar», (2) la resistencia eficaz contra la penetración comunista, no sólo en el ejército, donde entre los militares jóvenes no hay simpatía sino admiración por el pragmatismo comunista y su aparente eficacia y (3) la evolución de la coyuntura internacional[53] que puede influir en la organización militar de los países iberoamericanos.

El militar joven es transformador, como lo era el caudillo del siglo XIX, pero sin el elemento de caudillismo que existía entonces y que reapareció en el militarismo demagógico.[54] En el fondo quisiera actuar como lo hacen los *managers* modernos de las nuevas industrias que se establecen en Iberoamérica y sin duda lo que más podría incitarlo a intervenir en política y hasta a dar golpes militares, sería la convicción de que los regímenes democráticos son ineficaces en el terreno económico, es decir, que no le dieran la impresión, los gobiernos, de ser buenos consejeros de administración compuestos de técnicos bien adiestrados.[55]

El militar joven—por lo menos, la parte, todavía pequeña, más consciente y más dada a la teorización—pasa por una crisis de conciencia que no es, fundamentalmente, muy distinta de la que preocupa a los jóvenes militares franceses. Saben que los ejércitos de los que forman parte no son capaces de cumplir con su misión; saben que, por su pasado dictatorial, no gozan de simpatía, y al mismo tiempo han visto que esta simpatía pueden ganarla con gestos sencillos y directos. Desean, por encima de todo, encontrar una razón de ser a su profesión y dar con ella un sentido a su propia

[51]intervencionistas dispuestos a actuar políticamente   [52]detentando manteniendo ilegalmente   [53]coyuntura internacional situación mundial   [54]militarismo demagógico dictadura militar con un programa político extremado e ideológico, como el justicialismo de Perón o el castrismo en Cuba   [55]que no ... adiestrados que estos gobiernos ineficaces no utilizan un sistema administrativo manejado por expertos y tecnólogos

existencia. Hoy en día, forman uno de los núcleos, en cada país, en que están más vivos y acuciantes los problemas de conciencia.

Estos militares han de convivir con sus mayores, de mentalidad completamente distinta y han de actuar dentro de los cuadros anacrónicos de ejércitos que no responden ni a sus aspiraciones ni a ninguna necesidad real. Nadie sabe lo que esta serie de contradicciones y conflictos personales y de grupo puede provocar, ni qué reacciones determinará. En todo caso, parece evidente que este nuevo tipo de militar (por hoy todavía militarista, pero posiblemente dispuesto a dejar de serlo) predominará mañana en Iberoamérica.

Una de las manifestaciones, todavía modesta, pero sintomática, de la mentalidad de estos militares jóvenes, es su actividad extramilitar. En México, por ejemplo, toman parte activa en las campañas de erradicación de enfermedades. En Honduras y El Salvador, colaboran en la planificación de obras públicas y en su ejecución. En Bolivia llevan a cabo un considerable trabajo de colonización y en las obras públicas. Esta participación, todavía mínima y no generalizada, en el desarrollo nacional es considerada por muchos militares jóvenes como el camino apropiado para acabar con el militarismo y como el medio mejor para dar al ejército una función y a sus componentes un prestigio social del que ahora carecen.

Si en el Cercano y Medio Oriente se puede hablar de un «socialismo militar»,[56] en Iberoamérica se está en camino, aparentemente, de poderse hablar de una «tecnocracia militar», por lo menos como aspiración de ciertos grupos de los ejércitos y, posiblemente, en el futuro, de ciertos grupos industriales y de *managers*. Pero esto, de momento, es simple conjetura.

Factores negativos en el sindicalismo latinoamericano

1. El porcentaje considerable de analfabetismo entre los trabajadores o, cosa de efectos aún más peligrosos, el gran número de alfabetos sin ninguna instrucción fuera de las primeras letras.[57] Esto los hace reacios, en general, a todo interés por cualquier actividad cultural, impermeables a las explicaciones complicadas y desconfiados. Por otra parte, este bajo nivel cultural ayuda a fomentar en el seno de la clase obrera las diferencias; la creación de castas de obreros más instruidos abre más el «abanico de salarios»[58] y debilita el sentimiento de solidaridad en el seno de los sindicatos.

2. La procedencia campesina de la inmensa mayoría de los trabajadores industriales. Éstos, en época de crisis económica o de paro forzoso, regresan a sus pueblos, donde, por lo menos, tienen asegurados el techo y la alimentación, por ínfima que sea. En no pocos lugares, el obrero abandona el trabajo con motivo de las prolongadas fiestas de su pueblo y para ir a ayudar a la cosecha; esto provoca una fluctuación constante de la mano de obra[59] ... y dificulta tanto la educación obrera como la formación técnica y la especialización del asalariado industrial. En cambio, puede convertir a esos mismos trabajadores, semimigratorios, si se sabe aprovechar esta circunstancia mientras continúa, en una especie de misioneros de la educación obrera.

3. La persistencia de la mentalidad campesina— aislamiento, desconfianza, poco interés por las cuestiones sociales, empirismo, indiferencia ante la cultura[60] —en el trabajador urbano. Habría que realizar un estudio especial de la influencia de este

---

56 «socialismo militar» La palabra «nasserismo» sigue prominente en el vocabulario de los que analizan la interacción entre el ejército y la acción social. El modelo de esta acción proviene de Egipto, donde la monarquía corrupta del rey Faruk provocó la reacción de los oficiales jóvenes e idealistas.   57fuera ... letras outside of learning how to read simple material   58abanico de salarios wide spread in the pay scale   59mano de obra labor force   60empirismo, ... cultura only interested in what works out for him for the moment and not paying any attention to the overall situation

hecho en la psicología del obrero latinoamericano, tanto en el trabajo como en el sindicato, como respecto a su actitud frente a sus hijos, en el hogar y en las diversiones. Se descubriría, sin duda, que el alcoholismo, el consumo de hierbas nocivas,[61] la inestabilidad afectiva y familiar,[62] tienen por principal causa la inadaptación del campesino a la vida y al trabajo urbanos.

4. El trabajador latinoamericano se encuentra en un período de transición del artesanado y del trabajo en pequeño taller, de oficio, al trabajo en cadena,[63] racionalizado. Esto crea problemas de orden psicológico, de adaptación, que repercuten en su actitud sindical y en su conducta general.

5. La escasa participación de las mujeres en la industria: una de cada doscientas treinta y tres, o sea el 0,41 por ciento de todas las mujeres mexicanas (contra el 0,65 por ciento, o una de cada ciento cincuenta y tres, como profesionistas,[64] o el 0,43 por ciento, o una de cada doscientas cuarenta y tres, como estudiantes universitarias). Esta desproporción es causa, también, de desajustes en el trabajo, en el hogar, en la vida sentimental, y no pocas veces motiva injusticias sindicales.

6. La abundancia de niños trabajadores, en edad que la ley no permite. Aunque no se enfoca hacia ellos,[65] la educación obrera debe contar con que una parte de quienes se beneficien con ella habrán empezado a trabajar en la infancia, y, por tanto, carecerán, a la vez, de instrucción suficiente y del hábito del estudio.

Visión, México, D. F.

Como institución, la Iglesia católica llegó con los conquistadores y ofreció una amplia base común a las diversas naciones indígenas y, más tarde, a las repúblicas independientes de la América Latina. Pero, a pesar del monopolio institucional que la Iglesia católica ejerce en el hemisferio, su punto de vista social no es uniforme. En buena parte la filosofía personal de los prelados brasileros, cubanos o chilenos decide la posición oficial de la Iglesia frente a problemas tan vitales como el control de la natalidad en las regiones subdesarrolladas donde no hay ni habrá tierras, empleos o escuelas para millones de niños por nacer.

[61]hierbas nocivas   marihuana   [62]la inestabilidad ... familiar   disruptive family relations   [63]trabajo en cadena   assembly line production   [64]como profesionistas   en el nivel profesional   [65]aunque ... ellos   aunque las leyes obreras no toman en cuenta el trabajo de niños

Malthus y Paulo VI

Cuando el lunes 29 de julio el Vaticano dio a conocer al mundo su encíclica *Humanae Vitae*, sobre el control de la natalidad, el Papa Paulo VI abrió una polémica que excede los límites del catolicismo, grupo religioso al cual pertenecen o están vinculadas directamente unos quinientos millones de personas.

La excitación general es comprensible: los términos de la encíclica involucran aspectos íntimos de la vida familiar, atañen a la conciencia de cada individuo y cada pareja, afectan intereses económicos, políticos, sociales y religiosos. El sexo y las prácticas sexuales están en el centro del conflicto, y son, en la sociedad occidental contemporánea, una fuerza desbordante.

Sin duda, para las naciones industrializadas, las implicaciones del debate se reducen más al campo moral que a ningún otro. En el Tercer Mundo, en cambio, y en especial en la América Latina, continente sobre el cual la Iglesia católica ha tenido y tiene más influencia, sus implicaciones caen de lleno en el terreno sociológico: afectan la economía, el desarrollo, la vivienda, la vida social, la comunidad agraria.

Quizá, por eso, el Papa esperó varios años antes de pronunciarse, y eligió los momentos previos a su viaje a Colombia para hacerlo.

Doctrina tradicional. Contrariamente a lo que muchos esperaban, la encíclica no hizo otra cosa que reafirmar la doctrina tradicional de la Iglesia. Sin embargo, el documento, que habría sido aceptado pasivamente en la década de 1940, bajo el pontificado de Pío XII, encuentra hoy obstáculos serios: la generalización del uso de los anticonceptivos entre los católicos más cultos y conscientes, la aceptación de esos métodos por teólogos, obispos, sacerdotes y dirigentes laicos de la Iglesia, la extendida premisa ... de que estos temas tienen que decidirse según la conciencia de

Niños guatemaltecos con voluntarios del Cuerpo de Paz estadounidense. Todos necesitan escuelas.

cada pareja y el hecho de que el Sumo Pontífice no haya hablado *ex cathedra*.[66] Si lo hubiera hecho, sus opiniones tendrían, para los católicos, el valor del dogma; en cambio, tienen el valor de una indicación papal que debe reflejar la opinión del Pueblo de Dios, es decir, de los obispos, los sacerdotes y, en fin, de la grey.[67]

. . .

Las reacciones. En la América Latina, las reacciones fueron diferentes: mientras que las jerarquías eclesiásticas de todos los países acataban en general (y defendían públicamente en algunos casos) la encíclica, los católicos se dividían peligrosamente.

«La Iglesia salvadoreña acata en términos generales la encíclica», dijo a *Visión* monseñor Arturo Rivera Damas, obispo auxiliar de San Salvador.

Y Pablo Muñoz Vega, arzobispo de Quito: «Unánimemente, la posición de la Iglesia es de total adhesión a la encíclica en el problema de la natalidad».

[66]ex cathedra decretando un dogma religioso en su capacidad de Sumo Pontífice   [67]grey flock

En la Argentina, el mensaje del cardenal primado, Antonio Caggiano, al Papa, fue la más incondicional de las adhesiones. En Colombia, el administrador apostólico de Bogotá, Aníbal Muñoz Duque, expresó: «Me complazco en trasmitir a Vuestra Santidad las voces del episcopado colombiano, identificadas con la vuestra augusta».

Sin embargo, no todo fueron adhesiones: «Estoy consternado, desilusionado», manifestó el chileno Rodolfo Valdés, condecorado por el Papa Pío XII y actualmente presidente del Centro Nacional de la Familia. «Los católicos esperábamos otra respuesta del Santo Padre».

«El crecimiento de la población del mundo es alarmante y en Latinoamérica superior a otros continentes», expresó el cardenal boliviano José Clemente Maurer en una pastoral que firmaron todos los obispos y que agregaba, «Las generaciones venideras juzgarán severamente a la generación de nuestro tiempo tanto por su egoísmo y su avaricia en la limitación de una paternidad generosa cuanto por la paternidad irresponsable e irracional».

Esta mención tan clara de la «paternidad irresponsable» por parte de la jerarquía boliviana coincidió con otras interpretaciones similares del problema. En Chile, por ejemplo, el cardenal Raúl Silva Henríquez declaró que «no es un acto de virtud el tener más hijos de los que uno puede tener, mientras que es un acto de virtud el tener un número de hijos que uno puede educar, que puede formar, porque no sólo se ha de dar la vida física al hombre, sino sobre todo la vida espiritual».

13 de septiembre de 1968

Herminia Brumana

Las breves selecciones presentadas por esta escritora que ejerció el magisterio por muchos años provienen de cartas enviadas a ella por diferentes motivos. Sin excepción señalan la falta de comprensión del proceso educativo o del porvenir de los niños por parte de los padres.

Tizas de colores   Cartas escolares

Archivadas y clasificadas, las cartas que llegan a la escuela podrían constituir un verdadero estudio social para quien supiera leer entre líneas.

. . .

«... Puede borrarla[68] porque no va a ir más a la escuela; la he colocado[69] y me gana unos pesos para ayudarme.

«Yo siento que salga de segundo grado, porque iba muy bien, pero ya es grande y por ser la mayor tiene que trabajar para sus hermanos.»

(La chica tiene diez años.)

«... Y si no se porta bien y no le estudia la lectura, puede dejarlo en penitencia o castigarle

---

[68]borrarla quitar su nombre del registro escolar   [69]colocado puesto a trabajar

todo lo que quiera, que yo ya le llevo rotos bastante palos por la cabeza, pero no me hace caso[70]...≫.

≪Permiso para salir todos los días a las once, así le prepara la comida al padre, porque yo también trabajo, pero me quedo a comer en la fábrica, así no gasto en tranvía≫.

(La niña, de segundo grado, tiene nueve años.)

≪X. X. no va a clase porque no tiene zapatillas. Cuando mi marido cobre la quincena[71] lo voy a mandar≫.

≪...Yo no mando a mi hija a la escuela para que la sienten con un varón. Ella en su casa no tiene más que buenos ejemplos de moral, y no quiero que en la escuela aprenda lo que no deba. Así que haga el favor de sentarla con una niña como ella de buenas costumbres≫.

Allan R. Holmberg

Modern public education is so expensive that even the richest countries are known to operate deficient school systems. Thus it is to be expected that in poor nations the educational picture is usually dark, especially in the faraway provinces or regions where Spanish or Portuguese is not the principal language. As can be seen from the following excerpt, dealing with the Peruvian *altiplano*, the problems are numerous: the *criollo* landowners oppose schooling for the Indian because they would like to keep him ignorant and dependent, the government spends too little money for proper schools or teaching staff and the few teachers who are willing to leave the cities for the Indian village are often incompetent or not interested in working under adverse and primitive conditions. A fairly similar situation exists in most of the rural areas of Latin America, especially those with a high concentration of Indians.

Social Change in Latin America Today
Changing Community Attitudes and Values in Peru: A Case Study in Guided Change

New Goals in Education and Health

Perhaps the most significant change that has occurred at Vicos is that education for the children and for the villagers has now become both a possibility and a goal. In the whole process of changing practices and perspectives within this peasant community, education and enlightenment

have played the key role. It was assumed from the very beginning of the project that, without a carefully designed program of education, both formal and informal, it would be impossible either to establish or perpetuate whatever changes were proposed, in ways of work or of thinking. For this reason a basic rule in the Vicos experiment has been to find out first what the community aspired

[70]**no ... caso** he pays no attention to me   [71]**cobre la quincena** gets his two-weeks' pay

Salón comedor de una escuela primaria peruana con fondos para proveer alimentos.

On investigation, the reasons for this situation soon became apparent. For one thing, under the traditional *hacienda* system, no support was given by the owner to education. *Hacienda patrones* were concerned not with developing an enlightened population but with maintaining the status quo. For them, children were a source of unskilled labor which might be lost once they were given the opportunity to learn new skills and acquire new values.

In the second place, the parents of the children resisted the idea of providing an education for their children. To a certain extent this was attributable to defects in the national educational system as well as to the conditions in which it functioned under the traditional *hacienda* system. In Peru, Indian villages such as Vicos are frequently supplied with unprepared and ineffective teachers who are not qualified for a teaching post in an urban center. Conversely, such teachers often seek appointments to Indian areas in order to retain their professional status as teachers. Even if the teachers are conscientious in their efforts, they frequently come into conflict with *patrones* and are not given any facilities to live and work. More often, perhaps, being *mestizos*, they share the prejudices of the outside world and thus tend to treat Indian children as inferior and put them to work as servants and gardeners instead of teaching them badly needed skills. An Indian parent who observes these abuses—and they occur frequently—sees no reason to send his children to school, particularly when their labor is badly needed at home.

At Vicos, the teaching post and facilities were so inadequate that only the poorest teachers accepted an appointment there. The children who actually attended school had to sit on the ground in an outside and drafty corridor of a crumbling adobe building where the teacher herself lived in poverty and misery. In any single year the total school

to achieve and then, through the formation or strengthening of local groups, as in the case of the *mayorales*,[72] to place these goals in a broader setting, so that in achieving them the community would also be building a body of knowledge, skills and attitudes which would in turn foster in it a solid and self-reliant growth. In the long run this kind of growth can only take place through education in the broad sense of the word.

Something of the educational problem in the *sierra*, as well as the significance of education for the future development of the Indians of Peru, can be gleaned from a brief review of the Vicos experience. When a member of the Cornell-Peru project first came to study Vicos in 1949, he found that a primary school had already been in operation for the past nine years. Yet he was unable to find a single child of primary school age who could read or write, either in Spanish or in his own tongue. A little Spanish was spoken by a mere handful of young men, most of it learned during their army service.

[72]*mayorales* un comité local para integrar las necesidades locales con la planificación de la administración regional o nacional

population had never exceeded fifteen to twenty pupils out of a possible three hundred fifty, and none of them had ever had more than a year or two of the poorest possible training. Moreover, it was almost unheard of to send a girl to school. No wonder the process of learning was not highly valued! In the traditional *hacienda* system there was simply no place or need for education, as can be clearly seen by the following figures on the state of education at Vicos in the latter part of 1951:

Had not gone to school	1,576
Were going at the time	36
Could read and write (very poorly)	5

It may be added that of the thirty-six pupils then at school many had been encouraged in this by the influence of the Cornell-Peru project, which had only recently been initiated.

The first efforts at education, in any formal sense, were directed toward improving the facilities and training available for children as well as for younger adults. First, the leaders of the project had to win some measure of confidence within the community, largely through the visible rewards of economic progress and through the spirit of mutual respect fostered by sharing the making of decisions. Only then did they begin holding numerous meetings with parents, Indian leaders and teachers to discuss the building of a school which would be adequate to provide at least a primary education for all children of the community. At the same time, abuses in the old system, such as absenteeism of teachers and the use of pupils as servants, were abolished. New rewards for good attendance were provided. Since many children had to come from as far away as a half-hour on foot, a school lunch program was initiated to provide better nutrition. Since many of the Indian families were desperately poor, this in itself may have provided the primary stimulus for more than tripling the school population after the first year of the lunch program.

Other means of support for schooling were found gradually. The Ministry of Education sent more and better teachers. The community set about building a new schoolhouse. By the end of the second year, the first wing of a modern school had been finished. By the end of the third year, a second wing was being built, including a spacious auditorium which is now used also for community functions.

Visión, México, D. F.

No es difícil establecer una correlación entre el aumento de la población, el ingreso anual por cabeza (*per capita*), el nivel de analfabetismo y el estado de sub-desarrollo—o, si se prefiere, de la miseria social—de un país. Si tomamos dos casos extremos, la Argentina muestra teóricamente un perfil estadístico prometedor ya que su aumento de la población es mínimo, el analfabetismo casi no existe y el ingreso promedio es bastante alto. En cambio, la República Dominicana, con una población muy joven, una tasa de nacimientos elevadísima, un analfabetismo de un 40 por ciento y un ingreso anual de unos doscientos dólares por persona, indica claramente una situación extremadamente crítica. Sería fácil pronosticar que esta nación continuará presa de una fuerte inestabilidad política y social ya que no pueden existir soluciones para la miseria general del pueblo bajo las circunstancias prevalecientes.

16 de agosto de 1968

La América Latina a mediados de año

PAÍSES	Cálculo de población a mediados de 1968 (millones)	Tasa actual de aumento de la población	Años requeridos para duplicar la población	Tasa de mortalidad infantil (defunciones de menores de 1 año por cada 1.000 nacimientos)	Esperanza de vida en fecha de nacimiento (en años)	Población de menos de 15 años (porcentaje)	Población analfabeta de 15 o más años (porcentaje)	Ingreso nacional per cápita (en dólares)
Argentina	23,4	1,5	47	60,65	63,70	29	5,80	740
Bolivia	3,9	2,4	29			44	55,65	144
Brasil	88,3	3,2	22			43	30,35	217
Colombia	19,7	3,2	22	82,00		47	30,40	237
Costa Rica	1,6	3,5	20	75,10	62,65	48	10,20	353
Cuba	8,2	2,6	27	35,45		37	15,25	310
Chile	9,1	2,2	32	107,10		40	13,16	515
Ecuador	5,7	3,4	21	93,00		45	30,35	183
El Salvador	3,3	3,7	19	61,40	57,61	45	45,50	236
Guatemala	4,9	3,1	23	91,50	50,60	46	60,70	281
Haití	4,7	2,5	28	110,13	35,45	38	80,90	80
Honduras	2,5	3,5	20	70,90		51	50,60	194
México	47,3	3,5	20	60,70	58,64	46	30,35	412
Nicaragua	1,8	3,5	20	60,80		48	45,50	298
Panamá	1,4	3,2	22	40,60		43	20,30	425
Paraguay	2,2	3,2	22			45	20,25	186
Perú	12,8	3,1	23		55,60	45	35,40	218
República Dominicana	4,0	3,6	20	81,00	57,60	47	40,00	212
Uruguay	2,8	1,2	58	40,45	65,70	28	8,10	537
Venezuela	9,7	3,6	20		65,70	46	30,35	745
TOTAL	257,3							
Canadá	20,7	1,6	44	23,60	72,00	33	0,30	1.825
Estados Unidos	201,3	1,1	63	22,90	71,00	31	0,30	2.893
Alemania Occidental	60,3	0,6	117	26,40	71,00	23	0,10	1.447
España	32,4	0,8	88	34,60	70,00	27	10,20	594
Francia	50,4	1,0	70	21,70	71,00	25	0,30	1.436
Italia	52,8	0,6	117	35,60	70,00	24	5,10	883

Fuente: Population Reference Bureau

Discusión

1. ¿Por qué fue el regionalismo una fuerza negativa en cuanto a las constituciones establecidas después de la Independencia?
2. Según un punto de vista peninsular, ¿qué destruyó la unidad política de Latinoamérica?

3. Cite algunas causas de lo que Sarmiento llamó «barbarie» durante el siglo XIX.

4. ¿Cómo funciona el sistema semifeudal en las zonas rurales?

5. Cite tres ejemplos de movimientos o líderes populistas en el siglo XX.

6. Dé algunas razones que expliquen la constante intervención militar en la mayoría de los países latinoamericanos.

7. ¿Qué antecedentes hispánicos del militarismo latinoamericano existen, según el profesor Lieuwen?

8. Haga un comentario sobre el éxito popular del justicialismo.

9. ¿Qué cambios se notan en la orientación de los oficiales jóvenes en la actualidad?

10. ¿Qué ventajas ofrecía a la Iglesia el formar parte de la administración colonial?

11. ¿Por qué se observó una fuerte diminución de la influencia de la Iglesia en la época de la Independencia?

12. ¿Por qué mostraba la Iglesia poco interés en mejoras materiales de la población hasta hace poco?

13. ¿A qué se debe la ruptura entre el clero militante y el tradicional hoy en día?

14. ¿Qué rol juega la Iglesia en el problema del exceso de población?

15. ¿Cuáles serían las ventajas de tener un sistema educacional administrado en un nivel nacional?

16. ¿Qué tipos de escuelas secundarias puede cursar el estudiante en muchos países?

17. ¿Cuál es la función del colegio particular?

18. ¿En qué se nota el tradicionalismo en los métodos de enseñanza?

19. ¿Qué significa «autonomía universitaria»?

20. ¿En qué se distinguen los profesores de liceo y de universidad latinoamericanos de los estadounidenses?

21. ¿Qué defectos sociales señala Cancela en su celebrada sátira política?

22. ¿Qué crisis de conciencia afecta al militar joven de hoy, según Víctor Alba?

23. ¿Qué posibles beneficios aportaría el militar moderno a las naciones mal administradas de la América Latina, según Alba?

24. ¿Cómo fue recibida la encíclica del Papa Paulo VI por los prelados latinoamericanos?

25. ¿Quiénes resistían la implantación de un sistema escolar en Vicos y por qué motivos?

26. ¿Qué obstáculos psicológicos existen entre los maestros mestizos y los indios de Vicos?

27. ¿Qué rol juega el Ministerio de Educación en la campaña proescuela en el Perú?

Capítulo siete
Estratificación y espíritu de clases

El contraste entre los ricos y los pobres todavía es poderoso.

EL SENTIDO DE CLASE

El desarrollo de las diversas clases sociales en la América Latina suscita en la actualidad un gran interés dentro y fuera del hemisferio. Cabe destacar que el énfasis en el estudio de estas clases y su estratificación es un fenómeno reciente, concebido en términos de los sociólogos, demógrafos y demás profesionales que investigan las relaciones de grupos humanos. Naturalmente que la existencia de clases sociales ya se encuentra en la historia antigua. Fueron los pensadores del tipo de Karl Marx que promovieron la conciencia de la existencia de clases sociales para provocar una confrontación directa entre ellas. Y fueron los investigadores del tipo de Max Weber que sistematizaron el estudio de las personas de acuerdo con su posición social. Estos estudios, casi siempre académicos, tienen una trayectoria bastante breve, sobre todo en Latinoamérica donde hace unos veinticinco años muchas universidades no ofrecían siquiera cursos de sociología o de antropología cultural.

Existía, sin embargo, a principios de este siglo una abierta lucha de clases entre el llamado proletariado, o sea la clase obrera, y la oligarquía, o sea la clase alta que controlaba el comercio y la riqueza en los países latinoamericanos. Esta confrontación se generalizó hasta tal punto en el transcurso del siglo XX que llegó a ser el tema más urgente, más discutido y más popular para todo aquél que se ocupa de la situación político-económica en la América Latina. Desde los comienzos de la Revolución mexicana en 1910 hasta el justicialismo de Perón en la Argentina de 1946 a 1955, la Revolución cubana de 1958 encabezada por Fidel Castro, las reformas económicas de los gobiernos militares de Bolivia y del Perú en 1970 y la elección de un presidente comunista en Chile en 1971, la lucha de clases sociales está a la vista.

La condición extremada de la clase baja llamó la atención de sociólogos como Oscar Lewis, mientras que el análisis de la clase media y sobre todo de la alta quedó al margen de las cosas. No hay duda de que la «antropología de la pobreza» es más cultivada hoy en día que el estudio de la clase alta en el mundo académico; y hasta el hombre de la calle se ocupa ya poco de los «de arriba». El conocido investigador K. H. Silvert halló, por ejemplo, que el chileno típico tiene una idea muy nebulosa en cuanto a la definición de la clase alta de su país.

LA CLASE ALTA

Aunque no hay una documentación adecuada sobre las actividades de la clase alta durante los siglos posteriores a la Conquista, es posible seguir el origen y desarrollo de esta clase dentro de un marco de rigidez clásica   **231** que hasta la Revolución francesa y la Independencia de las colonias del Nuevo Mundo reflejaba una especie de Derecho Divino a favor de la llamada aristocracia. Los historiadores nos explican lo obvio cuando hablan de la ocupación de las tierras americanas por los conquistadores y de la división tradicional básica: la de conquistadores y conquistados. Pero esta fácil distinción no alude al desarrollo de una clase dominante si tenemos en cuenta que la mayoría de los militares y funcionarios de la Corona española o portuguesa sólo estuvieron en el Nuevo Mundo algunos años y que volvieron a su respectiva patria.

La flamante aristocracia de Latinoamérica nació con la posesión de la tierra, sus riquezas y la mano de obra barata de los indígenas y más tarde de los esclavos africanos. En la época anterior a la Revolución Industrial la base económica de la clase alta residía en la posesión de tierras, tanto en Europa como en el Nuevo Mundo. Tradicionalmente el hidalgo venía a ser

Función de abono en el Teatro Colón, Buenos Aires. El traje de etiqueta es obligatorio.

Polo: el deporte de la clase alta.

«hijo de algo», y este «algo» significaba la posesión de terrenos valiosos junto con la mano de obra necesaria para su rendimiento. Según los estudios recientes existían entonces varios tipos dentro de la incipiente clase alta en la América Latina: (1) los encomenderos de México y del Perú en cuyos latifundios los indios realizaban cultivos para el consumo local; (2) los mineros del altiplano y de México que también operaron con la mano de obra baratísima de los indígenas; (3) los *senhores de engenho* del Brasil y los hacendados de Cuba que se enriquecían con el azúcar, el algodón y a veces el tráfico negrero; (4) los mercaderes que dominaban el comercio con Europa y el tráfico marítimo.

En cuanto al origen social de los precursores de la clase alta latinoamericana, la mayoría de ellos no tenían vínculos con la vieja nobleza lusohispánica y más bien pertenecían al pueblo. Pero con el paso de dos o tres generaciones las familias consideradas «plebeyas» en la península ibérica se sentían aristocracia en el Nuevo Mundo gracias a su dominio sobre las tierras, las minas, los indígenas y los grandes comercios. Los altos funcionarios reales con sus títulos y su linaje venían, oficiaban y se iban, mientras que el poder económico—fuente primaria de todo poder—se afianzaba más y más en manos de los terratenientes y comerciantes criollos.

Siguiendo la tradición europea, la clase alta criolla adaptó actitudes y normas que la separaban visiblemente de los demás. Este proceso se llevó a cabo mediante el cultivo de un modo de vida «noble» que debió contrastar con el «vulgar» de la masa, sobre todo de los millones de indios y negros que formaban el enorme sostén de la pirámide social. La vida noble incluyó un gran interés por lo espiritual y religioso, sobre todo en las mujeres, la veneración del abolengo y la sangre «limpia», un desprecio absoluto por cualquier tipo de trabajo manual y el uso de toda clase de símbolos (vestimenta, vivienda e idioma) que perpetuaban una exclusividad de vida.

En nuestra época la clase alta ha sido duramente criticada y atacada por haber continuado su conducta privilegiada, su modo de pensar tradicional y también su aparente incapacidad de dirigir los destinos de las naciones latinoamericanas modernas. Todavía en control de las grandes plantaciones, haciendas e ingenios, la clase alta ha participado bastante poco en el establecimiento y fomento de las diversas industrias que podrían ser la fuente de trabajo y mejor nivel de vida para el proletariado. También se opuso a las reformas sociales que debían resultar en una participación democrática en la riqueza de los países respectivos por parte de la masa obrera. A medida que avanzaba el siglo XX, los latifundistas perdieron su influencia en las regiones tecnológicamente avanzadas donde el poderío económico ya es manejado por los ejecutivos profesionales que pertenecen a la clase media. En los países muy subdesarrollados, sin embargo, las viejas familias, dueñas de latifundios o minas, representan todavía una élite poderosa.

No hay duda que la clase alta se encuentra en pleno estado de transformación. Su influencia y posición social o económica varían mucho de un lugar a otro. Para formar parte de esta minoría selecta en un lugar de provincia bastaría ser miembro de una familia «con apellido», la viuda de un general o el dueño de la única fábrica de los alrededores. En las grandes ciudades las páginas sociales anuncian desde hace tiempo noviazgos y bodas donde se juntan apellidos rancios con los de la nueva burguesía acaudalada. La modificación de la estructura de esta clase continuará con ritmo acelerado, determinado en buena parte por la impaciencia de la masa. Para los críticos de la clase alta, ésta se ha mostrado caduca, incapaz de adaptarse a las necesidades de hoy, sin comprensión para los problemas tecnológicos modernos y siempre lista para aliarse con generales o dictadores para mantener su precaria jerarquía.

Pero como entidad abstracta, esta clase mantiene un fuerte prestigio social debido a la admiración involuntaria de la clase media dispuesta a imitar un modo de vida históricamente ligado a una aristocracia terrateniente que en la sociedad de masas de hoy se perfila como romántica.

LA CLASE MEDIA

Mientras que la clase alta linda sólo con la que se encuentra directamente inferior a ella, la clase media está entre dos extremos sociales. Pero aparte de su posición intermedia, también abarca en la actualidad un gran radio de acción. A medida que la clase alta sigue perdiendo su ascendencia económica, la clase media continúa su expansión hacia arriba y al mismo tiempo absorbe enormes masas de trabajadores, sobre todo urbanos, que antes pertenecían a la clase baja. En la última parte del siglo XX estamos presenciando un movimiento centrífugo de las clases sociales latinoamericanas que presenta una acción paralela al ciclo iniciado con anterioridad en los Estados Unidos y Europa. Lógicamente, la esperanza de los líderes políticos moderados, tanto de los países latinoamericanos como de los Estados Unidos, se proyecta hacia un ensanchamiento constante de esta clase media, para crear una amplia base democrática que pueda garantizar una fuerte estabilidad social tanto como la exclusión de gobiernos de extrema, sobre todo de la izquierda.

En sus comienzos, la clase media en la América Latina se componía de artesanos, gran cantidad de comerciantes minoristas, funcionarios menores

Vivienda para la clase media baja cerca de Santiago de Chile, construida con la ayuda de fondos nacionales.

de la administración colonial y pequeños agricultores o ganaderos. Peninsular o criollo, ninguno de ellos poseía los privilegios de la nobleza que, por ejemplo, no pagaba impuestos a la Corona. Según el investigador Sergio Bagú, en su libro *Estructura social de la Colonia,* un comerciante adinerado tenía la oportunidad de comprarse un título nobiliario para gozar de los privilegios de la nobleza o clase alta, lo que inició el aburguesamiento de ésta. Sin embargo, la clase media criolla tuvo que esperar hasta el comienzo de la lucha por la Independencia para integrarse hasta cierto punto a los descendientes de encomenderos y antiguos aristócratas al hacer causa común contra las tropas de España o Portugal.

Hasta la llegada de la Revolución Industrial—todavía ausente en muchas regiones de Latinoamérica—la clase media se constituía de mercaderes, artesanos y propietarios de algunas tierras. Estos grupos gozaban de poco prestigio social y poseían un poder político limitado. Sólo hacia mediados del siglo XX comenzó a ensancharse la clase media de un modo perceptible. Naturalmente, es difícil establecer los límites de esta clase ya que es tan amorfa y compleja que los demógrafos la dividieron hace tiempo en tres segmentos básicos: clase media alta, intermedia y media baja. En realidad, esta subdivisión es simplemente un modo de constatar la creciente participación en la vida nacional por parte del pueblo en general. Aunque las líneas de demarcación son forzosamente vagas, se puede establecer características generales para cada una de las tres divisiones de la clase media.

En la clase media alta se encuentran los profesionales de la vida contemporánea: médicos, abogados, ingenieros, educadores, gerentes, contadores o pequeños fabricantes. Su origen no se remonta casi nunca a la clase alta de antaño; más bien son hijos o nietos de descendientes de inmigrantes sin recursos: españoles, portugueses, italianos, alemanes o judíos de la Europa Oriental. Casi siempre muestran una gran voluntad de triunfar en el nivel materialista. Los hombres tratan de imponerse en su mundo profesional, mientras que sus buenas esposas leen con avidez las páginas sociales en los periódicos y sueñan con casar a su hija o hijo con un miembro de la ≪aristocracia≫. Casi sin excepción, sus hijos cursan los estudios universitarios para poder alcanzar el éxito en el mundo de mañana. No es, sin embargo, absolutamente indispensable amasar una fortuna o cosechar títulos universitarios para pertenecer a este grupo social. Hay escritores y poetas sin un centavo y sin título que ocupan altos cargos diplomáticos y hay viudas empobrecidas de próceres o generales que ocupan un lugar destacado en la escala social.

En el centro de la clase, la intermedia, podemos ubicar a los millones de empleados públicos y privados que a menudo ganan menos que un buen mecánico de taller, pero que, gracias a su camisa blanca, corbata y saco y un certificado de enseñanza secundaria, pueden darse el gusto de sentirse superiores a la clase obrera. Debido a la increíble inflación que existió y existe en tantos países latinoamericanos, este grupo ha sido el más perjudicado económicamente ya que vive de sueldos fijos que aumentan poco y tarde. El comerciante minorista, el tendero y el artesano también pertenecen a este grupo numeroso, y en las zonas tecnológicamente subdesarrolladas constituyen todavía la médula del comercio y la industria. La inflación los molesta poco ya que pueden ajustar sus precios a la economía.

En la clase media baja situamos a miembros del viejo proletariado que en la actualidad comienzan a obtener sueldos y beneficios que antes estaban reservados a capataces o técnicos especializados. Por ahora estas oportunidades existen sólo en grandes empresas como, por ejemplo, las compañías Altos Hornos de México, Volkswagen del Brasil o Siam di Tella de la Argentina. Pero debido a la continua industrialización de la América Latina, los torneros, los mecánicos de automóvil o los operadores de computadoras gozarán de ingresos que antes estaban reservados para la clase media; y algunos de ellos hasta manejan ya un viejo Fiat o Volkswagen.

Al hablar de una clase media desarrollada que cuenta tal vez con un 20 a 30 por ciento de la población total de un país, no podemos referirnos

Para la clase media los puestos escasean. Trabajar en una firma y llevar camisa y corbata es la preferencia de casi todos.

todavía a todo el hemisferio sino que tenemos que destacar a naciones como la Argentina, el Uruguay, el Brasil, México, Venezuela, Chile y Costa Rica, y dentro de éstas a las regiones urbanas. Existe una alta concentración de la clase media en las regiones del Río de la Plata, el Sur del inmenso Brasil, el Distrito Federal de México, Caracas con su economía basada en el petróleo y el eje Santiago-Valparaíso en Chile. En estas zonas la clase media se asemeja cada vez más a la de los llamados países desarrollados en su actitud de consumidor moderno con su aparato televisor, la heladera eléctrica, la estufa a gas y, a veces, un pequeño automóvil. Esta clase sabe que forma parte de una corriente social que aumenta año tras año y que exige muy seriamente buenas facilidades para educar a sus hijos además de un nivel de vida promedio que aparece diariamente en los avisos comerciales de las pantallas de televisión.

Es innegable que los miembros de esta clase ayudan a crear un fuerte elemento estable en medio de extremos de riqueza y de miseria que, al chocar, crean situaciones políticas volubles. Psicológicamente, la clase media ofrece un buen respaldo para la moral ciudadana y un fomento entusiasta para la tecnocracia moderna. Despliega esta clase el espíritu racionalista de aquel olvidado siglo XVIII que inventó el triunfo del optimismo y el progreso humano mediante constantes mejoras materiales. También es la clase que se erige en guardián de las buenas costumbres y de la moral ajena, que se siente católica en la religión, tradicionalista en la conducta social y moderada en la política. Por eso es la esperanza de los que en ambos hemisferios aspiran a imponer un sistema democrático en las regiones que todavía son víctimas de una naturaleza hostil, de una población sin medios de educación o de sustento y de dictaduras que a menudo entran en juego para mantener en jaque a los «desclasados».

Para Charles Wagley, autor de varios libros académicos sobre la cultura latinoamericana, la clase media se enfrenta con el dilema de querer imitar un estilo de vida moderno que absorbe a través de revistas, películas y, últimamente, programas de televisión y de sentirse frustrada en sus gestiones diarias por alcanzar este modo de vivir debido a las múltiples insuficiencias tecnológicas. El profesor Wagley cita la falta de vivienda económica, la escasez de transportes públicos, la ausencia de escuelas, la espera de cinco años para instalar un teléfono privado y, más que nada, el proceso inflacionario que en muchas naciones está rebajando el nivel de vida alcanzado por esta clase. La vida moderna exige entonces sacrificios de esta clase social. Para costear los estudios de los hijos en colegios privados, adquirir artefactos eléctricos o vestirse decentemente, muchos padres de familia mantienen dos empleos y sus esposas trabajan también en número cada vez más elevado. Pero, a pesar de los obstáculos, la clase media sigue ensanchándose.

Mientras que la clase alta, cada vez más efímera en las zonas urbanas, se perfila ya como una especie de club exclusivo cuya esencia reside en el pasado, la clase media representa genuinamente la sociedad de masas de hoy, precursora de la sociedad del futuro. Su bienestar es el factor más esencial para encaminar la América Latina hacia una transición feliz a la sociedad de masas que dentro de pocos años contará con trescientos millones de habitantes.

LA CLASE BAJA

Siglos antes de que se hablara de una estratificación de clases, la pirámide social durante la época colonial le había reservado los niveles más bajos al campesino indio y al esclavo africano; y apenas un poco más arriba se situaron a los mestizos y mulatos. La mayoría de todos estos grupos formaban el complemento humano de los repartimientos y los latifundios bajo el control de dueños peninsulares o criollos. Sólo un reducido porcentaje de indios pudieron continuar su vida comunal en aldeas aisladas, y cierto número de mestizos y mulatos pudieron establecerse en las ciudades para colocarse de sirvientes o, con un poco de suerte, aprender algún oficio.

Hoy el campesino continúa ocupando una posición social inferior y a menudo lleva un tren de vida poco más adelantado que el de sus antepasados. De acuerdo con los demógrafos, Latinoamérica tiene todavía un 55 a 60 por ciento de población rural compuesta de varios tipos de campesinos. El más inferior de ellos es, sin duda, el campesino nómade de las zonas tropicales que vive de su monocultivo donde tala y quema la maleza en la selva. Su existencia precaria lo condena al analfabetismo, las enfermedades, la falta de higiene más absoluta, la deficiencia nutritiva y una rutina diaria increíblemente primitiva. En las comunidades indígenas de México, Guatemala o el altiplano del Pacífico, el esfuerzo combinado de los participantes permite una vida más variada y sana, y aquí ya abundan los corrales con animales domésticos. Naturalmente, sequías prolongadas y lluvias torrenciales pueden crear un año trágico para el campesino y dejarlo sin productos que vender para comprar herramientas, ropa o un poco de café para endulzar un ritmo de vida monótono y frugal. Por eso la filosofía de vida de la gente rural se reduce a la simple fórmula: ≪Cuando hay plata, hay comida; cuando no hay, no hay≫. Los que todavía forman parte de la plantación, de la hacienda o del ingenio tradicional se encuentran en un sistema paternalista que tiene la ventaja de ofrecer un mínimo de protección económica a cambio de una posición social de dependencia casi absoluta.

Los sociólogos que se especializan en la población rural latinoamericana observan que el mestizo del campo se diferencia bastante poco del indio en su modo de vivir. Es generalmente analfabeto, supersticioso en sus creencias, desconfiado de los forasteros y falto de títulos de las tierras que cultiva. Pero al mismo tiempo se muestra dispuesto a aceptar el mundo tecnológico que le llega desde las ciudades en forma de una radio portátil, una bicicleta o un camión. Más que el indio, el mestizo y zambo abandonan en números apreciables la plantación o el minifundio para ir a las ciudades donde compiten activamente por los empleos que todavía abundan a su nivel de conocimiento ya que la tecnología no ha desplazado al ser humano en muchas ocupaciones. Pocos son los que están dispuestos a volver a la monotonía de la vida comunal o de reintegrarse al régimen paternalista de la plantación; y, por más que el campesino que viene a la ciudad esté obligado a compartir con su familia una existencia miserable en una casucha de arrabal, le queda la esperanza de que sus hijos obtengan vivienda, escuela y empleo decentes.

Pero la historia de la clase baja en la América Latina incluye también otro tipo social: el obrero inmigrante que llegó en la época de 1900 y que constituye el proletariado, o sea antítesis de la burguesía, según los críticos sociales y escritores naturalistas de aquel entonces. Fue la época del capitalismo absoluto en la que el obrero de la fábrica, del taller, del puerto o ferrocarril pertenecía automáticamente a la clase baja y cobraba un sueldo tan ínfimo como su prestigio social. Aunque en general le faltaba

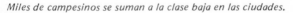

Miles de campesinos se suman a la clase baja en las ciudades.

una ideología social y desconocía los preceptos de Karl Marx sobre la inevitabilidad de un conflicto abierto entre la burguesía y el proletariado, este obrero urbano sabía por lo general leer y escribir, se afiliaba a los sindicatos, participaba en mitines políticos y a veces desfilaba por las calles céntricas pidiendo mejoras que en realidad le permitieran participar en la vida de la clase media a través de un nivel de vida más alto.

No existen por ahora datos precisos sobre la afiliación a los sindicatos obreros en la América Latina. El profesor F. Bonilla calcula que en la actualidad hay unos diez o trece millones de trabajadores sindicalizados, la mayoría de ellos en los países más industrializados, es decir, México, el Brasil, la Argentina, Chile y el Uruguay. Según el profesor Bonilla también es difícil obtener cifras exactas sobre la desocupación que reina en las filas de los obreros. En los últimos años las medidas de austeridad necesarias para combatir la inflación que a veces alcanzaba un 100 por ciento anual crearon un ciclo de reajuste económico que trajo una fuerte desocupación en las ciudades. En cuanto al desempleo rural, es muy difícil asignarle porcentajes ya que millones de campesinos sólo trabajan por temporadas o durante las cosechas.

Es interesante notar que a pesar de una ausencia total de prestigio social la clase baja ha producido tipos simbólicos que representan una especie de esencia del pueblo y hasta de la nación. Existen, por ejemplo, las figuras conocidísimas del «roto» chileno, del «pelado» mexicano y del «descamisado» argentino, que a su modo han servido para simbolizar un espíritu popular y a veces nacional. Hace ya muchísimos años que las películas mexicanas nos ofrecen una versión del pelado en la figura cómica de Cantinflas quien expresa la filosofía popular de la clase baja al reírse de lo que no comprende y al mostrar el orgullo de su condición de «pueblo» a través de su humor y genio de pelado.

Históricamente el «roto» chileno data del siglo XVIII cuando los campesinos comenzaban a inundar las ciudades. Hoy en día el roto predomina en los centros urbanos, pero se le considera también un tipo social que existe en las minas y en el campo. En las palabras de Arturo Torres Rioseco, conocido hombre de letras chilenas, el roto es el peón de las ciudades y el gañán de los campos; pero la clase alta está dispuesta a considerar como «roto» a todo aquél que no pertenece a su pequeño grupo privilegiado.

El «pelado» es étnicamente un producto del mestizaje mientras que políticamente se muestra descendiente directo de la famosa Revolución mexicana que le otorgó su carta de ciudadanía. Sus compatriotas más educados lo consideran a menudo agresivo, pendenciero y dado a compensar su falta de status o conocimientos con un despliegue de virilidad y bravura. Como símbolo popular se le asocia más bien con la vida urbana, pero hay millones de pelados que invaden desesperadamente los campos ajenos en busca de un pedazo de tierra para el cultivo.

El «descamisado» tiene un pasado distinto y mucho más reciente. La Argentina tuvo su primer régimen populista bajo el general Perón y su consorte Evita en la época de 1946 a 1955. Esta pareja tan notoria se proclamó campeón de los descamisados, o sea la masa trabajadora a la que pertenecen tanto el obrero inmigrante de la ciudad como el peón del campo criollo. Perón y Evita decretaron beneficios sociales que los descamisados nunca tuvieron: vacaciones con paga que incluía viajes gratis a balnearios, aguinaldo obligatorio a fin de año, indemnización generosa en caso de despido y, en el nivel psicológico, la simpatía y el apoyo del gobierno para la clase baja. Por más que el justicialismo de Perón fuera suspendido en 1955, su gestión populista quedó grabada en las mentes de los trabajadores descamisados y sus familias.

«Roto», «pelado» y «descamisado» son palabras que indican simbólicamente la condición precaria de la masa o clase baja en estos países importantes. Puesto que la mayoría de las naciones hermanas no alcanzan el nivel de vida de Chile, México o la Argentina, albergan una cantidad enorme de rotos, pelados y descamisados *sui generis*.

Gustavo Adolfo Otero

Por más que las estadísticas sean una condensación de las realidades sociales que son muy complejas, sus porcentajes indican tendencias y costumbres. Los porcentajes acumulados por el profesor Otero muestran un perfil de la clase media en Latinoamérica que no coincide en varios aspectos importantes con su equivalente en los Estados Unidos. Nótese que el latino de esta clase usa la mitad de su ingreso para comer y beber bien. Gasta poco en higiene, posiblemente debido a la existencia de mutuales médicas o sistemas nacionales de salud pública. Tampoco paga por la educación de sus hijos puesto que el liceo y la universidad son estatales y gratuitos— aunque hay instituciones privadas. Y los gastos de transporte son mínimos ya que poca gente tiene automóvil y se utilizan los servicios municipales.

Las clases sociales en la América Latina

Entre las tres clases sociales que integran la vida de nuestros países, la clase media es la que aporta un caudal mayor de fuerzas políticas que las otras, ya sea formando parte de los partidos organizados o simplemente actuando como masa neutra o grupo independiente sin filiación. Este hecho se debe a que esta clase asume una posición de equilibrio y es un aglutinante de unión[1] entre los grupos sociales. En la clase media se encuentra menos desarrollado el fermento de la democracia que, según Max Scheler,[2] es el resentimiento, fuerza indispensable para las luchas políticas. La clase alta vive bajo la tensión del temor, de la competencia, de la emulación y del desprecio, mientras la clase proletaria usa todas sus armas instintivas y pasionales. Este mismo camino conduce a la clase media a transigir entre el mundo de los deberes y de los derechos. La clase alta sólo quiere que el hombre se guíe por la aplicación de sus deberes, mientras la clase proletaria ha hecho un mito de sus derechos. Por esto es que la clase alta impone, la clase baja exige y la clase media transige. Aunque la clase media simpatiza en sus estamentos[3] inferiores con el proletariado encontrándose en las luchas de los partidos a su lado, hasta ahora en ninguno de los países latinoamericanos ha hecho uso del derecho de sindicalizarse. La clase media sólo ostenta como muestras de su espíritu agrupaciones de carácter social, de orden cooperativista, siendo excepciones en algunos de nuestros países la sindicalización de profesionales de la enseñanza y de los empleados de banco.

Finalmente, toca analizar las características económicas de la clase media, que sintetizamos en los siguientes aspectos:

Vivienda. Las instituciones del seguro hacen que la clase media se encuentre en porcentaje elevado como propietaria de inmuebles[4] por medio de la sustitución del pago de alquileres como abono de su valor a largos plazos.[5] Con todo, la familia de la clase media invierte de su presupuesto total el 30 por ciento de sus ingresos para alquileres.

Alimentación. Se calcula por término medio el 50 por ciento de su presupuesto familiar en gastos de alimentación, aumentando su presupuesto en este renglón aunque en forma poco notoria[6] con la multiplicación de sus miembros. Debemos observar que el porcentaje de la inversión en alimentos disminuye con relación a la clase proletaria que invierte el 60 por ciento de su presupuesto en alimentación.

Vestido. El presupuesto para el vestido de la clase media sólo alcanza al 6 por ciento de su total. El problema del vestido en la clase media es el causante del déficit, porque el individuo masculino o femenino tiene exigencias de presentarse bien y nivelar el aspecto de su indumentaria con la clase alta. Este déficit acarreado[7] por el vestido ofrece aspectos delicados, muchos de los cuales sirven para argumentos de novelas y películas. La sed de lujo en algunos elementos de la clase media es objeto de la desintegración de los matrimonios y fuente de episodios de inmoralidad.

Higiene. Los gastos de la familia de la clase media apenas alcanzan al 4 por ciento sin contar naturalmente cosméticos, ni tampoco la adquisición de medicinas.

Educación. Los gastos de educación de la familia media, cuyos hijos concurren a los establecimientos del Estado no suben a un porcentaje mayor de un 3 por ciento sobre el presupuesto total. Cuando los hijos concurren a colegios particulares, este gasto importa una inversión ostensible acarreando déficit.

---

[1]**aglutinante de unión** unifying factor   [2]**Max Scheler** filósofo alemán que en 1926 publicó un libro sobre los fundamentos filosóficos de la sociología que tiene mucha influencia sobre los pensadores latinoamericanos   [3]**estamentos** estratos   [4]**inmuebles** real estate   [5]**como ... plazos** paying it off in long-term installments   [6]**notoria** apreciable   [7]**acarreado** causado

Transporte. El porcentaje calculado del transporte es el 2 por ciento sobre el presupuesto integral.[8] Como en la clase proletaria, el transporte es necesariamente cargado a los gastos de vivienda, en atención a que cuando la vivienda es más barata, debido a la distancia en su ubicación, aumenta el presupuesto de transporte, ofreciéndose de este modo una compensación relativa.

Otros gastos. La familia de la clase media tiene incluido en su presupuesto un renglón de otros gastos relativos a espectáculos, compromisos sociales, periódicos, libros. Dichos gastos alcanzan al 1 por ciento.

Ahorro. El espíritu de ahorro en la clase media, debido a la limitación de su presupuesto, es muy limitado. Este grupo presta a la virtud del ahorro hasta el 10 por ciento de sus integrantes, de tal modo que los individuos ahorradores espontáneos no constituyen una mayoría. La campaña de las instituciones bancarias a favor del ahorro va dirigida a la clase media, que se hace presente en los pequeños propietarios y comerciantes.

Víctor Alba

A pesar de algunas afirmaciones que a primera vista parecen contradictorias, el conjunto de los rasgos e intereses enumerados por Víctor Alba indica tendencias bastante claras. Lo que se destaca es el énfasis en el dirigismo, o sea la planificación de la economía por parte del gobierno nacional y en cooperación con otros gobiernos dispuestos a fomentar el desarrollo nacional. Al mismo tiempo se nota una aguda desconfianza hacia las tácticas del capitalismo privado, tanto nacional como extranjero.

Los subamericanos   La clase media

La evolución de Iberoamérica se halla fuertemente orientada por esta clase media y sin duda lo será de un modo todavía más decisivo en el futuro próximo. Lo que forma su aglutinante,[9] más que la condición económica bastante diversa de sus componentes, es su unidad cultural y, en términos latos su unidad ideológica.

Esta clase media podría caracterizarse por los siguientes rasgos:

1. es esencialmente urbana, aunque en algunos países (sobre todo en México) comienza a desarrollarse una clase media rural;

2. confía en la industrialización como medio fundamental para resolver los grandes problemas nacionales;

3. aunque es partidaria de la educación pública, insiste cada vez más, en la práctica, en desarrollar los medios de alta cultura y de educación profesional;

4. es nacionalista, y su nacionalismo a menudo

---

[8]... **integral.** Estos gastos no comprenden el uso de un automóvil particular ya que éste se encuentra fuera del alcance de la masa.   [9]**aglutinante** base común

adopta formas proteccionistas y, a veces de antinorteamericanismo;

5. acepta no sólo la existencia de los sindicatos y de la legislación social, sino el carácter beneficioso de unos y otra para el desarrollo del país;

6. es partidaria, en general, de reformas agrarias, como medio de reforzar la base política de la democracia y de dar mayores mercados interiores a la industrialización;

7. mira con mayor favor las inversiones internacionales de carácter público que las de tipo privado, hacia las que muestran una sistemática desconfianza;

8. no se opone a la nacionalización o estatización de grandes industrias, fuentes de productos minerales o servicios públicos;

9. es partidaria, en general, de la intervención estatal—que por lo común la favorece—y vería con gusto que se acentuara el dirigismo en la economía;

10. como corolario de 9, es firmemente partidaria de las inversiones estatales para la industrialización;

11. siente desconfianza por el ejército, del que siempre teme golpes de estado, pero elementos de la clase media forman parte de las nuevas generaciones de militares, más alejados de la política;

12. muestra interés por los métodos soviéticos de desarrollo, interés que a veces produce cierta receptividad de la propaganda comunista, sobre todo en cuestiones internacionales;

13. en los últimos tiempos, se desarrolla en ella un sentimiento «continentalista», que la impulsa a acoger con agrado los proyectos del Mercado Común,[10] Banco Interamericano, etc., y que en el futuro probablemente la inducirá a propugnar por soluciones continentales de problemas como el agrario y el del militarismo;

14. políticamente, es liberal, democrática, en gran parte católica—lo que tiene importancia en

Hay millones de obreros afiliados a sindicatos.

vista de la nueva actitud que está adoptando la Iglesia en numerosos países iberoamericanos—y socializante;

15. una gran proporción de inmigrantes pasan a formar parte de esta clase media, al cabo de un tiempo de su llegada al país, y adoptan en general las actitudes más radicalmente nacionalistas.

Esta nueva clase media (en la que se va fundiendo la clase media tradicional) no es la clásica pequeña burguesía de los marxistas, porque hay en ella ciertos rasgos que la diferencian de la burguesía a la que estamos habituados. Pero esta clase media, surgida de la industrialización y destinada a ser la principal beneficiaria de la misma, está en constante riesgo de convertirse en una nueva burguesía, con todos los vicios y rasgos negativos de la burguesía caracterizada por los marxistas.

10Mercado Común   European Common Market

Rodolfo Stavenhagen

Puesto que el indio es considerado como miembro de la clase baja, su posibilidad de avanzar socialmente en los países con una abundante población indígena depende de su habilidad de «ladinizarse». Esto significa que el indio debe olvidarse de su existencia comunal para actuar y, si es posible, pensar como los habitantes urbanos. Obviamente, el cambiar de una conciencia comunal a otra, personal, en el mundo competitivo y moderno debe crear dificultades psicológicas inimaginables.

Clases, colonialismo y aculturación

La movilidad ascendente de los indios representa un proceso de aculturación. Pero no basta con aprender el español y adoptar la indumentaria ladina. El indio debe también separarse socialmente (lo que, por lo general, quiere decir físicamente) de su comunidad. Para llegar a ser ladino, el indio móvil debe cortar las ligas que lo atan a la estructura social de su comunidad corporativa. Debe modificar su calidad «social» de indio, no solamente sus características

Préstamo de una agencia federal para el campesino mexicano. El crédito es una de las bases para el desarrollo económico de la clase baja.

culturales. Es muy difícil—diríamos, incluso imposible—que un indio pueda transformarse en ladino en el seno de su propia comunidad. El indio «ladinizado» es un hombre marginal. Bien conocidos son los casos de indios en proceso de aculturación que visten la indumentaria ladina cuando van a la ciudad, pero toman nuevamente el traje indígena cuando vuelven a la comunidad. Las dificultades a que se enfrentan los promotores culturales del Instituto Indigenista en México también son conocidas. Es de notarse que estos promotores, en su calidad de maestros, enfermeros y prácticos agrícolas,[11] al servicio del Estado, llegan a ocupar un status socioeconómico superior al de los ladinos locales. Esto demuestra que la movilidad se acelera cuando la estructura tradicional de la comunidad comienza a desintegrarse.

La movilidad ascendente del indio significa a la vez un proceso de aculturación y una elevación en la escala socioeconómica. No son los indios más pobres ni los agricultores de subsistencia quienes se ladinizan. Ladinizarse culturalmente significa también ser comerciante o producir regularmente para el mercado y, en general, adquirir un nivel de vida más elevado. Esto no quiere decir, sin embargo, que todos los que llegan a ser comerciantes o que venden su producción en el mercado o que obtienen un nivel de vida mejor se

[11]**prácticos agrícolas** expertos en agricultura

transforman en ladinos. Y tampoco quiere decir que los ladinos que descienden la escala socioeconómica se transforman en indios.

Un ladino siempre será un ladino, por muy bajo que caiga en la escala social. Pero un indio, si sube en la escala social, puede transformarse en ladino; de hecho, no podrá llegar a ser ladino sin subir en la escala socioeconómica... Hipotéticamente los indios pueden ascender en la escala socioeconómica sin transformarse en ladinos. Éste se producirá en el caso de un ascenso general de la comunidad en la esfera económica, siempre que ésta mantenga sus características culturales indígenas. Esta situación podrá producirse como resultado de los programas de desarrollo de comunidad, pero sólo si al mismo tiempo los organismos ejecutores de dichos programas realizan una política consciente de conservación y estímulo de la cultura indígena. Lo cual no es el caso en la actualidad.

Oscar Lewis

Uno de los sociólogos más conocidos de los Estados Unidos, Oscar Lewis dedicó muchos años al estudio de la «cultura de la pobreza», sobre todo en México y en Puerto Rico. En su introducción a *Los hijos de Sánchez*, Lewis aborda no sólo la cuestión de la condición económica de la clase baja sino también la de su mentalidad que constituye un factor esencial en mantenerla prisionera de una condición social inferior. Según Lewis, las ramificaciones de la psicología de la pobreza son enormes ya que llevan a un recelo de las autoridades, de los servicios médicos o escolares y de las normas vigentes para la clase media. Para Lewis la solución de este problema psicológico no está en la creación de un nivel de vida más elevado—tarea casi imposible en países subdesarrollados y con un alto ritmo de aumento de la población—sino en el establecimiento de una ideología revolucionaria que ofrecería prestigio social a las que hoy son consideradas personas «marginales».

Los hijos de Sánchez   Introducción

Los rasgos económicos más característicos de la cultura de la pobreza incluyen la lucha constante por la vida, períodos de desocupación y de subocupación, bajos salarios, una diversidad de ocupaciones no calificadas, trabajo infantil, ausencia de ahorros, una escasez crónica de dinero en efectivo, ausencia de reservas alimenticias en casa, el sistema de hacer compras frecuentes de pequeñas cantidades de productos alimenticios muchas veces al día a medida que se necesitan, el empeñar prendas personales, el pedir prestado a prestamistas locales a tasas usurarias de interés, servicios crediticios espontáneos e informales (tandas) organizados por vecinos[12] y el uso de ropas y muebles de segunda mano.

Algunas de las características sociales y psicológicas incluyen el vivir incómodos y apretados, falta de vida privada, sentido gregario,

[12]servicios ... vecinos   neighborhood collections for emergencies

una alta incidencia de alcoholismo, el recurso frecuente a la violencia al zanjar dificultades, uso frecuente de la violencia física en la formación de los niños, el golpear a la esposa, temprana iniciación en la vida sexual, uniones libres o matrimonios no legalizados, una incidencia relativamente alta de abandono de madres e hijos, una tendencia hacia las familias centradas en la madre y un conocimiento mucho más amplio de los parientes maternales, predominio de la familia nuclear, una fuerte predisposición al autoritarismo y una gran insistencia en la solidaridad familiar, ideal que raras veces se alcanza. Otros rasgos incluyen una fuerte orientación hacia el tiempo presente con relativamente poca capacidad de posponer sus deseos y de planear para el futuro, un sentimiento de resignación y de fatalismo basado en las realidades de la difícil situación de su vida, una creencia en la superioridad masculina que alcanza su cristalización en el machismo, o sea el culto de la masculinidad, un correspondiente complejo de mártires entre las mujeres y, finalmente, una gran tolerancia hacia la patología psicológica de todas clases.

. . .

Muchos rasgos de la subcultura de la pobreza pueden considerarse como tentativas de soluciones locales a problemas que no resuelven las actuales agencias e instituciones, porque la gente no tiene derecho a sus beneficios, no puede pagarlos o sospecha de ellos. Por ejemplo, al no poder obtener crédito en los bancos, tiene que aprovechar sus propios recursos y organiza expedientes informales de crédito sin interés, o sea las tandas. Incapaz de pagar un doctor, a quien se recurre sólo en emergencias lamentables, y recelosa de los hospitales «adonde sólo se va para morir», confía en hierbas y en otros remedios caseros y en curanderos y comadronas[13] locales. Como critica a los sacerdotes, «que son humanos y por lo tanto pecadores como todos nosotros», raramente acude a la confesión o la misa y, en cambio, reza a las

imágenes de santos que tiene en su propia casa y hace peregrinaciones a los santuarios populares.

La actitud crítica hacia algunos de los valores y de las instituciones de las clases dominantes, el odio a la policía, la desconfianza en el gobierno y en los que ocupan un puesto alto, así como un cinismo que se extiende hasta la Iglesia, dan a la cultura de la pobreza una cualidad contraria y un potencial que puede utilizarse en movimientos políticos dirigidos contra el orden social existente. Finalmente, la subcultura de la pobreza tiene también una calidad residual, en el sentido de que sus miembros intentan utilizar e integrar, en un sistema de vida operable, remanentes de creencias y costumbres de diversos orígenes.

. . .

Los que viven dentro de una cultura de la pobreza tienen muy escaso sentido de la historia. Son gente marginal, que sólo conocen sus problemas, sus propias condiciones locales, su propia vecindad, su propio modo de vida. Generalmente, no tienen ni el conocimiento ni la visión ni la ideología para advertir las semejanzas entre sus problemas y los de sus equivalentes en otras partes del mundo. En otras palabras, no tienen conciencia de clase, aunque son muy sensibles a las distinciones de posición social. Cuando los pobres cobran[14] conciencia de clase, se hacen miembros de organizaciones sindicales, o cuando adoptan una visión internacionalista del mundo ya no forman parte, por definición, de la cultura de la pobreza, aunque sigan siendo desesperadamente pobres.

. . .

Resulta interesante comprobar que algo de esta ambivalencia en la apreciación de los pobres se refleja en los refranes y en la literatura. Algunos consideran a los pobres virtuosos, justos, serenos, independientes, honestos, seguros, bondadosos, simples y felices mientras que otros los ven malos, maliciosos, violentos, sórdidos y criminales.

La mayoría de la gente, en los Estados Unidos,

---

[13]curanderos y comadronas   quack doctors and midwives   [14]cobran   adquieren

se representa difícilmente a la pobreza como un fenómeno estable, persistente, siempre presente, porque nuestra economía en expansión y las circunstancias favorables de nuestra historia han creado un optimismo que nos hace pensar en la pobreza como transitoria. En realidad, la cultura de la pobreza en los Estados Unidos tiene un alcance relativamente limitado, pero está probablemente más difundida de lo que se ha creído generalmente.

Al considerar lo que puede hacerse acerca de la cultura de la pobreza, debemos establecer una aguda distinción entre aquellos países en los que representa un segmento relativamente pequeño de la población y aquellos en los que constituye un sector muy amplio. Obviamente, las soluciones tendrán que diferir en estas dos áreas. En los Estados Unidos, la principal solución que ha sido propuesta por los planeadores, los organismos de acción social y los trabajadores sociales al tratar lo que llamamos «familias problema múltiples» o «pobres no merecedores» o el llamado «corazón de la pobreza» ha sido tratar de elevar lentamente su nivel de vida y de incorporarlos a la clase media. Y, cuando es posible, se recurre al tratamiento psiquiátrico en un esfuerzo por imbuir a esta «gente incapaz de cambiar, perezosa, sin ambiciones» de las más altas aspiraciones de la clase media.

En los países subdesarrollados, donde grandes masas de población viven en la cultura de la pobreza, dudo que sea factible nuestra solución de trabajo social. Tampoco pueden los psiquiatras empezar siquiera a enfrentarse con la magnitud del problema. Ya tienen suficiente con la creciente clase media. En los Estados Unidos, la delincuencia, el vicio y la violencia representan las principales amenazas para la clase media de la cultura de la pobreza. En nuestro país no existe amenaza alguna de revolución. Sin embargo, en los países menos desarrollados del mundo, los que viven dentro de la cultura de la pobreza pueden organizarse algún día en un movimiento político que busque fundamentalmente cambios revolu-

La mujer es a menudo el solo sostén de la familia. Lavanderas profesionales en Baños, Ecuador.

cionarios, y ésta es una de las razones por las que su existencia plantea problemas terriblemente urgentes.

Si se aceptara lo que he esbozado brevemente como el aspecto psicológico básico de la cultura de la pobreza, puede ser más importante ofrecer a los pobres de los distintos países del mundo una auténtica ideología revolucionaria que la promesa de bienes materiales o de una rápida elevación en el nivel de vida. Es concebible que algunos países puedan eliminar la cultura de la pobreza (cuando menos en las primeras etapas de su revolución industrial) sin elevar materialmente los niveles de vida durante algún tiempo, cambiando únicamente los sistemas de valores y las actitudes de la gente de tal modo que ya no se sientan marginales, que empiecen a sentir que son su país, sus instituciones, su gobierno y sus líderes.

Samuel Ramos

Condenado a una posición de inferioridad al parecer permanente debido a su falta de dinero, instrucción o empleo prestigioso, el miembro de la clase baja sufre claramente de un sentimiento de inferioridad que lo obliga a buscar una compensación en otros niveles para poder justificar su valor personal. Al estudiar el carácter del mexicano de la clase baja, Samuel Ramos halló que este nivel compensatorio comprende sobre todo la agresividad física y verbal, que establece una ilusión de superioridad a fuerza del coraje físico y el despliegue de masculinidad. Puesto que esta ilusión tiene bases muy efímeras, el pelado mexicano o sus vecinos latinoamericanos necesitan convencerse diariamente de su valor personal. En cuanto a las necesidades psicológicas de la mujer que pertenece a la clase baja, desafortunadamente faltan estudios interpretativos.

Perfil del hombre y de la cultura en México   El pelado

Para comprender el mecanismo de la mente mexicana, la examinaremos en un tipo social en donde todos sus movimientos se encuentran exacerbados,[15] de tal suerte que se percibe muy bien el sentido de su trayectoria. El mejor ejemplar para estudio es el «pelado» mexicano, pues él constituye la expresión más elemental y bien dibujada del carácter nacional. No hablaremos de su aspecto pintoresco, que se ha reproducido hasta el cansancio en el teatro popular, en la novela y en la pintura. Aquí sólo nos interesa verlo por dentro, para saber qué fuerzas elementales determinan su carácter. Su nombre lo define con mucha exactitud. Es un individuo que lleva su alma al descubierto, sin que nada esconda en sus más íntimos resortes. Ostenta cínicamente ciertos impulsos elementales que otros hombres procuran disimular. El pelado pertenece a una fauna social de categoría ínfima y representa el deshecho humano de la gran ciudad. En la jerarquía económica es menos que un proletario y en la

intelectual un primitivo.[16] La vida le ha sido hostil por todos lados, y su actitud ante ella es de un negro resentimiento. Es un ser de naturaleza explosiva cuyo trato es peligroso, porque estalla al roce más leve. Sus explosiones son verbales y tienen como tema la afirmación de sí mismo en un lenguaje grosero y agresivo. Ha creado un dialecto propio cuyo léxico abunda en palabras de uso corriente a las que da un sentido nuevo. Es un animal que se entrega a pantomimas de ferocidad para asustar a los demás, haciéndole creer que es más fuerte y decidido. Tales reacciones son un desquite ilusorio[17] de su situación real en la vida, que es la de un cero a la izquierda.[18] Esta verdad desagradable trata de asomar a la superficie de la conciencia, pero se lo impide otra fuerza que mantiene dentro de lo inconsciente cuanto puede rebajar el sentimiento de la valía personal.[19] Toda circunstancia exterior que pueda hacer resaltar el sentimiento de menor valía, provocará una reacción violenta del individuo con la mira de

---

[15]**exacerbados** irritados, ampliados   [16]**En ... primitivo.**   No pertenece al proletariado o la masa obrera sindicalizada y tampoco es consciente de su condición económica inferior en un sentido político.   [17]**un desquite ilusorio** una compensación psicológica   [18]**un cero a la izquierda** absolutamente nada   [19]**rebajar ... personal**   create an inferiority complex

sobreponerse a la depresión. De aquí una constante irritabilidad que lo hace reñir con los demás por el motivo más insignificante. El espíritu belicoso no se explica, en este caso, por un sentimiento de hostilidad al género humano. El pelado busca la riña como un excitante para elevar el tono de su «yo» deprimido. Necesita un punto de apoyo para recobrar la fe en sí mismo, pero como está desprovisto de todo valor real, tiene que suplirlo con uno ficticio. Es como un náufrago que se agita en la nada y descubre de improviso una tabla de salvación: la virilidad. La terminología del pelado abunda en alusiones sexuales que revelan una obsesión fálica, nacida para considerar el órgano sexual como símbolo de la fuerza masculina. En sus combates verbales atribuye al adversario una femineidad imaginaria, reservando para sí el papel masculino. Con este ardid pretende afirmar su superioridad sobre el contrincante.[20]

Quisiéramos demostrar estas ideas con ejemplos. Desgraciadamente, el lenguaje del pelado es de un realismo tan crudo que es imposible transcribir muchas de sus frases más características. No podemos omitir, sin embargo, ciertas expresiones típicas. El lector no debe tomar a mal que citemos aquí palabras que en México no se pronuncian más que en conversaciones íntimas, pues el psicólogo ve, a través de su vulgaridad y grosería, otro sentido más noble. Y sería imperdonable que prescindiera de un valioso material de estudio por ceder a una mal entendida decencia de lenguaje. Sería como si un químico rehusara analizar las substancias que huelen mal.

Aun cuando el pelado mexicano sea completamente desgraciado, se consuela con gritar a todo el mundo que tiene «muchos huevos» (así llama a los testículos). Lo importante es advertir que en este órgano no hace residir solamente una especie de potencia, la sexual, sino toda clase de potencia humana. Para el pelado, un hombre que triunfa en cualquier actividad y en cualquier parte, es porque tiene «muchos huevos». Citaremos otra de sus

expresiones favoritas, «Yo soy tu padre», cuya intención es claramente afirmar el predominio. Es seguro que en nuestras sociedades patriarcales el padre es para todo hombre el símbolo del poder. Es preciso advertir también que la obsesión fálica del pelado no es comparable a los cultos fálicos, en cuyo fondo yace la idea de la fecundidad y la vida eterna. El falo sugiere al pelado la idea del poder. De aquí ha derivado un concepto muy empobrecido del hombre. Como él es, en efecto, un ser sin contenido substancial, trata de llenar su vacío con el único valor que está a su alcance: el del macho. Este concepto popular del hombre se ha convertido en un prejuicio funesto para todo mexicano. Cuando éste se compara con el hombre civilizado extranjero y resalta su nulidad, se consuela del siguiente modo: «Un europeo», dice, «tiene la ciencia, el arte, la técnica, etc, etc.; aquí no tenemos nada de esto, pero...somos muy hombres». Hombres en la acepción zoológica de la palabra, es decir, un macho que disfruta de toda la potencia animal. El mexicano, amante de ser fanfarrón, cree que esa potencia se demuestra con la valentía. ¡Si supiera que esa valentía es una cortina de humo!

No debemos, pues, dejarnos engañar por las apariencias. El pelado no es ni un hombre fuerte ni un hombre valiente. La fisonomía que nos muestra es falsa. Se trata de un *camouflage* para despistar a él y a todos los que lo tratan. Puede establecerse que, mientras las manifestaciones de valentía y de fuerza son mayores, mayor es la debilidad que se quiere cubrir. Por más que con esta ilusión el pelado se engañe a sí mismo, mientras su debilidad esté presente, amenazando traicionarlo, no puede estar seguro de su fuerza. Vive en un continuo temor de ser descubierto, desconfiando de sí mismo, y por ello su percepción se hace anormal; imagina que el primer recién llegado es su enemigo, y desconfía de todo hombre que se le acerca.

Hecha esta breve descripción del pelado mexicano, es conveniente esquematizar su

[20]contrincante adversario

estructura y funcionamiento mental, para entender después la psicología del mexicano.

1. El pelado tiene dos personalidades: una real, otra ficticia.

2. La personalidad real queda oculta por esta última, que es la que aparece ante el sujeto mismo y ante los demás.

3. La personalidad ficticia es diametralmente opuesta a la real, porque el objeto de la primera es elevar el tono psíquico deprimido por la segunda.

4. Como el sujeto carece de todo valor humano y es impotente para adquirirlo de hecho, se sirve de un ardid para ocultar sus sentimientos de menor valía.

5. La falta de apoyo real que tiene la personalidad ficticia crea un sentimiento de desconfianza de sí mismo.

6. La desconfianza de sí mismo produce una anormalidad de funcionamiento psíquico, sobre todo en la percepción de la realidad.

7. Esta percepción anormal consiste en una desconfianza injustificada de los demás, así como una hiperestesia de la susceptibilidad[21] al contacto con los otros hombres.

8. Como nuestro tipo vive en falso, su posición es siempre inestable y lo obliga a vigilar constantemente su «yo», desatendiendo la realidad.

La falta de atención por la realidad y el ensimismamiento correlativo[22] autorizan a clasificar al pelado en el grupo de los «introvertidos».

Pudiera pensarse que la presencia de un sentimiento de menor valía en el pelado no se debe al hecho de ser mexicano, sino a su condición de proletario. En efecto, esta última circunstancia es capaz de crear por sí sola aquel sentimiento, pero hay motivos para considerar que no es el único factor que lo determina en el pelado. Hacemos notar aquí que éste asocia su concepto de hombría con el de nacionalidad, creando el error de que la valentía es la nota peculiar del mexicano. Para corroborar que la nacionalidad crea también por sí un sentimiento de menor valía, se puede anotar la susceptibilidad de sus sentimientos patrióticos y su expresión inflada de palabras y gritos. La frecuencia de las manifestaciones patrióticas individuales y colectivas es un símbolo de que el mexicano está inseguro del valor de su nacionalidad. La prueba decisiva de nuestra afirmación se encuentra en el hecho de que aquel sentimiento existe en los mexicanos cultivados e inteligentes que pertenecen a la burguesía.

Silvina Bullrich

Esta novelista es probablemente la de más éxito de la Argentina en los últimos años. Pertenece a la clase alta que hasta la época actual ha sido propietaria de interminables llanuras con sus millones de vacas y campos de trigo. Observadora perspicaz del ambiente social que conoce tan íntimamente, Silvina Bullrich enfoca a menudo los problemas de su clase social, problemas que comprenden la falsificación de valores morales, la alienación, el divorcio y un sistema educacional dominado por la insinceridad y lo superficial.

---

[21]hiperestesia ... susceptibilidad   oversensitivity   [22]ensimismamiento correlativo subsequent state of being all wrapped up within himself

El divorcio

Las primeras noches me despertaba sobresaltado, corría hasta la puerta de mi cuarto, pegaba la oreja a la madera y trataba de oír. Si no lo lograba abría la puerta tratando de no hacer ruido y me deslizaba descalzo sobre la alfombra deshilachada del corredor. Después, ya ni siquiera me despertaba o si eso ocurría ponía la cabeza bajo la almohada para no oír y volver a dormirme. Total ya sabía lo que se decían. Siempre lo mismo, no sé por qué lo repetían tanto, ya debían saberlo de memoria, lo mismo que yo: «Sos[23] un canalla... Y vos una egoísta, una frívola, no te importa más que de vos misma. ¡Quién habla! un hombre incapaz de cumplir con sus deberes más elementales... ¡Deberes! Vos te atrevés a hablar de deberes...»

A veces mi nombre aparecía en medio de los reproches: «Ni siquiera por Pancho fuiste capaz de disimular[24]... Deja a Pancho en paz, no tiene nada que ver con esto. Es tu hijo. Eso está por verse. Canalla...ya que crees eso ándate y déjanos en paz. Si me voy me llevo al chico. Antes te mato, Pancho se queda conmigo...» Una ola de orgullo me recorría; pese al desinterés que parecían sentir mis padres por mí a lo largo del día, mi importancia se acrecentaba en forma descomunal al llegar la noche y las discusiones. Otras veces, en lugar de referirse a mí mencionaban el departamento,[25] el auto, los dos grabados de Picasso, las copas de baccarat.[26]

Después de esas tormentas que duraron unos meses se estableció el silencio. En el ínterin habían separado los cuartos. Papá y mamá apenas se hablaban. Por eso la primera discusión violenta me sorprendió de nuevo: «Llévate las copas, las alfombras, lo que quieras», gritaba mamá, «pero ándate y déjame en paz». No oí la respuesta de papá. Volví a la cama y pensé que aunque se fueran los dos, yo apenas me daría cuenta. Los veía cada vez menos y yo para ellos era casi transparente. Cuando me empeñaba en hacer notar mi presencia sólo conseguía un «déjame en paz, estoy ocupado» o un «ándate, ¿no ves que me duele la cabeza? » Los muebles envejecían sin que nadie los retapizara, yo comía solo con platos cascados y vasos desparejos. Mi taza de desayuno era celeste y el platillo color ocre con hojas de parra verdes. A mí no me importaba pero Miss Ann[27] me lo hizo notar varias veces y lo comentaba con la mucama,[28] que a su vez le pedía tazas nuevas a mamá. «No vale la pena, total[29] para el chico...», decía mamá, y yo tambaleaba entre la seguridad de la importancia que me concedían en las grescas nocturnas y la falta de miramientos que me rodeaba durante el día. «Lo importante es que no le falte nada», decía mamá, y la heladera estaba siempre llena de grandes trozos de lomo,[30] de fruta, de dulce de leche[31] y de huevos frescos. Mi ropa era buena y Miss Ann forraba cuidadosamente mis libros de clase con papel azul.

No sé exactamente el día en que papá se fue de casa. Era en verano. Yo estaba en la estancia con los abuelos y a la vuelta, cuando pregunté por papá, mamá me dijo: «Ya no vive en casa». Después comentó con mis tíos Quique y Elena: «Este chico me preocupa, hace ocho días que ha vuelto y recién hoy pregunta por su padre, ni se

---

[23]sos eres: The Argentine *voseo*, or popular speech, substitutes the *tú* form for *vos*, which includes changes in the verb.   [24]disimular being discreet: apparently in his affairs with other women, which was aggravating the marital situation   [25]el departamento the apartment owned by the parents   [26]... baccarat. All these items would be part of a property settlement in case of a divorce.   [27]Miss Ann English governess, common in upper class Argentine households   [28]mucama sirvienta   [29]total it's only   [30]lomo steak   [31]dulce de leche a sweet type of jam made from milk and brown sugar

dio cuenta de su ausencia o es medio retardado o es monstruosamente descariñado[32]; creo que no quiere a nadie». Yo me quedé pensando si en verdad no quería a nadie. Hice un largo examen de conciencia y no llegué a ninguna conclusión. Sin embargo, poco a poco empecé a sentir la falta de papá. ¿Qué era mejor, ese silencio obstinado, esa ausencia constante de mi madre o las escenas de antes del verano?

Porque mamá ya no estaba nunca en casa. Lo malo es que también se fue Miss Ann. Yo ya tenía diez años, iba medio pupilo al colegio[33] y hubiera sido absurdo guardar en casa a una institutriz inglesa. Mamá me explicó eso en forma serena y racional, le di la razón. Mamá tenía razón en todo, pero nada de lo que ella decía me convencía. Quizá haya dos razones, quizá lo importante no sea tener razón sino ser convincente. De todos modos yo no discutía nunca.

. . .

«No estás nunca en tu casa», dijo mi abuelo una tarde que vino de visita. Mamá se echó a llorar, dijo que su vida era demasiado triste para que se la amargaran más, que estaba sola a los treinta años, sola como un perro, agregó. «No tanto», dijo abuelo, «nos tienes a nosotros y a Pancho». Mamá replicó que ellos vivían casi todo el año en el campo y no eran ninguna compañía y si no, se iban a Europa. «Eso es verdad», dijo abuelo. «Y Pancho», continuó mamá, «tiene su vida, va al colegio, al campo de deportes, los domingos sale con otros chicos; no voy a sacrificarlo para que me acompañe». Abuelo meneó la cabeza. Yo tenía ganas de gritarle que me pasaba las horas enteras solo, que me moría de miedo de noche y ella no volvía hasta la madrugada, que los domingos hubiera preferido salir con ella que con Marcos o con Roberto que decían porquerías[34] y no iban nunca al cine al que nos mandaban, porque las

vistas de aventuras «son para chicos», y se colaban en[35] los cines donde daban vistas prohibidas para menores, y después me hacían correr para llegar a tiempo a la salida del «Capitán Blood» o del «Hijo del Zorro». Pero no decía nada de miedo a que mamá me diera un bife.[36]

. . .

Los domingos, los días de fiesta, me sentía aun más desdichado. Mamá parecía ir siempre a lugares mágicos... Antes de salir se cercioraba sobre mi programa: ¿Tenía dinero? ¿A qué hora vendría Roberto? Rosa nos haría un almuerzo espléndido. Otras veces me recordaba que papá vendría a buscarme, le encargaba a Rosa que vigilara mi peinado, mis manos y mis uñas, que me obligara a ponerme el traje azul y los zapatos nuevos, si no papá para mortificarla diría que yo siempre andaba hecho un zaparrastroso. Papá venía a buscarme con una sonrisa estereotipada en los labios. «¿Adónde querés almorzar?» «No sé», contestaba yo siempre, y eso enfurecía a papá, que quería darme todos los gustos. Este chico es idiota, pensaba, y yo sentía su pensamiento. Para no equivocarse me llevaba a un lugar lujoso; se alegraba cuando yo pedía el plato más caro del menú; eso tranquilizaba su conciencia. Después íbamos al fútbol o al cine, según el tiempo. Una vez me llevó al polo, un domingo de lluvia al Colón,[37] para que empezara a oír cosas lindas y no me criara como un salvaje, porque «lo que es tu madre[38]...». Y no terminaba la frase. A veces invitaba a Marcos o a Roberto o a algún otro chico del colegio y nos dejaba solos durante un largo rato y se iba a conversar con gente amiga de él. Un día me preguntó: «¿Cuántos años tenés...doce?» «No, cumplí once hace tres meses y medio». «Ah, entonces sos muy chico». «¿Para qué?» «Para mujeres». No contesté. «¿Te gustan las mujeres?» arriesgó. «No sé», le dije. Y él me

---

[32]**medio ... descariñado** somewhat retarded or completely callous   [33]**iba ... colegio** was a daytime student at a private prep school   [34]**decían porquerías** used dirty language   [35]**se colaban en** sneaked into   [36]**me ... bife** would slap my face   [37]**Colón** Teatro Colón: lugar donde se ofrecen programas culturales de categoría— óperas, conciertos y ballet   [38]**lo ... madre** as far as your mother is concerned

pegó un bife.[39] «Perdóname, no sé lo que me pasó», me dijo, «es cierto que sos todavía demasiado chico». Yo tenía los ojos llenos de lágrimas. «El año que viene te pongo pantalones largos y te llevo al Maipo[40]...para empezar», me dijo. Yo sonreí.

Cuando me dijeron que papá se había casado no me importó mucho. En realidad mi vida no cambió; la única ventaja que percibí al principio fue terminar con esas destempladas tardes de domingos. Papá y Angélica se fueron a Europa. A menudo, a la vuelta del colegio, me encontraba con tarjetas postales a mi nombre y hasta cartas en sobre cerrado, cosa que realzó mi importancia ante mis ojos y creó en mi vida un nuevo interés: mirar la correspondencia. Hasta entonces daba por sentado que nada era para mí, pero en lo sucesivo sabía que era probable ver mi nombre claramente escrito bajo la palabra «señor» en un sobre liviano con el borde rojo y azul.

Al principio pensé que ese casamiento podía mortificar a mamá y con el tacto pudoroso y piadoso de los niños evité el tema. Sin embargo la vida empezaba a demostrarme que casi todos los conceptos aprendidos eran erróneos. Mamá nunca había estado más alegre. Sus amigas la llamaban para felicitarla y todas le decían: «Estarás contenta, ahora se casó José Luis, tenés todos los derechos, él se casó primero. Ya no puede sacarte el chico».

. . .

Una noche mamá se quedó a comer conmigo, cosa inusitada. A los postres, después de transparentes circunloquios, me anunció su proyecto de volver a casarse: «Creo que es para tu bien, Pancho. Necesitas un padre». «Con uno me basta», le dije sin maldad. «Necesitas un hogar». «Eso es verdad», dije. Pero ya sentía que mi opinión no influiría en lo más mínimo en mi madre, siempre segura de sus decisiones.

Después las cosas se nublan un poco en mi recuerdo. Sé que papá llegó, me invitaron a su casa. Había un almuerzo delicioso, vaciaron valijas semiabiertas y me entregaron tricotas[41] inglesas, corbatas italianas, pelotas de tenis inglesas, un cortaplumas suizo, camperas[42] americanas y banderines de todos los países. Era la mejor Navidad de mi vida aunque estábamos en septiembre. El ambiente era distendido y cordial. Fue uno de mis días felices. Angélica ponía discos recién traídos, cantos del Tirol,[43] las últimas sambas del Carnaval de Río[44] compradas en el aeropuerto.

Nuestra casa me pareció más triste y silenciosa que nunca. Me rodeaba un aire gris y pesado, me parecía que para desplazarme de un cuarto a otro iba a tener que usar machete, a tal punto la atmósfera era sólida y hostil.

No sé cuántos días después me fui a la estancia y a la vuelta viví una o dos semanas en casa de abuelo. Mamá y Hernán se habían casado. Llegaron tarjetas impregnadas del más apasionado amor maternal.

Cuando volví a casa vi mi cuarto recién pintado. Hernán dijo que mis muebles ya no eran para un muchacho grande; fuimos a elegir otra cama, un escritorio, telas para cortinados, una alfombra. Vino un carpintero a instalar una biblioteca de petiribí.[45] Para facilitar esos arreglos volví a la estancia de los abuelos porque empezaban las vacaciones. No sé cuántas semanas pasé allí. En cambio recuerdo con claridad mi regreso a la casa, mi deslumbramiento ante los cambios de decoración y ante mi cuarto de muchacho grande.

. . .

Hernán tenía una chica de mi edad que vivía con su madre y venía los días de fiestas a almorzar a casa. Yo me enamoré un poco de ella, ella se sentía halagada. Mi vida se convirtió en una sucesión de esperas dichosas: que Marcela viniera a almorzar;

---

[39]**me pegó un bife** slapped me   [40]**Maipo** a theater in Buenos Aires that specializes in sexy shows   [41]**tricotas** sweaters   [42]**camperas** sport jackets   [43]**cantos del Tirol** yodeling songs from the Alps   [44]**sambas ... Río** sambas played at the *Mardi Gras* celebrations in Rio de Janeiro   [45]**petiribí** madera de un nogal que se usa para hacer muebles de lujo

que Hernán me dejara fumar a escondidas de[46] mamá; que papá y Angélica me invitaran a comer de noche, a veces con algún Ministro que ya descontaba[47] mi brillante futuro; que mamá mirara apenas mi libreta de calificaciones[48]; que nos sentáramos a la mesa como una familia ordenada y feliz. El mundo había adquirido una armonía perfecta y cuando mamá me dijo, «Vas a tener un hermano», los ojos se me llenaron de lágrimas de emoción. De pronto comprendí que también eso me había faltado, un hermano, alguien a quien querer, a quien proteger, a quien hacer sufrir un poco a mi vez, alguien para quien entrar o comprar un conejito de jabón al pasar por la farmacia de la esquina. «Vas a ser su padrino», dijo Hernán, y yo, que ya tenía trece años, me eché en sus brazos como un chiquilín cualquiera.[49]

Después leí en un diario que un señor en las Barrancas de Belgrano[50] dijo que había que oponerse al divorcio para proteger a la familia. Yo comprendí que ese señor no había sido nunca un chico solo.

Andrew H. Whiteford

Professor Whiteford's study in depth of two medium-sized towns, Popayán in Colombia and Querétaro in Mexico, is mainly concerned with the analysis of class stratification and corresponding outlook. While class attitudes or beliefs in the Colombian and Mexican areas did not prove to be identical, common general patterns emerged. Similar views and practices regarding prestige, occupation, marriage, child rearing, *donjuanismo* and a separate moral code for males and females seemed to be shared by the upper classes of both Popayán and Querétaro. Concomitantly, early sexual relations and illegitimacy existed among the members of the lower classes in both towns.

Two Cities of Latin America
Aristocrats and Others: The Upper Class

For the lower upper class families of Popayán[51] their social position depended almost completely upon their social orientation. So long as they were able to maintain a socially acceptable appearance, to demonstrate a cognizance of intellectual, cultural and political matters and to remain unsullied by demeaning labor or indecent behavior, they and their children would be invited to the major fiestas, given assistance in attending the private schools, offered cut-rate memberships

---

[46]a escondidas de hidden from   [47]ya descontaba took for granted   [48]libreta de calificaciones report card   [49]como ... cualquiera like a little kid   [50]las ... Belgrano suburbio elegante al norte de Buenos Aires   [51]Popayán Popayán en Colombia y Querétaro en México son las dos ciudades seleccionadas para este estudio de las clases sociales en la América Latina.

in the clubs and generally regarded as the social equals of the aristocracy. If they abandoned the struggle to maintain façade, and their men began to take to work in the less prestigious occupations which would allow them to eat more regularly, they would soon cease to receive invitations from their upper class friends and would be absorbed into the middle class.

Another marked difference in upper class life in the two cities was apparent in the patterns of social activity and entertainment. In contrast to Querétaro the Colombian city maintained its own local program, which was not dependent upon any larger, more cosmopolitan center. Wealthy Payaneses,[52] it is true, did travel frequently to Cali,[53] to Bogotá, to New York or even to Paris to buy clothes, to visit relatives and to enjoy the city lights; but they still belonged completely to Popayán and generally regarded their life in the little city as complete. Visitors or new residents who came to Popayán from other parts usually commented that it was *"una ciudad muy triste"* and contrasted its quietness with the gayer social life of Manizales, Cúcuta and other places. Some of the young people also lamented that there were so few things to do for entertainment, but, meager though they were, their variety, availability and number surpassed those found in Querétaro.

The most salient distinction was the presence of at least three social clubs to which members of the upper class in Popayán could belong. In the order of their exclusiveness and cost of memberships these were the Club Popayán, the Club Campestre (Country Club) and the Club de Abogados (Lawyers' Club). In all of these men could gather in the bar, informal groups could meet for cards, billiards and table tennis were available and space was provided for dancing at fiestas. Families used the clubs for large parties to celebrate anniversaries, birthdays, graduations and the like, with an orchestra, drinks and refreshments. Most of the parties were elegant affairs which gave the

younger people an opportunity to meet and court each other, the older people an opportunity to keep an eye on what was transpiring in the community and the younger matrons an opportunity to show off the fashionable and expensive dresses they had purchased on the last shopping trip. On special occasions the clubs sponsored masquerades and entertainments and, between the big holiday dances, the private fiestas, card games and informal gatherings, the social calendar of an upper class family could be kept moderately well filled. Actually few families participated intensively and, to outsiders who were not included in the club activities, there appeared to be very little opportunity for entertainment.

In both cities it was customary for the men to regard the pursuit of women as an important element of the recreational pattern. This sport was not restricted to the young men alone and male members from all the social classes participated. Waitresses in cafés and cantinas were considered fair game and the girls of the lower classes were constantly in danger of being molested or seduced. Young men of the upper and middle classes played the role of the ardent male as it is traditionally prescribed in Latin American culture and vented, on the harlots and lower class girls, the passions which they felt were frustrated by the limited contacts they were allowed to have with the women of their own social status.

To some extent, at least in Popayán, the parlors of the houses in the red-light district were sources of social as well as sexual release. Young, unmarried men and older, respectable, married men sometimes spent an evening at their favorite house drinking quietly and talking with each other or perhaps with one of the "ladies" of the establishment. All their visits to "the barrio" were neither so quiet nor so asexual as this, but at least some of the houses filled a role in the social life of the city as small, semiprivate men's clubs where most of the normal social restrictions were

[52]Payaneses los habitantes de Popayán   [53]Cali ciudad importante en Colombia

suspended and women were available.

Extramarital sexual affairs were regarded as quite ordinary in both cities and many men of all social classes were known to have one or more mistresses. References to such arrangements were very much more frequent in Querétaro than in Popayán, but there was almost never any criticism of the man in question, nor any comment beyond a sense of wonder that anyone could afford to support more than one household. The actual incidence of extramarital affairs was, of course, impossible for us to ascertain in either city, but almost everyone agreed that they were common and a number of men told us of their own cases and of others. One doctor commented that it was embarrassing for him to receive a call from one of his good friends because, when his friend reported that his wife or one of his children was sick, the doctor never knew which of his two households to go to.

Women were not supposed to know that such things as mistresses even existed, but the girls began to pool their knowledge about the nature of the human male at an early age and any wife whose husband was frequently away from home was quick to suspect that he was having an affair. Some wives took direct action in dealing with their husbands, or with the other woman if they suspected who she might be, but others were quite content to share the attentions of their husbands in order to reduce the frequency of their pregnancies.

The Lower Classes

The usual form of the family here was that of parents and children, rather than any extended pattern. Children rarely lived with their parents after marriage but rented a room of their own or began to build a house. It was traditional that the children would obey their parents and honor and assist them in their old age, but, although younger children appeared to be submissive and responsive

La inflación encarece los productos esenciales de una semana a otra.

to their parents, there were many cases in which girls had run off to get married without parental consent and others in which elderly men and women had been abandoned by their children.

Raised in the intimacy of crowded family life, sex seemed to hold few mysteries for these young people. They met each other in the streets, and many of the girls were married by the time they were fourteen or fifteen years old. They were "married" to all intents and purposes, but many of the families in this class were joined without either civil or religious ceremony. In theory, the boy was supposed to approach the girl's family, but many times they simply "eloped" and set up housekeeping for themselves. This pattern had become common because according to the law a girl could not get married without her parent's consent until she was eighteen, because fathers in this class were supposed to be zealous in protecting their daughters from male advances and because the costs of a traditional wedding were beyond most of the young men, who were supposed to assume the expenses. The mothers lamented their daughters' elopements because they "lose the right to have a real wedding," even when they were "married" in the same manner themselves.

There was no indication that these free unions were not as stable as sanctioned marriages, but they have diminished somewhat in recent years because most of the legislation pertaining to social security and other social reforms required that a couple be legally married before the wife could be eligible for any services of the programs. To secure these advantages, many of the couples, years after they had been living together and raising children, participated in mass marriages to acquire legal status. Some of these, it should be added, had been married in religious ceremonies, but some of the priests discouraged them from going through the secular procedure because they considered it an infringement upon the rights of the Church.

Because of the negative attitude of the Church toward any thought of birth control, families in the lower class were large and would have been larger except for the high infant mortality rate. Depending upon the number of years they had been married, most couples had between four and nine children. They were rarely regarded as a burden, in spite of the fact that they obviously were, and parent-child relationships (so far as our information revealed) were good. Parents almost never punished their children with more than a quick word and appeared to be very tolerant of their behavior. Some of this attitude of permissiveness could be attributed to apathy engendered by lack of excess energy on the part of the parents and perhaps even of the children. The relationship was generally different in the upper lower class, where, consistent with the more frequent expressions of overt aggression in various forms, the children were often shouted at, sworn at, cuffed and even beaten. The father was regarded as the master of the lower lower household, and the younger children generally hastened to obey him when he was at home. In spite of his official position, the home and its affairs were usually managed by the mother, who did the buying, kept the house and often handled the money. In the upper lower class, where the men were much more inclined to spend the household money on *pulque* and to come home aggressively drunk, stories of beatings and fights between spouses were common, but in the lower lower class this kind of behavior was relatively rare. Affection, on the other hand, was openly demonstrated toward children, and it was a common sight to see young fathers playing with thier babies, carrying their young sons as the family strolled on Sunday afternoon or walking through the streets holding a child in each hand.

Discusión

1. ¿Qué pronóstico hizo Karl Marx sobre la lucha de clases?
2. Nombre tres tipos pertenecientes a la incipiente clase alta de la época colonial.
3. Presente algunos aspectos de conducta o normas que diferenciaban a los miembros de la clase alta de la masa.
4. ¿Por qué se critica tanto a la clase alta latinoamericana en el siglo XX?
5. ¿En qué nivel continúa el prestigio social de la clase alta en la actualidad?
6. ¿Qué efectos tendrá el ensanchamiento de la clase media en nuestra época?
7. ¿Qué mentalidad tienen los profesionales modernos que pertenecen a la clase media alta?
8. ¿A quiénes perjudica más la enorme inflación que existe en muchos países latinoamericanos?
9. ¿Qué nivel de vida exige la clase media latinoamericana de hoy?
10. ¿Cuál es el gran dilema de la clase media de hoy, según el profesor Wagley?
11. Establezca la pirámide social tal como existía en tiempos coloniales.
12. Presente algunas características de la vida del campesino nómade.
13. ¿Qué diferencias se pueden establecer entre el pelado y el descamisado?
14. ¿Qué simbolizan las palabras «roto», «pelado» y «descamisado»?
15. ¿Qué posición adopta la clase media frente al poder del Estado, según Víctor Alba?
16. ¿Qué dificultades psicológicas existen para la aculturación del indio a la vida urbana?
17. Explique la diferencia entre la movilidad social del ladino y del indio en Centroamérica.
18. ¿Cómo se diferencia la cultura de la pobreza en los Estados Unidos de la que se encuentra en los países latinoamericanos, especialmente en México, según el sociólogo Oscar Lewis?
19. ¿Por qué prefiere Lewis la posibilidad de «una auténtica ideología revolucionaria» al aumento de bienes materiales para la clase baja?
20. ¿Por qué motivos practica el pelado el culto de la virilidad y la agresividad, de acuerdo con Samuel Ramos?

21. Según Ramos, ¿de dónde proviene la desconfianza básica del pelado?

22. ¿Contra qué tren de vida se dirige principalmente la ironía de Silvina Bullrich en *El divorcio*?

23. De acuerdo con la formación impuesta al joven narrador del cuento *El divorcio,* ¿qué clase de persona sería al llegar a los veinte años?

24. ¿Qué actitud exige la sociedad de Popayán de la mujer de la clase alta o media en cuanto a la vida sexual del marido?

25. ¿Cuál es el enfoque de la clase baja de Popayán sobre las relaciones entre los sexos?

Capítulo ocho
La familia

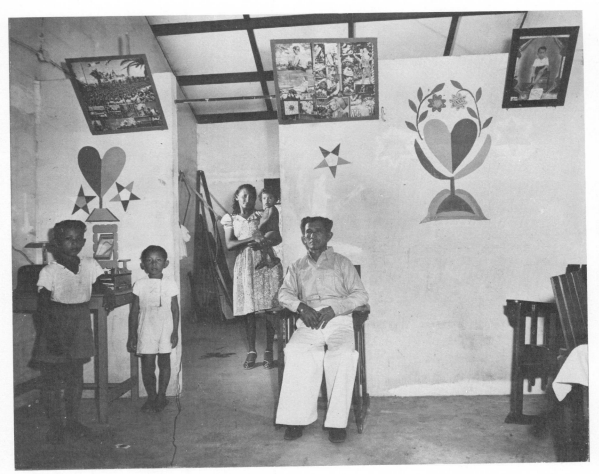

Obrero petrolero y familia en San Joaquín, Venezuela.

LOS LAZOS FAMILIARES

La familia es considerada el núcleo principal de las sociedades latinoamericanas. Su cohesión y sus funciones son plenamente respaldadas por las autoridades civiles y religiosas, o sea católicas. Debido al espíritu tradicionalista en la América Latina la familia mantiene una unidad y fuerza vital que ya están debilitándose en las culturas de países superindustrializados. La familia latina mantiene una ascendencia inalterable sobre sus miembros que dura toda la vida. La familia no sólo está compuesta de padres e hijos sino que incluye abuelos y tíos, nueras y cuñadas, nietos y biznietos, a menudo bajo un solo techo. El término «primo hermano» demuestra la relación íntima que existe entre parientes ya distantes.

Dentro del contexto familiar ocurre una fuerte interacción social. Hasta parientes muy lejanos se reúnen—como una especie de antiguo clan—durante festividades, casamientos, bautizos y aniversarios, o se juntan para llorar una muerte en velorios que duran varios días y que, como en tiempos antiguos, sirven para que los sobrevivientes del clan den muestras de lealtad y cohesión. No importa cuál sea la clase social, la lealtad al círculo familiar es una tradición proverbial y exige que los miembros se ayuden mutuamente. En la clase alta el apellido es algo sagrado y una constante preocupación; por eso se haría cualquier sacrificio para evitar que el desliz de una hija o el desfalco de un hermano manchen el buen nombre de la familia. La lealtad a la familia ha creado un sistema doble de moralidad en el cual domina la simpatía hacia «los suyos». Un dueño de fábrica o gerente de empresa casi tiene la obligación de emplear allí a una sobrina o a un primo hermano. Se escoge a menudo un médico, abogado, proveedor o comerciante por ser pariente de uno. La ventaja está casi a la vista: por una parte, la familia tiene conocimiento de la capacidad y del carácter del emparentado; y por otra, se espera un trato honesto y preferencial, algo que no ocurre automáticamente en el trato diario con desconocidos.

En las regiones rurales y poco desarrolladas del hemisferio quedan dinastías que controlan el comercio o la explotación agrícola y cuyo apellido a veces representa más poder que el del gobernador de la provincia. Pero todo tiene su contraparte: hay una cantidad de huérfanos, hijos ilegítimos e indios que abandonaron sus comunidades indias y que crean un contraste con el núcleo de familia. Por ejemplo, el famoso gaucho que vagaba por las llanuras de la Argentina, del Uruguay y del Sur del Brasil era en esencia «hijo de nadie» y seguía la norma de no crear lazos

familiares sino de preferir una independencia individual sin responsabilidades de mujer o hijos.

En los grandes centros urbanos, sin embargo, el aspecto dinámico de la cultura de masas está transformando la estructura de la familia a través de una vida más anónima y mecanizada. La falta de espacio pocas veces permite albergar bajo un techo una cantidad de parientes cercanos y lejanos. La carestía de la vida y las exigencias de confort exigen un esfuerzo constante para ganar suficiente dinero y muchos padres de familia mantienen dos o hasta tres empleos, lo que abrevia su presencia en casa. Hay cada vez un número más elevado de madres y esposas que continúan su carrera profesional y trabajan de maestra o empleada. Su ausencia de la casa o del apartamento naturalmente tiene su impacto sobre el ritmo diario de la vida familiar; y la dificultad de trasladarse de un barrio a otro sin perder horas minimiza el contacto con otros familiares. El mundo tecnológico actual impone normas de vida que poco a poco eliminan tradiciones de otros tiempos. La familia moderna en las ciudades tiene, a lo sumo, dos a tres hijos, obra independientemente del clan familiar, reemplaza la sociabilidad de antaño con el aparato televisor o el tocadiscos, permite que los hijos se ocupen de su propio destino y, paulatinamente, otorga una vida independiente a sus hijas. La alienación, virus poderoso de la cultura de masas, desarticula también a la familia.

La vivienda escasea y es cara.

EL COMPADRAZGO

El círculo de familia en la América Latina tiene tradicionalmente la dimensión de un clan de épocas ya remotas para nuestra sociedad industrializada, pero este círculo posee todavía otra extensión a través de una costumbre igualmente antigua: el compadrazgo. Esta institución constituye una relación seudoparentesca entre el padrino o la madrina y el ahijado o la ahijada. Al mismo tiempo se entablan relaciones familiares entre el padre y el padrino y la madre y la madrina sobre la base de tratarse como compadre y comadre respectivamente. Como lo indican claramente los prefijos *com* (*cum* < con) en compadre y *a* (*ad* < adjunto) en ahijado, se establece aquí un paralelo con el nexo padres-hijos para reforzar el nexo natural con uno netamente social que comienza generalmente con la ceremonia del bautizo y que obviamente debe perdurar por toda la vida.

El sistema del compadrazgo favorece claramente al ahijado o la ahijada ya que el padrino y la madrina están asumiendo la obligación de complementar y, cuando sea necesario, sustituir a los padres naturales. Por eso entre los miembros de la clase alta se escoge a un padrino que sepa

El futuro de muchos niños latino-americanos depende de los padrinos.

manejar los bienes del ahijado cuando llegue la ocasión; y las familias de la clase baja se empeñan en encontrar una persona de importancia y recursos económicos para asumir este rol vital. Frecuentemente un político conocido o un dueño de grandes negocios o tierras tiene más de una docena de ahijados o ahijadas, lo que significa que está dispuesto a respaldar el futuro de estos jóvenes con su influencia personal. Se da el caso, entonces, que los padrinos costeen la educación de un joven humilde que se recibirá de abogado o médico algún día o que una ahijada pobre llegue a formar parte de una familia de alta posición social si llega a perder sus padres naturales.

De cierto modo, esta práctica ya se conocía en los tiempos remotos de la Colonia donde existía la posibilidad que algún hijo de mulatos o mestizos llegara a superar su bajísimo nivel social mediante la educación facilitada por una familia de criollos benévolos. Una interacción similar era posible en las plantaciones o haciendas en los siglos pasados ya que el patrón asumía un control paternalista sobre sus colonos, muchas veces negros o indios, y sus descendientes. Podía a su gusto asumir el papel de padrino y ayudar a cualquiera de los niños, que a veces bien podría ser su hijo natural.

En las comunidades indígenas donde prevalecía la práctica de la endogamia, o sea el matrimonio casi exclusivo entre los habitantes de la misma aldea, la participación social colectiva y el espíritu comunal eliminaban la necesidad de adquirir un padre o una madre «adicional» ya que el niño podía depender de que todos los adultos de la aldea representaran su familia.

Aunque las obligaciones del compadre y de la comadre varían de un país a otro, queda siempre el lazo emocional que en la mayoría de los casos sirve para reforzar la más funcional de las estructuras humanas: poner al servicio de la nueva generación la experiencia y los recursos de la más vieja.

LA FAMILIA PATRIARCAL

Hasta la época actual tanto las autoridades civiles como las eclesiásticas respaldaban al hombre que buscaba ejercer una autoridad personal sobre los miembros de su familia. Hoy en día quedan todavía millones de padres de familia que son comparables a los patriarcas de tiempos bíblicos, ya ausentes en la cultura mayoritaria estadounidense y en la creciente clase media urbana de Latinoamérica.

El rol del padre o marido dominador latinoamericano tiene su origen tanto en las costumbres de muchas culturas autóctonas del Nuevo Mundo como en las normas sociales de los colonizadores lusohispanos. En la mayoría de las sociedades indígenas, sobre todo en la del imperio incaico, la mujer ocupaba un nivel de fuerte inferioridad frente al hombre y los hijos debían una obediencia total al padre. Y los colonizadores iberos trajeron con ellos el concepto del predominio masculino, herencia de muchos siglos de patriarcado que muestra la inspiración legal en leyes romanas que fueron exportadas a España cuando este país era una colonia romana.

El jefe de la familia tradicional es al mismo tiempo gerente, tesorero y encargado de la seguridad de su pequeña empresa personal. Según las circunstancias individuales, ocupa la jefatura de la familia en calidad de padre, marido, abuelo o hermano mayor. Casi siempre su función incluye la administración de todos los bienes de la familia, inclusive las propiedades pertenecientes a las mujeres que forman parte de la familia. En algunos países hispánicos una mujer casada todavía no puede ejecutar un contrato legal sin la firma del esposo ni vender su propiedad heredada sin la autorización del consorte. En caso de divorcio—que existe hasta ahora en pocos países latinoamericanos—o de una separación legal, los bienes que pertenecían a la esposa antes del casamiento vuelven a su poder, pero el marido tiene el derecho casi automático de quedarse con los hijos si lo desea.

Primera comunión: ocasión para la presencia de los padrinos.

En lo que se refiere al prestigio social, la responsabilidad de mantener intachable el buen nombre de la familia pertenecía al jefe; y si el acto de un miembro de la misma manchaba la buena reputación de la familia, esto ponía en peligro la fama y hasta la hombría del jefe de la familia. Por eso también se erigía en guardián del honor casero y aseguraba que sus hijas o hermanas solteras no salieran solas de noche ni que de día anduvieran con hombres «peligrosos». En las regiones rurales, las ciudades de provincia y hasta hace pocas décadas en las grandes ciudades, una mujer de familia burguesa no podía aceptar un empleo fuera de casa ya que para el padre o esposo responsable había muchos peligros difíciles de resistir que acechaban al sexo débil. Según la opinión masculina prevaleciente, la mujer ofrecía poca resistencia a las tentaciones de la carne, y consecuentemente había que evitar que se presentaran oportunidades para caer en la tentación.

Tal vez la dependencia económica era, y sigue siendo, el arma más eficaz de la figura patriarcal. Sin mayores conocimientos especializados, preparación técnica o siquiera la experiencia de pensar o actuar por su cuenta, los miembros femeninos de la familia estaban raras veces en condiciones de contemplar una vida independiente fuera de casa; por lo tanto quedaban dentro del ámbito paternalista que proveía las necesidades diarias pero que también prescribía un modo de vida. *La casa de muñecas*, la famosa obra teatral de Ibsen que dramatiza la lucha de la mujer por ser considerada como un individuo con derechos iguales a los de su esposo y que describe el panorama social europeo de 1900, todavía tiene vigencia para millones de latinoamericanas.

Detrás de la estructura patriarcal se perfila obviamente un sistema de valores que otorga una superioridad al hombre, que tiene raíces en figuras bíblicas, leyes romanas y posiciones «antifeministas» como la mantenida por San Pablo o fray Luis de León. Y, sin duda, no es fácil que el hombre abandone una posición ventajosa que en muchos casos constituye el único medio de gozar de autoridad, respeto y hasta prestigio. Pero la acelerada vida tecnológica en las urbes está transformando el status del hombre y de la mujer y seguirá disminuyendo la dependencia económica de las que forman parte de la familia patriarcal en Latinoamérica.

LA FAMILIA MATRILINEAR

Sobre todo en la clase baja la actitud del hombre frente a la responsabilidad familiar ha producido el fenómeno social del núcleo matrilinear en Latinoamérica. Las inevitables columnas de estadísticas indican un altísimo porcentaje de niños nacidos fuera del matrimonio, porcentaje que, por ejemplo, alcanza más del 60 por ciento de los nacimientos en la América Central.

Sociólogos como Oscar Lewis, famoso por sus estudios de la llamada «cultura de la pobreza» en México y Puerto Rico, atribuyen la existencia del núcleo matrilinear a la rapacidad sexual masculina, conocida bajo el célebre rótulo de «machismo». El culto del machismo, parte integral del concepto dominador del hombre autoritario, se proyecta en dos direcciones opuestas: «para adentro», la vigilancia de los miembros femeninos de la familia; y «para afuera», la necesidad de afirmar su hombría y prestigio social a través de la conquista de otras mujeres y de preservar su existencia con una buena cantidad de hijos. En sus investigaciones Oscar Lewis notó que la mayoría de los maridos y jefes de familia mantenían una querida y tenían varios hijos ilegítimos. También halló que muchas de las mujeres que vivían en concubinato llevaron a esta unión sus propios hijos ilegítimos y hasta sus hijas que a su vez eran madres solteras a la edad de quince o dieciséis años.

Ya en los tiempos de la Colonia, la «casa chica», o *senzala* en el Brasil, servía de segundo hogar a los criollos de la casa grande que visitaban las chozas de las campesinas y sirvientas indias, mestizas, negras y mulatas y les encargaban el cuidado de los hijos que habían engendrado con ellas. Desde un punto de vista moderno, la mujer, sobre todo de la clase baja, era y sigue siendo más que nada un objeto necesario para la satisfacción masculina; y pocos hombres la consideraban una persona que pudiera tener sus propios sueños, deseos y necesidades. «Hembra» es posiblemente la palabra en español que mejor representa la idea de la mujer-objeto para el hombre macho. La ecuación psicológica viene a ser: hembra iguala derivación de placer y dominio de la mujer. El amor y la responsabilidad hacia la hembra están ausentes en esta clase de relaciones. La pérdida del placer terminaría las relaciones entre macho y hembra; y la pérdida del dominio sobre ella podría resultar en una riña con un rival sobre el dominio de la hembra-objeto.

Hay un cuento reciente de nada menos que Jorge Luis Borges en el cual enfoca magistralmente el tema del dominio masculino sobre la mujer. El narrador del cuento trata de convencer a su viejo amigo que no se bata a muerte por la mujer que acaba de abandonarlo por otro y que ya no lo quiere. La respuesta del amigo abandonado y ofendido es típica: «Ella me tiene sin cuidado. Un hombre que piensa cinco minutos seguidos en una mujer no es un hombre sino un marica. ... El que me está importando ahora es Rufino».

La falta de un sentido de responsabilidad o muestra de cariño hacia la

Evita Duarte de Perón, figura matriarcal y defensora de los derechos de la mujer.

mujer-objeto se manifiesta en otro nivel a través de una indiferencia bastante habitual hacia los hijos que nacieron de esta relación poco sentimental. Es ésta la razón mayor para la existencia de un alto porcentaje de hijos considerados ilegítimos y de una estructura familiar llamada matrilinear o, con más exactitud, matrifocal en la que la madre cuida, mantiene y educa a los hijos. En realidad, el término «matrilinear» demuestra descendencia por el lado materno, mientras que «matrifocal» simplemente indica que los hijos están a cargo de la madre.

Desafortunadamente ocurre a menudo que en la familia matrifocal la madre debe ausentarse durante largas horas para trabajar de empleada o sirvienta y tiene que dejar a los hijos solos. Muchos psicólogos latinoamericanos se han ocupado de la mentalidad de los hijos abandonados por el padre, y los sociólogos la han estudiado como problema social ya que el número de estos hijos es sumamente elevado. Tal vez aquí se proyecta el arquetipo de la madre como la gran fuente de vida, sostén y protección para los seres a los que dio vida propia; y se ha llegado a trazar un paralelo entre la Iglesia católica como madre protectora de los fieles y la función de la mujer-madre latinoamericana.

Para algunos sociólogos existe también un nivel de madre-hijo en las relaciones entre la mujer y el hombre-esposo. Se ha dicho repetidamente que el hombre latinoamericano considera la vida como un relato de

La vida familiar es dura en la clase baja y más cuando es matrifocal.

aventuras en el que juega el papel envidiable de héroe mientras que esté fuera de casa, pero que, al volver, se somete de buena gana al calor maternal que su mujer otorga a los hijos. Esta dualidad no sorprenderá a los que están acostumbrados a observar que el ser humano juega diariamente una diversidad de roles distintos y complejos.

Oscar Lewis determinó que los hijos de las familias de la clase baja en México se encuentran fuertemente ligados a la madre y que, con pocas excepciones, sienten miedo o, a lo sumo, respeto frente a la figura autoritaria del padre. Al parecer, la relación padre-hijo está desprovista de lazos afectivos. Por de pronto, la mayoría de los hijos que aparecen en estas investigaciones no conocieron a su padre o nunca se llevaron bien con él.

No hay duda de que la ausencia de la figura del padre tiene un fuerte efecto negativo sobre el desarrollo mental de los hijos. Ya en el Siglo de Oro español se notaba el prototipo del niño sin padre, que necesitaba ensayarse en la lucha por la vida diaria a una edad muy tierna ya que la madre no podía ni darle de comer. Este pícaro sigue existiendo a través de la triste condición de millones de niños latinoamericanos cuyo cinismo y resentimiento contra su sociedad nació del desamparo familiar.

LA FAMILIA Y LA JUVENTUD

De acuerdo con los principios tradicionales latinoamericanos son los hijos que han contraído la obligación de existir para los padres. No hay duda de que dentro de la estructura de normas familiares los padres disfrutan del respeto, de la presencia y de la asistencia de los hijos, lo que es conveniente en la vejez. En general los jóvenes viven en casa de los padres hasta el día en que se casan y a menudo también después de casados. Es raro también que un estudiante universitario deje a su familia si existe una universidad al alcance del viaje diario.

En buena parte, la continuada residencia de los jóvenes en el hogar familiar se debe a la falta de vivienda barata, la carestía de la vida y la dificultad de obtener un empleo. Pero al mismo tiempo existe el factor psicológico de la dependencia acostumbrada, del ejemplo normativo de los demás jóvenes que viven con la familia y del sentimiento de respetar los deseos de los padres. Todo esto dificulta el anhelo de independizarse y romper vínculos casi sagrados. Es todavía frecuente encontrar novios que esperan pacientemente año tras año para poder casarse, puesto que el novio o la novia debe cuidar a sus padres incapacitados o mantener a hermanos menores que dependen todavía de su ayuda. En estas circunstancias un noviazgo puede durar fácilmente cinco años o más; pero ni la pareja ni su círculo de amistades se asombran por esta espera ya que cabe dentro del marco de exigencias que la norma social impone a los jóvenes.

Pero también existe el éxodo de la familia, sobre todo en las provincias. Hay miles de muchachos y hombres que vienen a las ciudades donde llenan las casas de pensión modestas mientras que buscan trabajo o estudian. El elemento femenino se muestra todavía bastante reticente. Hay en realidad pocas jóvenes solteras que quieren independizarse y dejar la familia para vivir por su cuenta. La excepción se da entre las muchachas de la clase baja que abandonan el campo para ir a las ciudades en busca del trabajo que escasea en las provincias pobres. Pero, de cierto modo, estas muchachas no trascienden el contexto de la vida familiar tradicional ya que la gran mayoría de ellas se colocan de sirvienta, con lo cual se integran a las normas autoritarias de la familia que les da empleo.

El resultado obvio de la dependencia de los jóvenes de la ayuda familiar es la falta de un espíritu autónomo o de la confianza en un juicio independiente. En este sentido la iniciativa de los jóvenes estadounidenses sirve de contraste con la relación entre la familia y la nueva generación en

En Centroamérica el aumento de población continúa alcanzando un 4 por ciento anual.

Latinoamérica, aunque habrá que reconocer que en la sociedad urbana de hoy se operan cambios culturales que sin duda continuarán alterando la estructura de la familia.

El ensayista y parasociólogo argentino Julio Mafud, autor de muchos libros sobre los cambios sociales latinoamericanos, nos pinta un cuadro poco tradicional de la familia urbana de hoy: El núcleo familiar moderno es reducido y vive inmerso en el mundo exterior. El mundo infantil-adolescente se ha fundido con el adulto, y los padres comparten con los hijos las tensiones de una vida agitada y dirigida desde fuera del hogar. Por eso los padres ya no se sienten simplemente superiores sino que ven en sus hijos seres de conflicto social más que una continuación de sí mismos. Si antes la familia era la fuente de casi todo—la usina psicológica, según el concepto del conocido psiquiatra Teodoro Reich—en la escena contemporánea la televisión, el radio, el cine y el periódico ayudan al niño a controlar la conducta paterna a través de pautas sancionadas e impuestas por la difusión de la cultura popular. De acuerdo con Mafud, el niño o adolescente de hoy es sobre todo receptor de la atención de los padres y se convierte desde su edad más temprana en un consumidor destacado dentro de una sociedad basada cada vez más en el consumo conspicuo y acelerado. Naturalmente esta clase de sociedad coordina el status con el nivel de consumo y obliga al adolescente a acostumbrarse a derivar su futuro prestigio social de la cultura de masas a través de su consumo. Aquí, entonces, se nota una desviación del sistema tradicional en que los miembros jóvenes de la familia debían sentirse una extensión del núcleo, más que un individuo consumidor aparte. Si, como observa Mafud, en la actualidad muchos padres latinoamericanos comprenden su función de tal modo que se ven obligados a existir para sus hijos, entonces la inversión de valores tradicionales es completa.

Aparentemente, por ahora esta inversión existe sólo entre los miembros de la clase media y alta urbana; pero el crecimiento de la clase media es acelerado e indica que en el futuro la estructura familiar será menos rígida.

Ezequiel Martínez Estrada

Siempre atento al abismo que existe entre la vida natural y la tiranía de las leyes y tradiciones sociales, Martínez Estrada se preocupa por la condición inferior de la mujer, que se cristalizó en su explotación por el hombre. Irónicamente, para este ensayista argentino, tanto el «noble salvaje» indígena como la mayoría de los descendientes de los conquistadores se parecen en la actitud de ver en la mujer un objeto para el trabajo, la satisfacción sexual y la procreación.

Sin embargo, Martínez Estrada está de acuerdo con el sociólogo brasilero Gilberto Freyre en que la integración de sexos y razas en el Brasil produjo un ambiente de familia más equilibrado.

Diferencias y semejanzas entre los países de la América Latina

... Todavía hoy encontramos en las poblaciones indígenas,[1] que sin duda han sido contaminadas por la influencia despectiva de los primeros pobladores,[2] que la mujer es despreciada aun por el marido, el hermano y el hijo de su propia estirpe. Del Perú, de Ecuador, de Guatemala y de México nos cuentan sociólogos y novelistas contemporáneos el trato que se les da, sometiéndolas a las tareas pesadas,[3] como en la región de los zapotecas.[4] El cuadro es el mismo en toda América Latina: allí donde el aborigen[5] mantiene su status y donde está entremezclado

[1]indígenas de indios puros originales   [2]primeros pobladores habitantes más antiguos u [3]las tareas pesadas los trabajos muy duros   [4]zapotecas tribu de indios del Sur de México   [5]aborigen indio

Indias del altiplano con sus «guaguas».

con el mestizo, la mujer es la sirvienta del hombre, va detrás de él por los caminos seguida de los hijos en orden de edad; come después y espera para hablar a que el señor la autorice. Estas costumbres, naturalmente, no son oriundas ni exclusivas de Latinoamérica, pero aquí encontramos tierras y clima propicios para institucionalizarse y dar a la vida familiar y social un matiz que corresponde bien a los otros muchos que configuran lo que entendemos por países subdesarrollados.

Gran diferencia hay entre la familia que se constituye en el Perú y México y la que en la Argentina, el Brasil, Cuba. Allí rige el matrimonio como institución de estado con sus códigos religiosos, éticos, jurídicos y consuetudinarios.[6] En el resto del territorio de la Conquista, rige el concubinato. Las uniones libres son violentas, se diría de animales en celo[7]; el conquistador y el colono hacen presa[8] de las mujeres, las someten a la maternidad como a una extraña forma de servidumbre; la relación de macho y hembra no es la de marido y mujer, sino la de amo y esclava. La lascivia y no el amor es el estímulo de los ayuntamientos,[9] y la prole,[10] relegada por el padre y por la madre, el mestizo de todas partes donde nace como cría de ganado humano, constituye el tipo rebelde, holgazán y vicioso que describen los cronistas: es el paria.[11]

Sólo el Brasil, que establece como código social la mancebía[12] reconocida como institución regular, alcanza a configurar un tipo de sociedad equilibrada y fecunda sobre la base del amor libre. Luego se institucionaliza, y ni existe la división cortante entre matrimonio y concubinato ni entre hijos legítimos e ilegítimos. En las plantaciones conviven los hijos de la casa grande y de la *senzala*,[13] y el amo es patriarca y sultán. Las fazendas[14] y los ingenios son sultanatos y gineceos[15] como en el Paraguay, «el Paraíso de Mahoma».[16] La familia del esclavo es más bien un plantel de cría.[17] Se favorecen los ayuntamientos y en ocasiones se hace compulsiva la procreación, para tener nueva mano de obra[18] barata y hasta comerciar en el mercado negrero.[19]

[6]consuetudinarios sociales   [7]en celo *in heat*   [8]hacen presa apresan   [9]los ayuntamientos la vida en conjunto   [10]la prole los hijos   [11]paria *outcast*   [12]mancebía matrimonio libre   [13]casa ... senzala vivienda del patrón y de los colonos: Véase las selecciones de Freyre de su conocido libro *Casa grande e senzala* en los Capítulos tres y cuatro.   [14]fazendas (Brasil) haciendas o plantaciones   [15]son ... gineceos se parecen a palacios orientales con su harén   [16]el ... Mahoma referencia al profeta del Islam que sancionó la poligamia para sus creyentes   [17]plantel de cría aparato de producir hijos   [18]mano de obra *labor force*   [19]negrero de esclavos negros

Oscar Lewis

En sus investigaciones de la cultura mexicana, el profesor Lewis explora predominantemente las relaciones sociales y psicológicas dentro del contexto de la familia nuclear. En el caso presente, la familia Castro ofrece varias posibilidades analíticas: el ejemplo de la movilidad social, hacia arriba; la posición altamente dependiente de la mujer; la continuada existencia de un ideal masculino, mezcla de donjuanismo y un espíritu patriarcal; el impacto de la cultura estadounidense, sobre todo para la juventud; un ambiente laxo en cuanto a los modales de los hijos; y un tono de «mal gusto» que domina en las relaciones entre los miembros de la familia y con los sirvientes. El conjunto de estos factores establece un cuadro a la vez moderno y común.

La antropología de la pobreza La familia Castro

—¿Está bien caliente todo?

—Sí, señora. Ya está todo listo. Dispénseme Ud., pero yo creía que ya estaba bien la masa esa. Ya verá cómo no me vuelve a suceder.

—Oye, hija—dijo Juana, dirigiéndose a Concepción—háblale a Josefina, porque ya van a bajar los señores.

En unos minutos Concepción regresó con Josefina, quien entró empujando las puertas de resorte que había entre la cocina y el comedor. Seguida de Lourdes, Isabel fue al comedor a inspeccionar la mesa. Cuando comprobó que todo estaba en orden volvió a subir, dirigiéndose a la pieza de los muchachos. Los chicos, aún en pijamas, gritábanse unos a otros y saltaban de cama en cama.

Cuando la madre entró no se detuvieron, a pesar de que los nombró uno a uno. Como último recurso fue a su propia alcoba y regresó con un viejo cinturón de piel en la mano. Los muchachos detuvieron su juego tan pronto como vieron el cinturón. —Ándenles,[20] muchachos. Su padre ya va a salir del baño y si los ve así, sin vestirse, se va a enojar.

Los chicos se pusieron sus pantuflas y batas y bajaron corriendo y gritando. Juan, el más joven, se deslizó por el pasamanos a pesar de los esfuerzos de Isabel para evitarlo. Lourdes se mantuvo junto a su madre, fuertemente asida de su bata.

Desde lo alto de la escalera, Isabel gritó a los niños:

—¡Lávense las manos! Que cuando yo baje ya estén sentaditos a la mesa, listos para cuando llegue su padre.

En ese momento, David salió del cuarto de baño; se había recortado el pequeño bigote y lucía perfectamente rasurado (empleaba una rasuradora[21] eléctrica); olía a Yardley, su colonia favorita. El pelo largo, cuidadosamente peinado sobre la parte superior de la cabeza para cubrir la calvicie. En la recámara, Isabel extendía la ropa interior de David, quien no tardó más de cinco minutos en vestirse completamente, con pantalones gris perla, una camisa *sport* de color azul, una chaqueta también *sport* de lana, en dos tonos, calcetines de listas azules y zapatos de piel y ante negro. En la bolsa superior de la chaqueta colocó el pañuelo blanco y azul que Isabel le había doblado cuidadosamente.

David Castro era un hombre de cuarenta y siete

---

[20]ándenles (México) vamos, apúrense   [21]rasuradora razor

años que trataba de ocultar su edad vistiéndose juvenilmente. Más bien era chaparro,[22] como de un metro sesenta, tenía la piel trigueña y manchada, el pelo todavía negro y la apariencia general saludable y dinámica; si no guapo, sí atractivo.[23] Sus ropas caras tendían a lo llamativo.[24] Con un traje inglés de dos tonos, a veces usaba un suéter[25] de cuello alto de color brillante y unos zapatos de dos colores, así como ciertas joyas. David era muy pródigo para gastar dinero en sí mismo; poseía varias docenas de trajes y chaquetas y muchos pares de zapatos que apenas cabían en el enorme guardarropa de la recámara.[26]

Llevando a Lourdes de la mano, David e Isabel comenzaron a bajar las escaleras.

—Oye, viejo—comenzó a decir Isabel—los muchachos quieren que les pongamos el árbol de Navidá. Ya estamos a dieciocho y ya no los aguanto.[27]

—Bueno, ¿y por qué no se los compras?

—Porque no tengo dinero, ¡vaya! ¿Crés que con el gasto me alcanza para todo? Todo está muy caro y por acá más. Anda, no seas codo,[28] dame siquiera cincuenta pesos.

—¡Cincuenta pesos! Pues, ¿qué vas a comprar, cincuenta árboles?—preguntó David con una sonrisa.

—Qué cincuenta ni qué cincuenta.[29] Lo que pasa es que, con eso de la prohibición de vender árboles, los que tienen algunos los dan re[30] caros. Andan por las nubes.

—No muelas.[31] Después te los doy. Vamos a desayunar primero, que ya me anda de[32] hambre.

—Papy—dijo Lourdes—no seas malo. Ya mis primos tienen su árbol y nosotros no. Está muy chulo,[33] con muchos foquitos y esferas. Mary le puso en la punta una estrellita. Dice que es la de los Reyes Magos y que si no le pongo estrella a mi árbol no llega Santa.

—¿Qué Santa?[34]—dijo el padre.

—¡Santa Clos! ¿Qué no sabes?

—Bueno, en mis tiempos los que venían eran los Reyes Magos,[35] aunque yo no recibí nunca un regalo. Seguro que como yo era tan pobre y ni zapatos tenía...

—Ya, papy, ¿a poco ni zapatos tenías?—dijo Rolando.

—¡Claro! ¿Qué creen que todos los niños tienen lo que Uds.? Por eso no saben apreciar nada. Ya ven, el tren eléctrico ni caso le hacen y no costó cualquier bagatela.[36]

—¿Cuánto te costó, papy?—preguntó Manuel.

—Qué les importa. Mucho, mucho dinero. ¿No es cierto, vieja?

—Yo ni sé. ¿Cuándo me dices lo que cuestan las cosas?

—Bueno, bueno, vamos a desayunar.

David Castro estaba orgulloso de sí mismo, de ser un hombre que había subido por su propio esfuerzo, pues había salido de los barrios bajos. Nunca perdía oportunidad para decir a sus hijos

---

[22]**chaparro** corto   [23]**si ... atractivo** while he was not good-looking, he did seem likeable   [24]**tendían ... llamativo** were rather loud   [25]**suéter** sweater   [26]**guardarropa ... recámara** bedroom closet   [27]**ya ... aguanto** they drive me crazy   [28]**codo** cheap   [29]**Qué ... cincuenta.** Don't give me that crap.   [30]**re** (México) extra   [31]**No muelas.** No me canses.   [32]**me anda de** tengo   [33]**chulo** bonito   [34]**¿Qué Santa?** The internationalization of United States cultural patterns is in most cases quite recent. Thus the father still reacts to the term *"Santa"* by thinking of a saint, since saints are prominent figures within the Hispanic cultural tradition, whereas his children associate *"Santa"* with Santa Claus and, naturally, presents.   [35]**Reyes Magos** Traditionally, in Hispanic countries no presents were exchanged at Christmastime. Some children received presents on January 6, called *Reyes*, because the calendar commemorates the visit of the three Holy Kings to Bethlehem with presents for the Christ child. Yet, giving presents on that day was not too widespread either, and David Castro's subsequent complaint is exaggerated.   [36]**no ... bagetela** me costó una buena cantidad de dinero

lo pobre que había sido. Él y su hermano crecieron en la peor colonia de la ciudad de México, donde su madre regentaba una casa de mala fama.[37] David no recordaba a su padre, pero su madre y sus tías le hicieron guardar una imagen viva de él con palabras amargas y hostiles. Su padre abandonó a su esposa legítima y a sus dos hijos, para vivir con la madre de David. Pero cuando estalló la Revolución se fue a pelear y nunca más se volvió a saber de él. La madre de David quedó en el mayor desamparo y miseria, y para dar de comer a sus hijos durante la lucha armada tuvo que volver los ojos hacia el negocio más lucrativo que se le ofrecía. De esta manera, David creció entre prostitutas, criminales, borrachos y drogadictos.

La madre era cariñosa, abnegada e indulgente con los niños. Dio de mamar a David hasta que tenía cinco años, y en una ocasión platicó a Isabel, riendo, cómo David exigía que le diera el pecho llamándola hija de puta si no accedía inmediatamente. También permitió que David fuera a la escuela primaria, destacado privilegio para un niño de su clase. Pero él resintió la forma en que ella ganaba el dinero y nunca se sobrepuso a la hostilidad que por ella sentía.

Durante corto tiempo fue miembro de una banda de rufianes, ingería drogas y obtenía dinero alquilando muchachas para los salones de baile; luego se apartó de esa vida y se metió de aprendiz de carpintería. Era enérgico y ambicioso y comenzó a prosperar.

Más tarde abrió su propia maderería y carpintería, donde proporcionó trabajo a su hermano y a su madre. Lentamente aumentó su negocio por medio de créditos obtenidos en los bancos mediante contratos de trabajo. Su mayor oportunidad la tuvo cuando su hermano, quien murió por haber fumado una dosis excesiva de marihuana, se las arregló para facilitarle una gran suma de dinero a fin de que iniciara el negocio del cemento. Isabel sospechaba que el hermano de David había robado ese dinero o lo había ganado jugando, porque antes no tenía un centavo.

Conforme crecía el negocio, David intentó satisfacer sus ambiciones literarias en otro trabajo donde redactaba anuncios.[38] De esta nueva actividad disfrutó bastante porque tenía facilidad para escribir, pero tan pronto como demostró su habilidad, la abandonó y se dedicó por entero a los negocios, donde su energía, audacia y astucia, que lindaban con[39] la falta de escrúpulos, le fueron muy útiles.

A las doce del día la familia se sentó a la mesa. Isabel hizo sonar una campanita de plata y Josefina, quien esperaba allí mismo, presentó una fuente de *pancakes*.

—Mamá—dijo Lourdes—a mí nomás me das uno.

—Te vas a tomar lo que te sirva tu madre, nena. No sé por qué reniegan tanto de la comida. Fuera bueno que sintieran lo que es el hambre de verdad—dijo el padre.

—¿A poco[40] tú sí sabes, papy?—dijo Manuel.

—No he de saber... ¿A poco creen que siempre he tenido dinero? Yo me he levantado hasta donde estoy por mí mismo, pero mi buen trabajo me ha costado. Eso sí, siempre le llevaba dinero a mi madre, de donde fuera. ¡Y qué esperanzas[41] que le contestara como Uds. le contestan a su madre! A ver, ya cállense y coman pronto, y bien. Tú, Juan, ¿para qué crés que se hicieron los cubiertos? ¿Qué no tienes cuchillo que estás partiendo los jotqueis[42] con la mano?

—Oh, papy, es que Manuel me lo escondió.

—No es cierto, papy. Este escuincle chillón[43] de todo se queja. Ya no podemos ni tocarlo con un dedo porque de todo grita.

—Es que así son Uds. con él—dijo Isabel—ya lo tienen escamado.[44]

---

[37]regentaba ... fama administraba una casa de prostitución   [38]redactaba anuncios he wrote advertising copy   [39]lindaban con bordered on   [40]a poco tal vez   [41]y qué esperanzas y creen   [42]jotqueis hotcakes (phonetic transcription)   [43]escuincle chillón crybaby   [44]escamado intimidated

—No es cierto, mam, es que este escuincle es una lata,[45] ¿verdá, tú, Sordo?.

—No le digas así a tu hermano—dijo ella irritada—no está sordo. Y no tienes derecho a molestarlo. Cállate y come. Mira, ya tiraste la miel en el mantel. ¡Cochino![46] Parece que nunca has comido en una mesa.

David intervino:

—Deja al muchacho y come tú también. ¿A poco te estás poniendo a dieta para no engordar? Mira, a tu edad ya todo lo que se haga para conservar la línea es por demás[47]—y guiñó los ojos a los chicos.

—Sí claro, a ti te parezco vieja, pero no creas que tú estás tan jovencito. Además a otros no les pareceré tan vieja.

David rió sonoramente y con gran calma ingirió gran número de *pancakes*. Este desayuno se había hecho costumbre desde que, en una ocasión, Isabel trajo a la casa una caja de harina mezclada especialmente para *hotcakes*, adquirida en un supermercado cercano, cinco años atrás. David ya no extrañaba su desayuno de frijoles refritos con tortillas y chile. Al igual que otros miembros de la nueva clase media y alta de México, era un gran admirador de los Estados Unidos y aceptaba sin reservas muchas de sus costumbres y formas de vida como superiores a las propias. De hecho, Santa Claus, el árbol de Navidad y la harina mezclada para los *hotcakes*, hasta muy poco antes tan extraños a México, pronto se iban haciendo tradicionales de la sociedad mexicana.

Josefina estaba de pie cerca de Isabel esperando nuevas órdenes.

—Oye, tú, mensa, tráeme más de estas tortas. No te quedes ahí parada como idiota—dijo Juan.

—¿Ves, David, cómo son estos muchachos? No respetan a nadie.

—Déjalos, mujer, para eso pagamos—contestó él.

. . .

David hizo retroceder el carro hasta la reja. Manejaba con gran aplomo y pronto se perdió al final de la calle. Isabel permaneció mirando en la dirección en que había desaparecido. Su esposo la intrigaba. Realmente, ella no podría decir si la amaba o la odiaba. A veces era agradable y cariñoso: «Se la bebe a uno en un vaso de agua», solía decir. En ocasiones era brutal y se complacía en desdeñarla. La obligaba a mendigarle el dinero y la hería con pequeñas provocaciones alardeando de ser un Don Juan. En una ocasión llegó hasta el grado de pedir que le aplicara una inyección que resultó ser testosterona, hormona masculina para estimular su potencia sexual. Y puesto que a ella sólo le exigía relaciones una vez por mes, pensó que se aplicaba las hormonas «para ser más macho con su querida». Tanta ira sintió Isabel en ese momento que al darle un piquetazo con la aguja ésta se rompió y tuvieron que hacerle una operación para sacársela.

También se quejaba Isabel de que nunca podía discutir con David porque siempre insistía él en tener la razón, pensando que no valía la pena escuchar las razones de ella. «Nunca me da crédito», decía. Cuando se interesaba por sus asuntos personales o de negocios, y era tierna y cariñosa, la rechazaba. Era «como si pusiera una barrera» que no podía salvar.[48]

Isabel creía que David trataba de aislarla de la gente con cuya compañía disfrutaba. Antes tenían cenas e invitados a fiestas en su casa, y con frecuencia le pedían a ella que tocara la guitarra. «Pero David no podía soportar que la gente me hablara y ya no quiso tener más reuniones». Tuvo que dejar a sus amistades y limitarse a visitar a su propia familia. Iba con frecuencia al cine y hacía muchas compras. Ahora hacía ya muchos años que no tocaba la guitarra.

Rara vez la llevaba David con él cuando salía con sus amigos, en su mayor parte políticos y hombres de negocios. Le gustaba asistir a los clubes nocturnos o a los restaurantes caros en donde, sin pensarlo mucho, dilapidaba[49] el dinero. Isabel le

---

[45]es una lata nos cansa less to try to stay in shape   [46]¡Cochino! Pig!   [47]todo lo que ... demás it's use-   [48]salvar bridge   [49]dilapidaba wasted

había visto gastar hasta dos mil pesos[50] en una noche. También gastaba mucho en los toros y apostando en el béisbol, sus espectáculos favoritos. Con los amigos bebía mucho y se volvía escandaloso y agresivo. Le gustaba la lucha libre y tenía un truco para abrazar y levantar a sus amigos en vilo,[51] para mostrar la fuerza de sus brazos. En una ocasión rompió así las costillas a un amigo.

Hubo una época en que Isabel intentó mejorar las buenas maneras de David, así como sus gustos; quiso «civilizarlo», según decía. Aunque ella no había recibido educación para entender el arte, disfrutaba con él[52] y exigía a su esposo que la llevara al teatro y a la ópera, a los conciertos y a las galerías de exposiciones artísticas. Estas salidas «culturales» aburrían a David y les puso fin.

Edgardo Amenta

Deseosa de participar en una vida confortable basada en las promesas de la tecnología actual, y frustrada en esta tentativa debido a economías fuertemente inflacionarias, la clase media en Latinoamérica se encuentra en una posición difícil.

En la selección procedente de la novela *Días ajenos* esta crisis se refleja en los problemas de un joven y de una familia de la zona metropolitana argentina. A pesar de sus esfuerzos, el joven Ricardo no puede ganar lo suficiente para casarse.

Días ajenos

Ricardo, quien anhela casarse con Susana es un muchacho serio, trabajador y con deseos de llegar a ser algo. Desafortunadamente sus ambiciones y su perseverancia son severamente limitadas por la falta de oportunidades. Aunque posee la voluntad y energía de mantener dos empleos y ahorrar dinero para poder casarse, la continua inflación anula todos sus esfuerzos. Ricardo representa sin duda a los jóvenes cuyo futuro decidirá también el de la clase media porteña.

Ricardo sale de la oficina con Marcos. En el nervioso movimiento de los empleados que se van, parecen dos manchas negras.

—¿Adónde vas? ...

—Voy a tomar bastante café. Esta noche tengo liquidación de quincena[53] en la fábrica.

—¿No ibas a dejar ese empleo? ...

—Lo necesito, viejo, lo necesito. Cada día las cosas están más caras.

Cruzan la calle y entran en un bar.[54]

—¿Y el aumento de sueldo? ...

—El aumento se lo doy a Susana para la campaña pro casamiento.

—Vos estás loco, Ricardo, completamente loco. En esta época, el casamiento es un absurdo. Se

---

[50]pesos El peso mexicano vale unos ocho y medio centavos de dólar.   [51]en vilo en el aire   [52]disfrutaba con él she enjoyed it   [53]liquidación de quincena bimonthly balance   [54]bar combination of a café and a bistro

gana poco, las cosas están aumentando[55] día a día, no hay vivienda... En un caos como éste hay que buscar la simplificación de la vida.

Ricardo lo mira con tristeza:

—Y yo tengo todavía el problema de mi madre.[56]

—¿No se lleva bien[57] con la cuñada? ...

—A las patadas.[58] Desde el sábado no se dirigen la palabra.

—¿Y todavía insistís en casarte? ... Háceme caso, Ricardo, dejá la fábrica y viví tranquilo. Ya te dijo el médico que no tenés salud para esta vida.

—Es que yo quiero a Susana.

—Eso no basta. Comprendé que la familia de ella tiene razón. Vos no estás capacitado para hacerla feliz.

—Ellos son tan pobres como yo.

—Por eso mismo.[59] Quieren que la hija salga de la inmundicia que están viviendo, no que siga pasando miseria con un pobre diablo.[60]

—Algún día se arreglarán las cosas.

—Este país no se va a componer nunca. Hace diez años que estamos esperando el milagro y todos los días nos hundimos un poco más en el tacho de la basura.

—Vamos andando. Se me va a hacer tarde.[61]

Al llegar a la puerta ven un camión de propaganda política. La voz del altoparlante penetra en todos los rincones:

—¡Energía! ... ¡Siderurgía! ... ¡Petróleo! ... ¡Terminemos con la oligarquía terrateniente[62] que ha vendido nuestra riqueza al imperialismo! ... ¡Desarrollo económico y justicia social! ... ¡Basta

de burocracia! ... ¡Basta de negociados! ... ¡A la cárcel con los ladrones públicos! ... ¡Administración eficaz y funcionarios honrados! ...

Después la música correspondiente. Un tango de Discépolo[63] y la voz de Edmundo Rivero[64]:

El mundo fue y será una porquería
ya lo sé,
en el quinientos seis[65]
y en el dos mil también...

El camión se va perdiendo en el tráfico. La gente de la calle comenta la propaganda con evidente desaprensión y nihilismo. Nadie cree en la política, ni en los partidos, mucho menos en los hombres. Todos usan los mismos discos, las mismas palabras, los mismos argumentos. Han pasado demasiados gobiernos y ninguno ha servido para nada. Los negociados son cada vez mayores, la crisis económica se hace más aguda, la vida se encarece.

—Lo peor de todo es tener que aguantar a estos profesionales de la política.

Ricardo corre[66] un ómnibus, pero no lo alcanza. Vuelve a la vereda y se pone en la cola.[67] Marcos se va:

—Te dejo, viejo. Tengo que ir a ver a una fulana.

—No te comprometas demasiado.

—No te hagás problema. Mis compromisos son solamente *corporales.*

Ricardo, solo y en la mitad de la cola, piensa: El viejo quería que yo fuera médico. Tenía la carrera elegida. Hizo mil y un sacrificios para que fuera al Nacional.[68] ¿Dónde quedó todo eso? Las ilusiones

[55]las ... aumentando el costo de vida sigue en aumento   [56]Y ... madre. Ricardo y su madre tienen poco dinero y están obligados a vivir malamente con parientes. [57]no ... bien doesn't she get along   [58]A ... patadas. Like cats and dogs.   [59]Por eso mismo. That's precisely it.   [60]no ... diablo instead of a continued dreary life that she surely would have if she married a nobody like you   [61]Se ... tarde. Voy a llegar tarde.   [62]la oligarquía terrateniente los hacendados y estancieros que todavía controlan la economía básica de la Argentina   [63]Discépolo Enrique Santos Discépolo fue un famoso compositor de tangos. Puesto que el mensaje político es nacionalista, un tango argentino complementa este tono.   [64]Edmundo Rivero cantor popular argentino en la década de 1960   [65]el quinientos seis *Año* is understood. These lyrics are from the well-known tango *"Cambalache,"* or *"Junk Shop,"* that portrays the moral decay of modern Argentina.   [66]corre runs after   [67]cola waiting line at the bus stop   [68]Nacional Colegio Nacional: a combination high school and preparatory school to enter the university in Buenos Aires

y las luchas de años tiradas a los perros. Cuando él murió perdimos la casa y yo dejé el estudio. Trabajo como un animal y no consigo nada. Ya me dijeron que mis bronquios no van a resistir esta vida. ¿Qué importa? ... Ya que no pude ser médico, seré enfermo. Todo está relacionado con la medicina. Esa parece ser mi verdadera vocación. *El viejo tenía razón.*

El ómnibus llega y Ricardo se va a su trabajo nocturno.

Oscar Lewis

La orientación de la clase baja tiene que basarse forzosamente en la aceptación de lo que la vida les ofrece a sus miembros. Limitados por la falta de dinero, de instrucción suficiente y de oportunidades para emplearse, se ven obligados a depender de parientes o de convivir con ellos bajo circunstancias difíciles. A menudo encontramos un grupo de personas—hijos, sobrinos, sus esposas y los hijos legítimos o ilegítimos de ellas, padres, tíos y abuelos—que comparten un cuarto o dos y que necesitan adaptarse unos a otros para evitar una excesiva lucha entre los sexos o las distintas generaciones.

Los hijos de Sánchez Manuel

Vivimos con mi tía como cerca de un año. Llegué a conocer a los hermanos de mi mamá, Alfredo, el que es panadero, y a José, porque iban de visita todas las noches. Una vez había trabajado con mi tío Alfredo pero a José casi no lo había tratado. Lo veía algunas veces, me lo encontraba en la calle y me daba mi domingo. En casa de mi tía Guadalupe venían y se pasaban horas tomando y hablando y yo me pasaba mucho tiempo con ellos.

Mi tío José me dio un consejo. Dice: «Mira, hijo, ahora que te has casado te voy a dar un consejo que debes tomar muy en cuenta toda tu vida. La mujer, el primer brinco te lo da a las rodillas. Bueno, hasta ahí puedes dejarla. El segundo te lo da a la cintura. Cuando te brinque a la cintura métele un chingadazo[69] por donde le caiga, porque si no, te brinca al pescuezo. Y si te brinca al pescuezo nunca te la has de bajar. Así que imponte».

Mi tío siempre se quejaba de que lo tenía embrujado y él iba a ver a un señor muy bueno para curar, para que le sacara el embrujo. «Ya ves», dice, «esa vieja bruja cabrona me tiene colmada la medida.[70] Siempre que llego está con sus yerbitas, con sus pendejadas.[71] Y me tiene embrujado, hijo, y no sé cómo hacer para

[69]métele un chingadazo give her a good hard kick   [70]esa ... medida I have it up to here with that damned old witch of a wife   [71]yerbitas, ... pendejadas herbs, with her witches' brew

Ecuatoriana camino al mercado. La labor de la mujer indígena sigue siendo indispensable para la familia.

deshacerme de este encantamiento≫. Pos[72] el caso es que siempre se quejaba de que lo tenía embrujado, pero mi tío José—en paz descanse—siempre traía a la pobre señora con los ojos morados.

Una vez lo vi pegando a su señora y hasta yo me metí.[73] ≪No, no, tío. No le pegues así...no seas mala gente... ¿no ves que, pobrecita, es mujer?≫

Un día andaba mi tía Guadalupe con un ojo morado. Entonces le dije a su esposo: ≪Mira, pinche chaparro,[74] nomás sé[75] que le pegas a mi tía, y ¡verdá buena que te las vas a ver conmigo![76]≫

Y los consejos de mi tío José eran buenos. La mujer necesita que la vigilen. Si no hace uno así

con las mujeres mexicanas empiezan a tomar las riendas y después se desmandan. He oído a unas mujeres decir: ≪Mi esposo es muy bueno, tengo todo lo que necesito, pero yo quiero un hombre que me domine, no uno que se deje dominar por mí≫. Yo siempre he dominado a las mujeres, para que yo me sienta más hombre y que ellas lo sientan también.

Bueno pues ya pasó el tiempo y tuve una dificultad con mi tío Ignacio. No sé si estaría borracho—a lo mejor fue una puntada de borrachera—pero el caso es que le dijo a mi esposa que cuándo le iba a pagar. ≪¿Pagar?≫, le dijo Paula, ≪¿yo qué le debo, cuándo le he pedido prestado?≫. ≪No≫, dice él, ≪si no se trata de eso, se trata de...ya Ud. me entiende≫. En la noche que yo vine de trabajar me lo dijo la Chaparra[77] y yo me disgusté muy fuerte con Ignacio, incluso quise pegarle. Pero por mi tía esa misma noche nos salimos y nos fuimos a vivir a casa de mi suegra.

Mi suegra y su marido vivían en un cuarto con cocina en el número treinta de la calle de Piedad. En ese tiempo cuatro de sus hijos y sus familias vivían allí; Dalila y su niño, Faustino y su esposa, Socorrito, su marido y sus tres hijos y Paula y yo. El cuarto era no muy grande, la duela del piso—donde dormíamos—era tosca, burda, toda dispareja. Las paredes se veían llenas de dedazos de las chinches que mataban. Y había cantidad de chinches ahí...yo desde luego no estaba acostumbrado, por mi padre, ¿verdad? como es extremadamente limpio, y en la casa pocas veces hubo tal cantidad de animales. Aquí no había excusado adentro, únicamente excusado colectivo, afuera, y siempre en un estado desastroso, pero horrible aquello, ¡vaya!

En aquel cuarto sólo había una cama que es donde dormía Faustino con su esposa. Los demás dormíamos sobre el piso, sobre cartones, para

[72]pos pues   [73]metí interpuse   [74]pinche chaparro little louse   [75]nomás sé
me enteré   [76]¡verdá ... conmigo! I'm telling you that from now on you'll have to
reckon with me!   [77]Chaparra Chiquilla, su mujer

tender las cobijas. Los otros muebles eran un ropero, todo roto, sin puertas, y una mesa que teníamos que sacar en la noche para la cocina para poder desocupar el espacio. Socorrito, su marido y sus chamacos[78] se acostaban en el espacio entre la cama y la pared. Paula y yo nos quedábamos a los pies de la cama. Mi cuñada Dalila y su hijo, al otro lado, junto a Paula. Mi suegra y su marido en la esquina cerca de la cocina, en el lugar que ocupaba la mesa en el día. Así es como nosotros trece—cinco familias—cabíamos en aquel cuartito.

Vivienda en Panamá. Ser pobre casi siempre significa compartir el cuarto con parientes.

Ramón Francisco

El predominio del hombre, especialmente como padre de familia, es algo muy tradicional en las sociedades latinoamericanas. Pero es un predominio basado en el aporte o control económico que ofrece subsistencia y seguridad a los demás miembros de la familia. Cuando se elimina esta función económica, el rol superior del hombre queda en suspenso, lo que a su vez contribuye a la desintegración de la estructura familiar.

Ramón Francisco, escritor dominicano, nos ofrece al hombre como víctima de la terrible situación económica en la isla y, al mismo tiempo, del sistema de valores que lo reduce a ser ≪una boca hambrienta más≫ en el seno de la familia.

El hombre

—¡Mira tú, maldita mujer! ¡Levántate! ¡Háme un 'agu' e sal![79]

El hombre empujó a su mujer. La cama despidió un crujido que invadió de repente la pequeña habitación. La mujer se levantó y buscó a tientas, con pesadez, los fósforos sobre la mesa. Se hizo una luz torpe y el hombre se revolvió en la cama que seguía crujiendo con insistencia.

Cristo Rey[80] dormía. Al filo del invierno, los hombres del barrio ejecutaban su heroica faena

[78]chamacos (México) hijos   [79]¡Háme ... sal! ¡Prepárame un vaso de agua con sal!   [80]Cristo Rey nombre del lugar en la República Dominicana

diaria: el sonido crujiente que hacían lanzar a sus camas revolviendo sus cuerpos, más desesperado cuanto más golpeaba el hambre contra sus débiles estómagos. Momentos antes, o quizás en este mismo instante, en otra de las misérrimas casas de Cristo Rey, otro marido, amoroso también, repetiría, ≪¡Mira tú, maldita mujer! ¡Háme un 'agu' e sal!≫ Y si había sal, él olvidaría, mientras tratara de conciliar el sueño, que tenía hambre.

—¡Tén!

El hombre bebió el agua con avidez y se sentó, los pies fuera del lecho. Apoyó sus codos sobre las piernas y quedó pensativo por un rato, mirando hacia un ángulo de la habitación donde dos de sus hijos dormían con los ojos a medio cerrar y sus barrigas, crecidas en demasía,[81] apuntando al cielo.

—¡El diablo cargará con nosotros! ¿Qué hora es?

—Serán como las doce y media o la una.

—Qué timbale[82] tiene Lolo. Todavía no ha llegao.

—No habrá acabao.

—¡Cómo que no![83] Y hoy que e día de pago. Lo que pasa es que se queda con lo amigo. Pero mañana me la va a pagar. Le voy a caer a pecozone[84] en cuanto me levante.

La mujer oyó al hombre amenazar a su hijo, pero permaneció callada. No era nada bueno, ciertamente, contradecir a un hombre a quien le pica el estómago. Ella lo sabía. Se sentó en la cama, por hacer algo. El hombre continuó hablando. Dijo de la indolencia de estos hijos de hoy, de cómo son indiferentes ante la miseria de sus padres. Lolo era uno de ésos, claro está. ¿Cómo era posible que no regresara temprano a la casa, siendo día de pago y sabiendo que él, su mujer y sus demás hermanos no habían probado bocado alguno todavía a esa hora de la noche? Ah, pero mañana se las pagaría, de esto estaba

seguro. En cuanto se levantara iba a caerle a pescozones para que no jugara con él y para que viera de una vez por todas quién era el jefe de la casa.

—Lolo cree que me va a relajar[85] a mí porque trae dinero a la casa. Él va a ver mañana...

Cuántas veces al año sucedía esto mientras Cristo Rey dormía, nunca se supo. Sabemos, sí, que el hombre, a pesar de todo, hacía su esfuerzo. Buscaba qué hacer,[86] pero infructuosamente.

—No hay trabajo en ninguna parte, de eto e que se aprovecha Lolo pa relajarme, yo lo sé.

Era muy difícil obtener trabajo, en verdad. Él lo había probado durante más de cinco años. Así que Lolo había tenido que hacerse cargo de la situación. Gracias a él se comía entre días. Quiere decir que no había que hacer mucho caso al hambre cuando el estómago hablaba por él.

La mujer se levantó. Echó más agua en el jarro sobre la mesa y puso otros cuantos granos de sal. Durante un rato movió el jarro y después apuró su contenido mientras llevaba una mano a su vientre.

—¡El diablo cargará con nosotros!—repitió el hombre.

En ese momento tocaron a la puerta y la mujer se despidió como un bólido[87] a abrir. Era Lolo, efectivamente. Sus ojos a medio desencajar, sus cabellos retorcidos y cubiertos de polvo, sus pies descalzos y sucios testimoniaban lo duro que había sido el día. Sus tres y medio pies de estatura se agigantaron mientras se abría la puerta. Avanzó entonces hacia el centro de la habitación bajo la mirada endurecida del padre y el aliento contenido de la madre y desplomó sus cansados años sobre una silla que también crujió lastimeramente. Su figura dominó el silencio que se hizo a su imponente entrada. A los diez años de edad, ¿qué duda cabía? Lolo era el hombre de la casa.

—La gente ya no da ná, mamá.[88] Eto e to lo que conseguí hoy.— Introdujo su mano en un

---

[81]crecidas en demasía bloated   [82]qué timbale (Antillas) qué poca consideración
[83]¡Cómo que no! What do you mean?   [84]le ... pecozone le voy a dar una paliza
[85]relajar (Antillas) faltar el respeto   [86]qué hacer trabajo   [87]se despidió ... bólido
fue rápidamente   [88]La gente ... mamá. Lolo está mendigando por las calles pero
la gente es muy pobre y ni el día de pago ya pueden dar mucho.

bolsillo y extrajo unas cuantas monedas que pasó a su madre.

Ella las apretó un momento en su puño contra su pecho mientras miraba hacia el techo y mordía sus labios. Después, la noche continuó con un pesado silencio rasgado abruptamente por el trueno del ronquido del padre:

—¿Qué etá tú eperando, maldita mujer? ¡Junta la candela! ¡Despierta a la vecina y compra tre plátano!

Jorge Luis Borges

En sus poemas y cuentos basados en la mitología del arrabal porteño Borges retrata al hombre macho y su preocupación por una hombría casi mística. La historia de un tal Rosendo Juárez capta esta mentalidad con una comprensión y simpatía que confirman una vez más el criollismo particular de este gran escritor argentino. En el fragmento presentado aquí, Borges nos hace notar que la mujer no interesa como persona sino como objeto que se posee o se pierde.

Historia de Rosendo Juárez
Fragmento

Los viejos hablamos y hablamos, pero ya me estoy acercando a lo que le quiero contar. No sé si ya se lo menté[89] a Luis Irala. Un amigo como no hay muchos. Era un hombre ya entrado en años, que nunca le había hecho asco al trabajo,[90] y me había tomado cariño.[91] En la vida había puesto los pies en el comité.[92] Vivía de su oficio de carpintero. No se metía con nadie ni hubiera permitido que nadie se metiera con él. Una mañana vino a verme y me dijo:

—Ya te habrán venido con la historia de que me dejó la Casilda. El que me la quitó es Rufino Aguilera.

Con ese sujeto yo había tenido trato en Morón. Le contesté:

—Sí, lo conozco. Es el menos inmundicia[93] de los Aguilera.

—Inmundicia o no, ahora tendrá que habérselas[94] conmigo.

Me quedé pensando y le dije:

—Nadie le quita nada a nadie. Si la Casilda te ha dejado, es porque lo quiere a Rufino y vos no le importás.

—Y la gente, ¿qué va a decir? ¿Que soy un cobarde?

—Mi consejo es que no te metás en historias por lo que la gente pueda decir y por una mujer que ya no te quiere.

—Ella me tiene sin cuidado.[95] Un hombre que piensa cinco minutos seguidos en una mujer no es un hombre sino un marica.[96] La Casilda no tiene corazón. La última noche que pasamos juntos me dijo que yo ya andaba para viejo.

—Te decía la verdad.

—La verdad es lo que duele. El que me está importando ahora es Rufino.

[89]menté mencioné   [90]le ... trabajo shunned hard work   [91]me ... cariño liked me   [92]comité local político, donde podía obtener favores del jefe regional   [93]el menos inmundicia el menos despreciable   [94]habérselas enfrentarse   [95]Ella ... cuidado. I don't give a damn about her.   [96]marica queer

Manuel del Toro

En este cuento puertorriqueño, ya célebre, se juntan varios temas: el machismo como modelo cultural para los hombres de la clase baja, la aceptación ciega de este modelo por los jóvenes de esta clase y la relación entre padres e hijos basada en el «culto del coraje». El joven protagonista de *Mi padre* juega un rol triste al no darse cuenta del sacrificio que impone a su padre ni de la falsedad de su modelo cultural.

Mi padre

De niño siempre tuve el temor de que mi padre fuera un cobarde. No porque le viera correr seguido de cerca por un machete como vi tantas veces a Paco el Gallina y a Quino Pascual. ¡Pero era tan diferente a los papás de mis compañeros de clase! En aquella escuela de barrio donde el valor era la virtud suprema, yo bebía el alcíbar[97] de ser el hijo de un hombre que ni siquiera usaba cuchillo. ¡Cómo envidiaba a mis compañeros que relataban una y otra vez sin cansarse nunca de las hazañas de sus progenitores! Nolasco Rivera había desarmado a dos guardias insulares.[98] A Perico Lugo lo dejaron por muerto en un zanjón con veintitrés tajos de perrillo.[99] Felipe Chaveta lucía una hermosa herida desde la sien hasta el mentón.

Mi padre, mi pobre padre, no tenía ni una sola cicatriz en el cuerpo. Acababa de comprobarlo con gran pena mientras nos bañábamos en el río aquella tarde sabatina en que como de costumbre veníamos de voltear las talas de tabaco.[100] Ahora seguía yo sus pasos hundiendo mis pies descalzos en el tibio polvo del camino y haciendo sonar mi trompeta. Era ésta un tallo de amapola al que mi padre con aquella su mansa habilidad para todas las cosas pequeñas había convertido en trompeta con sólo hacerle una incisión longitudinal.

Al pasar frente a La Aurora me dijo:

—Entremos aquí. No tengo cigarros para la noche.

Del asombro por poco me trago la trompeta. Porque papá nunca entraba a La Aurora, punto de reunión de todos los guapos del barrio. Allí se jugaba baraja, se bebía ron y casi siempre se daban tajos. Unos tajos de machete que convertían brazos nervudos en cortos muñones. Unos tajos largos de navaja que echaban afuera intestinos. Unos tajos hondos de puñal por los que salía la sangre y se entraba la muerte.

Después de dar las buenas tardes, papá pidió cigarros. Los iba escogiendo uno a uno con fruición de fumador, palpándolos entre los dedos y llevándolos a la nariz para percibir su aroma. Yo, pegado al mostrador forrado de zinc, trataba de esconderme entre los pantalones de papá. Sin atreverme a tocar mi trompeta, pareciéndome que ofendía a los guapetones hasta con mi aliento, miraba a hurtadillas de una a otra esquina del ventorrillo.[101] Acostado sobre la estiba[102] de arroz veía a José el Tuerto comer pan y salchichón echándole los pellejitos al perro sarnoso que los atrapaba en el aire con un ruido seco de dientes. En la mesita del lado tallaban[103] con una baraja sucia Nolasco Rivera, Perico Lugo, Chus Maurosa y un colorao que yo no conocía. En un tablero

[97]bebía el acíbar had to swallow the bitter truth   [98]insulares pertenecientes a la policía de la isla de Puerto Rico   [99]tajos de perillo circular cuts or wounds   [100]veníamos ... tabaco we returned from the tobacco fields   [101]ventorrillo pequeña tienda   [102]la estiba los bultos   [103]tallaban se entretenían

colocado sobre un barril se jugaba dominó. Un grupo de curiosos seguía de cerca las jugadas. Todos bebían ron.

Fue el colorao el de la provocación. Se acercó donde papá alargándole la botella de la que ya todos habían bebido:

—Dése un palo, don.[104]

—Muchas gracias, pero yo no puedo tomar.

—Ah, ¿con que me desprecia porque soy un pelao?

—No es eso, amigo. Es que no puedo tomar. Déselo Ud. en mi nombre.

—Este palo se lo da Ud. o ca...se lo echo por la cabeza.

Lo intentó pero no pudo. El empellón de papá lo arrojó contra el barril de macarelas.[105] Se levantó medio aturdido por el ron y por el golpe y palpándose el cinturón con ambas manos dijo:

—Está Ud. de suerte, viejito, porque ando desarmao.

—A ver, préstenle un cuchillo.— Yo no podía creerlo pero era papá el que hablaba.

Todavía al recordarlo un escalofrío me corre por el cuerpo. Veinte manos se hundieron en las camisetas sucias, en los pantalones raídos, en las botas enlodadas, en todos los sitios en que un hombre sabe guardar su arma. Veinte manos surgieron ofreciendo en silencio de jíbaro encastado[106] el cuchillo casero, el puñal de tres filos, la sevillana corva...

—Amigo, escoja el que más le guste.

—Mire, don, yo soy un hombre guapo pero usté es más que yo.— Así dijo el colorao y salió de la tienda con pasito lento.

Pagó papá sus cigarros, dio las buenas tardes y salimos. Al bajar el escaloncito escuché al Tuerto decir con admiración:

—Ahí va un macho completo.

Mi trompeta de amapola tocaba a triunfo. ¡Dios mío que llegue el lunes para contárselo a los muchachos!

[104]Dése ... don. Take a swig, fella.   [105]macarelas pescado   [106]de ... encastado más profundo

Hogar indígena en la sierra boliviana. La mujer teje un motivo tradicional que venderá después en el mercado de la aldea próxima.

La bodega sigue siendo el mundo del hombre, donde todavía se catizan el valor y la afirmación del «yo».

Visión, México, D. F.

Una vez más, las cifras se encargan de dramatizar los conflictos que existen entre la vida racional y la emotiva. Esta vez se trata de escoger entre la necesidad del control de la natalidad y las tradiciones religiosas o culturales que en conjunto siguen produciendo el aumento de población más alto del mundo. Difícilmente podrá la América Latina mantener a seiscientos millones de habitantes, en su mayoría jóvenes, en el año 2000. La base de esta enorme pirámide demográfica es la familia, y sólo en el seno de la familia se podrá combatir el espectro de una población excesiva que lógicamente exigirá casa, comida, escuela y empleo.

Población, juventud y familia

De Quito: «El aumento de la población y su incidencia sobre la infancia, la adolescencia, la juventud y la familia americana» fue el tema central del XIII Congreso Panamericano del Niño, realizado en esta ciudad en junio pasado. Participaron en él veintidós países americanos y dieciséis organismos internacionales. De dicho Congreso surgieron datos y recomendaciones que ahora estudian atentamente gobiernos, organismos internacionales, sociólogos y educadores.

El aumento de la población americana, especialmente en lo que se refiere a Latinoamérica, es el más alto del mundo, y plantea, de inmediato, un desafío en todos los campos. De los planes que se hagan y de las decisiones que se tomen en los más altos niveles dependerá el curso que siga una población que, según cálculos de las Naciones Unidas, para el año 2000 debe pasar de los seiscientos millones de habitantes.

A raíz de este fenómeno, la América Latina presenta un índice de crecimiento demográfico que la convierte, cada vez más, en un «continente de niños». Sobre veinte países latinoamericanos, catorce tienen más de la mitad de su población por debajo de los veinte años. He aquí las cifras en porcentajes proporcionadas por los censos nacionales y las Naciones Unidas al respecto.

Argentina	39,1
Bolivia	49,4
Brasil	52,9
Colombia	52,8
Costa Rica	57,1
Cuba	46,0
Chile	49,4
Ecuador	54,8
El Salvador	54,4
Guatemala	53,3
Haití	48,1
Honduras	57,9
México	54,6
Nicaragua	57,9
Panamá	53,2
Paraguay	53,5
Perú	53,1
República Dominicana	55,1
Uruguay	35,9
Venezuela	54,2

Como el problema demográfico tiene una relación directa con la planificación familiar y los programas de control de la natalidad, los presentes recomendaron «que los estados americanos contemplen la planificación familiar, pero ajustada a los principios esenciales del derecho del niño a la vida, a la libertad y a la dignidad humana y familiar».

Otras importantes recomendaciones del Congreso fueron:

Casa de un distrito residencial de Santo Domingo. Menos del 1 por ciento de las familias gozan de este lujo.

«Prohibir el trabajo infantil, sin permitir que se inicie a un nivel inferior a los catorce años; propiciar el aprendizaje obligatorio en las empresas privadas y públicas; estimular el trabajo de la mujer con salarios justicieros».

El tema del trabajo había sido analizado, hace tres años, en Santiago de Chile, durante las sesiones de la Conferencia Latinoamericana sobre la Infancia y la Juventud en el Desarrollo Nacional. Entonces, se había concluido que «los menores latinoamericanos son evidentemente víctimas de una cierta explotación de su trabajo, de una falta de legislación protectora o del incumplimiento cabal de las legislaciones existentes». Y se habían conocido algunas cifras sobre la participación (en tanto por ciento) de los menores en el mundo del trabajo.

«Redoblar los esfuerzos para combatir las enfermedades inevitables, mejorar la nutrición y el saneamiento, impulsar la educación sanitaria y organizar y administrar adecuadamente los programas de la natalidad».

Respecto de la educación, el Congreso destacó la importancia de cumplir con el postulado de la enseñanza gratuita y obligatoria en la primera etapa, adquirir modernas técnicas de pedagogía y prestar preferente atención a las zonas rurales «en forma planificada y adecuada». Exceptuando a

Chile, Costa Rica, Panamá así como el Perú, ningún otro de los países latinoamericanos destina más del 4 por ciento del ingreso nacional a las actividades de este rubro.

En cuanto a la organización escolar, estadísticas de la UNESCO señalan claramente (en porcentajes) cuántos niños matriculados en la escuela primaria logran terminarla.

Argentina	40
Bolivia	(17)
Brasil	25
Colombia	18
Costa Rica	29
Cuba	46
Chile	33
Ecuador	21
El Salvador	21
Guatemala	15
Haití	14
Honduras	14
México	23
Nicaragua	8
Panamá	48
Paraguay	14
Perú	26
República Dominicana	7
Uruguay	37
Venezuela	35

2 de agosto de 1968

Visión, México, D. F.

Aliada a la cuestión del exceso de la natalidad, notamos la alta cuota de hijos ilegítimos en Latinoamérica, sobre todo en los países poco desarrollados. También en este cuadro estadístico se esconden factores culturales poco visibles a primera vista. Hay una correlación positiva entre el predominio de la clase baja y el porcentaje de hijos ilegítimos. También entran en juego la psicología del hombre que se afirma al propagar su masculinidad y el rol sumiso de la mujer, acostumbrada desde tiempos precolombinos a producir un hijo al año. Lo que tampoco muestran las estadísticas son las tristes consecuencias del desarraigo familiar para estos millones de niños.

Madres solteras

De México: ¿A qué se debe el elevado número de hijos nacidos extramatrimonialmente—los hijos ilegítimos o naturales de algunas clasificaciones legales—que se registra en la América Latina?

Basta ver las estadísticas al respecto para darse cuenta de la naturaleza del problema, que resulta aún más si se comparan las cifras de esta región con las correspondientes a otras partes del mundo.

Los hijos ilegítimos

América Latina	Año	Porcentaje de ilegitimidad por cada 100 habitantes	Otros países	Año	Porcentaje
Argentina	1963	24,9	Australia	1964	6,5
Bolivia	1958	17,2	Alemania Oeste	1963	12,8
Brasil	1960	12,9	Alemania Oriental	1964	9,4
Colombia	1964	22,6	Bélgica	1963	2,2
Costa Rica	1964	23,8	Canadá	1964	5,9
Chile	1964	16,6	Checoslovaquia	1963	4,7
Ecuador	1964	32,0	China	1964	1,3
El Salvador	1963	64,7	Dinamarca	1963	8,9
Guatemala	1963	67,9	España	1964	1,8
Honduras	1957	64,5	Estados Unidos	1964	6,8
México	1963	24,9	Francia	1964	5,9
Nicaragua	1963	53,9	Hungria	1964	5,2
Panamá	1964	69,0	Italia	1963	2,2
Paraguay	1960	44,3	Japón	1963	1,1
Perú	1963	42,6	Luxemburgo	1964	3,2
Puerto Rico	1964	22,9	Polonia	1963	4,1
República Dominicana	1962	60,5	Portugal	1964	8,4
Venezuela	1963	53,7	Yugoslavia	1963	8,5

Datos del Anuario Demográfico de las Naciones Unidas. La clasificación de hijo ilegítimo se ha hecho tomando en cuenta el estado civil de la madre en el momento del alumbramiento, o sea el que nace de mujer soltera.

Casamiento en el interior de Guatemala. En la clase baja el matrimonio es bastante informal y a menudo se legaliza cuando la pareja tiene hijos grandes.

Hace poco, la doctora Flavia Espinoza, venezolana, graduada en sicología en la Universidad Nacional Autónoma de México, inició un estudio sobre esa cuestión, continuado actualmente por el doctor José Cueli, miembro de la Asociación Sicoanalítica Mexicana, jefe del Departamento de Sicología Clínica y Director del Centro de Investigaciones del Colegio de Sicología de la UNAM. El doctor Cueli resume a *Visión* algunas observaciones preliminares hechas en el curso de sus pesquisas:

≪En nuestros países, en los medios en donde los individuos se debaten entre el hambre y la miseria, los hombres y las mujeres se afirman teniendo hijos... Confunden las relaciones sexuales con la procreación. Lo que se ve es que en Hispanoamérica la única manera de afirmarse de las clases menesterosas es a través de las relaciones sexuales. Confunden el medio con el fin. Esto, naturalmente, en México, está estrechamente vinculado con el machismo. Para los animales el placer sexual es primariamente un medio para un fin; en el ser humano, no sólo es un medio para un fin sino también un importante fin en sí mismo. La relación sexual es larga y compleja. Para su realización plena se interrelaciona con todas las actividades y emociones humanas, con todos los factores de lo que llamamos amor entre los humanos. Cuando el amor no se puede expresar, se manifiesta en forma patológica.

≪El deseo de tener hijos está en razón inversa del número de hijos. Esto es igual entre hombres que entre mujeres (si se tienen muchos hijos ya no se desean y si no se tienen se anhelan).

≪Mi colega el doctor Manuel Mateos Cándano, Director del Centro de Estudios de la Reproducción, en su libro *Anticoncepción y mujer,* ... da a conocer una serie de resultados estadísticos obtenidos de quinientas familias muestreadas[107] entre 13.000. Proporciona datos muy interesantes. Por ejemplo: un 84 por ciento no desean tener más hijos. La relación madre-hijo es la más íntima del ser humano. Sin embargo, y esto es lo sorprendente, es más alto el porcentaje de hombres que desean tener hijos que el de mujeres. El 34 por ciento de las mujeres interrogadas no quieren tener más hijos, el 58 por ciento de los maridos sí los quieren. Esto contrasta con la elevada incidencia de padres sicológica y físicamente ausentes. El hombre se afirma al ser padre, pero luego huye de la responsabilidad. Además, según las estadísticas, las parejas

[107]muestreadas sampled

291

mexicanas permanecen mudas ante el problema del número de hijos. Dos de cada cinco mujeres nunca han hablado del número de hijos que querrían tener. Los hombres aceptan como idea las pastillas anticonceptivas, pero cuando la propia mujer las toma, entonces ese hombre abandonador y callejero se transforma y se encierra en su casa para erigirse en guardián de la fidelidad de su mujer...»

5 de julio de 1968

Discusión

1. ¿De qué se compone la familia tradicional latinoamericana?
2. ¿Cómo demuestra el miembro de la familia su lealtad a la misma?
3. ¿Qué representa el gaucho en contraste con el núcleo familiar?
4. ¿Qué impacto tiene la vida urbana de hoy sobre la cohesión familiar?
5. ¿Cómo funciona el compadrazgo?
6. ¿Qué antecedentes tiene la familia patriarcal en Latinoamérica?
7. ¿Por qué se convierte en el guardián del honor el jefe de la familia?
8. ¿Qué simboliza *La casa de muñecas* para muchas mujeres latinoamericanas?
9. ¿Qué rol jugaba la «casa chica», o *senzala*, en el desarrollo de la familia matrilinear?
10. ¿Cómo se muestra la relación entre el hombre y la hembra-objeto en el cuento de Borges?
11. Diferencie entre los términos «matrilinear» y «matrifocal».
12. Trate de establecer a la madre como figura arquetipal.
13. ¿Qué obligaciones debe un joven a la familia tradicional?
14. Explique, de acuerdo con Julio Mafud, cómo tenemos hoy una inversión de obligaciones entre padres e hijos en la sociedad urbanizada.
15. De acuerdo con Martínez Estrada, ¿qué prácticas sociales formaron al paria en la América Latina?
16. Haga una lista de aspectos culturales pertenecientes a la vida en los Estados Unidos que forman parte de las necesidades psicológicas de la familia Castro.
17. Analice la mentalidad de David Castro.
18. Describa la condición económicosocial de Isabel.
19. ¿Qué fuerzas sociales actúan como disolventes de la cohesión familiar en *Días ajenos*?
20. ¿Qué consejos le da el tío al joven desposado sobre la posición de la mujer frente al marido en «Manuel» de *Los hijos de Sánchez*?
21. ¿Por qué es necesario dominar a la mujer, según el narrador en «Manuel»?

22. ¿Qué relaciones familiares se estructuran en el cuento *El hombre*?

23. ¿Qué motivos tiene el protagonista del cuento de Borges de desafiar a Rufino?

24. ¿Qué modelo cultural se establece en *Mi padre* para el joven narrador?

25. Trate de descubrir las intenciones del padre y del autor en el cuento *Mi padre* en lo que se relaciona con «el culto del coraje».

26. Comente la frase aparecida en «Población, juventud y familia»: «...La América Latina ... convierte, cada vez más, en un <continente de niños>.»

27. Comente la frase del doctor Cueli en «Madres solteras»: «Confunden las relaciones sexuales con la procreación».

Capítulo nueve
Conceptos de la realidad

La nacionalización de la industria, a menudo controlada por el capital internacional, crea graves problemas para la futura inversión en Latinoamérica por parte de compañías extranjeras.

EL NACIONALISMO POLÍTICO Y ECONÓMICO

Sin excepción alguna, en los países latinoamericanos el nivel de desarrollo económico o la ausencia del mismo depende mayormente de factores de origen político y social. Esto se debe en gran parte que estas naciones relativamente jóvenes y técnicamente subdesarrolladas han pasado por un largo período de dominación económica por parte de las grandes potencias industriales, especialmente la Gran Bretaña y los Estados Unidos.

Durante el apogeo de la época del capitalismo absoluto en la que se practicaba todavía un imperialismo colonial agresivo, se presenció el avasallamiento económico de los países agrarios o productores de materias primas—a los que pertenecen las naciones de la América Latina—por las potencias imperialistas mediante el uso de monopolios, concesiones, acuerdos especiales y tarifas favorables, obtenidos por presiones financieras y manipulaciones en la política interna o intervenciones militares.

Naturalmente, las potencias industriales tenían poco interés en fomentar industrias competidoras en los países subdesarrollados, lo que tuvo consecuencias trágicas para estos países agrarios, a menudo reducidos a vivir malamente de un monocomercio ridículo. Ya no es posible—si acaso lo fue alguna vez—usar el excedente anual de la producción de café, bananas, cobre o estaño para adquirir todos los artefactos costosos que son indispensables para mantener a flote una sociedad civilizada, sobre todo en la segunda mitad del siglo XX. Mientras que el rápido aumento de la población y la constante demanda de un nivel de vida más alto exigen más productos tecnológicos, una fuerte baja de los precios del café o cobre en las bolsas de Londres y Nueva York puede reducir la compra de materiales manufacturados a la mitad de lo esperado y al mismo tiempo crear una crisis económica catastrófica.

La única solución aparente sería la industrialización de los países agrarios para que puedan satisfacer su consumo interno o tal vez la creación de mercados comunes. Pero estas tareas enormes sólo se podrán realizar mediante la inversión de capital en gran escala y la ayuda técnica de firmas o agencias oficiales extranjeras. Naturalmente las empresas privadas esperan poder realizar ganancias suficientes para justificar sus inversiones sin el peligro de ser controladas o tal vez expropiadas con el primer cambio de gobierno. Las dos tentativas de crear mercados comunes del tipo que tanto éxito obtuvo en Europa todavía están lejos de completarse. Ni la Alianza Latinoamericana de Libre Comercio (ALALC) ni el Mercado Común Centroamericano están funcionando debidamente. También el intenso espíritu nacionalista que reina en la América Latina está obligando a muchos dirigentes políticos a hablar de una soberanía económica absoluta en vez de intentar remedios más pragmáticos.

En los últimos años la corriente nacionalista ha sido impulsada por elementos de la izquierda tanto como de la derecha. El estudiantado, casi siempre radical, continúa su campaña antiimperialista y periódicamente entabla luchas sangrientas con los que llama representantes de la oligarquía afiliada con la banca y el comercio internacional. Sería difícil hallar un país latinoamericano donde las universidades no se encontraran clausuradas periódicamente por decreto del gobierno; pero a menudo son los partidos políticos o sindicatos de trabajadores los que se unen a la actitud estudiantil.

A las dictaduras militares argentinas les han hecho presión el estudiantado y los sindicatos obreros para que abandonen su política favorable a la vieja oligarquía ganadera y al inversionista extranjero. En Venezuela muchos estudiantes han hecho causa común con los guerrilleros fidelistas contra los intereses petroleros «yanquis» y sus «lacayos» venezolanos. En 1964 estalló un conflicto entre estudiantes panameños y soldados de la Zona del Canal, en el que pronto participó el gentío de la capital. El motivo inicial fue la decisión de no enarbolar la bandera panameña al lado de la estadounidense en la Zona del Canal, pero este incidente sirvió para agrandar resentimientos más profundos, basados en la dependencia del pequeño país del poderoso vecino del Norte. El resultado fue una serie de muertos, una cantidad de autos y comercios estadounidenses incendiados y la ruptura momentánea de relaciones diplomáticas. Los socialistas, comunistas y radicales chilenos han insistido desde hace tiempo en la nacionalización de la industria del cobre, fuente principal de ingresos del país y hasta ahora en manos de grandes compañías estadounidenses. Con la elección del doctor Allende se intensificó la filosofía nacionalista oficial. En Bolivia, país de complejas y constantes fluctuaciones políticas, el gobierno militar del general Torres, de simpatías izquierdistas, ha estado nacionalizando la industria petrolera y de gases naturales con el apoyo de los sindicatos mineros.

Los derechistas han cultivado un sentimiento nacionalista igualmente poderoso. Leonel Brizola, popular líder conservador brasilero en la década de 1960, expropió la compañía de teléfonos del importante estado Rio Grande do Sul cuando fue gobernador. En sus campañas electorales ganó la simpatía de muchos votantes al predicar la ruptura de relaciones comerciales con los Estados Unidos para evitar que el Brasil fuese «anexado por el Coloso del Norte que obligaría a los brasileños a hablar inglés». Los gobiernos conservadores—a menudo militares—de la Argentina continuamente reclaman las islas Malvinas (Falkland Islands) de la Gran

Mineros bolivianos.

El monocomercio tiene el gran defecto de crear la dependencia de una nación de los precios mundiales. Si el cacao baja un centavo, hay crisis en el país productor.

Bretaña ya que las consideran territorio nacional; y los gobiernos derechistas de Guatemala hacen otro tanto referente al territorio llamado Honduras Británica (Belice). La junta militar peruana que expulsó al último presidente elegido, el arquitecto Belaúnde Terry, hombre bastante progresista y de formación universitaria estadounidense, proclamó una política de independencia que incluye la nacionalización de minas de cobre, instalaciones petrolíferas y grandes ingenios de azúcar en manos de compañías estadounidenses. Por la costa del océano Pacífico países como Ecuador y el Perú han decretado oficialmente una soberanía marítima que tiene una extensión de doscientas millas, lo que creó un conflicto con las flotillas de pesca de los Estados Unidos, donde se reconoce un límite de doce millas como máxima extensión legal.

En general, las quejas de los países latinoamericanos se están cristalizando en una posición de afirmación soberana que busca una ayuda desinteresada e incondicional de las grandes potencias industriales con el fin de alcanzar la independencia económica lo que a su vez garantizaría una soberanía política genuina. Si la política de nacionalización que se está llevando a cabo en Chile y el Perú se viera coronada de éxito, es de esperarse que los dirigentes y el pueblo en el resto de la América Latina considerarían medidas similares. Las recomendaciones de la Misión Rockefeller que había visitado el continente del Sur en 1969 defraudaron las expectativas de los latinoamericanos que esperaban una revitalización de la famosa Alianza para el Progreso que fue formulada por el Presidente Kennedy. El «nasserismo» actual parece tener bastantes discípulos entre los políticos y militares jóvenes de la América Latina quienes estarían dispuestos a participar en el Tercer Mundo y a venderse al mejor postor para servir a los intereses nacionales.

Sin embargo, no se solucionan los problemas económicos o sociales con moneda patriótica o emociones nacionalistas. Muchas industrias son tecnológicamente tan complejas que ningún país latino tiene por ahora la capacidad de montarlas; y, por consiguiente, existe la necesidad de invitar a intereses extranjeros. Piénsese en la importante explotación del petróleo, la necesidad de refinerías y los medios de distribución. Países que cuentan con un total de dos o tres millones de habitantes o un alto porcentaje de indios y que viven todavía al margen de la economía del consumidor moderno, difícilmente podrían obtener la autonomía económica soñada; y la producción de artefactos en pequeña escala, desde la bujía hasta el televisor, sería irrisoria por su costo elevadísimo al consumidor. Críticos del nacionalismo latino también señalan que un patriotismo excesivo lleva a la compra de aviones de caza franceses *Mirage* por parte del gobierno peruano o la adquisición de un portaaviones de segunda mano para complacer a los almirantes argentinos y que la reciente «guerra del fútbol» entre Honduras y El Salvador en 1969 desencadenó una ola de compras de material bélico en muchos países subdesarrollados cuyo presupuesto no alcanza ni para los gastos mínimos de la educación, la higiene y la vivienda. Hay mucha distancia entre la teoría de la igualdad de los pueblos y la práctica en el mundo de la política del poder. Las batallas económicas difícilmente se ganan con banderas.

EL NACIONALISMO CULTURAL

Aunque cada país latinoamericano ondea su bandera, guarda sus fronteras y crea su propia historia, no podría sobrevivir como entidad política sin una amplia base cultural que nutra lo que se puede llamar el nacionalismo cultural de un pueblo. Ahora bien, si nos ponemos a hacer definiciones, ¿qué constituye un pueblo o su nacionalismo cultural? Históricamente la evolución cultural tanto como política comenzó con el clan o grupo que mostraba una perfecta cohesión social y cultural ya que todos los factores principales o determinantes—el clima, el terreno, la raza, el idioma, el modo de vida, la cosmología y la interpretación artística—eran compartidos por todos los miembros. Para los románticos, que investigaron la expresión primordial de los pueblos, su genio consistía en un espíritu genuino, único, que de algún modo había nacido de la naturaleza y se gobernaba por leyes naturales. La expresión original de un clan o pueblo, sin embargo, nos es mayormente desconocida ya que está perdida en las brumas misteriosas de un pasado muy remoto. En sus varias etapas de evolución cultural, la historia de los pueblos se complica a través de siglos y siglos de guerras, conquistas, imposiciones y asimilaciones. Sólo a comienzos del siglo XIX, era del romanticismo, presenciamos la tentativa política de establecer un espíritu nacional para todo ciudadano a fines de crear un estado fortalecido por una cohesión cultural. Hay que acordarse de que hasta aquel entonces la lealtad política de un pueblo sólo existía frente a un monarca o príncipe, que a menudo no había nacido en la región o el país que le tocaba gobernar. El político se anticipa entonces al sociólogo en el uso de la herencia cultural aunque no la sistematiza.

El siglo XIX también presenció los movimientos de Independencia por parte de los descendientes de españoles y portugueses, desde México hasta la Argentina, que reemplazaban la adherencia a una monarquía lejana por un republicanismo criollo. Curiosamente, en sus comienzos este criollismo contenía más elementos heredados de la cultura española o portuguesa que de un espíritu del Nuevo Mundo, es decir, era una continuación de la vida colonial ya que el indio o el negro y su expresión artística y lingüística no habían sido tomados en cuenta todavía. La fragmentación política de los antiguos virreinatos fue otro capricho de la historia. La Gran Colombia, por ejemplo, se dividió en tres partes: Venezuela, Colombia y Ecuador; y de Colombia se separó más adelante Panamá. En el proceso de la fragmentación del imperio español en América, hay que buscar forzosamente la formación de una conciencia nacional para cada una de las flamantes repúblicas. A pesar de su enorme extensión territorial el Brasil no se fragmentó, por más que existiera una clara división entre el Noreste africano, el Centro criollo-portugués con Rio de Janeiro y el Sur con São Paulo y un ritmo de vida influenciado por la inmigración alemana e italiana. Sin duda la formación de una conciencia nacional tardó bastante en concretarse; y las damas y los caballeros de la oligarquía criolla de Quito, Lima o Bogotá fueron considerados más *castizos* que muchos peninsulares durante el resto del siglo pasado. Pero en el siglo XX la palabra «criollismo» empezó a alcanzar nuevos significados. La Revolución mexicana de 1910 marcó el rumbo futuro en cuanto a la incorporación del indio y de su pasado a la vida cultural de la nación. El criollismo brasilero compartió la formidable presencia africana como base para la sociedad de masas del inmenso país. Sin excepción, cada una de las nuevas repúblicas latinoamericanas tuvo que elaborar por su cuenta una identidad propia.

Aunque la cultura criolla nunca descartó—ni pudo descartar—normas de conducta o sistemas de valores que pertenecían a un modo de vida peninsular, tuvo que desarrollar un espíritu nacional a través de medios considerados tradicionales: la glorificación de un destino nacional común mediante la literatura patriótica, fiestas nacionales con desfiles militares y

Fresco en la Universidad Nacional de México. La Revolución mexicana despertó el interés del artista por las culturas precolombinas.

música marcial, instrucción cívica en las escuelas, retórica de políticos, la elaboración de mitos y héroes y, en la actualidad, programas de radio, cine y televisión, todo con el propósito de excitar la imaginación patriótica del pueblo.

El sueño de Bolívar respecto a la unificación de los estados latinoamericanos sufrió un golpe irreparable a medida que el espíritu nacional creó entidades individuales. El resultado no dejó de concretarse: hubo la Guerra del Pacífico (1879-1883) en la que Chile triunfó sobre Bolivia y el Perú; una guerra que diezmó la población masculina del Paraguay al luchar éste contra la Triple Alianza, o sea la Argentina, el Brasil y el Uruguay (1865-1870); y la Guerra del Chaco entre Bolivia y el Paraguay en 1932. Desafortunadamente, como se vio en 1969 con la «guerra del fútbol» entre El Salvador y Honduras, continúan existiendo recelos y tensiones fronterizas en un número de países cuyo ambiente geográfico, perfil étnico y modo de vida son casi intercambiables, circunstancias que obstaculizan el planeamiento de mercados comunes o la cooperación económica.

En su etapa actual el criollismo está cultivando raíces culturales para nutrir la imaginación popular. Las circunstancias varían naturalmente de acuerdo con las posibilidades locales. Donde sobrevive una población india o mestiza de importancia se resucitan patrones precolombinos; y las deidades, la poesía, la música, la danza, los monumentos, la vestimenta y el idioma de los indígenas forman parte de un criollismo que está suplantando lo hispánico con lo autóctono. Donde no existen vestigios de civilizaciones indias, el criollismo tomó otros rumbos. El gaucho de la Argentina, del Uruguay y del Sur del Brasil fue elevado a la categoría de habitante primordial después de surgir casi mitológicamente de las llanuras vacías como modelo para los italianos, españoles, alemanes e ingleses que llegaron alrededor de 1900. Hoy en día el gaucho rueda por las pantallas de cine y televisión, rodeado de una aureola de folklore campestre semisagrado.

Pero también existe otro nivel de criollismo, posiblemente menos reconocido en medios artísticos, personificado por Juan Criollo, habitante típico de las grandes urbes, el del habla popular y del gesto picaresco, de modales más bien rústicos y de origen humilde, pero siempre lleno de astucia y filosofía de gente pobre. Cantinflas lo personifica a la perfección en su versión personalísima del «pelado» mexicano. Su contraparte existe en cualquier teatro o cine de barrio de las ciudades latinoamericanas donde acude el pueblo para reconocerse en la farsa popular y celebrar la esencia de sí mismo.

Pero, en el plano artístico e intelectual, ¿qué relación existe entre el artista o escritor y el establecimiento de una cultura nacional de formación reciente? También aquí la Revolución mexicana sirve de guía ya que en parte fue un movimiento destinado a reestablecer valores indígenas. Hubo un cambio de interpretación en toda la línea: en la historia, se reivindicó a Moctezuma y Cuauhtémoc mientras que la sagaz intérprete y amante de Cortés, doña Marina, o Malinche, fue reducida a traidora; en la pintura, los frescos de Orozco y Rivera dramatizaron las distintas etapas de la dominación extranjera a través de españoles y franceses o del capitalismo internacional e indican un regreso a una edad de oro indígena; en la música, Chaves y otros compositores se inspiraron en ritmos y sonidos autóctonos; en la filosofía, Antonio Caso, Leopoldo Zea y Leopoldo Villegas establecieron un perspectivismo basado en Ortega y Gasset que les permitió hacer filosofía mexicana en vez de universal; y en las letras, Octavio Paz se ahonda en mitos y esencias del pueblo autóctono, lo que a su vez sirvió de modelo a su compatriota Carlos Fuentes en sus novelas más logradas.

En la Argentina los escritores de vena nacionalista tuvieron que contentarse con dar la espalda al Río de la Plata y al océano Atlántico para mirar lo que el escritor Eduardo Mallea llamó «los campos éticos» y donde hacia fines del siglo pasado el gaucho fue elevado a la categoría de figura épica nacional en el *Martín Fierro.* En el altiplano novelistas del tipo de Ciro Alegría en el Perú (*El mundo es ancho y ajeno*) y Jorge Icaza en Ecuador (*Huasipungo*) popularizaron la literatura indigenista con la intención de dramatizar la terrible condición de los habitantes naturales de la región. Sobre todo el elemento costumbrista en sus páginas atrajo simpatía hacia el indio serrano y alguna comprensión de su espantosa miseria. José María Arguedas—trágicamente desaparecido ahora—continuó esta tarea de un modo singular puesto que pudo describir auténticamente la psicología del indio en sus obras escritas en quechua y traducidas por él mismo al español.

Gauchos del Rio Grande do Sul en el Brasil.

En el Caribe la música y la poesía, que eran inseparables en el comienzo de la expresión artística de un pueblo, adoptaron fácilmente ritmos e idiomas africanos. El cubano Alejo Carpentier se ocupa del folklore musical negro; y su compatriota mulato Nicolás Guillén, el dominicano Manuel del Cabral y el puertorriqueño Luis Palés Matos hacen poesía negra, social y también antiyanqui. En el cuento y la novela de Centroamérica desde Panamá hasta Guatemala abunda el tema de la confrontación con el imperialismo yanqui puesto que la imposición política y la dominación económica traen una reacción cultural nacida posiblemente de una posición y un correspondiente sentimiento de inferioridad frente al Coloso del Norte. En las obras del guatemalteco Miguel Ángel Asturias, reciente ganador del codiciado Premio Nobel de la Literatura, se nota la confluencia de corrientes que representan el patrimonio cultural maya y la oposición a las influencias que puedan dañar el espíritu nacional mediante la intervención política y económica. Mientras que en sus *Leyendas guatemaltecas* y *Mulata de tal*, Asturias elabora la mitología y cosmología maya, en *Weekend en Guatemala* denuncia la abierta intromisión de los Estados Unidos a través de la CIA en la política de su patria durante la presidencia de Jacobo Árbenz en 1954.

Es natural que el artista o escritor se considere un guardián del patrimonio cultural de su país ya que se inspira en él y utiliza su idioma y su genio de un modo total y profundo. Hasta Rubén Darío, poeta nicaragüense y cantor máximo de la América Latina, abandonó su Olimpo interior poblado de cisnes y diosas griegas para preguntarse en voz alta si después de 1898 y del triunfo de Teddy Roosevelt estaría obligado a hablar en inglés. El artista como el escritor deben poseer, entre otras cosas, el don de la sensibilidad que le «pide lo profético que hay en él», según el verso del poeta chileno Pablo Neruda. Y se da cuenta entonces de que no sólo hay victorias y derrotas en el campo de batalla, de la política o de la economía sino también en el de la cultura. Por eso un Ernesto Sábato en la Argentina se queja de la avalancha publicitaria que inunda su país con «el falso optimismo del *Reader's Digest*»; su colega mexicano Carlos Fuentes acusa al burgués tanto como al bracero de ser portadores de una mentalidad materialista, importada sobre todo de los Estados Unidos, que está sofocando la cultura mexicana y la genuina expresión nacional; y el cubano Guillén en su volumen de poemas titulado *West Indies Ltd.* retrató las islas antillanas como una gran colonia de vacaciones yanqui. El ejemplo más reciente y dramático del conflicto entre la cultura «latina» y la «sajona» se nota en la población puertorriqueña, en la isla y naturalmente entre los transplantados a Nueva York. Como siempre, en la primera línea de combate está el hombre de letras con su idioma, sus tradiciones y su perspectivismo nacional.

LA DIGNIDAD Y EL STATUS

Se asocia la dignidad exagerada con la España famosa por sus hidalgos y castellanos viejos. Parece un rasgo muy español cuando en realidad es una pauta social más que estuvo sobre todo al servicio de la clase gobernante en los siglos feudales cuando atributos como el honor, la delicadeza y la dignidad estaban reservados para la nobleza. Sería muy difícil precisar por qué motivos la dignidad sigue jugando un papel preponderante en la escala social de las sociedades latinas actuales. Se podrían invocar razones culturales: el carácter religioso del catolicismo que concentra el interés del creyente en la salvación personal del alma y una fuerte tendencia individualista que aumenta la tentación de crear una imagen propia que se destaque de las demás.

En la América Latina el cultivo de la dignidad persiste vigorosamente, y no es patrimonio exclusivo de la clase alta. Pero desafortunadamente este cultivo requiere una atención esmerada, sacrificios constantes dentro del contexto de las relaciones humanas y un gran empleo de tiempo y energía. Ya que la dignidad sólo existe en relación a la valorización de la conducta social, la cuestión del status de una persona es esencial; y a menudo sería imposible separar los dos conceptos. El latinoamericano automáticamente fija su status según el rol más elevado entre los que utiliza diariamente. Por consecuencia espera que todo el mundo lo trate de acuerdo con la

PELIGROS

El humor psicoanalítico: el doctor Merengue simboliza dos aspectos del latino-americano: el ser correcto y el mostrar su dignidad por un lado, y su «otro yo» que se rebela contra este culto tan artificial en sí mismo como también en los demás.

importancia y el prestigio que le ofrece su rol más alto. Un juez, por ejemplo, al dejar su cámara, querrá que se le otorgue el mismo respeto en el café o en casa que se le otorgó en el juzgado. Esta transferencia de valores—invisible e ignorada por los que no conocen este personaje—puede fácilmente crear problemas. Sin duda el juez se sentirá ofendido si un empleado de tienda o de cualquier oficina no lo trata con el respeto debido.

La idea de ser o de pretender ser lo que se llama «un gran señor» forma parte de un sistema de valores en el que participan el rico y el pobre por igual. Al decirse «es todo un señor» o «es una señora» se denota calidad y un status prestigioso. Pero hay que reforzar esta posición con una actitud alerta y mantener las normas estrictas de la dignidad. Sería inconcebible que un «señor» se lustrara los zapatos o lavara platos en casa. Un ingeniero difícilmente se ensuciará las manos para demostrar a sus obreros lo que hay que hacer. Un profesor o maestro de escuela insistirá en una formalidad absoluta frente a los alumnos por temor de perder su status especial. Tampoco se permiten muchas preguntas en clase ya que el profesor o maestro prevé la posibilidad de no poder contestar algunas de ellas y teme una inmediata pérdida de status y hasta una humillación personal. Un tenedor de libros ganará menos que cualquier mecánico de taller pero goza de una superioridad fundada en su pretendida educación humanista y su saco, camisa y corbata que indican al mundo que no hace un trabajo manual. Una dactilógrafa se sentiría ofendida si el jefe le exigiera limpiar un escritorio; y un capataz no cumpliría la tarea de un obrero ausente. Ir con paquetes por la calle o hacer un trabajo manual en la casa o el jardín de uno todavía está mal visto. Estas tareas están al nivel de la enorme cantidad de personas analfabetas, sin oficio alguno, generalmente desocupadas y siempre de la clase social más baja, y por lo tanto indignas de personas de calidad.

Cuando se ofrece la oportunidad, los miembros de la clase baja practican la dignidad. Muchas sirvientas se sacan el delantal blanco antes de salir a la calle para ocultar su dependencia doméstica. Cuando la compañía Artistas Unidos de Hollywood filmaba la epopeya cosaca *Taras Bulba* en la pampa argentina en 1962, los gauchos que actuaban como perdedores exigían pago doble para compensar la ignominia de caerse del caballo y de ser derrotados en batalla. Uno encuentra fácilmente conductores de taxi mestizos en Guadalajara o Lima que al conversar con el pasajero le anuncian con gestos de «gran señor»: —Hay que saber vivir.

Como toda idealización, la dignidad es un artificio nacido de un sistema de valores que ignora el aspecto biológico del ser humano. En este sentido, convendría repetir la opinión del profesor Raymond Crist que mantiene que la excesiva socialización del hispanoamericano le impide sentirse una parte integral de la naturaleza. Se paga un precio por todo.

MODALES Y ETIQUETA

Hay en toda sociedad avanzada normas para modales y sistemas de etiqueta que establecen una conducta determinada para muchas ocasiones tanto formales como imprevistas. Pero estos tipos de conducta reflejan en buena parte un espíritu de clase o subcultura, y entonces varían en su forma y uso. Obviamente se necesita tiempo, a veces ocio y a menudo un marco adecuado para ejecutar una cantidad de gestos, ritos o simplemente un intercambio simbólico, que la ocasión exige. Tradicionalmente fue el privilegio de la aristocracia observar las reglas cortesanas. En efecto, *El cortesano*, escrito en 1500 por el italiano Castiglione, se aproxima a lo que podría llamarse el libro de etiqueta del Renacimiento. «Nobleza obliga»

La estética latina tiene sus normas propias.

fue siempre el lema de rigor; y naturalmente había que saber cuándo, dónde y cómo tenía que besarse la mano a la esposa de un consejero de palacio. Los campesinos y más tarde los obreros no pudieron darse el lujo de practicar buenos modales o seguir los mandatos de la etiqueta. La burguesía en cambio, sí; y la clase media moderna, ansiosa de mostrar su incipiente opulencia y prestigio, comenzó a imitar a toda velocidad los vestigios de modas caballerescas y finezas de antaño. Si los condes besaban la mano a las damas, las esposas de los comerciantes adinerados pedían—y todavía piden—lo mismo. El mestizo o el mulato que cultiva los campos y el pelado o roto de las ciudades poco o nada saben de estos buenos modales, no les interesa mayormente y ni se espera que les interese. Es la burguesía, pequeña en los países más pobres y numerosa en los más desarrollados de Latinoamérica, que nos presenta sus innumerables máscaras y ritos.

En contraste con la elasticidad de modales del ciudadano promedio en los Estados Unidos, la interacción social latina ofrece más elaboración, detalles o rigideces y, como observa el profesor Wagley, es intensa y estructurada en cuestiones de jerarquía y de las relaciones entre los dos sexos. El saludo es efusivo entre conocidos y ceremonioso frente a visitantes o personas de jerarquía. Los amigos que se encuentran por la calle se abrazan palmándose las espaldas y las mujeres se besan entre exclamaciones de sorpresa y alegría. Al visitante no se le permite pagar la cuenta en un café o restaurante puesto que el sentimiento de hospitalidad es sagrado. Debido a que el nivel emotivo del latino es bastante pronunciado, se alaba y da cumplidos con una exageración que representa una norma y casi un deber. Hay un viejo refrán español que dice que «lo cortés no quita lo valiente», y se espera que lo cortés sea expresado a través de las múltiples formas de etiqueta. El forastero que llega a una pequeña ciudad de provincia está obligado a hacer visitas de cortesía a los personajes importantes del lugar si no quiere ofenderlos.

Una de las mayores desgracias de la vida social es «quedar mal» en vez de «quedar bien» con los demás. Se queda mal al violar las normas de conducta implícitas en una situación dada. Queda mal presentarse en minifaldas, pantalones o una blusa escotada para las mujeres en muchas actividades, sobre todo en ciudades de provincia, o dejar de vestirse de luto por un año al fallecer el esposo o el padre. Aparecer borracho en público queda *muy* mal para una persona respetable y la rebaja al nivel de un roto o pelado de la clase inferior. Es casi inconcebible que una señora o señorita se encuentre ebria, ni aun dentro del círculo de familia. Pero a menudo es difícil acertar la conducta correcta y se precisa una fuerte dosis de intuición social para analizar determinadas situaciones. ¿Se ofendería el señor a quien uno da bruscamente la espalda en una reunión? ¿Es un personaje importante que insiste en una atención que corresponde a su posición prestigiosa o es un empleaducho que siente el complejo de ser un nadie a quien todo el mundo ignora? En los dos casos uno puede quedar mal. Ya el famoso filósofo español Ortega y Gasset escribió de la inmensa dificultad de tratar al latinoamericano sin incurrir en una falta de etiqueta.

Tal vez el terreno más arduo y peligroso del comportamiento abarca las relaciones entre los sexos. El latinoamericano por lo general está convencido que las fuerzas biológicas que operan en el ser humano son tan poderosas que basta con proveer la ocasión propicia para que un hombre y una mujer sean víctimas instantáneas de lo que el doctor Freud llamó «libido». «El hombre es fuego, la mujer estopa; viene el diablo y sopla», dice el proverbio español. Se sospecha de las intenciones de una pareja que busca apartarse para gozar de la intimidad, y la familia típica de la clase media todavía ve con malos ojos que las hijas solteras se encuentren con un festejante sin estar acompañadas de una persona de confianza. Aparte de los centros metropolitanos donde el ritmo de vida es bastante moderno, se precisa el permiso de la familia para ver a la hija o la hermana; y si un joven viene a casa muy seguidamente, la familia espera que declare sus intenciones referentes al noviazgo. En parte es cuestión de lo que dirán los vecinos; y aquí convergen los elementos de la dignidad, la buena fama y naturalmente los buenos modales.

FORTUNA, FATALISMO Y SUPERSTICIÓN

Se considera que hasta ahora se conocen cuatro etapas de la evolución del pensamiento humano sobre el rol del ser humano frente a la naturaleza: (1) la participación e imitación pasiva por parte del hombre primitivo, (2) la tentativa de manipular las fuerzas de la naturaleza a través de poderes mágicos, (3) el auge de la religión o mitología cuyas deidades controlarían la naturaleza ya que el ser humano fracasó por su cuenta y (4) la era científica moderna que permitiría al hombre el control definitivo de su ambiente natural. La América Latina nos ofrece todas las etapas de esta evolución, desde la tribu salvaje del Amazonas que vive en la edad de piedra hasta la subcultura metropolitana donde el moderno hombre de ciencias o de negocios se siente ya parte de la era de computadoras.

Vendiendo billetes de la lotería en la ciudad de Río de Janeiro.

Entre la gran mayoría de la población latinoamericana lo sobrenatural existe en el plano religioso tanto como en el mágico. Se acepta una metafísica doctrinaria que postula un Cielo destinado a las almas católicas y que proyecta un nivel que permite la existencia de ángeles y santos, el culto a la Virgen María y el poder sagrado del crucifijo; pero al mismo tiempo subsiste la creencia en una metamorfosis constante de lo natural hacia lo mágico, con un mundo poblado de espíritus maléficos, duendes, demonios, brujas y animales u objetos totémicos.

Según la antropología filosófica de Ernst Cassirer, la expresión de lo irracional en la psique humana fue necesaria para establecer un paralelo con el estado caótico o imprevisible de la naturaleza. Se sigue invocando la ayuda de poderes sobrenaturales cuando la sequía amenaza la cosecha o una epidemia mata el ganado; jamás fue fácil sobrevivir en medio de un clima o terreno hostil. Cuanto menos se pueden controlar las fuerzas naturales que rodean y mantienen al ser humano, tanto más se manifiestan la incertidumbre y la impotencia frente al capricho de estas fuerzas. La fortuna es un regalo que los dioses otorgan de vez en cuando, y hay que resignarse y esperar mientras que no llega.

En el nivel social también se cree en la buena y mala fortuna, sobre todo entre la clase baja. En muchas regiones el abismo social y económico entre la clase gobernante y la trabajadora es tan profundo y, al parecer, inalterable que no puede haber la posibilidad de una movilidad económica hacia arriba para el campesino u obrero sin educación o medios de mejorar su vida. Bajo tales circunstancias se nota una ausencia del espíritu tan esencial en la fórmula de la llamada «ética protestante» que predica la perseverancia, el trabajo y la frugalidad para superar los obstáculos sociales. Esto es otro modo de decir que el representante típico de la clase baja o pobre siente una atracción obvia hacia la búsqueda de una solución milagrosa que instantáneamente mejoraría su existencia. «Se sacó la grande» (o «el gordo») es una expresión que significa que alguién hizo

Sorprendente milagro. Segunda aparición de Nuestra Señora la Virgen Santísima de Guadalupe, entre la hacienda de La Lechería y San Martín.

La fortuna galopa a caballo: hipódromo de Palermo en Buenos Aires.

fortuna; y «la grande» es el premio mayor de la lotería semanal o quincenal que se juega en cualquier país latinoamericano. La lotería, las carreras de caballos, la riña de gallos o los juegos de naipes pertenecen al ciclo de la fortuna, y al comprar un simple billete de lotería el más pobre puede dejar de comer para soñar durante toda una semana que el lunes que viene será rico.

Sobre todo en las zonas rurales el curandero o la bruja practican una de las profesiones más antiguas de la histora humana. Venden amuletos para la buena suerte, recetan bebidas mágicas para cualquier ocasión, pronostican el futuro y aconsejan estrategias para atrapar un marido con

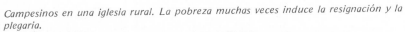

Campesinos en una iglesia rural. La pobreza muchas veces induce la resignación y la plegaria.

310

mucha tierra o una viuda con buena casa. A veces se combinan factores religiosos con las supersticiones. Las mujeres que se arrastran sobre las rodillas, a veces sangrientas, por los escalones de las iglesias van para pedirle al santo favorito, por ejemplo, un empleo para su hijo o tierras para la familia. Cada día se encienden millones de velas ante los santos favoritos en las iglesias solicitando favores personales. Centenares de miles de peregrinos vienen desde lejos para honrar y pedir ayuda a la Virgen de Guadalupe en su capilla cerca de la capital mexicana.

Claro está que un fuerte sentimiento religioso también encierra una medida de resignación y estoicismo basados en la voluntad de Dios. Ya con anterioridad se ha discutido el fenómeno del fatalismo indígena al que ahora hay que unir un fatalismo que constituye la contraparte del sueño de la fortuna milagrosa. Ciertamente se podría considerar como un indicio de realismo social el aceptar lo inevitable, incluso la muerte. En las regiones más atrasadas de Latinoamérica, la mitad de los niños mueren antes de cumplir un año; y este hecho se acepta tanto bajo el rótulo de fatalismo como de voluntad divina. La muerte complementa la vida en este caso, tal como el fatalismo complementa la buena fortuna. Para una mentalidad «fausteana» o la ética protestante, estas alternativas sólo llevan a un callejón sin salida donde no caben la acción por cuenta propia ni el progreso en conjunto con la comunidad. Aquí llegamos una vez más al terreno de la responsabilidad cívica y el modo de ser del latinoamericano, arraigado en lo metafísico y personal.

TIEMPO, TRABAJO Y ESPACIO

La personalidad del latino valora un estilo de vida que no se subordina mayormente a la exactitud y no la trata como si fuera un fin en sí mismo. Hedonista por predilección, está acostumbrado a sacar una esencia de placer de sus relaciones sociales diarias. Por eso trata de integrar el trabajo en una totalidad existencial en vez de eliminar su ser personal para funcionar durante seis u ocho horas del día como una parte integral y hasta mecánica de una empresa cuyos dueños y, a veces, propósitos le son desconocidos. Su filosofía de la vida: mantener su dignidad y gozar de lo que cada día le ofrece. Es filosofía que lo sitúa en una posición ascendente en cuanto al tiempo.

En parte hay que volver aquí a una comprensión católica de la condición humana, que abarca una interacción de tiempo físico y metafísico. El pensamiento medieval cultivó la ausencia de un progreso histórico puesto

Día de mercado en Bolivia. La interacción social es más importante que la compra o venta y nadie pregunta ¿qué hora es?

que el porvenir de todos tenía por delante la misma destinación eterna, mientras que la antítesis de esta filosofía resultó en el ejercicio del *carpe diem*, o sea el gozar de la vida antes de que fuese demasiado tarde. Siglos y siglos de dominación católica establecieron el digno ejemplo de doctores de la Iglesia como Santo Tomás de Aquino y de innumerables vidas y prédicas de monjes y sacerdotes, que dieron absoluta preferencia a la vida meditativa sobre la activa. Y dentro de esta tradición continuó una fluidez del tiempo a la que se incorporan los diferentes aspectos o las tareas necesarias de cada día.

Si hay que trabajar, se acepta esto como una parte inevitable de la existencia y no se le da necesariamente preferencia sobre otras actividades. Por eso un trabajador generalmente pide varios días de licencia cuando se casa un primo o muere un hermano ya que cualquier asunto de familia es más esencial que el trabajo. Es importante darse cuenta de que la actitud frente al trabajo es distinta de la que reina en los Estados Unidos debido a una valorización diferente. Se ha dicho repetidamente que el latino-americano, sobre todo el de la clase baja, vive más para el pasado que para el porvenir. Ciertamente la palabra «mañana» significa «el día de mañana» sólo en el sentido más limitado; en su sentido más frecuente, se refiere a una condición temporal que abarca el futuro. Este futuro está radicado dentro de la fluidez del tiempo porque se subordina a circunstancias todavía imprevistas. Si una persona acepta hacer un trabajo o una diligencia mañana, lo hace de buena fe y cumplirá lo estipulado a menos que intervengan factores sociales que tengan preferencia, tal como la visita inesperada de parientes o amigos. Este «mañana» encierra entonces más que nada una promesa del día de mañana. Para asegurar que mañana sea el día de mañana, el latinoamericano usa, por ejemplo, frases como «sin falta...», «depende de Ud. ...», «compromiso absoluto» o «a las tres en punto, exacto». El señor que tiene una cita a las cinco de la tarde llegará a tiempo si no se encuentra con varios conocidos en el trayecto de su casa a la oficina o al café.

Claro que en el mundo comercial y tecnológico de hoy el empleado de oficina y el mecánico de taller tienen que mantener su horario, los trenes o camiones necesitan llegar a tiempo y los programas de radio o televisión deben empezar con una exactitud de segundos. Pero para la mayoría de la población el tiempo mantiene su elasticidad. Fuera de las grandes ciudades el ritmo del día se ajusta al clima y al ambiente. Aquí la siesta todavía es un modo de alargar el día, y en las zonas cálidas los negocios cierran de doce a cuatro para continuar sus operaciones de cuatro a ocho cuando hace más fresco. La mayoría de la gente pobre no posee un reloj y muchos no entienden el sistema que divide el día en veinticuatro unidades. Al campesino le basta con separar el día de la noche para sus actividades. Hasta ahora el indio no calcula el valor de su trabajo según el tiempo invertido. Si confecciona un jarrón decorativo de arcilla, le interesa la calidad de su artesanía, lo que a su vez establece el valor monetario. Para muchas indias el día del mercado representa una participación social y no les gusta vender su mercadería de prisa porque no quieren volver a su aldea temprano.

También la comprensión de la distancia y la utilización del espacio tienen sus normas latinoamericanas. La interacción social se desarrolla en un marco generalmente muy congestionado donde las distancias entre los participantes son mínimas. En parte, esto se debe a la alta concentración de gente por metro cuadrado en viviendas y lugares públicos. En la clase baja familias enteras se juntan en un rincón de una habitación para dormir, un ranchito de campo da cabida a padres con diez o más hijos y pocos son los que no comparten su cama con hermanos o hermanas. En la casa de familia del tipo tradicional que ocupa la clase media, el diseño centraliza las actividades en el patio ya que todas las habitaciones dan sobre esta área. Ya que la casa promedio está habitada por un núcleo familiar extenso, los distintos miembros—abuelos, tíos, hermanos, nueras o nietas—pasan parte del día y, en el verano, de la noche en el patio. En el pasado el planeamiento urbano también fomentó la congestión social al construir una plaza central en la que desembocan las calles principales, lo que inevitablemente lleva al transeúnte, y hoy lamentablemente el automóvil, al corazón de la ciudad. En la época de los tranvías y autobuses sin puertas la gente se colgaba de la baranda o como podía formando racimos humanos. Todavía hoy en día en las zonas rurales se ven autobuses y camiones repletos de personas, animales domésticos y toda clase de bagajes, que avanzan despacio bajo un sol de plomo durante diez o quince horas sin que los pasajeros se quejen. Multitudes espesas se concentran en las plazas y avenidas para formar parte de procesiones religiosas o manifestaciones políticas. No sorprende entonces que la distancia promedio entre dos o más personas que se hablan sea más corta que en culturas como la anglosajona.

Como es de suponer, las costumbres indígenas no concuerdan siempre con las normas de conducta latinas. En muchas comunidades indias de México los niños no acostumbran a dar la mano; más bien besan la mano de los mayores o éstos tocan levemente con la punta de los dedos la cabeza inclinada de los pequeños. Entre gente de más edad se acostumbra tocarse los dedos extendidos al saludarse. En muchas tribus se nota que los miembros mantienen una distancia exagerada al hablarse y que hay una fuerte tendencia de no mirarse al hablar.

ESTÉTICA Y LEGALIDAD

Aunque *Ariel* fue publicado en 1900 y algunos observadores de la escena social latinoamericana descuentan en la actualidad el impacto del arielismo sobre la juventud americana, los preceptos estéticos del autor, José Enrique Rodó, parecen tener una vigencia continua en nuestro tiempo. Las razones para esta vigencia son claras. El ensayista uruguayo se situó en el centro de una corriente estética que brotó de un manantial antiguo: el grecorromano. Los modelos de Rodó son nada menos que los ciudadanos del Atenas en su época más gloriosa, que iniciaron el sistema de la democracia pero s^ preocuparon poco por el hombre común, que relegaron el trabajo a los que eran socialmente inferiores, generalmente esclavos, que se pasaban el día discutiendo problemas de la política y la existencia humana en las *stoas*, que aplaudían la belleza de sus atletas y la serenidad de sus estatuas y que en su concepción artística cultivaron un ideal de armonía basada en proporciones exactas y normas que rechazaban lo deforme y lo excesivo. La evolución de esta orientación artística continuó en el llamado mundo latino del Mediterráneo y llevó al Nuevo Mundo una visión estética que sobrevive en muchas pautas y creencias.

Se disfraza lo utilitario, se aprecia la belleza de las palabras en la retórica, se esconde el defecto de los objetos o el error personal para mantener una impresión de lo perfecto, se esmera el decoro y detalle en el modo de vestirse, el no «desentonar» es una preocupación constante y el cultivo de lo correcto tiene una importancia extremada. La ecuación griega de que lo bello es bueno y hasta verdadero sigue en pie. La frase elocuente todavía ejerce su magia, y se perdona la inexactitud al que la encubre con la lógica de la hermosura. Todavía es muy frecuente el uso de la palabra «feo» en vez de «malo» para indicar una acción indebida. Una madre le dirá a su hijo «no hagas eso, es feo» cuando lo sorprende tirando del pelo a su hermanita.

Puesto que antiguamente una clase alta, y de tendencia arielista, controlaba la edificación pública, el precepto estético dominaba casi siempre las consideraciones utilitarias. Por eso las catedrales, las óperas, los palacios gubernamentales y las residencias oficiales mostraban un decoro y esplendor que iba más allá de lo funcional. También en la actualidad las nuevas ciudades universitarias, las residencias contemporáneas opulentas, muchos edificios comerciales y la flamante capital del Brasil, siempre elegantes y armoniosos, indican la voluntad de una élite.

La exactitud de la forma también se manifiesta en la interpretación de la legalidad. Basada en la ley romana, impersonal y severa, la jurisprudencia latinoamericana excluye lo que en la tradición anglosajona se funda en un espíritu empírico que se guía por antecedentes y circunstancias. El aparato legal con sus múltiples procedimientos requiere un culto de la exactitud que posiblemente no coincide siempre con la búsqueda de la verdad o la justicia. Pocos países latinoamericanos utilizan el sistema del jurado, y los pleitos o procesos se llevan a cabo mediante trámites por escrito que casi siempre acumulan una montaña de papelería. Para hacer una solicitud a una agencia del gobierno hay que usar papel sellado de diferentes valores, cuyo costo varía según la importancia de la solicitud. Cualquier documento debe reflejar el espíritu de exactitud y será rechazado con gusto por faltarle una coma o letra. Recibos y papeles firmados cambian de mano con frecuencia; casi siempre hay que ir personalmente a pagar la cuenta de electricidad, gas o teléfono porque los empleados no aceptan cheques por correo; y para enviar un paquete al extranjero la aduana exigirá embalaje con estopilla de algodón, nudos lacrados y declaraciones juradas de que no se ofenderá la moral cívica por el envío de material pernicioso. A los agentes de tráfico les gusta hacerle un boleto al automovilista que va a una velocidad de 51 kilómetros en la zona de 50, una interpretación de la ley al pie de la letra, una práctica que enfurece a los automovilistas anglos que se encuentran con un policía chicano en el Suroeste de los Estados Unidos.

El mundo del papel sellado y del recibo con cuatro firmas es una realidad cotidiana para el habitante latinoamericano, pero la imposición de la legalidad y de la exactitud no quita el ejercicio de su contraparte. Son muy antiguos los decires: «hecha la ley, hecha la trampa» y «se obedece pero no se cumple≫. Individualista y a menudo rebelde, el latinoamericano en el fondo practica la legalidad dispuesto a ignorarla a su gusto. El más fanático intérprete de reglamentos y directivas las ignora por razones de personalismo o conveniencia. Le encanta la idea de la justicia natural puesto que ésta le permite afirmar su propia voluntad, igual a Don Quijote que dio libertad a los galeotes por su cuenta para imponer la justicia natural. El espíritu de la legalidad y la voluntad autárquica son dos extremos de una dualidad que se complementa.

EL HUMOR

Según una definición, el ser humano es un animal que ríe. Pero, mientras que la risa puede constituir en esencia un acto personal, el humor funciona más bien en relación a otros. También se establecieron dos categorías principales del humor: el simbólico y el social; y ambas se basan en principios que ya fueron utilizados en las comedias del griego Aristófanes y del romano Plauto: palabras de doble sentido, error o pérdida de identidad, anticipaciones frustradas, falsos títulos, falsa lógica, exageraciones y caricaturas o parodias de personajes u objetos venerados. Pero el humor puramente simbólico se refiere a circunstancias de tipo universal mientras que el social está ligado a sucesos nacionales, locales y a menudo actuales que varían de día a día. Si un viejo se casa con una chica de diecisiete años en cualquier país, la distancia exagerada en la edad de ambos se presta automáticamente a usar varias técnicas humorísticas para tratar un tema que interesa universalmente: el viejo cornudo y tonto. Para comprender el humor social, sin embargo, se necesita conocimiento de la situación local, lo que incluye a menudo prácticas o abusos institucionales, cambios en la política o las andanzas de personajes famosos. Si un gobierno obliga a sus ciudadanos a economizar la luz eléctrica o el Ministro de Hacienda se fuga del país con dos millones de dólares y una secretaria rubia o las coristas están de huelga, el genio popular se ocupa del comentario humorístico.

El humor rectifica la distancia entre la norma y el exceso al respaldar lo natural y representa un arma eficaz contra la censura tanto política como institucional. No hay dictadura sin chistes políticos y no hay censura sin una burla correspondiente. El elemento político o social que la censura suprime se recupera con la improvisación humorística.

Para el extranjero, o el eterno estudiante de idiomas, el humor pertenece básicamente a la categoría de lo intuitivo que se absorbe con la canción de cuna. El extranjero tiene el gran problema de no saber con certeza cuándo, con quién y a qué nivel puede permitirse el uso del humor sin ofender a alguien o «quedar mal». Delante de un funcionario público, un jefe de oficina o personas mayores de edad es fácil cometer un error y «meter la pata» al hacer una alusión cómica o un comentario humorístico. Es bien sabido que a un extranjero no se le permite hacer chistes sobre los apuros políticos o económicos del país en que está visitando. Quedaría muy mal hablar de *Banana Republics* estando en una de ellas. Por más que el correo esté en huelga, el teléfono funcione mal, las universidades estén clausuradas y el Ministro de la Marina nombre tres nuevos almirantes aunque no haya barcos de guerra, la cuestión del orgullo nacional o local enardece los ánimos de los ciudadanos cuando «uno de afuera» se pone a reír de la situación. Pero, donde existe la libertad de prensa, el latinoamericano se encarga de hacer una sátira feroz en el campo político en su respectivo país; en esto el genio latino no tiene rival.

SERVICIO COMPLETO

—Me corrieron porque la señora
me sorprendió con el señor . . .
—¡Pues quedas a mi servicio desde hoy!

Humor basado en una institución social: la sirvienta joven que participa en la vida familiar de la clase burguesa.

La indiferencia oficial frente a las necesidades básicas del pueblo: tema clásico del humor populista.

Aumentaron el Precio   Por Freyre

—No se preocupe, vecina; sólo subió la leche pura.

También en el nivel de las relaciones entre los sexos hay que saber escoger la modulación apropiada. El piropo es una institución antiquísima, importada de España; y las muchachas que se paseaban por la famosa calle de Alcalá o la Gran Vía en Madrid celebraban el piropo ingenioso que les llegaba desde los cafés y de las esquinas. Habrá que notar que existe una variedad de piropos que abarca el buen y el mal gusto. El más simple «adiós, morocha» o «qué rubia» no será muy elegante pero es apto para todo el público, mientras que «cuántas curvas y yo sin freno» ya muestra una osadía bastante pícara. Finalmente, hay el piropo agresivo, creado por una mentalidad de macho donde la palabra ya es simbólica del empuje sexual.

Se observa un cambio y una evolución constante en el humor social, ya que éste refleja fuertemente una época o condición. El humor en las comedias griegas y romanas pareció vulgar y obsceno a la mentalidad victoriana; y el humor del Siglo de Oro alternaba entre lo innocuo y lo macabro. Pocos lectores contemporáneos parecen reírse mucho de los chistes de los graciosos en las comedias españolas, y muchos episodios de la novela picaresca terminan con la cara del protagonista «bañada de sangre y con un diente de menos».

En la actualidad florece lo que se llama «el humor negro» en los países latinoamericanos, que refleja una visión pesimista de la naturaleza humana. El conocido surrealista André Breton dijo en su *Antología del humor negro* que el humor es una revuelta superior del espíritu. Al decir «revuelta» el escritor francés conceptualiza el humor como un arma de rebelión contra la realidad social y, tal vez, una rectificación de los defectos de la condición humana.

Juan José Arévalo

De cierto modo el guatemalteco Arévalo fue un precursor de la conciencia del Tercer Mundo, que en la actualidad es popular en muchos países de Latinoamérica y de otros continentes que están condenados a depender de las potencias industrializadas porque les faltan los recursos tecnológicos. La mención de «hermanitos indios, gauchos, cholos y rotos» por parte de Arévalo demuestra su intención de crear un frente común anticolonial en las naciones latinoamericanas. Los explotadores sajones son, naturalmente, Inglaterra y los Estados Unidos.

Fábula del tiburón y las sardinas

¿Qué es lo que nos queda a los mestizos latinoamericanos? ¿Qué a los *blackmen* del Cerro de Pasco,[1] a los *damned natives* de Chuquicamata,[2] a las espaldas mojadas de México, a los mulatos del Vale do Rio Doce? Una sola cosa: armar el escándalo del siglo, denunciar a los piratas, meternos en la madriguera[3] y fotografiarlos precisamente cuando están mordiendo las monedas de oro, para luego contrastar esas fotografías con los dos mil millones de seres subdesarrollados y subalimentados que hay en el mundo. Y después publicar todo eso en la primera página de los diarios, en las páginas centrales de los magazines a colores, repetirlo cada tres horas en las estaciones radioparlantes, proferirlo en los programas de televisión, filmar cortos cinematográficos para que los espectadores de las salas se saturen de la terrorífica verdad. Pero no hermanitos indios, hermanitos gauchos,[4] hermanitos cholos[5] y hermanitos rotos.[6] Por ese camino iremos equivocados. *La prensa del mundo entero*, la de todos los idiomas, la que leen nuestras madres y nuestros hijos, la grande y la chica, la verde y la amarilla, la roja y la de sangre azul, toda, toda *está en manos de los multimillonarios* de Nueva York. No os olvidéis que sin papel importado no hay periodismo, sin linotipos y repuestos no hay periódicos, sin servicios internacionales de noticias no hay periódicos, sin fotografías de Eisenhower o de la princesa Margarita no hay «actualidad», sin tintas importadas no hay impresión... El genial invento de Gutenberg, revolucionario y culturalista,[7] es ahora uno de los más sumisos instrumentos para la domesticación del hombre. La prensa fue en sus

El gobierno del presidente Allende expropió la industria nacional más importante de Chile, las minas de cobre, previamente en manos de intereses estadounidenses.

orígenes el conducto de las nuevas ideas, de las ideas generosas sobre el hombre y la sociedad: consistía en artículos escritos por nuestros libertadores civiles, contenía la protesta airada de las multitudes contra el Imperio español o el inglés. Fue el conducto de la verdad de todos, de la de cada uno. Prensa en pañales fue prensa proletaria, más vecina, más compañera del hombre, de la masa, del pueblo que no tienen propiedades. Pero a partir del siglo pasado, los millonarios del mundo la han tomado de los cabellos, por la nariz, por las orejas, para amordazarla, para ahogar la opinión de los explotados, para silenciar a las mayorías, para minimizar la cultura, para orientarla por donde a ellos les conviene, para impedir precisamente ese escándalo que nosotros quisiéramos hacer y que ellos saben que puede sobrevenir. Es todo un sistema epidérmico defensivo[8] que va a todas partes, penetra en todos

---

[1]**Cerro de Pasco** gran latifundio en el Perú, que pertenecía a intereses financieros estadounidenses hasta su expropiación por el nuevo gobierno nacionalista en 1970
[2]**Chuquicamata** lugar en Centroamérica donde aparentemente la Compañía United Fruit tenía plantaciones   [3]**madriguera** stronghold   [4]**gauchos** los peones de estancia en la Argentina, el Uruguay y el Sur del Brasil   [5]**cholos** los indios serranos de la costa del Pacífico   [6]**rotos** la clase baja chilena   [7]**culturalista** defensor de la cultura   [8]**epidérmico defensivo** de inoculación

los hogares, ilumina todas las pantallas de cine, golpea en los ojos y en los oídos, día y noche, de lunes a sábado, aun corriendo el riesgo de que hasta en la misa del día domingo el cura resulte hablando de que los millonarios quieren que se hable... Mientras tanto, ellos, los millonarios, hablan de libertad de prensa, de libre acceso a las fuentes de noticias, de indiscriminación, de las cuatro libertades: ¡de libertad de miseria también! Pero no olvidéis que la altiva Albión,[9] el tiburón transatlántico que durante un siglo se

atribuyó la tutela de todas las libertades, mandó ahorcar por «traidor» a un cónsul inglés, Sir Roger Casement,[10] quien desde Roma había dicho la verdad, nada más que la verdad, sobre lo que sus compatriotas hacían con los negros de África, en pleno siglo XX. El Imperio español, en el bárbaro siglo XVI, no ahorcó a fray Bartolomé de Las Casas[11] por iguales motivos: ¡más bien le dio medios y estímulos para que comprobara sus denuncias!

Clarín, Buenos Aires

La Misión Rockefeller, encabezada por el gobernador del estado de Nueva York y creada para informar al gobierno estadounidense sobre el estado de las relaciones interamericanas, fue tomada muy en serio por los latinoamericanos. La misión fue un agente catalítico que creó una reacción bastante uniforme de la opinión pública del hemisferio. En gran parte, esta opinión indica el auge del nacionalismo que reconoce la necesidad de hacer una política que beneficie a los intereses locales en vez de contentarse con el lema gastado de la «buena vecindad».

La Misión Rockefeller

Han comenzado ayer en Wáshington las reuniones que analizarán el balance de la misión de Nelson Rockefeller en los países latinoamericanos. El informe que exprese sus conclusiones puede ser la oportunidad para un nuevo punto de partida. Un político de indudable volumen como el gobernador de Nueva York puede aportar más con una visión sintética y de conjunto que muchos

documentos producidos por expertos. Es de esperar que en las conclusiones de la misión se recojan reivindicaciones concretas, como las siguientes:

1. La América Latina no puede ser tratada como un solo país. Hace falta un enfoque que reconozca las peculiaridades y admita las diversas soluciones que se requieren. Éste es el único modo, además,

---

[9]altiva Albión nombre tradicional que potencias rivales adjudicaban a la Gran Bretaña
[10]Sir Roger Casement diplomático irlandés al servicio de la Gran Bretaña quien fue sentenciado a muerte por su asociación con los revolucionarios irlandeses [11]fray ... Casas figura singular que criticaba la subyugación del indio por los conquistadores: Véase referencias a la actitud de Las Casas en el Capítulo uno.

de negociar con entidades nacionales y soberanas.

2. La América Latina es aliada de los Estados Unidos, pero no da ya a nadie un soporte incondicional. Sus decisiones están inspiradas en el respectivo interés nacional de cada Estado.

3. Los problemas de seguridad que tanto han perturbado las relaciones entre el Norte y el Sur del continente tienen que ser encarados con soluciones nacionales: soberanía y no satelismo[12] instrumentado por cualquier forma de ejército supranacional.

4. Las fórmulas de desarrollo social reducidas a construir escuelas, cuidar de la salud, hacer viviendas o combatir el feudalismo con la reforma agraria no significan por sí solas ningún cambio de estructuras.

5. Si los Estados Unidos quiere apoyar realmente la transformación latinoamericana, tiene que respaldar su industrialización. Sociedad desarrollada es sociedad industrial, y ésta sólo es posible sobre la base sólida de las prioridades de la industria pesada y los servicios de infraestructura.

6. Si los Estados Unidos busca una bandera[13] política atractiva, ésta no puede ser otra que la de la industrialización acelerada de la América Latina y la del apoyo financiero más amplio posible para apresurarla y dinamizarla.[14] Este apoyo no puede comprometer la conducción nacional de la economía de cada país y debe poner énfasis en las grandes obras, que no son caprichos faraónicos,[15] sino transformaciones de estructura.

7. Carece de sentido respaldar programas de reforma agraria destinados a aumentar la producción de alimentos si no se impulsa la transformación industrial que difunda la tecnología y las formas modernas de producción rural.

8. La América Latina no necesita preferencias en el mercado norteamericano que los intereses locales[16] jamás tolerarán. Requiere, eso sí, que se abandonen las prácticas proteccionistas que los países desarrollados aplican a los de menor desarrollo, mientras predican una filosofía de libre cambio que deforman, además, con prácticas de *dumping.*[17]

9. Nuestros países, y en especial la Argentina, rechazan definitivamente formas de proteccionismo disimuladas con barreras sanitarias[18] y otros dispositivos. Para la Argentina, por ejemplo, las ventas de carne que ha asegurado con tanto esfuerzo no son renunciables y ni siquiera negociables.

10. Hay que acabar con los eufemismos: hace falta desarrollo económico, no formas literarias que preserven el statu-quo,[19] como la integración regional o el control de la natalidad. Diez años de fracasos deben considerarse buena prueba de que no se ha recorrido el camino correcto.

Si la Misión Rockefeller comprende la sustancia de estos reclamos y su urgencia, podrá poner sobre bases firmes y sólidas el futuro de una relación que el ritmo de la historia torna cada día más compleja.

8 de julio de 1969

---

[12]satelismo condición de satélite, o de sumisión en caso de formarse un ejército panamericano controlado por los Estados Unidos   [13]bandera banner   [14]dinamizarla hacerla más activa   [15]caprichos faraónicos esfuerzos aislados e impulsivos de un dictador   [16]locales estadounidenses   [17]dumping la práctica de vender grandes cantidades de materias primas como el estaño o productos agrícolas como el café, para deprimir los precios en las bolsas de Nueva York y Londres, lo que perjudica los intereses de los países productores latinoamericanos   [18]barreras sanitarias Los países ganaderos como la Argentina tienen dificultades para poder vender su carne en los Estados Unidos debido a las condiciones especiales que rigen para dejar entrar la carne, condiciones que favorecen a la ganadería estadounidense, según los argentinos.   [19]el statu-quo la situación actual

Juan Almudi

El chicano de hoy representa la nueva conciencia de minorías. Hace diez años no se le conocía. En cambio existían sus precursores, en su gran mayoría étnicamente mestizos y culturalmente latinos, que nacieron en el Suroeste de los Estados Unidos o vinieron de México. En el pasado sus preferencias en cuanto al trabajo, la comida y las relaciones sociales estaban con el modo de vida mexicano. Queda por resolver si el chicano actual se guía también por un modelo cultural mexicano para continuar así una existencia de minoría o si quiere participar plenamente en la corriente mayoritaria de la cultura estadounidense.

Nada más grato que la patria

—Mi vida es una historia interesante—exclama uno—especialmente lo que he pasado aquí en los Estados Unidos, en donde lo vuelven a uno loco con tanto trabajo. Lo exprimen a uno aquí hasta que queda inútil y entonces tiene uno que regresar a México para ser una carga para sus paisanos.

—He aprendido inglés, un poco, de tanto oírlo. Puedo leerlo y escribirlo, pero no quiero trato con esos «bolillos» pues lo cierto es que no quieren a los mexicanos—sigue diciendo otro.

—Un grupo de mexicanos que íbamos bien vestidos, fuimos una vez a un restaurante en Amarillo y nos dijeron que si queríamos comer teníamos que ir al departamento especial para gente de color...

—Cuando los Estados Unidos entraron en la Guerra la gente de la fundición dio trabajo a los mexicanos y los trataron bien, pero desde que terminó la Guerra ya los tratan muy mal—exclaman estos dos.

Y continúan explicando algunos más:

—No me gustan las costumbres de este país, y menos para mis hijas; quiero que se eduquen en México.

—La abuela vive mentalmente en México. Los muchachos van adoptando las costumbres de los Estados Unidos.

—La comida norteamericana no tiene sabor; es demasiado simple y no les gusta a mis hijas, por eso siempre les preparo platillos mexicanos.

—Estoy ahorrando aquí lo poco que gano a fin de que podamos regresar nuevamente.

—Vine a los Estados Unidos sin saber casi por qué.

—Dice que sabe leer y escribir en español, pero no bien. Ha aprendido un poco de inglés. Ha aprendido a pedir trabajo: *Gare work for me?*

Con lo transcrito basta; es oportuno concluir que las motivaciones diversas para emigrar no le restan unanimidad al contexto, ya que el recuerdo, por A por B, de todos les hace volver los ojos a México, añorarlo; y también que no obstante la distancia en el tiempo (repetimos que las biografías datan de cuarenta años) se observa una pasmosa coincidencia con las reacciones actuales de los llamados «braceros», que emigran al país del Norte. ...

George M. Foster

Las cuatro selecciones que pertenecen al libro de Foster comparten ciertos temas, sobre todo en lo referente a la falta de comprensión del conflicto creado al introducir innovaciones tecnológicas que chocan con las creencias o expectativas de la cultura tradicional. La imposición de modelos culturales provenientes de sociedades altamente desarrolladas será resistida por la población subdesarrollada a menos que se encuentren modos eficaces de combinar las innovaciones con las tradiciones en existencia. El éxito de muchos programas de ayuda técnica dependerá entonces de las posibilidades de eliminar los obstáculos formados por realidades culturales que se concretan fácilmente en una actitud de orgullo, de dignidad o de desconfianza hacia lo foráneo.

Las culturas tradicionales y los cambios técnicos
Los movimientos nacionalistas

En el período inicial de contacto, el pueblo beneficiario acaso se pronuncie contra los cambios sugeridos o impuestos por los extranjeros, como no se trate de bienes materiales de utilidad palmaria.[20] Los adultos temen los cambios que ven venir.

Al pasar el tiempo, van aceptándose cada vez más las innovaciones, sobre todo por parte de la generación joven, y se advierte un entusiasmo creciente por aprender más. Esto redunda en que se rechace buena parte de la cultura indígena, se desprecien los viejos modos y se desdeñe el consejo de los ancianos. Se quita valor a las costumbres de antaño y se tienen por anticuados a quienes se apegan a ellas. En muchas partes de África, se prescindió de las canciones, danzas y folklore tradicionales, para sustituirlos por himnos, formaciones militares e instructores de ejercicios físicos. Según dijo un jefe importante a la doctora Read,[21] «los maestros blancos nos enseñaron a menospreciar nuestro pasado», y así lo estuvieron haciendo, durante algún tiempo, los africanos cultos.[22] Se observa un ímpetu entusiasta por adquirir a toda prisa la cultura extranjera, y las minorías selectas locales manifiestan el deseo de parecerse al extranjero que los domina económicamente.

A esto sigue un período de desengaño. Pronto se ve claramente que los miembros de las sociedades más simples no pueden ponerse del todo a la par con la sociedad de grupos más complejos. A ello contribuyen las restricciones impuestas por la potencia dominante, pero también hay otros motivos culturales y psicológicos más profundos. El grupo dominado comprende que corre peligro su propia cultura y que no tienen con qué sustituirla, de donde empieza a experimentar sentimientos de inseguridad. ...

... Los países que están empezando a desarrollarse en el siglo XX tienen impaciencia por asimilar las técnicas materiales del Occidente, aunque conservando, al mismo tiempo, los «valores espirituales» indígenas, por lo cual se exasperan al ver que los cambios no llegan con la facilidad que quisieran. Las minorías que, unos años antes, trataban ansiosamente de identificarse

---

[20]palmaria evidente [21]doctora Read autora de un estudio sociológico (citado), *Culture Contacts in Education*, publicado en 1955 [22]cultos educados

con el estilo y las costumbres del Occidente en cuanto a forma de vestir, educación, alimentos y política, y que tantas veces menospreciaron su propia cultura y sus manifestaciones, ahora encabezan a sus pueblos en la búsqueda de la esencia de sus formas culturales tradicionales. Se hace justicia a los valores intrínsecos de lo antiguo y se llevan a cabo intentos por restaurarlos y perpetuarlos. La identificación de un modo de vida peculiar y privativo,[23] y su creación por el grupo local—que es la esencia del nacionalismo—se realiza por medio de símbolos. Estos símbolos deben tener un alto grado de visibilidad y derivar de la cultura tradicional. Son centros hacia los cuales converge el pueblo para convencerse y reafirmar su fe en la vitalidad y unicidad[24] de su cultura propia.

Los símbolos de nacionalismo que reaparecen de cuando en cuando, lo mismo en la América Latina que en África, en la India y en el Sureste de Asia, son extraordinariamente semejantes: idiomas, indumentaria, hábitos alimenticios, celebraciones y solemnidades, interés por la arqueología (porque pone de manifiesto más eficazmente que ningún otro sistema las grandezas pasadas), el folklore (restaurando la música, las danzas y las artes populares), el humorismo y, a veces, la medicina, los deportes y la religión popular. Los símbolos del nacionalismo son importantes, porque el orgullo de la propia cultura y la creencia de que la misma puede progresar son esenciales para desarrollar estados fuertes. ...

La idea de los regalos

Otro aspecto de las diferencias en la percepción, que, por cierto, no ha sido debidamente apreciado en el valor que tiene, se refiere a los regalos. En muchos programas de ayuda técnica se ha estimado conveniente brindar comodidades y servicios sin costo ninguno, por la manifiesta pobreza de la gente. La aceptación de estos programas ha sido, con frecuencia, fría o indiferente. Parece ser que esto se debe a que, en muchos casos, la gente no concede valor a lo que se le regala; si una cosa vale, piensan, nadie va a ser tan tonto para desprenderse de ella. De aquí que el mismo acto de ofrecer algo, a cambio de nada, sea interpretado por los que lo reciben como que aquello no vale siquiera la pena de ir a recogerlo ni de utilizarlo. En cambio, se ha observado muchas veces que si se adjudica un precio, aunque sea simbólico, a los servicios y facilidades, la gente aceptará lo que de otra manera rechazaría.

Cuando el gobierno colombiano, en un programa de incremento de la producción frutera, repartió arbolitos de vivero[25] entre los labradores de cierta provincia, sólo fueron plantados unos pocos, los cuales murieron en gran parte por falta de cuidado. Al año siguiente, se repitió el programa, sólo que esta vez con un precio nominal por cada árbol. La demanda fue extraordinaria, y los árboles recibieron muchas más atenciones. Los agricultores comprendieron que los arbolitos que costaban algo tenían que valer y, por eso, estimaron que había que cuidarlos.

Cuando se distribuyó por primera vez leche en polvo entre los centros chilenos de salud, se daba gratis, en atención a la pobreza de las madres que asistían a las clínicas maternales e infantiles. Pero fueron pocas las que utilizaron la leche, porque la consideraban de baja calidad o la creían decididamente perjudicial. Para ellas, un ofrecimiento gratuito había que aceptarlo con recelo. Luego, se le puso un precio simbólico; entonces, las madres comprendieron que para el personal clínico la leche tenía un valor, y no tardó la demanda en superar las existencias. De la misma manera, no se pusieron tarifas a las consultas de un nuevo centro de salubridad establecido en San Juan Zacatepéquez, Guatemala. La clientela era escasa y se abrigaban[26] sospechas respecto a los fines[27] de la institución. Después, se fijó para

---

[23]privativo exclusivo   [24]unicidad condición de ser o sentirse único   [25]vivero nursery   [26]se abrigaban tenían   [27]fines propósitos

todos los pacientes, fuera cual fuese[28] la índole de su consulta o su costo real, una tarifa uniforme de veinte centavos. El personal de ese centro de salud cree que el haber dado valor a los servicios prestados fue un factor de suma importancia para que la gente aprovechase sus facilidades y acudiese allá en gran número.

La comprensión de la función del gobierno

Las sospechas que inspira el funcionario gubernamental y el forastero no se limitan a las zonas rurales de los países que están desarrollándose. Cuando Margaret Clark dio comienzo a su investigación sobre la gente de habla española de Sal Si Puedes, de San José, California, y principalmente cuando procedió a formar un censo, se encontró con gran resistencia. Le llevó mucho tiempo y trabajo el convencer a sus nuevos amigos de que no era una representante encubierta[29] del gobierno. Cuando hizo una lista de los forasteros que regularmente habían llegado al poblado, los resultados fueron desconcertantes: la lista quedó integrada por un vigilante escolar[30] que venía a traer la noticia de que un rapaz se escapó de la escuela para jugar al *hooky*, un agente del *sheriff*, o representante del tribunal juvenil, que daba cuenta a una madre de que su hijo adolescente estaba en líos con la policía, un empleado de inmigración que compraba documentos legales, un agente de sanidad a quien parecía que no había las debidas atenciones de higiene pública, un inspector de la construcción celoso de que no se violase ninguna ordenanza, funcionarios del fisco,[31] agentes de la FBI y

muchos otros. Todos ellos «eran vistos como amenazas potenciales contra la seguridad de la gente del lugar», lo cual nada tiene de extraño. Indudablemente, uno de los principales problemas de quienes desarrollan programas de este tipo es establecer la función de amigo y auxiliar, en una sociedad donde, jamás, ha habido quien la desempeñe.[32]

El orgullo y la dignidad

Los antropólogos han observado que la característica de los pueblos entre los cuales trabajan es una dignidad innata en su continente personal y el orgullo de su modo de vida. Esto viene a corresponder a la posición etnocentrista[33] de la mayor parte de la gente con respecto a su cultura, y se refleja en un convencimiento vehemente, por no decir rígido, de cuál es el comportamiento adecuado a las funciones reconocidas. Muchos programas de ayuda, técnicamente bien preparados, se han encontrado con dificultades, por no haberse reconocido previamente estas formas culturalmente definidas de orgullo y arrogancia, expresión de sentimientos fuertes sobre las funciones. Parece ser universal el deseo de huir de la humillación que puede suponer la imposición de una función inadecuada.[34] Pero es la cultura la que determina lo que es apropiado. En los Estados Unidos, por ejemplo, la idea de «aprender durante toda la vida» está profundamente arraigada, y los adultos no tienen inconveniente en recibir cursos por correspondencia o asistir a una escuela nocturna, si creen que les va a ser beneficioso. El papel del estudiante puede ser desempeñado por el individuo en

---

[28]**fuera cual fuese** whatever   [29]**representante encubierta** undercover agent   [30]**vigilante escolar** truant officer   [31]**fisco** Internal Revenue Service   [32]**desempeñe** cumpla   [33]**etnocentrista** ethnocentric, or adopting a predetermined point of view that stems from the person's cultural environment and background   [34]**que ... inadecuada** que puede resultar si una persona se ve obligada a mantener una actividad que lo señala como incompetente

cualquier etapa de su vida, sin miedo al ridículo.

Pero, en muchas partes del mundo, el aprendizaje escolar va asociado con la niñez. Les parece bien que estudien los pequeños, pero no lo creen apropiado para la categoría de los adultos. Dube[35] indica que, en la India, donde el programa de desarrollo de comunidades da mucha importancia a la lucha contra el analfabetismo de los adultos, éstos empiezan a faltar en seguida a las clases nocturnas, aunque aprecian mucho la instrucción y la enseñanza. Como lo lógico es para ellos que sólo los niños vayan a la escuela, al adulto se le antoja[36] que se expone a la rechifla[37] general cuando acude a estudiar con su lápiz y su pizarra.[38]

El temor de perder la dignidad puede constituir también una amenaza para los programas agrícolas. Una de las fases de éstos en la India es vender a los labradores semillas mejores a precio moderado. Es curioso que los mejores y más progresistas son, con frecuencia, los que más resistencia oponen a esta ayuda. En cierta aldea, los labradores ricos y de buena posición ni compraron ni utilizaron este tipo de simiente. «Durante mucho tiempo se creyó que era una vergüenza y una señal de fracaso o de que le iban a uno mal las cosas, el verse obligado a pedir prestada la simiente o a comprarla. El campesino de aldea tiene especial orgullo en poseer los medios necesarios para producir alimento suficiente para mantener a su familia, y que le sobre todavía lo bastante para simiente». El agricultor honrado no quiere descender a la categoría de labriego incompetente.

Isabel Kelly dice que, algunas partes de México, ha costado trabajo convencer a la gente de que debe usar maíz amarillo, superior en fuerza nutritiva al blanco de la localidad. La explicación está en las ideas aceptadas localmente sobre la buena cocina. La tortilla, artículo de primera necesidad, se hace cociendo los granos duros del maíz en agua de cal,[39] heñendo la masa,[40] formando con ella pellas circulares y cociéndolas después en un comal.[41] En las aldeas que describe la autora, las tortillas amarillas obtenidas del maíz del mismo color eran señal de descuido culinario, y las amas de casa no querían pasar por cocineras negligentes o ignorantes.

. . .

...Se dijo que parte de la estrategia de un cambio cultural dirigido consistía en descubrir las barreras que a él pudieran oponerse y buscar la manera de debilitarlas o de neutralizar su efecto. Los dos ejemplos que damos a continuación muestran cómo se atacaron con éxito distintos problemas.

La Organización de los Estados Americanos tiene a su cargo el Centro Interamericano de la Vivienda, cerca de Bogotá, Colombia. De numerosos países acuden allá jóvenes arquitectos y otros planificadores urbanos en potencia,[42] para aprender las nuevas ciencias del desarrollo urbano y regional. El personal docente[43] cree que es parte importante de la formación de los estudiantes el conocimiento directo de los materiales, por lo cual se les obliga a que mezclen cemento, pongan ladrillos y efectúen otras labores manuales. Pero ocurre que la mayor parte de los iberoamericanos ponen reparos a la discutible dignidad de trabajar con sus propias manos. El profesional usa la inteligencia, no el músculo; para eso están los peones contratados. Por este motivo, la parte práctica del curso de estudios no tuvo éxito al principio. Así las cosas, a alguien se le ocurrió la idea de proporcionar batas blancas de laboratorio a los estudiantes, con los nombres respectivos bordados sobre el bolsillo. Satisfechos con su nueva y aceptable categoría profesional de técnicos de laboratorio, desde entonces se entregan con gusto a las tareas que antes rechazaban.

El otro ejemplo es de Chile, donde se crearon en los primeros años del decenio de 1940 centros de

[35]Dube S. C. Dube, el autor de muchos estudios sobre la sociología rural en la India
[36]se le antoja le parece   [37]a la rechifla al ridículo   [38]pizarra small black-
board   [39]cal lime   [40]heñendo la masa kneading the dough   [41]comal (México)
flat earthenware pan   [42]en potencia futuros   [43]personal docente teaching staff

salud pública a imitación de los que funcionaban en los Estados Unidos. Parte del programa era la «clase», que daba a las futuras madres una enfermera titulada.[44] Pero sólo parcialmente dio buenos resultados el nuevo programa, porque las madres que esperaban dar a luz se resistían a ser enseñadas como niñas de escuela.

En consecuencia, se decidió dar a las clases carácter de clubes profesionales, que se reunían durante el número de semanas prescrito, generalmente, con las clases sociales superior y media, las mujeres de tomar el té y pastas, con lo cual la asamblea se convertía en una reunión social, en la que la exposición de los ciudadanos prenatales quedaba reducida a algo secundario. ...

Rubén Darío

Como jefe indiscutido del modernismo, Rubén Darío veía la belleza como fuente de inspiración eterna y sagrada de la musa poética. Uno de sus símbolos favoritos fue el cisne,[45] figura majestuosa dentro de un marco estético, percibido desde la torre de marfil modernista. Puesto que Darío compuso sus versos en español y se inspiró en la literatura francesa, se sintió recipiente de tradiciones mediterráneas. Por eso, se erigió en el guardián del patrimonio cultural latino frente al Destino Manifiesto que después de 1898, o sea la guerra entre los Estados Unidos y España, comenzó a esparcir la cultura «yanqui» por el Caribe y Centroamérica.

Los cisnes

¿Qué signo haces, ¡oh Cisne! con tu encorvado cuello
al paso de los tristes y errantes soñadores?
¿Por qué tan silencioso de ser blanco y ser bello,
tiránico a[46] las aguas e impasible a las flores?
· · ·
A vosotros mi lengua no debe ser extraña.
A Garcilaso[47] vistéis, acaso, alguna vez...
Soy un hijo de América, soy un nieto de España...
Quevedo[48] pudo hablaros en verso en Aranjuez[49]...
· · ·

[44]**titulada** registered   [45]**cisne** El cisne fue el símbolo de los modernistas, sobre todo de su genio máximo, Darío, porque representaba una belleza subjetiva dentro de un ambiente estético que ignoraba lo funcional y lo social. En otro poema, titulado *El cisne,* Darío amalgama la figura mitológica de Zeus en forma de cisne con la hermosura en forma de Leda, de cuya unión nació Elena, la más bella mujer del mundo antiguo. [46]**tiránico a** dominador de   [47]**Garcilaso** Garcilaso de la Vega, uno de los más grandes poetas del siglo XVI en España, quien en una celebrada égloga compara el destino de una ninfa con el de un cisne   [48]**Quevedo** Francisco de Quevedo y Villegas, un hombre de letras famoso por su ingenio, humanismo y estilo en el siglo XVII en España   [49]**Aranjuez** lujosa residencia de los reyes españoles, rodeada de jardines y estanques

Brumas septentrionales[50] nos llenan de tristezas,
se mueren nuestras rosas, se agostan[51] nuestras palmas;
casi no hay ilusiones para nuestras cabezas,
y somos los mendigos de nuestras pobres almas.

Nos predican la guerra con águilas feroces,
gerifaltes de antaño[52] revienen a los puños;
mas no brillan las glorias de las antiguas hoces,[53]
ni hay Rodrigos ni Jaimes; ni hay Alfonsos ni Nuños.[54]

Faltos de los alientos que dan las grandes cosas,
¿qué haremos los poetas sino buscar tus lagos?
A falta de laureles son muy dulces las rosas,
y a falta de victorias busquemos los halagos.

La América Española como la España entera,
fija está en el Oriente de su fatal destino;
yo interrogo a la Esfinge[55] que el porvenir espera
con la interrogación de tu cuello divino.[56]

¿Seremos entregados a los bárbaros fieros[57]?
¿Tantos millones de hombres hablaremos inglés?
¿Ya no hay nobles hidalgos ni bravos caballeros?
¿Callaremos ahora para llorar después?

He lanzado mi grito, Cisnes, entre vosotros,
que habéis sido los fieles en la desilusión,
mientras siento una fuga de americanos potros
y el estertor postrero de un caduco león[58]...

. . .

[50]septentrionales frías   [51]agostan parch   [52]gerifaltes de antaño hawks of old
[53]hoces sickles   [54]Rodrigos ... Nuños héroes históricos de la España del Cid
[55]Esfinge Sphinx   [56]la interrogación ... divino reference to the swan's neck that
also symbolizes here a question mark   [57]bárbaros fieros yanquis de Teodoro Roosevelt   [58]caduco león El león simboliza la España víctima de los Estados Unidos
en la guerra de 1898 cuando perdió Cuba y las Filipinas. Aunque Darío no defiende
la dominación política de España en Latinoamérica, le importa como escritor que la
influencia hispánica no sea amenazada por la anglosajona en el período difícil del
Destino Manifiesto.

Abelardo Díaz Alfaro

No cabe duda que la isla de Puerto Rico constituye un laboratorio excepcional para evaluar el choque de dos culturas: la sajona que se está imponiendo por el prestigio derivado de la superioridad tecnológica, y la latina que se defiende mediante sus tradiciones lingüísticas, religiosas y sociales. Ser nacionalista en Puerto Rico no se reduce a un plano político; más bien se origina en la voluntad de aferrarse a un modo de ser hispánico que comenzó a alterarse con la llegada de los «yanquis» en 1898.

El final del relato de Díaz Alfaro nos parece hoy en día un poco inverosímil, pero la intención es clara: preservar las tradiciones que sirven para unificar la cultura nacional, si ya no en la zona metropolitana, por lo menos en el interior de la isla.

Santa Clo va a La Cuchilla

El rojo de una bandera tremolando sobre una bambúa señalaba la escuelita de Peyo Mercé. La escuelita tenía dos salones separados por un largo tabique. En uno de esos salones enseñaba ahora un nuevo maestro: míster Johnny Rosas.

Desde el lamentable incidente en que Peyo Mercé lo hizo quedar mal[59] ante Mr. Juan Gymns, el supervisor creyó prudente nombrar otro maestro para el barrio La Cuchilla que enseñara a Peyo los nuevos métodos pedagógicos y llevara la luz del progreso al barrio en sombras.

Llamó a su oficina al joven aprovechado[60] maestro Johnny Rosas, recién graduado y que había pasado su temporadita en los Estados Unidos, y solemnemente le dijo: «Oye, Johnny, te voy a mandar al barrio La Cuchilla para que lleves lo último que aprendiste en pedagogía. Ese Peyo no sabe ni jota[61] de eso; está como cuarenta años atrasado en esa materia. Trata de cambiar las costumbres y, sobre todo, debes enseñar mucho inglés, mucho inglés».

Y un día Peyo Mercé vio repechar en viejo y cansino caballejo la cuesta[62] de la escuela al nuevo maestrito. No hubo en él resentimiento. Sintió hasta un poco de conmiseración y se dijo: «Ya la vida le irá trazando surcos como el arado a la tierra».

Y ordenó a unos jibaritos[63] que le quitaran los arneses al caballo y se lo echaran a pastar.

Peyo sabía que la vida aquella iba a ser muy dura para el jovencito. En el campo se pasa mal. La comida es pobre... Los caminos casi intransitables, siempre llenos de «tanques». Había que bañarse en la quebrada y beber agua de lluvia. Peyo Mercé tenía que hacer sus planes a la luz oscilante de un quinqué o de un jacho de tabonuco.[64]

Johnny Rosas se aburría cuando llegaba la noche. Los cerros se iban poniendo negros y fantasmales. Una que otra lucecita prendía su guiño tenue y amarillento en la monotonía sombrosa del paisaje. ...

Y Peyo Mercé se iba a jugar baraja y dominó a la tiendita de Tano.

Johnny Rosas le dijo un día a Peyo: «Este barrio está muy atrasado. Tenemos que renovarlo. Urge traer cosas nuevas. Sustituir lo tradicional, lo

---

[59]lo ... mal made him look like a fool [60]aprovechado proficient [61]ni jota nada [62]repechar ... cuesta coming uphill on an old, worn-out nag [63]jibaritos muchachos campesinos [64]quinqué ... tabonuco lantern or a burning branch of a tabonuco tree

caduco. Recuerda las palabras de míster Escalera: Abajo la tradición. Tenemos que enseñar mucho inglés y copiar las costumbres del pueblo americano».

Y Peyo, sin afanarse mucho, goteó estas palabras: «Es verdad, el inglés es bueno y hace falta. Pero, ¡bendito! si es que ni el español sabemos pronunciar bien. Y con hambre el niño se embrutece. La zorra le dijo una vez a los caracoles: ‹Primero tienen Uds. que aprender a andar para después correr›.»

Y Johnny no entendió lo que Peyo quiso decirle.

El tabacal se animó un poco. Se aproximaban las fiestas de Navidad. Ya Peyo había visto con simpatía a unos de sus discípulos haciendo tiples y cuatros de cedro y yagrumo.[65] Estas fiestas le traían recuerdos gratos de tiempos idos. Tiempos de la reyada,[66] tiempos de comparsa.[67] Entonces el tabaco se vendía bien. Y la «arrelde» de carne de cerdo se enviaba a los vecinos en misiva de compadrazgo.[68] ...

. . .

Y Johnny Rosas sacó a Peyo de su ensoñación con estas palabras: «Este año hará su *debut* en La Cuchilla Santa Claus. Eso de los Reyes está pasando de moda.[69] Eso ya no se ve mucho por San Juan. Eso pertenece al pasado. Invitaré a Mr. Rogelio Escalera para la fiesta; eso le halagará mucho».

Peyo se rascó la cabeza, y sin apasionamiento respondió: «Allá tú como Juana con sus pollos. Yo como soy jíbaro y de aquí no he salido, eso de los Reyes lo llevo en el alma. Es que nosotros los jíbaros sabemos oler las cosas como olemos el bacalao».

Y se dio Johnny a preparar mediante unos proyectos el camino para la *Gala Premiere* de Santa Claus en La Cuchilla. Johnny mostró a los discípulos una lámina en que aparecía Santa Claus deslizándose en un trineo tirado por unos renos. ...

. . .

Llegó la noche de la Navidad. Se invitó a los padres del barrio.

Peyo en su salón hizo una fiestecita típica, que quedó la mar de lucida.[70] Unos jíbaritos cantaban coplas y aguinaldos con acompañamiento de tiples y cuatros. Y para finalizar aparecían los Reyes Magos, mientras el viejo trovador[71] Simón versaba sobre «ellos van y vienen, y nosotros no». Repartió arroz con dulce y bombones, y los muchachitos se intercambiaron «engañitos».

Y Peyo indicó a sus muchachos que pasarían al salón de Mr. Johnny Rosas, que les tenía una sorpresa, y hasta había invitado al supervisor Mr. Rogelio Escalera.

En medio del salón se veía un arbolito artificial de Navidad. De estante a estante colgaban unos cordones rojos. De las paredes pendían coronitas de hojas verdes y en el centro un fruto encarnado. En letras cubiertas de nieve se podía leer: *Merry Christmas*. Todo estaba cubierto de escarcha.

Los compañeros miraban atónitos todo aquello que no habían visto antes. Mr. Rogelio Escalera se veía muy complacido.

Unos niños subieron a la improvisada plataforma y formaron un acróstico con el nombre de Santa Claus. Uno relató la vida de Noel y un coro de niños entonó «*Jingle Bells*», haciendo sonar unas campanitas. Y los padres se miraban unos a otros asombrados. Míster Rosas se ausentó un momento. Y el supervisor Rogelio Escalera habló a los padres y niños felicitando al barrio por tan bella fiestecita y por tener un maestro tan activo y progresista como lo era míster Rosas.

Y míster Escalera requirió de los concurrentes el más profundo silencio, porque pronto les iban a presentar a un extraño y misterioso personaje. Un corito inmediatamente rompió a cantar:

Santa Claus viene ya...
¡Qué lento caminar!
Tic, tac, tic, tac.

[65]**tiples ... yagrumo** posts and beams out of cedar and yagrumo wood   [66]**reyada** fiesta en honor de los Tres Reyes el 6 de enero   [67]**comparsa** masquerading and processions   [68]**en ... compadrazgo** as a gesture of kinship   [69]**pasando de moda** out of fashion   [70]**la mar de lucida** de mucho éxito   [71]**trovador** cantor tradicional

Y de pronto surgió en el umbral de la puerta la rojiblanca figura de Santa Claus con un enorme saco a cuestas, diciendo en voz cavernosa: «*Here is Santa, Merry Christmas to you all*».

Un grito de terror hizo estremecer el salón. Unos campesinos se tiraban por las ventanas, los niños más pequeños empezaron a llorar y se pegaban a las faldas de las comadres, que corrían en desbandada.[72] Todos buscaban un medio de escape. Y míster Rosas corrió tras ellos, para explicarles que él era quien se había vestido en tan extraña forma; pero entonces aumentaba el griterío y se hacía más agudo el pánico. Una vieja se persignó y dijo: «¡Conjurao[73] sea! ¡Si es el mesmo demonio jablando en americano!»

El supervisor hacía inútiles esfuerzos por detener a la gente y clamaba desaforadamente: «No corran; no sean puertorriqueños batatitas.[74] Santa Claus es un hombre humano y bueno».

A lo lejos se escuchaban el griterío de la gente en desbandada. Y míster Escalera, viendo que Peyo Mercé había permanecido indiferente y hierático,[75] vació todo su rencor en él y le increpó a voz en cuello: «Ud., Peyo Mercé, tiene la culpa de que en pleno siglo XX se den en este barrio esas salvajadas».

Y Peyo, sin inmutarse, le contestó: «Míster Escalera, yo no tengo la culpa de que ese santito no esté en el santoral[76] puertorriqueño».

Samuel Ramos

Hay dos aspectos fundamentales que sobresalen en el análisis del burgués mexicano y, por extensión, de otras naciones latinoamericanas: la necesidad de construirse una imagen ideal de sí mismo, y la facilidad con la que se acepta esta imagen como algo real. Desafortunadamente, como lo indica Ramos, este autoengaño crea un estado de inseguridad inevitable que dificulta las relaciones sociales. El ideal de la perfección instantánea en este caso no sólo impide el proceso de perfeccionamiento sino que también produce situaciones de fricción o tirantez puesto que no es fácil estimar el mundo ficticio del prójimo.

Perfil del hombre y de la cultura en México El burgués mexicano

En esta última parte de nuestro ensayo nos ocuparemos del grupo más inteligente y cultivado de los mexicanos, que pertenece en su mayor parte a la burguesía del país. El conjunto de notas que configuran[77] su carácter son reacciones contra un sentimiento de menor valía,[78] el cual, no derivándose ni de una inferioridad económica, ni intelectual, ni social, proviene, sin duda, del mero hecho de ser mexicano. En el fondo, el mexicano burgués no difiere del mexicano proletario, salvo

---

[72]**en desbandada** en todas direcciones [73]**conjurao** maldito [74]**batatitas** (Puerto Rico) cobardes [75]**hierático** inmovible [76]**santoral** libro de la vida de los santos católicos [77]**el ... configuran** la totalidad de los elementos que constituyen [78]**menor valía** inferioridad

Estatua del padre Hidalgo en Dolores, México. El criollismo en la actualidad toma raíces nacionales y cada nación establece sus propios héroes.

que, en este último, el sentimiento de menor valía se halla exaltado[79] por la concurrencia de dos factores: la nacionalidad y la posición social. Parece haber un contraste entre el tono violento y grosero que es permanente en el proletario urbano, y cierta finura del burgués que se expresa con una cortesía a menudo exagerada. Pero todo mexicano de las clases cultivadas[80] es susceptible de adquirir, cuando un momento de ira le hace perder el dominio de sí mismo, el tono y el lenguaje del pueblo bajo. «¡Pareces un pelado!» es el reproche que se hace a este hombre iracundo. El burgués mexicano tiene la misma susceptibilidad patriótica del hombre del pueblo y los mismos prejuicios que éste acerca del carácter nacional.

La diferencia psíquica que separa a la clase elevada de mexicanos de la clase inferior radica en que los primeros disimulan de un modo completo sus sentimientos de menor valía, porque el nexo[81] de sus actitudes manifiestas con los móviles inconscientes es tan indirecta y sutil, que su descubrimiento es difícil, en tanto que el «pelado» está exhibiendo con franqueza cínica el mecanismo de su psicología, y son muy sencillas las relaciones que unen en su alma lo inconsciente y lo consciente. Ya se ha visto que estriban[82] en una oposición.

Es conveniente precisar en este lugar en qué consisten estos sentimientos de íntima deficiencia que irritan la psique del individuo provocando las reacciones que se han descrito. Son sentimientos que el individuo no tolera en su conciencia, por el desagrado y la depresión que le causan; y justamente por la necesidad de mantenerlos ocultos en lo inconsciente, se manifiestan como sensaciones vagas de malestar, cuyo motivo el individuo mismo no encuentra ni puede definir. Cuando logran asomarse a la conciencia asumen matices variados. Enumeremos algunos de ellos: debilidad, desvaloración de sí mismo (menor valía), sentimiento de incapacidad, de deficiencia vital. El reconocimiento que el individuo da a su inferioridad se traduce en una falta de fe en sí mismo.

El mexicano burgués posee más dotes y recursos intelectuales que el proletario para consumar de un modo perfecto la obra de simulación que debe ocultarle su sentimiento de inferioridad. Esto equivale a decir que el «yo» ficticio construido por cada individuo es una obra tan acabada y con tal apariencia de realidad que es casi imposible distinguirla del «yo» verdadero.

Ocupémonos, desde luego, en definir con qué elementos realiza el mexicano su obra de ficción, o, en otras palabras, qué reacciones suscita su sentimiento de inferioridad. La operación consiste, en su forma más simple, en superponer a lo que se

[79]exaltado intensificado [80]cultivadas educadas [81]nexo nexus [82]estriban están basadas

es la imagen de lo que se quisiera ser, y dar este deseo por un hecho. Unas veces, su deseo se limita a evitar el desprecio o la humillación, y después, en escala ascendente, encontraríamos el deseo de valer tanto como los demás, el de predominar entre ellos y, por último, la voluntad de poderío.

La empresa de construir la propia imagen conforme a un deseo de superioridad demanda una atención y un cuidado constante de uno mismo. Esto convierte a cada mexicano en un introvertido, con lo cual pierde correlativamente su interés como tal. Considera los hombres y las cosas como espejos, pero sólo toma en cuenta aquéllos que le hacen ver la imagen que a él le gusta que reflejen. Es indispensable que otros hombres crean en esta imagen, para robustecer él su propia fe en ella. Así que su obra de fantasía se realiza con la complicidad social. No pretendemos nosotros afirmar que este fenómeno es propiedad exclusiva del mexicano. Ningún hombre normal, sea cual fuere su nacionalidad, podría vivir sin el auxilio de ficciones parecidas. Pero una cosa es aceptar pragmáticamente el influjo de una ficción, sabiendo que lo es, y otra cosa es vivirla sin caer en la cuenta[83] de su mentira. Lo primero es el caso de poseer ideales o arquetipos[84] como estimulantes para superar las resistencias y dificultades de la vida humana; mientras que lo segundo no significa propiamente vivir, sino hacerle una trampa[85] a la vida. ... El mexicano ignora que vive una mentira, porque hay fuerzas inconscientes que lo han empujado a ello, y tal vez, si se diera cuenta del engaño, dejaría de vivir así.

Como el autoengaño consiste en creer que ya se es lo que se quisiera ser, en cuanto el mexicano queda satisfecho de su imagen, abandona el esfuerzo en pro de su mejoramiento efectivo. Es,

pues, un hombre que pasa a través de los años sin experimentar ningún cambio. El mundo civilizado se transforma, surgen nuevas formas de vida, del arte y del pensamiento, que el mexicano procura imitar a fin de sentirse a igual altura de un hombre europeo; mas en el fondo, el mexicano de hoy es igual al de hace cien años, y su vida transcurre dentro de la ciudad, aparentemente modernizada, como la del indio en el campo: en una inmutabilidad egipcia.[86]

Podemos representarnos al mexicano como un hombre que huye de sí mismo para refugiarse en un mundo ficticio. Pero así no liquida su drama psicológico. En el subterráneo de su alma, poco accesible a su propia mirada, late la incertidumbre de su posición, y, reconociendo oscuramente la inconsistencia de su personalidad, que puede desvanecerse al menor soplo, se protege, como los erizos,[87] con un revestimiento de espinas. Nadie puede tocarlo sin herirse. Tiene una susceptibilidad extraordinaria a la crítica, y la mantiene a raya[88] anticipándose a esgrimir la maledicencia[89] contra el prójimo. Por la misma razón, la autocrítica queda paralizada. Necesita convencerse de que los otros son inferiores a él. No admite, por lo tanto, superioridad ninguna y no conoce la veneración, el respeto y la disciplina. Es ingenioso para desvalorar al prójimo hasta el aniquilamiento. Practica la maledicencia con una crueldad de antropófago.[90] El culto del *ego* es tan sanguinario como el de los antiguos aztecas; se alimenta de víctimas humanas. Cada individuo vive encerrado dentro de sí mismo, como una ostra en su concha,[91] en actitud de desconfianza hacia los demás, rezumando[92] malignidad, para que nadie se acerque. Es indiferente a los intereses de la colectividad y su acción es siempre de sentido individualista.

Terminamos estas notas de psicología mexicana

[83]caer ... cuenta darse cuenta   [84]arquetipos modelos preexistentes   [85]hacerle una trampa trick   [86]una inmutabilidad egipcia un estoicismo indígena: Los ensayistas mexicanos repetidamente han usado el término «egipticismo» al referirse a las culturas precolombinas y su carácter sufrido y estoico.   [87]erizos hedgehogs   [88]a raya at bay   [89]esgrimir la maledicencia insultar   [90]antropófago cannibal   [91]ostra ... concha oyster in its shell   [92]rezumando oozing

preguntándonos si acaso será imposible expulsar al fantasma que se aloja en el mexicano. Para ello es indispensable que cada uno practique con honradez y valentía el consejo socrático de «conócete a ti mismo». Sabemos hoy que no bastan las facultades naturales de un hombre para adquirir el autoconocimiento, sino que es preciso equiparlo de antemano con las herramientas intelectuales que ha fabricado el psicoanálisis. Cuando el hombre así preparado descubra lo que es, el resto de la tarea se hará por sí solo. ...

The Times, Los Angeles

Para los millones que creen en milagros, el universo y, especialmente, nuestra tierra están gobernados por fuerzas que escapan a las leyes científicas. Por eso el milagro se hace una realidad factible, y los fieles católicos que se congregan en los lugares de peregrinación piden y esperan milagros al rezar a los santos o a la Virgen María.

Homenaje a la santa patrona de México

Traducción abreviada

Vinieron de todos los rincones del país. Solos, con sus familias, algunos sobre lomo de burro, otros caminando. Muchos de ellos caminaron centenares de kilómetros—durante muchos días—para llegar a tiempo para la celebración máxima que se efectúa anualmente en México. Es la celebración de la aparición de la Virgen María delante de un humilde campesino indio, Juan Diego, hace cuatrocientos años: una Virgen de piel oscura y facciones indias.

Llenando las calles de la capital, los peregrinos terminan su viaje frente a la basílica de la Virgen de Guadalupe, santa patrona de México. Se notan algunos automóviles, pero la gran mayoría son indios con sus alimentos y frazadas a cuestas,[93] cansados y dolientes de tanto caminar. Mucho antes de llegar a la basílica que se encuentra en las afueras de la capital, millares de devotos y devotas caen de rodillas y se arrastran hacia la iglesia y el altar mayor. Hay gran cantidad de madres con hijitos en los brazos y todo un ejército de viejos y enfermos que vienen a pedir ayuda a la santa, confiando en su poder de hacer milagros.

La leyenda dice lo siguiente: el 9 de diciembre de 1531 Juan Diego iba camino al mercado y pasó por la colina de Tepeyac cuando de repente se le presentó la Virgen María vestida como princesa azteca y de rostro indio. La visión pidió al campesino que le construyera una iglesia al pie de la colina para el bien de todos los indios mexicanos. Al principio las autoridades eclesiásticas no aceptaron el testimonio de Juan Diego, pero el día 12 del mismo mes la Virgen se le apareció de nuevo en el mismo lugar y produjo un

[93]a cuestas   sobre las espaldas

ramo de rosas que el campesino llevó bajo su capa al obispo. Pero delante del prelado las rosas se convirtieron en un retrato que mostró a la Virgen tal como la había descrito anteriormente Juan Diego. Entonces el obispo cayó de rodillas y aceptó el milagro. Desde aquel entonces, cada año los fieles vienen a recibir la bendición de la Virgen y le traen regalos de todo tipo, desde un ramo de flores hasta objetos de oro. Durante la noche los alrededores de la basílica se convierten en un enorme campamento donde se escuchan canciones de tiempos aztecas mezclados con himnos católicos, convivencia de dos culturas que todavía no se han confundido en una.

diciembre de 1962

Octavio Paz

Para muchos pueblos la muerte complementa la vida. Para el creyente católico la muerte física ofrece la transición hacia una vida mejor y eterna, a menos que haya pecado gravemente. En España, donde reina el catolicismo ortodoxo desde hace muchos siglos, la muerte sigue siendo una realidad visible; y se nota cierto desdén frente a la muerte, tal como lo registró Hemingway en su novela *Por quien doblan las campanas.* La comprensión de la muerte en los países indoamericanos es otra, ya que se trata de una continuación de creencias precolombinas que diferencian poco entre vivos y muertos y obligan al culto de los antepasados.

Para Octavio Paz, intérprete poético de su cultura, el día de todos los santos los esqueletos indios participan en la danza de la muerte.

El laberinto de la soledad   Todos santos, día de muertos

La muerte es un espejo que refleja las vanas gesticulaciones[94] de la vida. Toda esa abigarrada[95] confusión de actos, omisiones, arrepentimientos y tentativas—obras y sobras[96]—que es cada vida, encuentra en la muerte, ya que no sentido o explicación, fin. Frente a ella nuestra vida se dibuja e inmoviliza. Antes de desmoronarse y hundirse en la nada, se esculpe y vuelve forma inmutable: ya no cambiaremos sino para desaparecer. Nuestra muerte ilumina nuestra vida. Si nuestra muerte carece de sentido, tampoco lo tuvo nuestra vida. Por eso cuando alguien muere de muerte violenta, solemos decir: «se la buscó».[97] Y es cierto, cada quien tiene la muerte que se busca, la muerte que se hace. Muerte de cristiano o muerte de perro son maneras de morir que reflejan maneras de vivir. Si la muerte nos traiciona y morimos de mala manera, todos se lamentan: hay que morir como se vive. La muerte es intransferible, como la vida. Si no morimos como vivimos es porque realmente no

[94]gesticulaciones movimientos   [95]abigarrada motley   [96]sobras excesos   [97]se la buscó   he asked for it

La ciudad de los muertos en Quito, Ecuador.

fue nuestra la vida que vivimos: no nos pertenecía como no nos pertenece la mala suerte que nos mata. Dime cómo mueres y te diré quién eres.

Para los antiguos mexicanos la oposición entre muerte y vida no era tan absoluta como para nosotros. La vida se prolongaba en la muerte. Y a la inversa. La muerte no era el fin natural de la vida, sino fase de un ciclo infinito. Vida, muerte y resurrección eran estadios[98] de un proceso cósmico, que se repetía insaciable. La vida no tenía función más alta que desembocar en la muerte, su contrario y complemento; y la muerte, a su vez, no era un fin en sí; el hombre alimentaba con su muerte la voracidad de la vida, siempre insatisfecha. El sacrificio poseía un doble objeto: por una parte, el hombre accedía al proceso creador (pagando a los dioses, simultáneamente, la deuda contraída por la especie); por la otra, alimentaba la vida cósmica y la social, que se nutría de la primera.[99]

. . .

Espacio y tiempo estaban ligados y formaban una unidad inseparable. A cada espacio, a cada uno de los puntos cardinales y al centro en que se inmovilizaban correspondía un «tiempo» particular. Y este complejo de espacio-tiempo poseía virtudes y poderes propios, que influían y determinaban profundamente la vida humana. Nacer un día cualquiera, era pertenecer a un espacio, a un tiempo, a un color y a un destino.

Todo estaba previamente trazado. En tanto que nosotros disociamos espacio y tiempo, meros escenarios que atraviesan nuestras vidas, para ellos había tantos «espacios-tiempos» como combinaciones poseía el calendario sacerdotal. Y cada uno estaba dotado de una significación cualitativa particular, superior a la voluntad humana.

. . .

La indiferencia del mexicano ante la muerte se nutre de su indiferencia ante la vida. El mexicano no solamente postula la intrascendencia del morir, sino la del vivir. Nuestras canciones, refranes, fiestas y reflexiones populares manifiestan de una manera inequívoca que la muerte no nos asusta porque «la vida nos ha curado de espantos». Morir es natural y hasta deseable; cuanto más pronto, mejor. Nuestra indiferencia ante la muerte es la otra cara de nuestra indiferencia ante la vida. Matamos porque la vida, la nuestra y la ajena, carece de valor. Y es natural que así ocurra: vida y muerte son inseparables y cada vez que la primera pierde significación, la segunda se vuelve intrascendente. La muerte mexicana es el espejo de la vida de los mexicanos. Ante ambas el mexicano se cierra, las ignora.

El desprecio a la muerte no está reñido con el culto que le profesamos. Ella está presente en nuestras fiestas, en nuestros juegos, en nuestros amores y en nuestros pensamientos. Morir y matar son ideas que pocas veces nos abandonan. La muerte nos seduce. La fascinación que ejerce sobre nosotros quizá brote de nuestro hermetismo y de la furia con que lo rompemos. La presión de nuestra vitalidad, constreñida[100] a expresarse en formas que la traicionan, explica el carácter mortal, agresivo o suicida, de nuestras explosiones. Cuando estallamos, además tocamos el punto más alto de la tensión, rozamos el vértice[101] vibrante de la vida. Y allí, en la altura del frenesí, sentimos el vértigo: la muerte nos atrae.

[98]**estadios** etapas   [99]**... primera.** La filosofía de Octavio Paz abarca una comprensión arquetipal u orgánica de la existencia humana como parte de una renovación cíclica en la que el ser humano está subordinado a las leyes naturales sin el apoyo de teologías que ofrecen la inmortalidad del alma o del cuerpo.   [100]**constreñida** compelled   [101]**vértice** apex

Gran fandango y francachela de todas las calaveras.

La Calavera oaxaqueña.

José Rubén Romero

La novela de Romero pertenece al género picaresco que comenzó con el *Lazarillo* en la España del siglo XVI. Presenta a Pito Pérez como el antihéroe o pícaro del México moderno. Ser pícaro es, sin embargo, una condición que sobrepasa las fronteras de España o México y florece dondequiera que exista una clase baja numerosa que se ve incapacitada de mejorar su triste existencia.

Rencoroso, cínico y borracho, Pito Pérez se perfila como el filósofo de los pícaros, los que nada tienen ni nada esperan, tanto en México como en cualquier país latinoamericano. Su testamento, lleno de resentimiento y odio hacia la burguesía y sus instituciones oficiales, es el credo de millones de otros seres como él.

La vida inútil de Pito Pérez   Epílogo

Los vecinos madrugadores descubrieron el cadáver sobre un montón de basura, con la melena en desorden, llena de lodo, la boca contraída por un rictus de amargura y los ojos muy abiertos mirando con altivez desafiadora al firmamento.

Una chamarra[102] sucia y un pantalón raído, sujeto a la cintura con una cuerda, eran las prendas que cubrían el cadáver.

Llamaron a la policía, y uno de los vecinos, examinando atentamente la cara del difunto, dijo:

≪Este hombre es Hilo Lacre,[103] el barillero de las campanas≫.[104]

Llevaron una camilla y echaron en ella al muerto. De la bolsa de la chamarra desprendiéronse unos papeles y un retrato: en éste aparecía sonriendo, del brazo de la muerte.

Uno de los papeles, escrito con lápiz, decía:

Testamento

≪Lego a la Humanidad todo el caudal de mi amargura.

≪Para los ricos, sedientos de oro, dejo la mierda de mi vida.

≪Para los pobres, por cobardes, mi desprecio, porque no se alzan y lo toman todo en un arranque[105] de suprema justicia. ¡Miserables esclavos de una iglesia que les predica resignación y de un gobierno que les pide sumisión, sin darles nada en cambio!

≪No creí en nadie. No respeté a nadie. ¿Por qué? Porque nadie creyó en mí, porque nadie me respetó. Solamente los tontos o los enamorados se entregan sin condición.

< ¡Libertad, Igualdad, Fraternidad!>

≪¡Qué farsa más ridícula! A la Libertad la asesinan todos los que ejercen algún mando, la Igualdad la destruyen con el dinero y la Fraternidad muere a manos de nuestro despiadado egoísmo.

≪Esclavo miserable, si todavía calientas alguna esperanza, no te pares a escuchar la voz de los apóstoles: su ideal es subir y permanecer en lo alto, aun aplastando tu cabeza.

≪Si Jesús no quiso renunciar a ser Dios, ¿qué puedes esperar de los hombres? ...

≪¡Humanidad, te conozco; he sido una de tus víctimas!

[102]chamarra   (México) manta de lana   [103]Hilo Lacre   thread of shellac
[104]barillero ... campanas bell ringer   [105]arranque gesto

≪De niño, me robaste la escuela para que mis hermanos tuvieran profesión; de joven, me quitaste el amor, y en la edad madura, la fe y la confianza en mí mismo. ¡Hasta de mi nombre me despojaste para convertirlo en un apodo estrafalario y mezquino[106]: Hilo Lacre!

≪Dije mis palabras, y otros las hicieron correr por suyas; hice algún bien, y otros recibieron el premio.

≪No pocas veces sufrí castigo por delitos ajenos.

≪Tuve amigos que me buscaron en sus días de hambre, y me desconocieron en sus horas de abundancia.

≪Cercáronme las gentes, como a un payaso,[107] para que las hiciera reír con el relato de mis aventuras, ¡pero nunca enjugaron una sola de mis lágrimas!

≪Humanidad, yo te robé unas monedas; hice burla de ti, y mis vicios te escarnecieron.[108] No me arrepiento, y al morir, quisiera tener fuerzas para escupirte en la faz todo mi desprecio.

≪Fui Pito Pérez: ¡una sombra que pasó sin comer, de cárcel en cárcel! Hilo Lacre: ¡un dolor hecho alegría de campanas!

≪Fui un borracho: ¡nadie! Una verdad en pie: ¡qué locura! Y caminando en la otra acera, enfrente de mí, paseó la Honestidad su decoro y la Cordura su prudencia. El pleito ha sido desigual, lo comprendo; pero del coraje de los humildes surgirá un día el terremoto, y entonces, no quedará piedra sobre piedra.

≪¡Humanidad, pronto cobraré lo que me debes! ...≫

Jesús Pérez Gaona

Morelia,[109] *a ...*

Margaret Mead

The norms regulating the attitudes concerning time and work in the Spanish American culture of the United States Southwest fit the patterns that are in existence throughout rural Latin America. As Margaret Mead repeatedly observed, both of these commodities are integrated into the daily round of activities and shared according to group needs. Neither long-range planning nor job consciousness interferes with the ever-recurring present, which simply demands that the realities of every day are to be treated as one organic totality.

Cultural Patterns and Technical Change
The Spanish Americans of New Mexico

Time

Spanish Americans do not regulate their lives by the clock as Anglos do. Both rural and urban people, when asked when they plan to do something, give answers like: "Right now, about two or four o'clock."

Work for wages or in the fields for men, or

---

[106]apodo ... mezquino odd and puny nickname   [107]payaso clown   [108]escarnecieron pusieron en ridículo   [109]Morelia ciudad en Michoacán, México

Casa particular en Santa Fe, Nuevo México.

school attendance for children, regulates the time for meals. Except in winter, breakfast is prepared by seven. In winter some households eat only breakfast about ten and dinner about four. Children may go to school without breakfast and sit down to their first meal at noon. In the spring the head of the family may ask to have dinner served when he comes home from work at four. The children will probably be fed when they return from school at about five.

There is a round of seasonal activities, correlated with the sacred calendar and set within this established framework. But a definite future date unrelated to the patterned round of activities does not have much meaning.

Spanish American culture puts its major emphasis on the established present. Things are as they are because "these are the customs." The past is not venerated, it validates the present; and the future is expected to be like the present. An observer has called this the "*mañana* configuration." But to translate *mañana* as "tomorrow" leads to misunderstanding. The Spanish American does today what can be done only today; he does not put that off till tomorrow. But he frequently does put off the things which will bring him future benefits, which can be put off for *mañana*, for tomorrow or any date in the future.

There is little place for planning in this framework. Gatherings, celebrations, are usually spontaneous. Children are sent from house to house announcing the dance or the *fiesta* or the "spread" borrowing implements or crockery, asking for help. Though Anglo ways, seeping into the village through the school and through wage labor, are introducing the need for planning, private life still appears to run along the old spontaneous lines.

The orientation of the Spanish American *patrón* is not greatly different, although at first it appears to be. It is not so much that he looks toward the future, but that he takes more advantage of the present. He is an opportunist—not a planner or a visionary. For he must not only make a living, he must maintain *el honor*, the honor of his family and of his village. He must therefore perform with distinction in whatever situation may arise, as it arises.

Work

Work is an accepted and inevitable part of everyday life. It is a certain amount of trouble but there it is. No need to go out after it. Then it becomes *mucho trabajo* (much work). Spanish Americans are good, persistent workers when they see a reason to work, but they do not consider work itself a virtue. It is not common sense, in their view, to work just so as to keep the hands occupied or even to earn money when there is money for the current needs of the family because some other adult male is employed. There is no moral corruption in being idle or in staying away from one's job. A worker may stay away from wage work but may spend the day repairing a neighbor's door or helping build a henhouse for nothing. This is needed work and within the framework of community cooperation.

Everyone is expected to do his part, but there is seldom any explicit mention of expectations. Duties are not discussed ahead of time and few verbal directions are given while working, even where a good number of people are working together. The sons usually find something to do or may be assigned duties, but they are not reprimanded if they are idle.

Working hours are not specifically defined. The day begins between six and seven o'clock and people begin to be busy doing something. Since most of the people do about the same things, according to age and sex, each is familiar with the work of the other. When one member of the family cannot get to work, another will go instead. With jobs much alike, "the job" has little prestige value. In the types of work Spanish Americans are equipped to do, wages will not vary significantly as between jobs.

Although there is a clear distinction between men's and women's work, women will do men's work around the place when the men are away. Men who are off herding or working in towns live together and share the tasks of cooking and minimum housekeeping, without embarrassment. Boys will watch their mother at work in the kitchen and become acquainted with her methods. Fathers are ready to cook for their motherless children, if there is no one else to do this.

There is little anxiety about the future, as far as work is concerned. In this is combined the inevitability of work, the "present time" orientation and a dependent psychology. Relief work in the depression was not thought of as being "different." No one was shamed. No one was "going to the dogs."

Work is shared. People do not want to be alone. It is common for a number of neighbor-relatives to gather first at one place, then at another, for butcherings or plasterings and even for more everyday activities. This is much preferred to working separately at the same tasks. Tools of work are likewise shared. Cooperation on some occasions involves the whole village. "Though a man can be forgiven for a clandestine affair, he will long be condemned for refusing to lend his farming tools to a neighbor or for failing to appear for annual clearing of the irrigation ditch." Working for oneself, and not for an employer, is thought of as desirable, because then one is free to work at one's own tempo. "I like to work a little, rest a little." Traditionally, work and rest were not in opposition to one another but were often part of the same process. There was no eight hour work day, no special time for a *siesta*, no set bedtime for anyone, no time for work and time for rest. Rest and work were both in the nature of things, according to the demands of the present.

Octavio Paz

Hay naciones cuya personalidad colectiva es fuerte porque se nutre de mitos genuinamente populares. México es una de estas naciones, y Octavio Paz hace bien en trazar los orígenes de estos mitos. Muchos se remontan a figuras matriarcales de épocas casi prehistóricas; otros nacieron en este siglo durante la lucha épica que conmovió al país y que produjo sus propios héroes y leyendas. Cuando el pueblo y el artista o escritor se unen en la aceptación común de un pasado idealizado, el espíritu de esta nación goza de un dinamismo envidiable. No todos los países latinoamericanos tienen una herencia tan afortunada.

El laberinto de la soledad   Los hijos de la Malinche[110]

...No es sorprendente que, para la mayoría de los mexicanos, Cuauhtémoc[111] sea el «joven abuelo», el origen de México: la tumba del héroe es la cuna del pueblo. Tal es la dialéctica de los mitos y Cuauhtémoc, antes que una figura histórica, es un mito. Y aquí interviene otro elemento decisivo, analogía que hace de esta historia un verdadero poema en busca de un desenlace: se ignora el lugar de la tumba de Cuauhtémoc. El misterio del paradero de sus restos es una de nuestras obsesiones. Encontrarlo significa nada menos que volver a nuestro origen, reanudar nuestra filiación, romper la soledad. Resucitar.

Si se interroga a la tercera figura de la tríada, la Madre, escucharemos una respuesta doble. No es un secreto para nadie que el catolicismo mexicano se concentra en el culto a la Virgen de Guadalupe. En primer término, se trata de una Virgen india; en seguida, el lugar de su aparición (ante el indio Juan Diego) es una colina que fue antes santuario dedicado a Tonantzin, «nuestra madre», diosa de la fertilidad entre los aztecas. Como es sabido, la Conquista coincide con el apogeo del culto a dos divinidades masculinas: Quetzalcóatl, el dios del autosacrificio (crea el mundo, según el mito, arrojándose a la hoguera, en Teotihuacán[112]), y Huitzilopochtli, el joven dios guerrero que sacrifica. La derrota de estos dioses—pues eso fue la Conquista para el mundo indio: el fin de un ciclo cósmico y la instauración de un nuevo reinado divino—produjo entre los fieles una suerte de regreso hacia las antiguas divinidades femeninas. Este fenómeno de vuelta a la entraña materna, bien conocido de los psicólogos, es sin duda una de las causas determinantes de la rápida popularidad del culto a la Virgen. Ahora bien, las deidades indias eran diosas de fecundidad, ligadas a los ritmos cósmicos, los procesos de vegetación y los ritos agrarios. La Virgen católica es también una Madre (Guadalupe-Tonantzin la llaman aún algunos peregrinos indios) pero su atributo principal no es velar por la fertilidad de la tierra sino ser el refugio de los desamparados. La situación ha cambiado: no se trata ya de asegurar las cosechas sino de encontrar un regazo. La Virgen es el consuelo de los pobres, el escudo de los débiles, el amparo de los oprimidos. En suma,

110Malinche india que fue compañera e intérprete de Hernán Cortés y que hoy es considerada traidora a la causa indígena: Véase referencias en el Capítulo dos. 111Cuauhtémoc último emperador de los aztecas, muerto por los españoles 112Teotihuacán nombre *náhuatl* de una ciudad antigua donde hoy existen ruinas de templos y pirámides

es la Madre de los huérfanos. Todos los hombres nacimos desheredados y nuestra condición verdadera es la orfandad, pero esto es particularmente cierto para los indios y los pobres de México. El culto a la Virgen no sólo refleja la condición general de los hombres sino una situación histórica concreta, tanto en lo espiritual como en lo material. Y hay más: Madre universal, la Virgen es también la intermediaria, la mensajera entre el hombre desheredado y el poder desconocido, sin rostro: el Extraño.

De la Independencia a la Revolución

... Gracias a la Revolución[113] el mexicano quiere reconciliarse con su historia y con su origen. De ahí que nuestro movimiento tenga un carácter al mismo tiempo desesperado y redentor.[114] Si estas palabras, gastadas por tantos labios, guardan aún algún significado para nosotros, quieren decir que el pueblo se rehusa a toda ayuda exterior, a todo esquema[115] propuesto desde afuera[116] y sin relación profunda con su ser, y se vuelve sobre sí mismo. La desesperación, el rehusarse a ser salvado por un proyecto ajeno a su historia, es un movimiento del ser que se desprende de todo consuelo y se adentra en su propia intimidad: está solo. Y en ese mismo instante, esa soledad se resuelve en tentativa de comunión. Nuevamente

La historia de México según Diego Rivera: el arte al servicio de lo nacional.

desesperación y soledad, redención y comunión, son términos equivalentes.

Es notable cómo, a través de una búsqueda muy lenta y pródiga en confusiones, la Revolución cristaliza. No es un esquema que un grupo impone a la realidad sino que ésta, como querían los románticos alemanes,[117] se manifiesta y empieza a adquirir forma en varios sitios, encarnando en grupos antagónicos y en horas diversas. ...

... Villa[118] cabalga todavía en el Norte, en canciones y corridos; Zapata[119] muere en cada feria popular; Madero[120] asoma a los balcones

[113]**Revolución** la guerra civil mexicana de 1910 a 1915   [114]**redentor** que se redime   [115]**esquema** plan   [116]**desde afuera** fuera del contexto de la mexicanidad [117]**románticos alemanes** La escuela romántica alemana a principios del siglo XIX buscaba las expresiones genuinas de la personalidad colectiva de los diferentes pueblos y rechazaba como falsos los modelos culturales impuestos a través de la historia. Octavio Paz traza una búsqueda similar para el pueblo mexicano.   [118]**Villa** Pancho Villa (Doroteo Arango), jefe de la famosa División del Norte durante la Revolución: Véase la selección correspondiente en el Capítulo cuatro.   [119]**Zapata** Emiliano Zapata, líder de los indios zapotecas que pedía reformas, tierra y libertad para el indio y que fue asesinado cuando los revolucionarios tuvieron disputas entre sí mismos [120]**Madero** Francisco Madero, arquitecto de la Revolución: Derrocó al dictador Porfirio Díaz en 1911 y fue presidente. Trató de implementar vastas reformas pero fue asesinado en la capital por el general Huerta, jefe de las fuerzas conservadoras, en 1913.

agitando la bandera nacional; Carranza y Obregón viajan aún en aquellos trenes revolucionarios,[121] en un ir y venir por todo el país, alborotando los gallineros femeninos y arrancando a los jóvenes de la casa paterna.[122] Todos los siguen: ¿adónde? Nadie lo sabe. Es la Revolución, la palabra mágica, la palabra que va a cambiarlo todo y que nos va a dar una alegría inmensa y una muerte rápida. Por la Revolución el pueblo mexicano se adentra en sí mismo, en su pasado y en su sustancia, para extraer de su intimidad, de su entraña, su filiación. De ahí su fertilidad, que contrasta con la pobreza de nuestro siglo XIX. Pues la fertilidad cultural y artística de la Revolución depende de la profundidad con que sus héroes, sus mitos y sus bandidos[123] marcaron para siempre la sensibilidad y la imaginación de todos los mexicanos.

La Revolución es una súbita inmersión de México en su propio ser. De su fondo y entraña extrae, casi a ciegas, los fundamentos del nuevo Estado. Vuelta a la tradición, reanudación de los lazos con el pasado, rotos por la Reforma[124] y la Dictadura,[125] la Revolución es una búsqueda de nosotros mismos y un regreso a la madre. Y, por

eso, también es una fiesta: la fiesta de las balas, para emplear la expresión de Martín Luis Guzmán.[126] Como las fiestas populares, la Revolución es un exceso y un gasto, un llegar a los extremos, un estallido de alegría y desamparo, un grito de orfandad y de júbilo, de suicidio y de vida, todo mezclado. Nuestra Revolución es la otra cara de México, ignorada por la Reforma y humillada por la Dictadura. No la cara de la cortesía, el disimulo, la forma lograda a fuerza de mutilaciones y mentiras, sino el rostro brutal y resplandeciente de la fiesta y la muerte, del mitote y el balazo, de la feria y el amor, que es rapto y tiroteo. La Revolución apenas si tiene ideas. Es un estallido de la realidad: una revuelta y una comunión, un trasegar viejas sustancias dormidas, un salir al aire muchas ferocidades, muchas ternuras y muchas finuras ocultas por el miedo a ser. ¿Y con quién comulga México en esta sangrienta fiesta? Consigo mismo, con su propio ser. México se atreve a ser. La explosión revolucionaria es una portentosa fiesta en la que el mexicano, borracho de sí mismo, conoce al fin, en abrazo mortal, al otro mexicano.

[121]**Carranza ... revolucionarios** Debido a la falta de carreteras, se utilizaron sobre todo las vías ferroviarias durante las luchas revolucionarias. En 1915 después de la Convención de Aguascalientes, los jefes revolucionarios estaban divididos. Pancho Villa se oponía a las fuerzas combinadas de Venustiano Carranza y Álvaro Obregón. Estos últimos derrotaron a Villa en la batalla de Celaya y crearon la base para el México actual con la Constitución de 1917. Ambos llegaron a la presidencia y sufrieron muertes violentas. [122]**alborotando ... paterna** having their way with the girls and forcing the boys to join their troops [123]**sus héroes ... bandidos** En líderes como Villa se combinaron aspectos de héroe y de bandido. La fuerza del mito se encargó de cambiar las proporciones para crear leyendas. [124]**Reforma** La guerra de la Reforma, de 1857 a 1860, se produjo a través de una lucha entre el gobierno de Benito Juárez y los defensores de la Iglesia y del conservadorismo. Una consecuencia de este conflicto fue la tentativa, instigada por la Iglesia, de establecer la dominación francesa bajo Maximiliano. [125]**Dictadura** Después de la muerte de Benito Juárez en 1872, Porfirio Díaz estableció en 1876 una dictadura que duró unos treinta y cinco años, durante los que se inició una era de inversionismo de capitales extranjeros para explotar las riquezas nacionales, crear una base industrial y construir vías de comunicaciones. La Revolución de 1910 bajo Madero fue dirigida contra esta Pax porfiriana. [126]**Martín Luis Guzmán** cronista de la Revolución: Véase la selección de su crónica de Pancho Villa en el Capítulo cuatro.

Antonio H. Obaid and Nino Maritano

For some time now the Alliance for Progress has been pronounced as dead. The critics performing the autopsy have diagnosed a number of disruptive diseases, such as the indifference of the local ruling classes, bureaucratic inefficiency and United States disinterest. Professors Obaid and Maritano, who analyzed the Alliance thoroughly, found that some of the major ills stemmed from attitudes based upon Hispanic traits, such as the philosophy of little social responsibility or an indifference toward productivity or achievement in economic terms. Such attitudes, then, preclude progress "American style."

An Alliance for Progress: The Challenge and the Problem
Cultural and Psychological Obstacles

Larra sums up this lack of social responsibility in his essay *"La Sociedad"* ("Society"), where he says: "One might conclude that society is a mutual exchange of reciprocal services. That would be a grave mistake. It is just the opposite. Nobody joins it in order to render it any services but on the contrary to receive them from it."

This egocentric tendency is compounded by a lack of due respect for human life, provided it is not one's own, or that of one's relatives or friends. Loss of life is not viewed, somehow, with the same tragic sense with which it is regarded in other countries that have achieved a higher degree of civilization. Our traffic lights, the safety of our roads, the clearly marked danger spots on our highways, the strength of our bridges and so many other examples that could be mentioned are not just expensive gadgets and utilities of a rich materialistic nation, as Latin Americans are prone to believe, but rather evidences of our respect for human lives.

In Latin America I have seen a fifteen story skyscraper go up which, due to the softness of the ground on which it was built, had already tipped in a matter of months more than the Leaning Tower of Pisa! Yet there was no sign whatsoever of tearing it down or halting construction. The man on the street is so thoroughly convinced perhaps that when it falls down *he* won't be there, which is the only thing that really matters! I have seen a hole produced by rainfall, on a fairly busy street, big enough to swallow half a car. For weeks nothing was done to repair the damage, and there wasn't a single sign day or night to indicate its presence. If a bridge has deteriorated to the point where it is unsafe to go over it, one just takes another chance; after all, life is full of chances. To hope that a dangerous road would have some kind of a guardrail is a vain hope. Traffic lights are very rare items, and they might just as well be. If there are a few, they probably do not work, and whether they do or not, few pay any attention to them anyway. ...

. . .

In several cities in Latin America the traffic gives the impression of the famous *novilladas* of Pamplona, in Spain, where a number of bulls are let loose down the street and it becomes a free-for-all, each one trying to get out of the way of the charging bulls any way he can. I have seen a man come out with his shining, big, expensive car from a blind alley in the middle of the street onto a fairly busy sidewalk, without any warning, and hit a tattered, barefooted peon walking on that **345** sidewalk. Fortunately he was not injured, but the blow was sufficiently hard to merit, one would think, a good deal of concern from the driver. When he got out of the car—far from offering any assistance or apology—I heard him curse the poor peon for being where he shouldn't be and for dirtying the bumper of his car with his untidy legs and filthy rags! The peon apologized profusely, and with a deep bow walked away.

. . .

But the Spaniard or Latin American not only does not feel any urge to improve the community in which he lives, he also lacks the will to improve himself for a more efficient performance of his job. There is a proverbial saying in the Spanish-speaking world which reflects this Hispanic character trait, and which another well-known essayist of the nineteenth century has utilized as the title for one of his classic essays: *"Tengo lo que me basta"* ("I Have All I Need"). In it, Mesonero Romanos gently criticizes this extreme frugality and lack of ambition in the Spanish temperament and points out its consequences to the Spanish nation as a whole. ...

. . .

As Mesonero Romanos himself intimates, among so many others, this sloth and austerity are the result of centuries of frugal existence sanctioned by the preachings of the Church, which calls the poor "blessed," admonishes people to curb their appetites and glorifies the virtues of an ascetic life. "What is so strange about this," asks Larra, "in a country educated by a long succession of centuries in the notion that man lives just to do penance?"

It is not true that wealth and earthly possessions have no strong appeal to them, as those who want to impress us with the idealism of the Spanish soul so vehemently proclaim. Indeed, the wealthy are quite frequently offensively ostentatious and delight in their wealth. Even those belonging to the middle class—and this middle class starts distressingly low in the social ladder—will play a very complicated and fascinating game of pretenses in order to appear better off than they actually are.

It should be kept in mind that the ruling Spanish nobility for many centuries entrusted farming, home industries and commerce to slaves, craftsmen, Moors, Jews or other foreigners on their soil, all of whom were considered inferior to them, while they themselves engaged in war or other equally noble pastimes. Hence arose the common notion that manual work and engagement in such occupations were below their dignity and were to be looked upon with contempt. Work itself was conceived as a punishment or a curse encroaching on human liberty. Even today the word *trabajos* [work(s)] and the adjective derived from it, *trabajada*, mean "misery," "tribulation" and "miserable," "wretched." It is not uncommon to offer an odd job to a *cesante*—an "unemployed," strictly speaking, but often unemployed out of sheer personal preference: half unemployed, half bum, as it were—and to be rebuffed with a solemn, *"No, ¡prefiero mi libertad!"* ("No, I prefer my freedom!")

But material well-being must come in an easy, quick way. If it requires sustained effort, detailed and hard work, patience, orderly development or imaginative thinking, they would rather forego it. It is no mere coincidence that the lottery should be one of the most firmly established institutions in all the Spanish-speaking countries. Indeed, it could well serve as a symbol for the Spanish ideal on how to achieve economic prosperity.

The question would still remain, however, as to why this strange concept about work spreads so far down along the various social classes. An intelligible answer to this fundamental question would take a long chapter, but at the risk of being paradoxical it may briefly be said that it is because every Spaniard is an aristocrat, or what is more exact, he assumes a thousand postures to make believe that he is one. Here we are getting at the heart of the problem; indeed, at the very genesis of that extraordinary Spanish character: Don Quixote. The Spaniard has a unique ability to fabricate a world with his imagination, to move into it and to live most comfortably in it.

José Enrique Rodó

Los postulados del arielismo no pertenecen exclusivamente a una época pasada o a la mentalidad de una élite ya caduca. Más bien enfocan problemas tan universales como la libertad interior, el culto de lo bello en medio de un ambiente funcional o la tiranía del utilitarismo que suprime la comprensión de la vida como una posibilidad espiritual. Aunque la clase media, cada vez más ascendente en la América Latina, opera en la actualidad con la mentalidad del consumidor de artefactos industriales, le queda la tendencia «aristocrática» de añorar la fórmula del ensayista uruguayo: «pensar, soñar y admirar».

Ariel

Cuando el sentido de la utilidad material y el bienestar domina en el carácter de las sociedades humanas con la energía que tiene en lo presente, los resultados del espíritu estrecho y la cultura unilateral[127] son particularmente funestos a la difusión de aquellas preocupaciones puramente ideales que, siendo objeto de amor para quienes les consagran las energías más nobles y perseverantes de su vida, se convierten en una remota y quizá no sospechada región para una inmensa parte de los otros. Todo género de meditación desinteresada, de contemplación ideal, de tregua[128] íntima, en la que los diarios afanes por la utilidad cedan transitoriamente su imperio a una mirada noble y serena tendida de lo alto de la razón sobre las cosas, permanece ignorado, en el estado actual de las sociedades humanas, para millones de almas civilizadas y cultas, a quienes la influencia de la educación o la costumbre reduce al automatismo de una actividad, en definitiva, material. Y bien, este género de servidumbre debe considerarse la más triste y oprobiosa[129] de todas las condenaciones morales. Yo os ruego que os defendáis, en la milicia[130] de la vida, contra la mutilación de vuestro espíritu por la tiranía de un objetivo único e interesado. No entreguéis nunca a la utilidad o a la pasión, sino una parte de vosotros.

Aun dentro de la esclavitud material, hay la posibilidad de salvar la libertad interior: la de la razón y el sentimiento. No tratéis, pues, de justificar, por la absorción del trabajo o el combate, la esclavitud de vuestro espíritu.

. . .

La concepción utilitaria, como la idea del destino humano y la igualdad en lo mediocre, como norma de la proporción social, componen, íntimamente relacionadas, la fórmula de lo que ha podido llamarse, en Europa, el espíritu de «americanismo». Es imposible meditar sobre ambas inspiraciones de la conducta y la sociabilidad y compararlas con las que les son opuestas, sin que la asociación traiga con insistencia, a la mente, la imagen de esa democracia formidable y fecunda que, allá en el Norte, ostenta las manifestaciones de su prosperidad y su poder, como una deslumbradora prueba que abona en favor de la eficacia de sus instituciones y de la dirección de sus ideas. Si ha podido decirse del utilitarismo, que es el verbo del espíritu inglés, los Estados Unidos pueden ser considerados la encarnación del verbo utilitario. Y el Evangelio[131] de este verbo se difunde por todas partes a favor de los milagros materiales del triunfo. Hispanoamérica ya no es enteramente calificable, con relación a él, de tierra de

[127]unilateral limitada [128]tregua respite [129]oprobiosa lamentable [130]milicia lucha [131]Evangelio Gospel

gentiles.[132] La poderosa federación va realizando entre nosotros una suerte de conquista moral. La admiración por su grandeza y por su fuerza es un sentimiento que avanza a grandes pasos en el espíritu de nuestros hombres dirigentes y, aún más, quizá, en el de las muchedumbres, fascinables[133] por la impresión de la victoria. Y de admirarla se pasa por una transición facilísima a imitarla.[134]

. . .

... Pensar, soñar, admirar: he ahí los nombres de los sutiles visitantes de mi celda.[135] Los antiguos los clasificaban dentro de su noble inteligencia del «ocio»,[136] que ellos tenían por el más elevado empleo de una existencia verdaderamente racional, identificándolo con la libertad del pensamiento emancipado de todo innoble yugo.[137] El ocio noble era la inversión[138] del tiempo que oponían, como expresión de la vida superior, a la actividad económica. Vinculando exclusivamente a esa alta y aristocrática idea del reposo su concepción de la dignidad de la vida, el espíritu clásico encuentra su corrección y su complemento en nuestra moderna creencia en la dignidad del trabajo útil; y entrambas atenciones del alma pueden componer, en la existencia individual, un ritmo, sobre cuyo mantenimiento necesario nunca será inoportuno insistir. ...

[132]gentiles espíritus nobles   [133]fascinables que se dejan fascinar   [134]imitarla imitar la vida utilitaria de los Estados Unidos   [135]celda abode   [136]ocio leisure   [137]yugo yoke   [138]inversión investment

Discusión

1. ¿Qué desventajas representa el sistema del monocomercio para un país subdesarrollado?
2. ¿Por qué se opone el espíritu del nacionalismo a la presencia de capitales y firmas comerciales extranjeras?
3. Defina la palabra «criollismo» dentro del contexto del nacionalismo cultural.
4. Considere al escritor o al artista latinoamericano como guardián de su patrimonio cultural.
5. Examine la relación entre los roles que juega un latinoamericano y su expectativa de status.
6. ¿Qué factores históricos influyen en la exigencia de buenos modales de parte de la burguesía latinoamericana?
7. Utilizando el esquema que trata de la interacción entre el hombre y la naturaleza, ¿en qué etapas colocaría Ud. al mestizo andino y al habitante de Buenos Aires? Justifique su argumento.
8. ¿Qué condiciones sociales intensifican el uso y el abuso de la superstición y de la fortuna?
9. Defina la palabra «mañana» como un concepto temporal latino.
10. ¿Qué factores contribuyen a la comprensión de la distancia social y del uso del espacio?
11. Trate de reconciliar el contraste entre el espíritu de exactitud y el fuerte individualismo en la cultura latina.

12. Haga una distinción entre el humor simbólico y el social, y dé un ejemplo de cada tipo.

13. Nombre algunas técnicas que se utilizan para producir situaciones cómicas, y dé algunos ejemplos.

14. ¿De qué consiste un piropo? Invente uno.

15. ¿Por qué ataca Arévalo a la «prensa mundial»?

16. ¿Qué recomendaciones principales hizo el editorial del *Clarín* a la Misión Rockefeller?

17. Enumere algunos símbolos del nacionalismo, según George M. Foster en la selección «Los movimientos nacionalistas», y busque ejemplos correspondientes en selecciones leídas.

18. ¿Qué demuestra el fracaso de la «idea de los regalos», según Foster?

19. ¿Cómo se diferencia el concepto sobre el aprendizaje a cualquier edad en los Estados Unidos y otros países, de acuerdo con Foster?

20. ¿Qué elementos culturales e históricos combina Rubén Darío en *Los cisnes* para enfrentarse con la amenaza «yanqui»?

21. ¿Qué representa el espíritu colectivo de Peyo Mercé en el cuento de Díaz Alfaro?

22. ¿Qué consecuencias trae la práctica del mexicano «en superponer a lo que se es la imagen de lo que se quisiera ser», de acuerdo con Samuel Ramos?

23. ¿Por qué necesita el mexicano convencerse que los demás son inferiores a él?

24. Explique la frase de Octavio Paz, «Si nuestra muerte carece de sentido, tampoco lo tuvo nuestra vida».

25. Analice a Pito Pérez como personaje resentido, cuyo negativismo contiene características delineadas anteriormente en el perfil del pelado de Samuel Ramos.

26. Cite algunos ejemplos de la selección de la doctora Margaret Mead relacionados con la comprensión del tiempo entre la gente de habla española en el Suroeste de los Estados Unidos.

27. Haga lo mismo con referencia a la actitud frente al trabajo.

28. ¿Por qué condena Octavio Paz el «malinchismo»?

29. Cite ejemplos del nacionalismo cultural presente en las selecciones de Rubén Darío, Díaz Alfaro y Octavio Paz.

30. ¿Qué obstáculos psicológicos y sociales para el funcionamiento de la Alianza para el Progreso citan los autores Obaid y Maritano?

31. ¿En qué sentido representa *Ariel* una filosofía de vida antimasa y antipragmática?

32. ¿Qué modelo estableció Rodó para la juventud latina?

Capítulo diez

Innovaciones

El supermercado reemplaza poco a poco la tienda de comestibles.

LA EMANCIPACIÓN DE LA MUJER

Cuando las mujeres consiguieron el derecho al voto, se ensanchó el área de su actividad en el campo político. Sin embargo, su participación está lejos de ser equiparada a la del hombre. Hay un conjunto de factores que se lo impide: la falta de educación, la dependencia económica, las exigencias sociales y los problemas legales.

El hombre latinoamericano, en proporción alta, conserva todavía el esquema básico de que la mujer es un apéndice del hombre, un objeto en el que éste se encuentra a sí mismo, se ve reflejado, ya sea en sus aptitudes amatorias, en su talento, en su capacidad protectora o en su fuerza moral; es decir, en su «superioridad». Muchas mujeres latinoamericanas tienen a ese respecto el mismo concepto que los hombres, de manera tácita y a veces sin darse cuenta ellas mismas de ese fenómeno; y por eso no les resulta fácil asumir su nuevo rol basado en la igualdad. Además de *ser*, la mujer está obligada a *parecer*. De ahí su inseguridad casi permanente, con frecuencia ni siquiera advertida por ella misma, cuando se encuentra en la doble posición de ser mujer según las normas tradicionales y serlo en su nueva condición: libre y plena. Aún aquellas que han alcanzado un grado de autonomía que altera incluso las pautas tradicionales de relaciones familiares y amorosas no disfrutan de una verdadera libertad. En muchos casos, al asumir sus nuevos roles la mujer ha abandonado parcialmente las funciones que corresponden a la madre y a la esposa. Este espacio que deja no es cubierto por el hombre, que en Latinoamérica generalmente se resiste a hacerse cargo de ciertas tareas domésticas, no sólo por falta de espíritu de cooperación sino porque le da vergüenza y pudor asumir o compartir funciones con la esposa. La herencia latina y el machismo tienen mucho que ver con esto ya que le impiden al hombre, por su amor propio, colaborar en tareas que antes estaban exclusivamente reservadas a la mujer. Esta actitud se puede observar en los programas cómicos del teatro o de la televisión, en las historietas y tiras cómicas, donde el ingenio popular satiriza al «hombre dominado» obligado a lavar los platos o pasear a los niños.

Todavía es una realidad que en Latinoamérica sea mayor el número de mujeres analfabetas que de hombres en las mismas condiciones económicas. Además, las jóvenes asisten a escuelas superiores en menor número que los varones de la misma edad, tal vez porque aún subsiste en muchos grupos sociales la idea de que la mujer no necesita recibir una educación superior, puesto que sus funciones futuras estarán limitadas al mantenimiento de su hogar y al cuidado de sus hijos. En algunas muchachas es bastante común oír la reflexión, «¿Para qué voy a seguir estudiando, si pronto me voy a casar?»—de modo que el matrimonio actúa como un freno al progreso de la educación de la mujer. Las repetidas exhortaciones de que el hogar es la correcta esfera de acción, que la maternidad es el estado ideal y que la educación de los hijos la verdadera realización de la responsabilidad femenina han sido sostenidas por la Iglesia y la Sociedad, y han motivado que muchas mujeres inteligentes queden relegadas al ámbito doméstico y demuestren una gran indiferencia hacia los candentes problemas por los que atraviesan las sociedades modernas. Los casamientos a temprana edad, asimismo, han cercenado las posibilidades y deseos de una educación superior para la mujer. Para superar estas barreras tradicionales y prejuicios existentes, se están intensificando la educación básica y la orientación vocacional de la mujer, pero todavía existe parcialidad en aceptar el desempeño de las mujeres en profesiones tales como ingeniería, medicina y ciencias. Como empleadas, generalmente se les paga menos que a los hombres en el sector privado. Las amas de casas no suelen generalmente trabajar fuera, salvo excepciones en algunas grandes ciudades.

En Latinoamérica, la mujer se ve dividida por el conflicto resultante de su responsabilidad hacia su hogar y sus hijos y de participar en la vida activa y económica de su país. Mujeres que han ocupado puestos de vital importancia han demostrado su capacidad técnica y cultural; han abierto caminos para la mujer en medicina, educación, leyes, política, ingeniería, servicio diplomático, física, química y las artes. Básicamente, en todos los países latinoamericanos la mujer tiene derechos económicos y crecientes oportunidades de trabajo. Existen pocos obstáculos legales para que ejerzan estos derechos y exploten estas oportunidades, pero muchas dificultades en la práctica las colocan en una situación desventajosa para la concretización de estos logros.

La mujer en el área rural, que es mayoría con respecto a la mujer en el área urbana, representa un impacto potencial en el desarrollo de los países latinoamericanos. Esto se comprueba tanto en términos humanos como económicos. La mujer rural tiene una enorme relación con los mayores esfuerzos que se están llevando a cabo para controlar los nacimientos y el aumento de población, para alimentar la población y para mejorar la salud y vigor de las nuevas generaciones. En algunos países de Latinoamérica, aun en las regiones más remotas y pobres, las nuevas generaciones han visto o se han trasladado en autos o camiones, han visto u oído hablar de la televisión, han

La muchacha moderna que trabaja, estudia, y vive independientemente se hace notar más y más en las ciudades de un hemisferio que hasta muy poco era considerado el dominio del hombre.

manejado teléfonos o revistas. Pero en otros, en perdidas regiones del Brasil o de Ecuador y en los altiplanos bolivianos, por ejemplo, poblaciones enteras nunca han visto ni oído hablar de tales implementos; su vida va transcurriendo tal como fue hace varios siglos. Entre esos dos extremos, otras poblaciones siguen viviendo tal como lo hicieron ayer, utilizando medios rudimentarios en la agricultura o la ganadería, pero por debajo de la apariencia hay cambios evidentes que se están operando en ese medio. La vida está cambiando tan rápidamente que la mujer rural se encuentra desconcertada e ignora que es lo que debe adoptar de lo nuevo y desechar de lo antiguo y como debe preparar a la juventud y a la niñez para enfrentarse con un mundo que ella misma a menudo no entiende. En el campo, hay un gran porcentaje de analfabetos y muchos de ellos son mujeres. Los problemas que tiene la mujer para acceder a una educación en las ciudades se multiplican en el ambiente rural.

La mujer se ha liberado ya bastante de la tradicional estructura de la familia colonial, pero no es del todo feliz porque no se siente segura en su nuevo cargo. Los logros de la libertad de la mujer se registran en diversos campos, especialmente en lo que se refiere a la mayor autonomía en el manejo de sus relaciones personales con el hombre y en el trabajo. Dado el contexto social en que se ha producido, esto significa la introducción de nuevas pautas de conducta

Para poder independizarse, la mujer moderna aprende a ganarse la vida.

y, por consiguiente, la aparición de nuevos y complejos conflictos. En el nivel de las relaciones afectivas, es muy difícil que el hombre latinoamericano acepte la igualdad de la mujer. En la mayoría de los casos es una aceptación puramente verbal.

Es distinto el desarrollo del problema en la generación joven. Son las mujeres de más de veinticinco o treinta años las que sufren todas las dificultades y conflictos de una situación de pasaje, es decir, de su transición de las viejas normas y condiciones a las nuevas. Ellas representan a la generación *intermedia* ya que sus padres las educaron en un concepto tradicional del papel femenino. En las más jóvenes, el cambio es más profundo y natural. Si bien en comparación con países europeos o los Estados Unidos, los jóvenes latinoamericanos están todavía sumamente sometidos a la autoridad paterna, ello se hace cada vez menos evidente. Asimismo, la actitud de estos jóvenes con respecto al sexo es más libre, y también están más inclinados a considerarlo en un plano de un compañerismo abierto. Pero, una vez más, hay que establecer una clara línea divisoria entre las sociedades de provincia y del campo por un lado y las zonas cosmopolitas por el otro. La América Latina sigue siendo un continente y medio que culturalmente se desplaza en el siglo XX tanto como en la época colonial.

EL MUNDO DE LA JUVENTUD

La rebeldía de la juventud latinoamericana es una consecuencia social lógica. Siendo las estructuras de la sociedad actual inestables, la juventud tiene que afianzarse por encima de ellas. No tiene referencias ni base segura.

Entre los conflictos más agudos se señalan las relaciones con sus padres y las autoridades institucionales como las escuelas y universidades. Los jóvenes latinoamericanos alcanzan pronto la madurez física y biológica, pero no la responsabilidad social, y las escuelas no les ofrecen sino conocimientos abstractos en vez de una experiencia práctica. En las clases media y alta, su fase adolescente se caracteriza hoy por la diversión tanto como el culto de la juventud, que llevan una importancia total al producir la resistencia creciente y paulatina al control de los adultos.

En los países latinoamericanos se ha ido generalizando la rebeldía que tiene como protagonistas a los jóvenes. Son distintos aspectos de la rebeldía que van desde la huelga estudiantil al incremento de la delincuencia. Es posible que en las explosiones de rebeldía vayan mezcladas insatisfacciones políticas o socioeconómicas, que son a su vez aprovechadas por partidos políticos o activistas. Pero la violencia no es una causa sino una consecuencia; los aprovechadores sólo tienen que encauzarla y darle un objetivo inmediato. La afinidad hacia la violencia y la alienación tanto en el terreno social como el artístico se manifiesta en los bailes, las canciones, la pintura, la literatura y el teatro de vanguardia, a menudo impulsados por las influencias que llegan desde los Estados Unidos o Europa. La vestimenta tiene características y colores agresivos. Los adolescentes suelen crear sus propias modas en el vestir, una moda fluctuante que cambia con frecuencia. El pantalón vaquero, o *blue jeans*, se ha vuelto popular y casi imprescindible, y la marca o modelo o manera de usarlo indica el status del que lo usa. La moda en los bailes muestra la aceptación en los centros urbanos de las más recientes de moda en Inglaterra o Francia. Son bailes alienantes en su mayoría en la cual la pareja generalmente está separada.

Es meta frecuente de la juventud en las áreas rurales escapar a ese ambiente y viajar. Miles de jóvenes en todos los países, hijos de campesinos, están empezando a tener rudimentos de educación y desean ampliarla. Se producen dislocaciones masivas de los esquemas sociales tradicionales. Antiguamente, no había dudas con respecto al status de cada persona en la comunidad rural; hombres y mujeres, niños y ancianos tenían el suyo bien establecido, dependiendo de la edad y ubicación en el villorrio. Cada status implicaba determinados deberes, tales como el acarreo del agua, el pastoreo, el cuidado de los bebés, el arreglo de las chozas, la obediencia a los mayores, deberes hacia la tribu, la comunidad, los antepasados, etc. Toda esta estructura está cambiando. Los muchachos y aún las niñas se sienten inseguros y fluctúan entre distintas tendencias que no se pueden explicar concretamente. ¿Qué tareas pueden realizar en un pueblito para ganar un poco del dinero que necesitan para vivir algo mejor que sus padres o para conseguir los diferentes objetos con que se les está tentando con varios medios de publicidad: zapatos, libros, lapiceras, relojes o tal vez una bicicleta? Todo ello cuesta más de lo que les pueden proporcionar los mayores del pueblo; así es que los jóvenes abandonan las zonas rurales buscando fuentes de trabajo, escuelas y especialmente a otros jóvenes que compartan sus intereses y aspiraciones. Así los pueblitos y las zonas rurales se están despoblando. Se estima que alrededor de 1975, la mitad de la población de toda la América Latina estará ubicada en las ciudades.

La minifalda, el arte pop y la ornamentación extravagante se combinan entre los miembros de la nueva juventud latinoamericana.

Es sin duda axiomático que la juventud constituye un campo fértil para la implantación de ideas y prácticas que son traídas de otras culturas. Menos rígidos y más aventureros que sus progenitores, los jóvenes latinoamericanos muestran hoy un gran interés en las actividades de las naciones que reflejan el espíritu de una época que es testigo de vuelos interplanetarios y bombas hidrógenas, y buscan establecer contactos y lazos personales con las civilizaciones que personifican este espíritu moderno. No extraña entonces que países como los Estados Unidos aparezcan como una cultura modelo para estos jóvenes que se sienten parte de la nueva era tecnológica, lo que a su vez fomenta el proceso de transculturación.

Curiosamente, la admiración hacia las civilizaciones tecnológicamente superiores parece traer consigo la aceptación de otros productos culturales cuyo valor artístico o moral queda en duda. Estos productos, que aparecen en la mayoría de los casos a través de las películas, los programas de radio y televisión, los discos y las revistas, se convierten en una realidad fascinante para el público adolescente, sobre todo el de la creciente burguesía urbana. Desde las cómicas de

«Archie» y «Dagwood» hasta las series de televisión de «Mod

Squad≫ y ≪Mis tres hijos≫, relaciones sociales y sistemas de valores que no concuerdan con los preceptos culturales de su propio país desfilan delante de estos jóvenes, dejando diariamente un impacto imperceptible y sutil pero que certeramente afecta tradiciones y conceptos. El latinoamericano todavía no está dispuesto a asumir funciones que considera poco dignas de su masculinidad, pero el ejemplo de Dagwood continúa ejerciendo su influencia sobre una juventud que numéricamente abarca más de la mitad de la población del hemisferio.

También está surgiendo una nueva ética en el ámbito de las relaciones de la pareja, que tiende a enfatizar los derechos igualitarios de esta última y a sostener su independencia frente a todos los problemas de la vida. Esta ética corresponde a una sociedad moderna, industrial o urbana, frente a una tradicionalista, rural y preindustrial.

En términos generales, se puede decir que los estratos sociales más altos tienen las actitudes y valores más modernos; a mayor educación se puede descubrir mayor modernidad. Pero es evidente que la educación, la que antes pertenecía a una clase social determinada, conduce a una mentalidad moderna más avanzada. Lo mismo ocurre con la edad; las mujeres de más alto nivel educacional aunque tengan

Flavio, ídolo de la juventud argentina, camino al estudio donde grabará su última canción de tipo ≪nueva ola≫.

mayor edad son las modernas, y las más jóvenes pero de educación inferior pueden tener una mentalidad actual mucho menos avanzada.

EL PROCESO DE TRANSCULTURACIÓN

Una vez más cabe destacar que los modos de vida y las maneras de comprenderla se encuentran en un perpetuo estado de evolución en las sociedades heterogéneas. También se debe considerar que las sociedades que poseen los más altos niveles culturales exportan sus productos y que las sociedades tecnológicamente más avanzadas hacen lo mismo. No extraña entonces el impacto cultural de las naciones superindustrializadas en las regiones latinoamericanas. Si México, el Perú y el Uruguay utilizan una cantidad enorme de programas de televisión estadounidenses, es debido a que su producción respectiva no alcanza para el consumo diario. La presencia y el uso de artefactos crean lazos tecnológicos y sociales entre las sociedades industrializadas y las consumidoras. Pero aquí hay que hacer una advertencia: la transculturación que se desarrolla mediante esta interacción se lleva a cabo en un sentido único, es decir, que va de las sociedades tecnológicas a las menos desarrolladas.

Si a la imposición tecnológico-cultural añadimos el elemento de la proximidad geográfica, nos damos cuenta de esta acción conjunta en el caso de la influencia cultural estadounidense en las regiones limítrofes. Este impacto cultural se nota tanto en las urbes mexicanas como en las islas del Caribe, y se ve confirmado por la práctica del béisbol, el consumo de la coca-cola, la presencia de las últimas canciones de moda y el abundante uso de anglicismos. Mientras que muchos miembros de las clases media y alta de México viajan a Texas para comprar su ropa y automóvil, su contraparte en la clase obrera está en contacto con la cultura estadounidense a través del cine, la radio, la televisión y la revista. El hombre de la calle en Guadalajara o Caracas sabe cómo les ha ido a los Gigantes de San Francisco o a los Indios de Cleveland en su último partido, por más que en los Estados Unidos nadie conozca ni de nombre a los equipos de fútbol más importantes de la América Latina.

Ahora bien, ¿qué consecuencias tiene este impacto en la cultura hispánica y cuál es su significado en las distintas esferas sociales? Aunque es posible observar instancias tangibles en el campo de las innovaciones culturales—tal como el abandono de la siesta o la aceptación del pantalón para la mujer en las zonas metropolitanas—no

Tomando coca cola en la playa Copacabana de Río de Janeiro.

Especialmente en las naciones vecinas de los Estados Unidos la «cocacolanización» representa la aceptación de un modo de vida estadounidense.

podemos calcular ni representar con exactitud los cambios ocurridos y por ocurrir en la compleja estructura de valores y normas de las culturas latinoamericanas. Según los sociólogos es axiomático que una sociedad orientada hacia el cambio acelerado produce siempre un retraso en la formación del tipo de personalidad que se adapta al cambio. La época de transición rápida crea un estado de contradicción entre valores y normas del pasado y del presente, lo que resulta en un estado de ansiedad de los miembros de la generación más vieja. Las innovaciones traen consigo sorpresas desagradables para los guardianes del patrimonio cultural nacional, por lo general personas cuya edad no les permite obrar con la elasticidad de la juventud, en medio de una transición que no alcanzan a comprender. Se puede notar, por ejemplo, una extraña convivencia entre las supersticiones medievales de las niñeras mulatas o mestizas analfabetas y el mundo mecanizado de los niños de la clase burguesa que se pasan buena parte del día delante de la pantalla del aparato televisor. Los que viven de los turistas que desembarcan en las islas soleadas del Caribe se mueven diariamente entre dos mundos. Al terminar su trabajo dejan los hoteles o las canchas de golf para reintegrarse a sus viviendas miserables donde los espera un nivel de vida muy distinto y bastante primitivo.

En el Suroeste de los Estados Unidos y el Norte de México las pautas tradicionales están sufriendo enormes alteraciones. Antiguamente la vida en los pueblos fue dominada por la cohesión familiar y comunal, que incluía la participación total de todos los miembros o habitantes de aldea, una identificación plena con los intereses locales y una división de trabajo preestablecida. Existió una constante interacción social en la que tomaron parte tanto los ancianos como los niños. Los conceptos del tiempo, trabajo o prestigio como también las creencias, supersticiones y sentimientos religiosos estaban integrados al ritmo diario de la vida. Pero, debido al impacto constante de la cultura «anglosajona» que hoy día se presenta incesantemente y en innumerables formas en estas regiones «fronterizas», las innovaciones se imponen lentamente, cambiando la orientación de los jóvenes y creando alarma y duda entre sus progenitores.

Donde más se observa la transición hacia una modernización de la vida es en los centros urbanos. En la California del Sur el «pocho», descendiente de mexicanos y precursor del chicano, se perfila trágicamente como un ser marginal, inseguro de su pertenencia, alienado de su cultura paterna y generalmente rechazado por la sociedad anglosajona. El genial ensayista mexicano Octavio Paz describe al pocho, o «pachuco», como una persona que «ha perdido su herencia: lengua, religión, costumbres, creencias». El chicano de hoy anda en busca de esta herencia.

No es fácil para un grupo cultural subprivilegiado existir serenamente al lado de otro que goza de una opulencia sin precedente y ostentativa. Algo similar pasa con los pueblos. En las naciones subdesarrolladas cerca de los Estados Unidos, la juventud de hoy admira las civilizaciones que prometen esta opulencia por el milagro tecnológico. En encuestas hechas en escuelas secundarias casi un 50 por ciento de los alumnos de ambos sexos optaron por vivir en los Estados Unidos si se les ofrecía la oportunidad. Como se ve, es elevado el precio que paga una sociedad que vive al lado de otra más desarrollada.

EL INTELECTUAL Y EL ARTISTA EN LATINOAMÉRICA

Son varias y disímiles las definiciones que existen del intelectual. Las preguntas que siempre se tocan para la definición de este grupo incluyen si realmente es un grupo social, si tiene cohesión y si cuenta con una fuerte influencia sobre el destino de las naciones. Según la opinión de sociólogos como Juan F. Marsal, prestigioso director del

Instituto di Tella en Buenos Aires, los intelectuales no forman ningún cuerpo unido, ni dependen de una clase social. Medir su impacto sobre la Sociedad, sin embargo, es tarea complicada.

¿Quiénes son los intelectuales? ¿Son los que se han llamado tradicionalmente pensadores o expositores de problemas? ¿Son creadores literarios, científicos o profesionales? Posiblemente la categoría de intelectual puede ser ampliada a gusto; de ahí que el término sea tan impreciso. Las definiciones de «el intelectual» fácilmente incluyen al literato, al hombre de ciencia, al periodista, al profesor universitario y al dirigente obrero. Pero habría que hacer una distinción drástica entre el intelectual del pasado y el del presente.

En el pasado el intelectual latino se desplazaba dentro del contexto de una élite, si no basada en la exclusividad de la clase alta, ciertamente en la del reducido grupo que poseía una educación universitaria o su equivalencia. Siguiendo el ejemplo de ilustres europeos de siglos anteriores, el intelectual típico en Latinoamérica pensaba y actuaba en su estudio particular rodeado de estantes llenos de sus libros preferidos, escribiendo un ensayo político para un periódico, un artículo de fondo sociológico para una revista nacional o un poema para el suplemento dominical. Tal vez vivía de rentas, como el proverbial *gentleman scholar* inglés, pero a menudo dedicaba algunas horas diarias al ejercicio de su profesión, ya fuese la de abogado, médico, periodista o inspector de escuelas.

En nuestro siglo el intelectual tradicional sigue escribiendo, pero al lado de otro tipo que ya no pertenece a la élite y que no se dirige a una minoría selecta. Con el auge de los medios de comunicación de masa, las reformas universitarias y la participación de las clases baja y media en el sufragio, muchos intelectuales de hoy son hijos de inmigrantes pobres llegados de Polonia o Italia, cuando no descendientes de mestizos y mulatos. Aunque existían precursores, fue la época de 1930, de una profunda crisis económica mundial que trajo consigo una crisis correspondiente de valores, la que vio al intelectual nuevo, «cometido», que obró desde un fondo de conciencia social y denunció las injusticias legales, las explotaciones de seres humanos y las represiones políticas. Véase por ejemplo la literatura mexicana que trata las diferentes etapas de la Revolución, los ensayos y las novelas sobre el indio serrano del Perú o de Ecuador, las obras que describen la vida feudal en las plantaciones del Noreste brasilero o la literatura argentina que refleja la década peronista. Desde el cholo Vallejo en el Perú de 1930 hasta el mulato Guillén en la Cuba de Fidel Castro y el hijo de siriolibaneses Mafud en la Argentina de 1970, el nuevo intelectual latinoamericano se ha afianzado como un agente del cambio social cuando las circunstancias políticas lo permitan.

En la actualidad se critica al intelectual no cometido de ser aristocratizante y apegado a tradiciones clásicas; y sobre todo la juventud universitaria muestra una fuerte impaciencia con los que no están dispuestos a sacrificar su arte o ciencia pura en nombre de una firme posición sociopolítica, que para la gran mayoría de estos jóvenes tiene que ser de izquierda.

Pero, utilitario, humanista o cometido, el intelectual latinoamericano mantiene una fuerte relación simbólica con su sociedad ya que al fin y al cabo se dirige a ella; y por lo tanto continuará afectando el camino de la misma. En un hemsiferio dominado por el dinamismo político el intelectual de ayer es el presidente o ministro de hoy, y a veces el escritor exiliado de mañana. José Vasconcelos en México, Raúl Haya de la Torre en el Perú, Juan Bosch en la República Dominicana y Arturo Frondizi en la Argentina son ejemplos prominentes de los altibajos sufridos por el intelectual en la América Latina de este siglo. Fue el poeta mexicano Jaime Torres Bodet, más tarde Ministro de Educación y también Ministro de Relaciones Exteriores, que compuso *Patria*:

Montañas, pasaportes
banderas y leyendas
entre mi pensamiento
y tu alma se elevan.

Pero nos une un mundo
sin tiempo ni distancias;
un cielo igual desdeña
nuestras dos impaciencias
y con sólo no hablarnos
vemos la misma estrella.

Pablo Neruda, poeta precoz, senador comunista, exiliado político, ganador del Premio Nobel de Literatura en 1971 y hoy Embajador de Chile en París, lanzó hace años un ácido desafío a los escritores no «cometidos» en su poema *Los poetas celestes*, llamándolos:

...
misterizantes, falsos brujos
existencialistas, amapolas
surrealistas encendidas
en una tumba, europeizantes
cadáveres de la moda,
pálidas lombrices del queso
capitalista...

No es fácil hacer literatura hoy día en Latinoamérica.

Algo distinto pasa en el mundo de los artistas latinoamericanos ya que ellos se mueven más directamente dentro de los lineamientos dictados por las modas estadounidenses y europeas. La tendencia al objeto abstracto y a la nueva figuración no forma un todo coherente y homogéneo, sino que los nuevos estilos y combinaciones hacen que aparezcan constantemente grupos y subgrupos que dominan por períodos relativamente breves el gusto del público que concurre a las galerías de arte y de los compradores del mercado de arte. Esto significa que los grupos vanguardistas tienen un rasgo característico, una inclinación por el cambio más que por la continuidad, lo que es significativo para demostrar que en nuestra época la rápida evolución técnica, industrial, se traslada a las manifestaciones artísticas.

Son escasas las posibilidades que tienen los artistas de vivir de su arte, a excepción de aquellos que están muy cotizados en el mercado; los otros viven de actividades afines como creación de fantasías, muebles, decoraciones, espejos, cerámicas, diseños textiles. Sus comercios se instalan en las zonas urbanas y en especial en determinadas calles donde un público ávido de novedades les permite su fácil venta.

La aspiración de todo artista plástico es un viaje ya sea a París o a Nueva York o a Rio de Janeiro; las becas otorgadas por organizaciones como el Fondo Nacional de las Artes en la Argentina y premios Ver y Estimar, Braque o los del Instituto Torcuato di Tella son estimulantes para efectuar esos viajes.

El mercado de compra de la obra de los artistas figurativos es estrecho. Son pocos los coleccionistas, y cuando éstos se dedican a comprar se deciden por obras más tradicionales. Uno de los artistas argentinos de más fama internacional es el cubista Pettoruti, introductor del modernismo; pero mientras que Buenos Aires representa las tendencias hacia el modernismo internacional, junto con el Brasil, en otros países el trabajo plástico es más tradicional, más autóctono. Países como el Perú, Bolivia y Ecuador han desarrollado más la pintura de tipo indigenista; en el Perú, Fernando de Szyszlo con el grupo «Espacio» se ha dedicado a la manifestación indigenista de su país. Pero en ningún lugar de Latinoamérica ha existido tal correlación entre acción política y pintura para las masas como en México, centro cultivador del arte estilizado pero autóctono. Diego Rivera, José Clemente Orozco y David Alfaro Siqueiros son los que inauguraron la acción del arte colectivo después de la Revolución mexicana. Opositores del arte individual, del arte decorativo y burgués, su objetivo era el arte para el pueblo, ideal que a pesar del apoyo oficial en su primera época se fue desvirtuando con el tiempo ya que los artistas más contemporáneos tienden a seguir los lineamientos de la estética occidental más universal. Esto no quiere decir que el arte indigenista haya sucumbido; todo lo contrario, es frecuente observar galerías de arte donde estilizaciones más modernas se mezclan con motivos regionales. El inconveniente que existe para todo movimiento artístico es que el arte se va convirtiendo cada vez más en un arte de minorías: el público espectador no es la «masa» sino ciertas capas sociales interesadas en la plástica, perteneciente en general a la clase alta media y con un elevado nivel educacional.

LA RENOVACIÓN DEL LENGUAJE

Periódicamente los hombres de letras se empeñan en hacer una campaña de renovación del idioma, una actitud que se basa más que nada en la necesidad de invocar la ley de la originalidad creadora y de dejar a un lado un estilo establecido, para afirmar nuevas normas artísticas, las que a su vez se vuelven caducas con el tiempo. Dentro de este marco de actividades es esencial notar que ellas han sido y son practicadas por una minoría cuya influencia siempre fue considerable en el mundo de la palabra impresa. Bastaría comparar el estilo de las revistas y de los periódicos del siglo pasado con sus correspondientes en la actualidad para darse cuenta del cambio que se ha operado en el manejo del idioma.

Hoy día la renovación del lenguaje se lleva a cabo en varios niveles que, separadamente, se desplazan hacia sus evoluciones respectivas. Posiblemente los tres niveles más importantes se refieren al manejo de la palabra por las exigencias tecnológico-científicas, las manipulaciones dentro de la industria de comunicaciones y de la publicidad y, en menor grado, las innovaciones idiomáticas utilizadas por la juventud que trata de distanciarse de la generación anterior mediante la expresión verbal tanto como a través del acto social.

El primero de estos niveles abarca casi todas las esferas sociales. Basta levantar una fábrica en medio de una región subdesarrollada para introducir una orientación hacia la tecnología que incluye el uso de la terminología correspondiente. En los países latinoamericanos con poco desarrollo industrial, la máquina ejerce todavía un magnetismo especial sobre la gente que recién ahora está completando la transición de una vida muy primitiva hacia el siglo XX.

Debe decirse	No debe decirse
Es un hombre de plata	Ahí hav tela
Cara	Trucha[1]
Tranquilo	Pluma, pluma
Mi chico tiene vocación por la mecánica	Al bepi[2] le gustan los fierros
El médico	El tordo[3]
Estoy con parte de enfermo	Estoy con carpeta médica
Alberto	El Beto
Voy al hospital..................	Voy al policlínico
Dejó el box	Colgó los guantes

VOY AL POLICLÍNICO

En el segundo nivel, el idioma de la publicidad y de la fraseología impersonal, difundido por la radio y la televisión, imprime hoy su sello hasta en los que no pueden todavía descifrar la palabra impresa. El locutor de radio o televisión ha sustituido al redactor de la página editorial de antaño para la masa del pueblo, y los técnicos que trabajan para las agencias publicitarias en la América Latina están creando un español *sui generis* donde domina lo novedoso, lo espectacular y el uso del neologismo, al servicio de la comercialización. En el interior del continente Sur hay millones y millones de analfabetos que tienen a su lado en el trabajo o en el camino el pequeño artefacto que más está revolucionando modos de pensar en todo el mundo: la radio transistor a batería.

El idioma de los jóvenes, con su concretación en las películas y grabaciones juveniles, es un fenómeno cultural bastante reciente que sigue ampliándose. Mientras que en las décadas anteriores los artistas populares de cine, radio y disco atraían el interés de padres e hijos por igual, hoy la juventud insiste en la separación de las generaciones y produce sus propios ídolos que simbolizan un punto de vista diferente, y lo subrayan a través de la palabra, el gesto y la vestimenta.

Es una lástima que el vocabulario de casi todos los diccionarios generales continúe presentando un enfoque tradicional y que las selecciones de libros de español para las clases elementales e

[1]**trucha** (Río de la Plata) slang term for "face"   [2]**hepi** (Río de la Plata) pibe, muchacho: While the actual word is *pibe*, local slang allows for a reversing of syllables, such as *loco < colo*.   [3]**tordo** ave negra, de mal agüero

intermedias excluyan actividades, utensilios y expresiones de nuestra actualidad. Las palabras del aviso tomado de la revista *Visión* sirven de ejemplo para mostrar el uso de un español moderno dirigido al consumidor típico de la clase media de hoy.

Los tres grupos de palabras que se dan a continuación constituyen una muestra del vocabulario moderno que se usa abundantemente en las zonas urbanas de la América Latina, es decir, no se trata de términos altamente técnicos ni especializados sino generales.

Vocabulario tecnológico general		*Vocabulario profesional-comercial*		*Vocabulario «moderno»*	
llave inglesa	wrench	impactar	to make an impact	diapositivas	slides
destornillador	screwdriver	enfatizar	to emphasize	teleaviso	television ad
bujía	sparkplug	rol	role	locutor	announcer
cinta magnetofónica	recording tape	status	status	grabación	recording
autopista	major highway	ejecutivo	business executive	discolandia	record store
jet	jet	copiadora	duplicating machine	teens	teens

7 Días, Buenos Aires

Históricamente los cambios culturales se efectúan gradualmente y, a menudo, sólo después de vencer poco a poco la oposición de los elementos que quieren preservar el orden establecido. Exhortaciones dirigidas al pueblo con el propósito de cambiar las actitudes relacionadas con la mujer, el trabajo, la propiedad y el consumo, para el bien del país, son generalmente rechazadas por la masa. Al parecer, el único modo de implementar innovaciones inmediatas es hacer la revolución cultural junto a la política. Por eso es interesante fijarse en la Revolución cubana, que decretó un nuevo status para la mujer que la independiza oficialmente de su condición doméstica.

Cuba, hoy   Marxismo versus tradición

«Mi bien, mañana voy para la zafra[4] azucarera; vuelvo la semana que viene». En Cuba, cualquier mujer dice esto a su marido con la mayor naturalidad. Pero nueve años de fidelismo[5] no consiguieron destruir totalmente siglos de tradición española. El machismo latinoamericano resurge bajo las más diversas formas y el número de divorcios se triplicó en los últimos años. Influye en esto la circunstancia de que recientemente se regularizaron numerosas separaciones de hecho, que databan de muchos años pero no estaban

[4]zafra cosecha   [5]fidelismo el régimen políticosocial de Fidel Castro

contempladas por la ley. En Cuba es tan fácil casarse como divorciarse: basta con el mutuo consentimiento. Se dan casos como el de Rita Tabares, dactilógrafa de un ministerio que hace una década era una de las 80.000 prostitutas registradas por la policía de La Habana. No quiso salir del país, como la mayoría de sus compañeras, sino que prefirió internarse en un Centro de Recuperación. Al salir se casó con un obrero, quien al enterarse de su pasado la dejó con un hijo. Por la mañana, ella lo lleva a un Círculo Infantil (guardería), como hacen muchas madres cubanas, y lo va a buscar al caer la tarde. Ahora está por casarse con un compañero de trabajo y no tiene problemas de vivienda, al revés que la mayoría de los jóvenes, normalmente obligados a vivir con sus padres o en hoteles debido a la escasez de casas. El propio Fidel reconoce que en Cuba hay un déficit anual de 100.000 viviendas, y las autoridades repiten constantemente que será el último de los problemas sociales en resolverse, porque el cemento debe utilizarse en obras públicas y construcciones militares.

Así y todo, la vida sexual no encuentra muchos obstáculos para manifestarse fuera del ámbito familiar. Los hoteles no permiten «visitas», pero tampoco exigen certificado de casamiento a los que alquilan una habitación. Además están las «posadas»: por una suma que oscila entre tres y diez pesos suministran alojamiento por horas sin mayores formalidades. Un gran almanaque con la efigie de Vladimir Ilich Ulianov (Lenin) suele presidir los *halls* de entrada iluminados a media luz. Sin embargo, el concepto de la esposa ideal todavía tiene vigencia para la mayoría de los cubanos: las

Ché Guevara, símbolo del antiimperialismo para los simpatizantes del Tercer Mundo en Latinoamérica.

prefieren hogareñas y hacendosas, antes que independientes y dinámicas. Fidel no se cansa de repetir que «hay que liberar a la mujer de la cocina y el fregado», pero hay una sorda resistencia a su incorporación a la actividad productiva.

29 de julio de 1968

José Agustín

La juventud actual insiste en aprender lo que pasa en el mundo moderno y en establecer un nivel de contacto internacional que le permite la aceptación de innovaciones deseables. En efecto, existe un espíritu fraternal entre los jóvenes de casi cualquier país europeo o americano a base de conducta, valorización, literatura, música y vestimenta, además de la conciencia de pertenecer a lo que anteriormente se llamó ≪la juventud dorada≫.

Ser joven o adolescente en una zona metropolitana de Latinoamérica significa hoy en día buscar nuevas formas de expresarse. En su prosa el joven Agustín retrata el mundo de esta juventud con su burla de las cosas tradicionales y su afán de ser distinto y original, en el ambiente movedizo de la capital mexicana. Al mismo tiempo se muestra como testigo implacable de las apariencias que la generación más vieja trata de perpetuar, presuntamente para el beneficio de los jóvenes.

La tumba

Aproveché una hora libre para hablar a Elsa. Desde que había despertado estuve pensando en esa llamada telefónica. Bajé corriendo para salir a la calle, en busca de un teléfono público. Veinte centavos. Su número: 43-25-66; lo aprendí de memoria. Marqué lentamente, no quería equivocarme.

Cuatro.

¿Adónde podré invitarla?

Tres.

¿A tomar un café?

Dos.

O, ¿a dar una vuelta?

Siete.

¡Ya me equivoqué, si seré estúpido!

Clic.

Rebuzno[6] ...

Cuatro.

Mis dedos están temblando

Tres.

jamás he visto ojo parecidos

Dos.

no puedo perder la oportunidad por ningún...[7]

Cinco.

¡Vaya, voy bien!

Seis.

Es más que interesante, tengo que intimar con ella.

Seis.

Ya está, llaman.

Empezaron los ruidos y sus intervalos: uno largo, silencio corto. Mi oído pegado al auricular, los largos dedos de pianista envolviendo el tubo negro.[8] Ruido largo y corto silencio. La mirada en el vacío, una pierna adelante de la otra. Largo ruido, silencio corto. Una mano en el bolsillo, buscando el pañuelo. Ruido, silencio. Respiración rápida. Una señora obesa con un niño espera turno. El ruido prolongado con su breve silencio. La mano fuera del bolsillo para frotar el ojo izquierdo. Ruido, silencio. La mirada en la señora, los pies juntos, los dientes en los labios.

---

[6]rebuzno how stupid of me   [7]ningún... "nothing in the world" is understood
[8]los largos ... negro The black receiver is equated here metaphorically with a black piano key.

Ruido largo, silencio corto. La señora ve su reloj, la mano sacudiendo la camisa. Ruido y silencio, ruido. ¡Listo, contestan!

—¿Bueno? —pregunta Voz Desconocida.

—Por favor, con Elsa.

—¿De parte de quién?

—De Gabriel Guía, un amigo del Círculo Literario Moderno.

—¿De dónde?

—Del Círculo Cuaternario Incierto.[9]

—Veré si está, un momento.

—Muchas gracias.

Un instante de silencio con la mirada de la señora.

—¿Sí? ¿Quién habla?

—Gabriel, ¿no me recuerdas?

—La verdad, no.

—Soy del Círculo Literario Moderno. Ayer estuve en tu casa...

—Ah, *sí*. Es que no sabía cómo te llamabas.

—Me imagino, que yo recuerde, no nos presentaron.

—Bueno, eso no importa, ahora sé tu nombre. Gabriel.

—Lo veo.

—Bueno, ¿y para qué puedo servirte?

—Te hablé porque realmente me dejaste impresionado—recité, de carretilla.

—Por favor...

—Es cierto, y pues, quisiera invitarte a tomar un café, a dar una vuelta o a cualquier lugar, ¿podrías?

—¿A qué horas?

—Cuando gustes, sólo quiero verte de nuevo.

—Qué genial. Pues, mira, yo, encantada; hoy

Club social donde se reúne la adolescencia.

salgo de clases a las siete, ¿puedes pasar por mí a la escuela?

—Con gran placer, ¿dónde está tu escuela?

—Perdóname, creí que sabías: es la Facultad de Filantropía y Garabatos,[10] en CU.[11]

—Ajajá. ¿Dónde te encuentro?

—En el café, ¿okay?

—Okeyísimo; entonces, hasta la seis. Elsa.

—Hasta las seis. En el café. Chao.[12]

—Sí, en el café Chao.[13]

El auricular en su puesto y corresponde el turno a la redondez[14] con niño. El sol estaba en su cenit (*mais non*, G.!),[15] repartiendo luz y calor sin egoísmos. Caminé lentamente hacia la escuela, gozando de los rayos solares, al pensar en los ojos grises de Elsa Apellidonacional.[16]

¡Galván, eso es! pero qué importa su nombre ante ella, toda belleza, nunca había visto alguien así.

Llegué a la escuela hecho sonrisas, saludando a los maestros (lo cual era insólito en mi caso).

A la salida encontré a Vicky y nuestra plática se redujo a Elsa. Me contó: su familia era del D. F.,[17] tenía dieciocho años, estudió en la Universidad Femenina la preparatoria[18] y,

[9]**Cuaternario Incierto** a mock version of the official title of the *Círculo* [10]**Filantropía y Garabatos** a corruption of *Filosofía y Letras,* or Liberal Arts: While *filantropía* is phonetically similar to *filosofía, garabatos* means "scribbling" and clearly refers to the word *letras.* [11]**CU** Ciudad Universitaria, en la capital mexicana [12]**Chao.** Adiós: versión americanizada, usada sobre todo en el Río de la Plata; del italiano *ciao* [13]**café Chao** Al sacar el punto, se establece un juego de palabras bastante típico. [14]**redondez** mujer gorda [15]**mais non, G.!** (French) stop it, Gabriel!: Agustín mocks himself as well as traditional rhetoric. *El sol estaba en su cenit* is obviously a cliché. [16]**Apellido-nacional** un viejo apellido español [17]**D. F.** Distrito Federal, de México [18]**la preparatoria** En México los estudiantes tienen que aprobar dos años de estudios preparatorios antes de ingresar en la Universidad.

ahora, estaba en Filosofía[19]; infórmome[20] también: aunque salía con bastantes muchachos no tenía novio conocido, era vecina suya e informaciones idóneas.

—Es muy mona.[21] Y bonita. A veces es sangre.[22] Pero conmigo no. Bueno, una vez.

La dejé en su casa para luego enfilar hacia el campo, donde un anodino vientecillo hacía que las hojas se meneasen, arrítmicas. Es primavera, pensé resumiendo toda la cursilería[23] que me era posible en ese instante.

En casa me esperaban para comer. Mamá, de pésimo humor, se decía muy mala de salud. Como antítesis, mi padre estaba muy contento y nos dedicamos a bromear con mamis. Pero se enfadó y empezaron los insultos maternos. Papá, aún bromeando, dijo:

—¿Qué te pasa, mujer? —ella lo miró encolerizada— alégrate, no hay ningún funeral.

Como resorte aceitado, mi madre se levantó:

—No lo hay, pero lo habrá, el tuyo y el de tu amante si me sigues molestando, imbécil.

Mi padre empalideció y de su sonrisa sólo quedó una mueca de rabia:

—No digas las estupideces de siempre.

Mamá, sin hacerle caso, fue a la cocina. Mi padre quedó paralizado viéndola salir, para después levantarse rápidamente, mascullando un:

—Es el colmo.[24]

Yo me quedé ahí, con el plato de carne a medio terminar. Pero mi humor era demasiado bueno para entristecerme.

Acabarán divorciándose, todo el mundo conoce sus sendas aventuras... Respiré profundamente y fui a oír un disco, los valses austriacos. Sentado en mi escritorio, con la pluma bailando entre los dedos, ataqué la novela con entusiasmo. Las frases se hilaban una tras otra y yo seguí trabajando a todo vapor.

Papá entró en mi recámara, y tras mirarme un breve momento, dijo:

—¿Tienes algo que hacer esta tarde?

—Tengo cita con Elsa.

—¿Quién es Elsa?

—Una muchacha.

—Pues claro. ¿De quién es hija?

—Se apellida Galván, deduce.[25]

—Galván, me suena. ¿Dónde vive?

—Cerca de la casa de Vicky, digo, del ingenebrio[26] San Román.

—Ajá.

—¿Por qué preguntabas si tengo algo que hacer?

—Quería que me representaras en el Club.

—Pues, *sorry*, no puedo.

—Sí, me doy cuenta. ¿Qué escribes?

—Una novela.

—¿Cómo se llama?

—*La tierna garra*, o *Tierna es la garra*, todavía no sé.

—¿Y de qué se trata?

—Es muy largo de contar.

—Bueno, que te salga bien. Me la enseñas.

Salió, dejándome sorprendidísimo: mi padre jamás se había molestado en pedirme algo, y mucho menos en interesarse por mi *affaires*.

A las seis y media ya había escrito seis cuartillas, el esbozo de un cuento y un acróstico para Elsa. (*Comme tu travailles*!)[27] Tras guardar todo cuidadosamente, me puse un traje grisóxford.

Llegué faltando diez minutos para las siete. Elsa aún no llegaba. Eso gano por venir antes, pensé al sentarme a una mesa. Junto, había unos tristísimos esnobs,[28] casi beatniks, con clásica barba y clásicos sacos de pana[29] (aún no gastados por la luna). Discutían acerca de Herr Hegel el Insondable,[30] pero como decían

[19]Filosofía Liberal Arts   [20]infórmome me informó: mocking official language   [21]mona cute   [22]sangre temperamental   [23]cursilería corny stuff   [24]Es el colmo. That tops it all.   [25]deduce take it from there   [26]ingenebrio combination of the words *ingeniero* and *ebrio*, or drunk   [27]Comme tu travailles! (French) Working overtime!   [28]esnobs snobs   [29]pana corduroy   [30]Herr ... Insondable Hegel fue un famoso filósofo alemán del siglo XIX, de lectura muy difícil y entre cuyos discípulos figuraba Marx.

puras barbaridades,[31] no les presté atención. Entonces, el *show* fue[32] una *kleine*[33] con ojos excesivamente pintados y suéter de treintaidós colores. Hacía grandes ademanes y su risa se escuchaba en toda la Facultad.

Al fin apareció Elsa, platicando animadamente con dos amigas. Las presentó. Por suerte, se fueron pronto. Café, cigarro, lumbre, su mirada.

—¿Qué tal está tu café?

—Pasable. ¿Tuviste clase?

—Sipi.

—¿Adónde quieres ir?

—Me es igual. Menos, claro, a un café.

—Pero, ¿algún lugar en especial?

—¿Conoces algún bar beat?

—Varios. Pero beat modesto.

—¿Vamos a La Mosca Azul?

—Suave.[34]

Cuando apenas subíamos en el coche, propuso que mejor fuéramos al Mirador, lo que me agradó por razones obvias. En el camino, sintonicé[35] música selecta.[36] Bastaron tan sólo unas cuantas notas para que Elsa precisara que ése era el concierto Tal,[37] opus Tal, del autor Tal, con la sinfónica Tal, conducida por Tal y el solista Tal. Por lo que supe que era una perfecta *connaisseur* musital. Gracias a eso, para conquistarla, desplegué la táctica de hablar sólo de asuntos culturales, lo cual funcionó perfectamente.

En el Mirador, no sabía si lanzarme a fondo declarándome[38] o esperar algún indicio: un tip de Vicky, su disposición. La respuesta la dio ella misma cuando, al encender un cigarro, retuvo mi mano unos momentos, viéndome con fijeza. Supe que ése era el momento adecuado, y entonces, fui yo quien tomó su mano al declamar melodramáticamente:

—Sabes, Elsa-Elsa, bien sé que sólo nos hemos visto dos conmovedoras veces, mas esas dos veces han sido suficientes para comprender que eres algo que ha penetrado en mí; ha sido tu sonrisa un aliciente, y tus ojos (grises, radiantes, bellísimos) los que imperan en mi mente desde que te conozco, los que me harían luchar contra todo si supiera que no los miraría jamás. Estás en mí, Elsa, eres parte mía. No puedes abandonarme ahora que siento desesperadamente la necesidad de tu cariño. A ti me une algo más que amistad voluble y pasajera, es afecto, amor, adoración; esto es, Elsa-Elsa, que quisiera que fueses mi novia, ¿comprendes? ¿Qué me dices?

Era bien claro que Elsa tenía tendencias románticas y por eso me lancé tan arteramente cursi. Elsa miró a la ciudad dando una larga bocanada de humo y dijo, sin mirarme, aunque sonriendo divertida:

—Casi perfecto, Gabriel. Destilaste un poco más de la necesaria miel,[39] pero estuvo okay. Bueno, con respecto a la pregunta de que si acepto ser tu chamaca,[40] bien sabes, y sabías, que te daría el yes. Espera, sólo me falta responderte con la misma moneda: querido y ya futuramente entrañable Gabriel-Gabriel, tu amor es altamente correspondido, tu figura varil,[41] digo[42] viril, tu gallardía, tu maravillosa personalidad han hecho que tu imagen no se aparte de mis sueños. Te amo locamente, Gabriel, eres carne mía que no me dejaré amputar. Te amo, sí te amo, iámame tú también!

Soltamos la carcajada al unísono y tras reír alegremente, Elsa colocó sus labios sobre los míos: un beso dulce. Sus brazos entrelazaron mi cuello y el segundo fue más ardiente y con más pasión. Al fin podía sentir esos labios estéticos, poesía en rojo vivo. (*Gee*!)

Once de la noche, Elsa conmigo. Contemplamos los puntos que emergen de la oscuridad. La ciudad se alarga como una alfombra luminosa. Elsa en mis brazos. Once de la noche.

---

[31]barbaridades estupideces   [32]el show fue me fijé en   [33]kleine (German) "chick"   [34]Suave. Encantado.   [35]sintonicé I tuned in   [36]selecta clásica   [37]Tal such-and-such   [38]si lanzarme ... declarándome should I make it with her   [39]destilaste ... miel a bit too sugary   [40]chamaca (México) girl: Elsa here reverts purposely to a popular expression.   [41]varil mezcla de «varonil» y «viril»   [42]digo I mean

Octavio Paz

El oficio del intérprete cultural exige una buena dosis de perspicacia e intuición ya que se trata de descubrir lo que los antropólogos llaman el aspecto implícito de la conducta humana. Al examinar a los descendientes de mexicanos, últimamente llamados chicanos, Octavio Paz reflexiona sobre la grave condición de estos seres marginales y sus problemas esenciales. Perdieron su herencia: «lengua, religión, costumbres, creencias». Al mismo tiempo, la cultura mayoritaria anglosajona tampoco los acepta completamente y detiene el proceso de transculturación. Bajo tales condiciones, es lógico para el ensayista mexicano que esta marginalidad se traduzca en un sentimiento de exasperación y rebeldía.

El laberinto de la soledad   El pachuco y otros extremos

Al iniciar mi vida en los Estados Unidos residí algún tiempo en Los Ángeles, ciudad habitada por más de un millón de personas de origen mexicano. A primera vista sorprende al viajero—además de la pureza del cielo y de la fealdad de las dispersas y ostentosas construcciones—la atmósfera vagamente mexicana de la ciudad, imposible de apresar con palabras o conceptos. Esta mexicanidad ... flota en el aire. Y digo que flota porque no se mezcla ni se funde con el otro mundo, el mundo norteamericano, hecho de precisión y eficacia. Flota, pero no se opone; se balancea, impulsada por el viento, a veces desgarrada como una nube, otras erguida como un cohete que asciende. Se arrastra, se pliega, se expande, se contrae, duerme o sueña, hermosura harapienta. Flota: no acaba de ser, no acaba de desaparecer.

Algo semejante ocurre con los mexicanos que uno encuentra en la calle. Aunque tengan muchos años de vivir allí, usen la misma ropa, hablen el mismo idioma y sientan vergüenza de su origen, nadie los confundiría con los norteamericanos auténticos. Y no se crea que los rasgos físicos son tan determinantes como vulgarmente[43] se piensa. Lo que me parece distinguirlos del resto de la población es su aire furtivo e inquieto, de seres que se disfrazan, de seres que temen la mirada ajena, capaz de desnudarlos y dejarlos en cueros.[44] Cuando se habla con ellos se advierte que su sensibilidad se parece a la del péndulo, un péndulo que ha perdido la razón y que oscila con violencia y sin compás. Este estado de espíritu—o de ausencia de espíritu—ha engendrado lo que se ha dado en llamar el «pachuco». Como es sabido, los pachucos son bandas de jóvenes, generalmente de origen mexicano, que viven en las ciudades del Sur y que se singularizan tanto por su vestimenta como por su conducta y su lenguaje. Rebeldes instintivos, contra ellos se ha cebado más de una vez el racismo norteamericano. Pero los pachucos no reivindican[45] su raza ni la nacionalidad de sus antepasados. A pesar de que su actitud revela una obstinada y casi fanática voluntad de ser, esa voluntad no afirma nada concreto sino la decisión—ambigua, como se verá—de no ser como los otros que los rodean. El pachuco no quiere volver a su origen mexicano; tampoco—al menos en apariencia—desea fundirse a la vida norteamericana. Todo en él es impulso que se niega a sí mismo, nudo de contradicciones,

43vulgarmente generalmente   44en cueros desnudos   45reivindican recobran

372

enigma. Y el primer enigma es su nombre mismo: «pachuco», vocablo de incierta filiación, que dice nada y dice todo. ¡Extraña palabra, que no tiene significado preciso o que, más exactamente, está cargada, como todas las creaciones populares, de una pluralidad de significados! Queramos o no, estos seres son mexicanos, uno de los extremos a que puede llegar el mexicano.

Incapaces de asimilar una civilización que, por lo demás, los rechaza, los pachucos no han encontrado más respuesta a la hostilidad ambiente que esta exasperada afirmación de su personalidad. Otras comunidades reaccionan de modo distinto; los negros, por ejemplo, perseguidos por la intolerancia racial, se esfuerzan por «pasar la línea» e ingresar a la sociedad. Quieren ser como los otros ciudadanos. Los mexicanos han sufrido una repulsa menos violenta, pero lejos de intentar una problemática adaptación a los modelos ambientes, afirman sus diferencias, las subrayan, procuran hacerlas notables. A través de un dandismo[46] grotesco y de una conducta anárquica,[47] señalan no tanto la injusticia o la incapacidad de una sociedad que no ha logrado asimilarlos, como su voluntad personal de seguir siendo distintos.

No importa conocer las causas de este conflicto y menos saber si tienen remedio o no. En muchas partes existen minorías que no gozan de las mismas oportunidades que el resto de la población. Lo característico del hecho reside en este obstinado querer ser distinto, en esta angustiosa tensión con que el mexicano desvalido—huérfano de valedores y de valores—afirma sus diferencias frente al mundo. El pachuco ha perdido toda su herencia: lengua, religión, costumbres, creencias. Sólo le queda un cuerpo y un alma a la intemperie, inerme ante todas las miradas. Su disfraz lo protege y, al mismo tiempo, lo destaca y aísla: lo oculta y lo exhibe.

. . .

Pasivo y desdeñoso, el pachuco deja que se acumulen sobre su cabeza todas estas representaciones contradictorias, hasta que, no sin dolorosa autosatisfacción, estallan en una pelea de cantina, en un *raid* o en un motín.[48] Entonces, en la persecución, alcanza su autenticidad, su verdadero ser, su desnudez suprema, de paria, de hombre que no pertenece a parte alguna. El ciclo, que empieza con la provocación, se cierra: ya está listo para la redención, para el ingreso a la sociedad que lo rechazaba. Ha sido su pecado y su escándalo; ahora, que es víctima, se le reconoce al fin como lo que es: su producto, su hijo. Ha encontrado al fin nuevos padres.

Por caminos secretos y arriesgados el pachuco intenta ingresar a la sociedad norteamericana. Mas él mismo se veda el acceso. Desprendido de su cultura tradicional, el pachuco se afirma un instante como soledad y reto. Niega a la sociedad de que procede y a la norteamericana. El pachuco se lanza al exterior, pero no para fundirse con lo que lo rodea, sino para retarlo. Gesto suicida, pues el pachuco no afirma nada, no defiende nada, excepto su exasperada voluntad de no ser. No es una intimidad que se vierte,[49] sino una llaga que se muestra, una herida que se exhibe. Una herida que también es un adorno bárbaro, caprichoso y grotesco; una herida que se ríe de sí misma y que se engalana para ir de cacería. El pachuco es la presa que se adorna para llamar la atención de los cazadores. La persecución lo redime y rompe su soledad: su salvación depende del acceso a esa misma sociedad que aparenta negar. Soledad y pecado, comunión y salud, se convierten en términos equivalentes.

[46]dandismo dandyism   [47]anárquica violenta, desafiante   [48]motín uprising
[49]se vierte se abre

Margaret Mead

Transculturation is much more effective among the members of the young generation. Innovations among the Spanish Americans are largely brought about by the children and young people who return from the *anglo* world and begin to see old traditional structures in a new light. According to the standard beliefs and norms of the Spanish American community, such things as personal pride, dignity, helping the family or neighbors and just plain "being" instead of "doing" are essential qualities not to be traded for some extra income or an impersonal life in the big cities. Time and work patterns are still subservient to the daily needs of the family and village life, and a person's status or prestige still depends on his good name.

Acculturation into the *anglo* culture, then, is gradual, brought about by the school and such unavoidable modern media as the radio, the movies and lately television. But leaving the village for the city can still be a disruptive process leading to deep alienation.

Cultural Patterns and Technical Change
The Spanish American Family

Family

The Spanish American *familia* still functions in much the same way as in the past. Where father and mother go together, the children go along; so do aunts, uncles and cousins. Child training changes little. In spite of an expressed interest in education, the child receives little encouragement for schooling from the home situation. "All a man needs in school is arithmetic. If he can figure that is all a man needs in his work."

It is mostly young people who begin moving into the larger society and who identify with groups other than family and hometown. But though sociologists speak of their striking Americanization, the young people of ten years ago who were obviously "going Anglo" are now the Spanish American adults. It seems that it is their children who will be Anglos—*mañana*.

In the city it is as young people that Spanish Americans come into closest contact with Anglo culture. Significantly, this includes girls as well as boys. Spanish American girls take on work outside the home—not only in domestic jobs, but as waitresses, clerks, hospital attendants—which requires them to meet strangers. It is not surprising that boy-girl relationships are changing. Young people are more on their own. Chaperoning is out; dating is in.

Spanish American culture depends largely on *vergüenza*—shame, pride, modesty—to regulate the behavior of its members, and hence its first dependence is on primary groups in which everyone knows what everyone else is doing, while the Anglos around them depend more on "guilt," so that the individual, even among strangers, will be constrained to live up to his code or suffer pangs of conscience. The Spanish American young person moving into an Anglo world is beyond his own primary group. Delinquency is one of the logical outcomes. "I don't like no city. You learn to steal in the city." Delinquency is not the whole story, but is certainly one of the problems of cultural change among the Spanish Americans of New Mexico. Later in life, there appears to be a readoption of more traditional ways, or at least "disappearance into the Spanish American community." The changes in youth are relatively temporary, and the patterns of earlier training, and the patterns of later family life and kinship responsibilities, are little changed by comparison.

The young person who seeks an Anglo adjustment not only needs new skills, he must also acquire a wholly different set of attitudes of aspiration and persistence. He must become an "interest group" unto himself. He must experience *solo*. He has grown up to be a person in need of a *patrón* and may find himself without one. If he succeeds in finding a new father figure in the new culture, then he may move further from the Spanish American way. His training has been against any self-assertion except within the balanced rivalry structure of the familiar community, and the competition in the impersonal Anglo system within a framework of unpredictability means an increase of anxiety. If he succeeds in identifying his new interests with an "interest group" in the new culture, then he may move further from the Spanish American way. Otherwise he tends to follow the more traditional pattern.

The father's position is still one of authority, but his actual control of the situation has diminished. Some of the awe which surrounded the father's going out of the community to work and coming back with dignity was lost during the unemployment of the depression. It is the young people more than the fathers who are the contacts with the outside world. They are the strangers at home and undermine the father's authority; they may even look down on him, if they have adopted Anglo attitudes.

The role of the mother is still one of care and nurture. Though a woman may have worked outside the home before her marriage, it is very unusual for her to be employed afterward except in domestic work. If changes have been taking place in housekeeping and child-rearing patterns, they are in no way clear. Old people do not receive the same respect as before; but the general acceptance of more traditional patterns as people reach adulthood implies that this is more in the particular relations between youth and age rather than in the total structure. Also "some (old) people think that it is the government's responsibility to take care of them in their old age as their children are not able to do so as they once were."

The Spanish Americans of New Mexico

Community

In spite of the continuing decline of the small villages and the growth of larger Spanish American towns, the Spanish Americans continue to depend upon their community relationships for their personal security. This is the setting of meaningful cooperation and competition, not the larger American society.

For the most part Spanish Americans have identified themselves only with "interest groups" which do not cut across community ties. In the economic sphere, unionism has made little progress. This is true up to now in spite of increasing specialization of labor. There is little "professionalism" in the *patrón* group. Their relation to the local population is too intimate. There are, for instance, no societies of theatre owners with membership drawn from several centers. Connections with other communities are still largely based on kinship. In the "social" sphere, some local clubs have become established, but there are few linked clubs. The *Penitentes*, with their religious inspiration and with chapters

Procesión religiosa en Santa Fe, Nuevo México.

in many villages, might be expected to form the nucleus of a widespread "nativistic" movement, but there is no indication that this is happening.

People do not tend to settle far apart from their neighbor-relatives to assert their independence. The breaking up of extended family ties which occurs constantly in Anglo society as one brother gets ahead of another is not carried very far in Spanish American society. Indeed it seems almost inevitable that if one member of the family gets ahead, the whole extended kin group is involved in the process and included in the benefit.

Community sentiment works against members of the group who strive to "get ahead" in the Anglo sense. "A *good man* is one who does not do evil—a man who lends money...a *bad man* is one who does not want to help the poor."

The Church seems to have less community meaning, but as much or more meaning in the structure of authority. The priest in one larger Spanish American town is having trouble getting people to come to confession, to buy the church newspaper or to come to bingo parties. But a Spanish American political leader can speak with finality "speaking as a Catholic." The patron saint, identified with the home villages, seems far less prominent. Most local celebrations of the saint have lost their fervor. Secular political meetings have increasingly provided the *raison d'être*[50] of festivities. Yet there are festivities still in the old manner, but with new entertainment; speeches are given in English and Spanish, the school band performs, but the scheduled time is disregarded and the occasion is a highly social and highly cooperative one.

For the Spanish American it is still the present, the known and sure, which has meaning. Even nativistic movements fail, because the Spanish Americans want things as they are, not as they were or as they should be. There is no evidence that a Spanish American is interested in "saving time." He may buy a machine or a time-saving gadget, but does not become dependent on it. While it runs, good. When it breaks down, there is no rush to fix it.

The *past* still validates the present and operates to slow the pace of culture change. When a large landowner changed the source of the main ditch within his lands, the decision at a meeting was against him, even though it was admitted that "this change would improve the flow of water in the main ditch, thereby benefiting not only the man himself but also his neighbors." The change itself was condemned because it was a change.

Spanish Americans have come to put great stress on the idea of education, but it is always "for the children." It is almost never for oneself! Soon these children are old enough to go to work, then to marry and settle down. They want education—for their children. The *mañana* pattern carries along. And in school the teachers have found it very difficult to motivate these children, as they do the Anglo children, in terms of future benefits—grades or better jobs or higher standards of living.

The persistence of this orientation to present time in the face of the equally persistent future orientation of Anglos is central to the whole process of Spanish American acculturation.

Work, Rest and Leisure

Spanish Americans have gone to work in the larger economy but they have not absorbed the pressure to keep busy. They do not look forward to "time off," but incorporate their leisure with their labor. They work by the clock only when they work for Anglos; and if they have "leisure," they spend it in visiting: the men on the job, in streets or at bars, the women at home. Anglos consider Spanish Americans "lazy" and hence in large part responsible for their own difficulties; Spanish Americans consider the economic pressures of Anglo society responsible for them.

Spanish Americans react unfavorably to impersonal employer-employee contacts. "In Albuquerque, the boss would come along and say 'Hey you, get to work'." They choose to work for someone they know, in preference to jobs of higher status by Anglo standards. And higher status is gained for the Spanish American by working for a locally prominent *patrón* rather than by climbing the Anglo ladder of unskilled, semiskilled, skilled, business and professional work.

The idea of higher pay does not immediately interest the Spanish American. There has been a shift from an agricultural to a money economy as a practical adjustment to changing times, but this does not mean that monetary incentives have been accepted. "Spanish Americans seldom, if ever, express the desire to make a lot of money and become rich." There is an attitude of acceptance toward the hierarchy combined with a fear of ostracism for standing out from the group that operates to keep Spanish Americans out of competitive work situations. His status in his own community may be lowered rather than raised by achievement—and he has no other community. It is much more important to be than to do; to be a good son, or a good Catholic or a good member of the village.

Radio, with its continuous programming, is well suited to Spanish Americans, who like listening to Spanish American "folk" music and campaign speeches. In the larger communities, there are now few or no major events which bring the whole group together. This is a striking change from village life. At home, the radio is a welcome addition.

Young people have taken over Anglo recreations, but with certain differences. At dances, there is still formality in boy-girl relationships and it is not quite right to ask directly for a date. Boys and girls may go in separate groups to a "show," as before; but they will pair off in the dark—a situation defined by the culture as permissive. From here on the new pattern takes over; it is a date and couples come out together. "It almost seems that without the movies, the change could never have taken place."

When the boy and the girl marry and have children, however, they are mainly father and mother, not husband and wife. The old pattern reasserts itself.

José Luis González

Los problemas de la transculturación afectan a todos los que se encuentran en una situación bicultural, es decir, en un plano donde la rivalidad de dos culturas distintas deja su impacto en el individuo.

De todas las minorías que viven al margen de la cultura básica de los Estados Unidos, la de los puertorriqueños, en Nueva York y ciudades vecinas, es la que más sufre del choque de la transculturación instantánea y total. El cambio brusco de idioma, clima y ambiente crea grandes dificultades para los que bajan del avión en el aeropuerto de Nueva York, casi siempre mal preparados para imponerse en el mundo difícil y complejo de la metrópoli estadounidense. La mayoría se establece en una especie de purgatorio donde la paga es mejor que en su isla, pero donde el ambiente físico y social del Harlem hispánico sólo ofrece la evocación sentimentalizada del paraíso tropical cuyos defectos quedan reducidos por el tiempo y la distancia.

El pasaje I

Se encontraron por casualidad en la salida de la estación del *subway* de la calle 103, y Juan, que tenía empleo, invitó a Jesús, que no tenía, a tomarse una cerveza.

Juan prefirió la bodega de un paisano, La Flor de Borinquen, donde servían cerveza en latas en dos mesitas que había en la trastienda. La bodega estaba más lejos de la estación del *subway* que el bar del irlandés que sabía español y vivía con una cubana, pero Juan explicó:

—Mal rayo me parta si me paro delante 'un bar. Tengo los riñoneh desbarataoh,[51] mi hermano, y los pieh que no los aguanto.

—¿Del trabajo?—preguntó Jesús.

—¿Tú sabeh lo que es 'tar parao el día entero apretándole los tuboh a tóh los radioh que te mandan por el condenao *conveyor line?*

—¿Y qué, no se pué sentar uno?

—Pregúntale por qué no al dueño 'la fábrica. Yo te digo una cosa: este país es la muerte. Mira, ésta es la bodega.

Entraron. Juan saludó al bodeguero:

—¿Quiubo?[52] Tírame con dos latah[53] pa la trastienda.

—¿Qué marca?—preguntó el bodeguero.

—La que te dé la gana, mi viejo. Aquí toa la cerveza es meao[54] de caballo.

—Si quiereh, te mando a buscar una India[55] a Puerto Rico.

Juan se detuvo a la entrada de la trastienda:

—No; te equivocaste. Yo lo que tomaba en Puerta 'e Tierra era Corona.

—¡Ah, verdá, que tú ereh de Puerta 'e Tierra! Oye, a propósito, ¿viste *El Imparcial*[56] que llegó esta mañana?

—¿Qué dice?

—El Santurce le ganó el campeonato al San Juan[57] en la serie final. ¡Les debe dar vergüenza! ¡Despuéh que ganaron de calle[58] la primera vuelta!

—¡Bah, no te ocupeh! El año que viene nos desquitamoh.

---

[51]**riñoneh desbarataoh** riñones desbaratados: El habla popular de Puerto Rico, como el de las islas antillanas en general, ignora la *s* final y también la *d* intervocálica. [52]**¿Quiubo?** ¿Qué hubo?: saludo informal [53]**tírame ... latah** get us two cans of beer [54]**meao** orina [55]**India** marca de cerveza en Puerto Rico [56]**El Imparcial** periódico de Puerto Rico [57]**Santurce ... Juan** a Puerto Rican baseball team that won a playoff [58]**de calle** con facilidad

—¡Año que viene ni año que viene! Cuando tengan un pitcher como Rubén Gómez entonceh hablamoh.

—Unjú.[59] Deja ver si un día d'estoh nace otro Satchel Paige. Bueno, tráeme las dos cervezas y no hableh pendejáh.[60]

Se sentaron a una de las dos mesitas. La otra estaba ocupada. Jesús preguntó:

—Oye, Juan, ¿y cuánto te pagan en el trabajo?

—Treinticinco a la semana.

—¡Coño,[61] si yo consiguiera una pega[62] así!

—No seah pendejo,[63] eso pensaba yo al principio. ¡Y ahora tengo unas ganah de rajarme![64]

—¿Por qué?

—¿No te digo que tóh los días salgo de la factoría desbaratao?

—Pero como quiera[65] 'tás mejor que yo.

—¿Tú todavía no has encontrao ná?

—¡Guá[66] encontrar! Ayer me dijeron que había un yope[67] de lavaplatoh en una cafetería y me tiré[68] p'allá. Pero cuando llegué ya se lo habían dao a otro.

—Puertorriqueño también, seguro, porque aquí los únicoh que lavamoh platoh somoh los puertorriqueñoh. Ya ni los negroh americanoh quieren esos trabajoh.

—Pa que tú veah, el que me avisó fue un negrito del West Side que dejó esa pega pa trabajar en un *laundry*.

—Ya te digo. Ese *laundry* seguro que es uno de los de Ray Robinson, onde no trabajan más que negroh. Y hace bien en proteger a su gente, ¡qué caray! Pero los puertorriqueñoh hasta pa eso somoh brutoh, chico. Cuando nosotroh tuvimoh un campeón mundial de boxeo, ¿a que no se le ocurrió poner un negocio aquí pa darle trabajo a los paisanoh? Se compró una finca 'e caña en

Barceloneta. ¿Y quién le llenaba el estadium cá vez que peliaba, si no eran los puertorriqueñoh de Harlem?

Llegó el bodeguero con las dos latas de cerveza.

—Ah, ¿eso fue lo que trajiste?—dijo Juan mirando las latas.

—¿Qué, no dijiste que no te importaba la marca? ¿Qué aquí tó era meao de caballo?

—Tieneh razón, chico; apúntate esa.[69]

—No, si eso lo dijiste tú. A mí la cerveza de aquí me gusta, ¿pa qué te guá engañar?

—Sí, seguro. Yo sé que a ti tó[70] lo de aquí te gusta. Ten cuidao que un día un amigo no te lleve la mujer al cine.

—¡Qué va a ser! Oye, ¿quieren vasoh pa la cerveza?

—No. Al cul-cul[71] es mejor.

El bodeguero volvió a su mostrador y Juan, levantando su lata de cerveza, le dijo a Jesús:

—Bueno, mi viejo, a tu salú. Que consigah trabajo pronto.

Jesús no levantó su lata; sólo dijo, con la mirada fija en una mosca que se agenciaba con[72] los granitos de azúcar esparcidos sobre la mesa:

—Yo creo que yo me rajo.

—¿Ah?

—Me rajo. Me voy pa Puerto Rico.

—¿Pa Puerto Rico? ¿A qué? ¿A picar caña?[73]

—A lo que sea. Esto aquí es la muerte. Yo tengo un cuñao mecánico que trabaja en la General Motors en San Juan. A lo mejor me consigue una pega.

—A lo mejor.

—Lo malo es el condenao pasaje. No tengo la plata.

—¿Y no tieneh quien te la preste?

—¿De dónde? Como no tengo trabajo ni aquí ni allá, nadie se dispara la maroma.[74] Piensan que no les guá poder pagar.

[59]Unjú. (Antillas) Rubbish. [60]pendejáh pendejada: bullshit [61]coño hell [62]una pega (Cuba) un trabajo [63]pendejo estúpido [64]rajarme scram [65]como quiera de todos modos [66]guá que voy a [67]yope job: one of the many Anglicisms found in the speech patterns of Puerto Ricans on the United States mainland [68]tiré fui [69]apúntate esa good for you [70]tó todo [71]al cul-cul de la lata misma y sin interrupción [72]agenciaba con movía entre [73]picar caña cortar la caña de azúcar: un trabajo parcial, duro y mal pagado [74]se ... maroma me fía dinero

—Caray, si yo tuviera...

—No, chico, no te ocupeh, yo sé que tú lo haríah con gusto, pero...

—...Pero como tú mismo diceh, ¿de dónde? Bueno, chico, tómate esa cerveza, que se te va a calentar. Ya aparecerá algo, no te apureh. Al principio siempre es así.

—Sí, eso yo lo sabía. Ya me lo 'bían dicho allá anteh de venir. Pero es que ya llevo aquí tres meseh.

Y Jesús se llevó su lata de cerveza a los labios y ya no dijo más.

II

Una semana después, Juan salió de la estación del *subway* de la calle 103 y decidió tomarse una cerveza. Pensó en el cercano bar del irlandés que sabía español y vivía con una cubana, pero le dolían mucho la espalda y los pies y prefirió una de las mesitas en la trastienda de La Flor de Borinquen.

Al entrar en la bodega, le sorprendió que el bodeguero, antes de saludarlo, le preguntara a boca de jarro:

—Oye, Juan, ¿cómo se llamaba aquél que estuvo aquí contigo el otro día?

—¿Cuál?

—Aquél que se tomó las cervezas contigo en la trastienda.

Juan hizo memoria unos instantes.

—¡Ah!—dijo al cabo—. Sería Jesúh. ¿Por qué?

—¿Tú viste el *Daily News* de hoy?

—Todavía no. ¿Qué...

—Pues mira.

Y el bodeguero, tendiéndole el periódico, le señaló con un dedo la foto que ocupaba la mitad de la primera plana.[75] Juan miró. Un hombre aparecía tendido en el piso de un *delicatessen*, a los pies de dos policías que miraban sonrientes al fotógrafo.

—Mírale la cara—dijo el bodeguero.

Juan miró la cara del muerto en la fotografía.

—¿No es el mismo? —preguntó el bodeguero—. Yo creo que la memoria no m'engaña, y abajo dice el nombre, fíjate: Jesús Rodríguez. Parece que tu amigo se metió a atracador con una cuchilla[76]... icon una cuchilla, imagínate! ... y la policía lo limpió.

—Sí, él es—dijo Juan, demudado; y luego añadió, entre dientes, por lo que el bodeguero apenas le oyó—: El pasaje.

—¿El pasaje? —preguntó el bodeguero, sin comprender.

—Sí, el cabrón[77] pasaje—repitió Juan, y tiró el periódico sobre el mostrador y salió a la calle. Y el bodeguero se quedó sin comprender.

[75]primera plana front page   [76]se ... cuchilla hizo un asalto a mano armada
[77]cabrón maldito

Héctor Velarde

Hace ya un tiempo considerable que Velarde cultiva la sátira. Uno de sus cuentos más celebrados, *Father's Day*, es una burla, algo despiadada, de la mentalidad «sajona», al presentar a un pastor anglicano que visita Lima.

Pero han pasado unos cuantos años, y ya no se trata de satirizar al extranjero que no entiende las realidades de la vida peruana, sino de poner en ridículo a los peruanos que hoy en día se ponen a imitar los modelos culturales de las naciones técnicamente más desarrolladas. Como lo indica el título del cuento, el turismo precede la cultura en un mundo regido por los intereses comerciales que utilizan la historia, el arte y el humanismo para promover sus fines.

Turismo y cultura

Ahora que las universidades están de moda ... las compañías de turismo han decidido transformarse en «universidades dinámicas». Se llaman *Jet Tour Universities.* La razón de estas nuevas universidades es contundente. Antes una persona se cultivaba para hacer turismo; hoy se hace turismo para cultivarse. Así lo exige la vida actual y la técnica moderna. Por consiguiente todo turista verdadero debe ser virgen de instrucción universitaria para que se justifiquen estas flamantes y utilísimas organizaciones democráticas de enseñanza superior e intensiva. Las *Jet Tour Universities* se encargan, a fuerza de turismo, de formar profesionales de *universal culture.* Son estudios rápidos, acelerados, objetivos, prácticos, muy gratos y pagaderos a plazos. «Aprenda primero y pague después» es el lema de estas instituciones internacionales.

En dos meses de carreras y de vuelos relámpagos por entre las célebres ciudades del globo se le enseña al postulante todos los museos, se le sube a todos los monumentos, se le pasea por todos los paseos y se le hace comer y dormir en lugares históricos. Después de estos estudios, ya de regreso del *tour* se le somete al turista a un riguroso examen y, si sale aprobado, se le otorga el título de *Master* o *Doctor* en *Universal Culture.* El título de *Doctor* sólo es posible obtenerlo después de un segundo *tour.*

El jurado está compuesto por directores de renombradas *Jet Tour Universities*, catedráticos-guías calificados, agentes de cambio y *fly hostesses* experimentadas.

Los estudios abarcan cinco especialidades: Occidente, Oriente, Países detrás de la Cortina, América del Norte y América Latina.

El otro día asistí a las graduaciones correspondientes a las primeras promociones de estas universidades recién creadas: la Promoción Fontana de Trevi,[78] la Promoción Nefertiti,[79] la Promoción Balalaika,[80] la Promoción Machu Picchu.[81] Los exámenes eran orales y podían asistir representantes de compañías de aviación, de la industria hotelera, de artículos de viaje, de

[78]**Fontana de Trevi** famosa fuente clásica en Roma [79]**Nefertiti** Nefretete, una reina en el Egipto de los faraones [80]**Balalaika** instrumento de cuerda muy popular en la Unión Soviética [81]**Machu Picchu** sitio arqueológico y atracción turística que data de tiempos incaicos y que está situado en el Perú, país del autor

La máquina grabadora llega al altiplano. Los niños se adaptan rápidamente a la transculturación.

profesores de lenguas, historiadores y banqueros.

Al primero, que se graduaba como especialista en el Occidente, Promoción Fontana de Trevi, le preguntaron:

—¿Qué le impresionó más en Roma?

—El sitio donde la loba tuvo a sus hijitos: Rómulo y Remo.

—¿Cuáles fueron las tres obras de arte que más le gustaron?

—Moisés, la Virgen y Alfredo.

. . .

—¿Qué vio Ud. en Londres?

—Nada.

—¿Se malogró el ómnibus?

—No. Había neblina.

Esto fue considerado como una experiencia muy valiosa.

—Dígame Ud., ¿cuál fue el monumento que le llamó más la atención en Francia?

—El de De Gaulle a caballo.

. . .

—Pasemos a Grecia, ¿qué sabe Ud. de Grecia?

—Que habita tanta gente en las Termópilas[82] que no me dejaron ver a la Venus...

Murmullos de reprobación en el auditorio por la falta de cuidado de los catedráticos-guías.

—Ahora, una última pregunta, ¿le gustó Venecia?

—Oiga Ud., francamente, mucha góndola...

El jurado decidió que, como el estudiante tenía un gran sentido práctico y acababa de cumplir cuarentitrés años, le convenía inmediatamente un *tour* a los Estados Unidos donde le mostrarían grandes represas.

Después escuché el examen de una gringa ya de edad que se especializaba en el Oriente, Promoción Nefertiti.

—¿Qué impresión guarda Ud. de las pirámides?

—Horrible, tuve que quedarme en el hotel con la cadera dislocada. Me caí del camello...

—¿Y el paisaje?

—¿Cuál paisaje? No me dejaron tiempo para nada.

—¿Y lo que más le emocionó?

—Una playita en el Nilo donde encontraron a Noé en su canastita.

Sonrisas del público por el lapsus.[83]

. . .

El jurado decidió que era indispensable que la alumna hiciera de nuevo el *tour* a los mismos lugares pero con un pequeño recargo por los imprevistos.

Le llegó en seguida el turno a un argentino rico, Promoción Balalaika.

—¿Qué le llamó particularmente la atención en Moscú?

—Las cúpulas en forma de pera.

—¿Y el *tour* que hicieron por el Volga?

—Los perritos-guías, ché[84] ¡qué maravilla! nos

[82]Termópilas lugar montañoso donde el rey Leónidas y sus espartanos dieron batalla a los persas en 480 a.C.: Naturalmente allí nunca hubo ni templos ni estatuas de Venus.
[83]lapsus error   [84]ché expresión argentina que el autor usa aquí humorísticamente

seguían a todas partes, nos indicaban el camino, cariñosísimos, había uno grandote, medio San Bernardo, que le habían puesto el corazón de un Chihuahua, funcionaba muy bien, todos tenían collares con micrófonos, ¡qué ciencia la de los rusos!

Nota: 16.

Luego un señor con bigotes se graduó en *Jet Tour Master*, Promoción Potomac.

—¿Qué altura tiene el Empire State?

Alguien le sopló.[85]

—Trescientos metros y pico.

Aplausos.

—¿Qué tal Chicago de noche?

—No pude salir porque había chinches en la almohada.

. . .

—¿Pudo Ud. ver a la Mona Lisa en Wáshington?

—Creí que debía vacunarme primero y ya no tuve tiempo, casi pierdo el avión.

Le aprobaron con cargo a un segundo *tour* para fijar las ideas.

Por fin examinaron al que se especializaba en la América Latina, Machu Picchu. Un alemán con guayabera.[86]

. . .

—Ahora, dígame, ¿qué sabe Ud. de Pizarro?

—Fue un cubano con coraza que mató a un inca.

—¿Brasilia?

—Un juego portugués de dominó en la selva...

—¿Qué opina Ud. del chupe?[87] —le preguntó la *fly hostess* que tenía más kilómetros de vuelo.

—Se trata de una variedad tropical de fornuculosis descubierta por Humboldt[88] en 1851.

La *Jet Tour University* del Barranco le dio un premio al alemán que consistió en no cobrarle el maletín de mano.

[85]**sopló** ayudó   [86]**guayabera** camisa de tela liviana   [87]**chupe** (Perú) un guiso hecho con papas, pescado, queso, huevos y leche   [88]**Humboldt** Alejandro von Humboldt (1769-1859), un famoso hombre de ciencia alemán que exploró el continente latinoamericano

Discusión

1. ¿Por qué dificulta el culto de la hombría la vida conyugal de la mujer de hoy?
2. ¿Qué obstáculos existen todavía para la emancipación de la mujer en la América Latina?
3. ¿Por qué son diferentes los problemas de la mujer en las regiones del interior?
4. Haga una distinción entre la mentalidad femenina de la generación pasada y la presente.
5. Mencione algunas causas que posiblemente provocaron la actitud de rebeldía por parte de la juventud latinoamericana.
6. Examine la afinidad de la juventud latina hacia la moda extranjera.
7. Distinga entre la vida y las ambiciones de la juventud en el interior y en las zonas urbanas.
8. Examine el impacto de los modelos culturales foráneos sobre la conducta y el gusto de la juventud latina.

9. ¿Qué contrastes culturales encuentra una persona joven que sale del ambiente cultural latino al anglosajón en las regiones del Suroeste de los Estados Unidos?

10. Considere el arielismo como una manifestación intelectual de la actualidad.

11. ¿Qué corrientes de moda existen en el mundo de las artes plásticas latinoamericanas?

12. ¿Cuál es la función social del escritor realista latinoamericano?

13. ¿Qué actitudes expresan la conducta y el pensamiento de Gabriel en *La tumba*?

14. ¿Qué técnica usa Agustín para lograr estas expresiones?

15. ¿Cuál es el disfraz del pachuco, de acuerdo con Octavio Paz?

16. ¿Qué le impide al pachuco dejar su estado de marginalidad?

17. Contraste el rol del padre y de la madre en la cultura latina con el que juegan en la cultura anglosajona, de acuerdo con la doctora Mead.

18. Examine los conceptos sobre el tiempo, el trabajo y el dinero en la cultura mexicana, según Mead.

19. Haga una lista de anglicismos que aparecen en el cuento *El pasaje*.

20. Identifique causas de la falta de adaptación al ambiente de Nueva York por parte de Juan y Jesús.

21. ¿Contra qué elementos se dirige la ironía de Velarde en *Turismo y cultura*?

abad m. abbot
abalanzarse to settle, swoop down on, throw oneself
abalorio bead, beadwork
abanico fan
abarcar to embrace, include, encompass
abasto supply
　dar _ to be sufficient
abducir to abduct
abnegado selfless, unselfish
abogar to plead
abolengo ancestry, lineage
abonar: _ en favor de to speak in favor of
abono installment
abordar to approach, undertake
aborigen aboriginal
aborto abortion, miscarriage
abotonar (se) to button
abrigar to protect, shelter
abrir to open, spread
　en un _ y cerrar de ojos in the twinkling of an eye
　_se paso to force one's way, make one's way
abrumado overcome
abrumador overwhelming
abrupto (lo) steep, (steepness)
absorción f. absorption, distraction
abstraído absorbed, absent-minded
abultado bulky
aburguesamiento becoming middle-class; making a bourgeois
aburrimiento boredom
acabado perfect
acabar: _ con to wipe out
　¡acabe! stop! be quiet!
　se acabó it's all over, that's

the end of it
acariciar to caress, cherish
acarreando causing
acarrear to transport; cause, entail
acarreo carrying, delivery
acatamiento respect, reverence, awe
acatar to respect, revere
acaudalado rich, well-to-do
acechar to lie in ambush for, spy on, watch
acecho: en _ on the watch, spying, in ambush
aceitado greased, oiled
acera sidewalk
acero steel
acertado fitting, true
acertar to hit the mark, guess right, figure out correctly
aciago ill-fated, unlucky
acogedor hospitable, warm
acoger to receive; accept
acogimiento reception, welcome
acometer to undertake
acometida attack, tackle
acomodado comfortable, well-off
acomodar to adjust
　_se to adapt oneself, accommodate
acomodaticio useful, serving one's interests
acomodo arrangement
acompasadamente rhythmically
acompasar to mark the rhythm of, beat
acontecer to happen
acontecimiento event
acrecentamiento increase, growth

acrecentarse to increase
acreedor m. creditor
acribillado riddled
actitud f. attitude, feeling
acto act; sexual intercourse
　en el _ at once
actuación f. performance, acting; action
actual present, present-day
actualidad f. present time or day, current event
　en la _ at present
acuarela water color
acuciante prodding, urging
acudir to appear, go, come up
acurrucarse to squat down, curl up
adecuado suitable, satisfactory
adelantado advanced
　por _ in advance
adelantarse to step forward, move forward, progress
adelante: en 1930 en _ from 1930 on
ademán m. gesture, movement
adentrarse en to get into, inside of
adepto follower, adherent
adherir to stick
adhesión f. adherent, support
adinerado monied, wealthy
adivinar to guess, solve
adivino prophet
adjudicación f. awarding
adjudicar to assign, award
adjunto m. associate
　adj. attached
adolorido aching
adorno decoration
adquirir to acquire, gain
aduana customshouse, customs

aduciendo bringing up in argument, referring to
adueñarse to take possession of, become owner of
advenedizo newcomer, foreigner; upstart
advenimiento coming, arrival
advertencia observation, remark; warning
advertir to notice; advise, warn
advocación f. dedication (to Virgin or saint)
adyacente neighboring
afán m. eagerness, anxiety
afanarse to act eagerly
afectivo proceding from affection, affectionate
afecto m. affection
    adj. fond
aferrar to grasp, clutch
    _se a to cling to
afianzamiento support; consolidation
afianzar to consolidate; secure
aficionado a fond of
afín related
afinar to refine, trim
afinidad f. attraction
aflojar to slacken, loosen; dim
afluir to congregate, swarm
afro-antillano Afro-West Indies
afrontar to confront
agachar to bow, lower
agarrar to grab, get hold of
    _se to grapple
agazapado crouching
agente: _ de cambio money changer
    _ de tráfico traffic policeman
agigantarse to become huge, loom up
agitado excited, agitated, quick
agitar to shake, wave, move
    _se to become excited, move

about, flop around
aglomeración f. pile, mass
agobiado exhausted
agonía agony, death struggle
agotar to exhaust
agradecimiento thanks, gratefulness
agrado liking, pleasure
agrarista agrarian, farmer's
agregar to add, join
agresividad f. self-assertion, aggressiveness
agropecuario pertaining to farming and cattle raising; animal husbandry
agrupación f. grouping
aguacero heavy shower, cloudburst
aguafiestas m. kill-joy, "wet blanket"
aguamanil m. washstand, washbowl
aguantar to endure, tolerate
aguardar to wait, wait for
agudeza acuteness, sharpness; witticism
agudo acute, keen
agüero omen
aguijonear to prick, sting
águila f. eagle
aguinaldo Christmas song; gifts for Christmas or Epiphany
agujero hole
ahí: de_ hence
    de _ que with the result that
    de _ en adelante from then on
ahijada goddaughter
ahijado godson
ahogar to choke, drown
ahondarse to go deep into
ahora: _ bien now then
    por _ for the present
ahorcar to hang, execute
ahorrador saving

ahorro economy, saving
airado irate, angry
aislamiento isolation
aislar to isolate, separate
ajeno strange; another's; unaware
ajo garlic
alabar to praise
alambrada wire fence
alardeando bragging
alargar to lengthen, extend
    _se to stretch out, get longer
alarido yell, shout, squeal
alba f. dawn
albañil m. mason
albergar to shelter, give lodging to, house
alborotado upsetting
alborozado overjoyed
alcalde m. mayor
alcance m. reach, scope, extent
    al _ de within reach of
alcanzar to achieve; be sufficient, reach
    _a to succeed in
alcoba bedroom
aldea village
aldeana village woman
aleación f. alloy
aleado allied, alloyed
alejado distant, at a distance
alejamiento withdrawal, estrangement
alejarse to go, move away
Alemania Germany
alentador encouraging
alfabetización f. literacy campaign
    de _ literacy
alfabetizado literate
alfarería pottery
alfarero potter
alfiler m. pin
alfombra rug, carpet

algodón m. cotton
alguacil m. bailiff, policeman
aliado ally
aliar to ally
aliciente m. attraction,
   incentive
alienante alienating
aliento breath
alimentación f. nourishment,
   food
alimentar to feed, nourish
alimenticio nutritional
alimento food
alistando enlisting
aliviar to lighten, relieve
alivio relief
alma f. soul, inhabitant, person
almanaque m. almanac,
   calendar
almirante m. admiral
almohada pillow
alojado housed
alojamiento lodging
alojarse to dwell, lodge
alquilar to rent, hire
alquiler m. rent
altanero arrogant, haughty
altar mayor main altar
altibajos pl. ups and downs
altiplanicie f. highland plain,
   plateau
altiplano plateau
altivez f. arrogance, haughtiness
alto stop
   sostener en _ to hold up
   lo _ the top
   de lo _ from on high
altoparlante m. loudspeaker
aludido m. person referred to
   adj. mentioned
alumbrado street lighting
alumbramiento birth
alumbrar to illuminate, shine
alza rise (in price)
alzar to raise, carry off

_se to rise, rise up in
   rebellion
allá: más _ (de) beyond, beyond the grave
   por _ thereabouts, that way
   _ tú . . . there you go, that's
   your baby
allanar to smooth over
allegarse a to come to
ama de casa f. lady of the
   house
amalgamar to fuse, amalgamate
amamantar to nurse
amanecer to dawn
amanecer m. dawn
amapola poppy
amargar to embitter, make
   bitter
amargo bitter, grievous
amargura bitterness
amarillento yellowish
amarrado tied (up)
amatorio amorous
amazónico Amazon
ambiental environmental
ámbito context
amenaza threat
amenazadoramente threaten-
   ingly
amenazar to threaten
amenidad f. pleasantness
amistad f. friend, friendship
amo master
amontamiento piling, pile up
amontonar to crowd, pile up
amordazar to muzzle, gag
amorfo amorphous
amorío love affair, love-making
amparado protected
amparo aid, protection
ampliación f. extension,
   expansion
ampliado amplified, broadened
   expanded
ampliamente widely, amply,

fully
ampliar to enlarge
   _se to spread out
amplio broad; well-off
amputar to amputate
amueblar to furnish
analfabetismo illiteracy
analfabeto illiterate
anaquel m. shelf
anciano elderly person
andanzas pl. wanderings,
   adventures
andar to go or walk around,
   go, walk, be
   _se to go away
   _ por las nubes to be sky
   high
andar m. gait, walking
andino Andean, of the Andes
andrajoso ragged
anegado deprived
ángulo corner
angustia anguish, distress
angustiado distressed, grieved
angustioso anguished, causing
   anguish
anhelado coveted, eagerly
   desired
anhelante anxious
anhelar to desire eagerly, long
   for
anhelo yearning, desire
anillo ring
ánima soul (in purgatory)
animadamente animatedly,
   excitedly
animal de carga m. beast of
   burden
animar to encourage
   _se to become lively, come
   to life
ánimo spirit, will, courage
   estado de _ state of mind
animosamente bravely, with
   spirit

aniquilador destructive, annihilating

aniquilamiento annihilation

aniquilar to annihilate

anochecer m. nightfall

anodino slight, useless

anomía anomie; breakdown in social relations that leads to withdrawal

anotar to take note, jot down

ansia anxiety, longing

ansiar to long for

ansiedad f. anxiety, distress

ansioso anxious, eager

antagónico antagonistic

antaño long ago

de _ of previous times

ante m. suede

antemano: de _ beforehand, in advance

anteojos pl. eyeglasses

antepasados pl. ancestors

anterioridad: con _ previously

antes que rather than

antiburgués anti-bourgeois, anti-middle class

anticipo anticipation

anticonceptivo contraceptive

antiguamente formerly

antillano from the West Indies

antorcha torch

añorar to recall old times; to long for

apacible peaceful

apachurrar to crush, beat down

apagado dull, muffled

apagar to put out, extinguish

aparato: _ televisor television set

_ de televisión television set

aparentar to pretend, feign

aparición f. appearance

apariencia appearance

apartado distant, remote

apartar to separate, push away

_se to withdraw, leave

apasionado passionate

apasionamiento passion

apatía apathy

apegado a fond of, clinging to

apegarse a to be attached to

apellidarse to have as surname

apellido surname, family name

apenar to sadden, grieve

apenas scarcely

apéndice m. appendix, appendage

apetecible desirable

apiadarse de to take pity on

apiñar to crowd; press together

apisonado tamped

aplastar to crush, flatten, squash

_se to become flat

aplazamiento postponement

aplazar to postpone

apoderarse de to take possession of, grab

apogeo apogee, height

aportar to bring, contribute, provide

aporte m. contribution, support

aposento lodging, assignment of rooms; sitting room

apostando betting

apostar to station, post

apoyar to lean, support, aid

apoyo support, protection, aid

apreciar to esteem

apremiante insistent, urgent

apremiar to press, harass, urge

apremio oppression, pressure

aprendiz m. apprentice

aprendizaje m. apprenticeship

apresar to imprison; seize, grasp

apresuradamente hastily, quickly

apresurado hasty

apresurar to hurry, hasten

apretado close (together), clenched

apretar to push, hold tightly, squeeze, tighten, hem in, fit

_se to be squeezed together

aprisa quickly

aprobación f. approval

aprobar to approve; pass (exam)

aprovechado made use of

aprovechador m. exploiter; one who makes use of something

aprovechamiento exploitation

aprovechar to take advantage of

apto fit, suitable

apuesto elegant, stylish

apuntando standing (on end)

apuntar to aim, point out; write down, take note of

apunte m. memorandum, note

apurado in a hurry, rushed

apurar to drain; hurry

apuro difficulty, predicament

arado m. plow

arando plowing

araña spider

arcilla clay

arco arch, bow

archivado filed (away)

archivo file room

arder to burn

ardid m. trick, artifice

ardiendo burning, shining

ardiente ardent, passionate

ardoroso ardent, enthusiastic

arena sand

aridez f. aridness

arisco shy, skittery

aristocratizante aping the upper classes

arma f. arm, weapon

armar to arm

_ un escándalo to raise a row

arnés m. harness

arpillera burlap
arquetipo archetype
arrabal m. suburb
arraigado (deeply) rooted
arraigarse to take root
arraigo basis, rooting
arrancado extracted
arrancar to originate; elicit; pull off; start out; pull up, snatch or tear away
arrastrado pulled along
arrastrar to drag along
  _se to crawl, creep
arrebatar to snatch, carry off
arreciar to intensify
arreglado neatly dressed
arrelde m. (four pound) package
arremangado with the sleeves rolled up
arremetedor aggressive
arremolinarse to whirl
arrendatario renter, tenant
arrepentido repentent, sorry for
arrepentimiento repentance
arrepentirse to be sorry
arribar to reach, arrive
arriesgado dangerous, risky
arriesgar to risk
  _se to take a chance
arrimarse to cling to
arrítmico with no pattern
arrojar to yield; throw, topple
arrojo boldness
arrollado run over
arroyo stream
arruinado ruined
artefacto manufactured product, appliance, device, machine
arteramente slyly, cunningly
Artes: Bellas _ Fine Arts
artesanado handicraft
artesanía craftsmanship

artesano craftsman
arzobispo archbishop
asado roasted
asalariado wage earner
asaltar to assail
ascenso rise, ascent, promotion
ascensor m. elevator
asediado besieged, blockaded
asedio siege
asegurar to assure, secure
asemejarse a to be like, resemble
asemillado sown
asentar to set, plant, place
asentir to agree, assent
asesinado assassinated
asesinato murder
asesora advisor
aseveración f. assertion, statement
así: _ **como** as well as
  ¡_ **se hace!** that's the way!
  _ **y todo** and yet
asido hanging on to, grasping
asignación f. assignment, awarding
asilo asylum
asimilable able to be absorbed or assimilated, assimilated
asimismo likewise, also
asir to seize
asistencia attendance
asociar to associate
  _se to become a partner
asomado becoming visible
asomar to become visible, begin to appear
  _ **la cabeza** to stick one's head out
  _se to appear, loom up
asombrar to amaze, astonish
asombro astonishment
asombroso astonishing
aspereza harshness
áspero coarse, gruff

asqueante nauseating
asquerosidad f. nausea
  causar _ to make one sick
astilla splinter, chip
astro star, heavenly body
astucia cleverness, cunning
asunto matter, affair, subject
atañer to concern
atar to tie down, bind, paralyze
atardecer to draw towards evening
atardecido late afternoon, early evening
atareado overworked
atascarse to get stuck, stop
atención: en _ **a** in view of, considering
  llamar la _ **sobre** to call attention to
atender to take care of, attend to, wait on, pay attention to
atenerse to rely on
atentamente attentively
atento attentive
aterido stiff with cold, numb
aterrar to terrify
atestiguar to attest
atisbando watching carefully
atizo stir, poke (fire)
atónito astonished, amazed
atractivo charm, inducement
atraer to attract
atrapar to catch, trap
atrás previously
  hacia _ backward
atrasado backward, needy, behind the times
atraso lag, delay; backwardness
atravesado married someone beneath him; crossbred
atravesar to go through
atreverse a to dare
atrevido impudent, bold
atribuir to attribute
atropelladamente quickly,

violently, knocking things down

aturdido dazed, giddy

audacia boldness, bold act

audaz m. & f. bold person

audiencia appellate court, court of appeals

auditorio audience, auditorium

auge m. rise, predominance

augurio augury

aula classroom

aullador howling

aullando howling

aumentar to increase

aumento increase
en _ increasing

aureola halo

auricular m. receiver (of telephone)

auspicio auspice

austral southern

austriaco Austrian

autárquico self-sufficient

autenticidad f. genuineness

autoconocimiento self-knowledge

autocrítica self-criticism

autóctono indigenous, native

autoengaño self-deception

autopista superhighway

avance m. advancement, progress

avanzada front-runner

avanzado: más _ later

avanzar to advance, proceed

avasallamiento enslavement

ave f. bird

avena oats

avenencia agreement, bargain

aventurar to venture
_ se to risk, dare

aventurero adventurous, venturesome

avidez: con _ avidly

avisador m. advisor,

announcer

avisar to inform, report

aviso advertisement, announcement, information; sign, notice

ayuno fasting

azafranado saffron (color)

azar m. lot, fate, chance
por _ by chance

azotar to beat, whip

azucarero sugar bowl

bacalao codfish

bacilo bacillus

bache m. pothole, rut

bagaje m. baggage; army pack

bahía bay

bahiano person from Bahia

bailotear to rattle around

baja drop (in number)

bajar to go down, decrease
¡a bajarse! get down!

bajito quite short

bala bullet

Balabasadas Shoot-out

balancearse to hover, waver, swing

balanceo swinging, swaying

balazo gunshot
a _ s by shooting

balde: en _ in vain

baldosa flagstone, paving tile

balneario spa, bathing resort

balsa raft

bambúa bamboo (pole)

banca f. banking

bancario banking

bancarrota bankruptcy

banda sash, ribbon

banderín m. little flag, banner

bando faction, group

bandolero robber, highwayman

banqueta sidewalk

bañera bathtub

baraja pack or game of cards

baranda railing

barbarie f. barbarism

bárbaro m. barbarian
adj. barbarous

barbilla chin

barbudo m. bearded fellow
adj. bearded, unshaven

barra arm (of chair)

barraca hut

barranca ravine, gulley

barranco ravine, gulley

barrera barrier

barrero salt marsh

barreta small bar

barriadas pl. slums; houses on edge of town

barriga belly

barril m. barrel

barrio district, quarter, suburb
_ bajo slum

barro clay, mud, earthenware

basarse en to rely on

base f. base, basis
a _ de on the basis of

¡basta de! enough of!

bastar to suffice, be sufficient, be enough

bastón m. cane

basura garbage, trash

bata dressing gown, robe, smock

batalla campal pitched battle

batería: a _ battery

batido whipped

batir to beat, strike
_ se to duel

bautismo baptism

bautizar to baptize

beca scholarship

bejuco climber (vine)

bélico war

belicoso warlike, quarrelsome

belleza beauty

bendecir to bless

bendición f. blessing

¡bendito! gosh!

beneplácito consent, approval

benévolo kind

bestia beast
_ de carga beast of burden

betún m. shoe polish

bicho bug

bien m. good, well-being
más _ rather
mi _ my darling
no _ no sooner
¡si _! indeed!

bienes m.pl. wealth, riches;
possessions, property
_ muebles personal effects
_ raíces real estate

bienestar m. well-being,
abundance

bifurcación f. branching

bigote m. moustache

biznieto great-grandchild

bizquera cross-eyedness

blanco target

blando soft

blanquear to whitewash

bloquear to blockade

bloqueo blockade

bobo fool, simpleton

boca: _ abajo face down
_ arriba face up
a _ de jarro abruptly

bocacalle f. street intersection,
opening of a street

bocado mouthful

bocanada puff

bocinazo toot, hornblowing

bochorno: de _ sultry

boda wedding, marriage

bodega bar, tavern

bodeguero bartender, tavern
keeper

bofetada slap (in face)

bofetón m. heavy slap

boleto: hacer un _ to give a
ticket

boliche m. low class tavern

bolillo "son of a gun"

bolsa bag, pocket; stock
market, stock exchange

bolsillo pocket, pocketbook

bollo loaf, lump

bomba de agua hydrant

bombardeo bombardment

bombón m. bonbon, candy

bondadoso kind

boquilla nozzle

bordado m. embroidery
adj. embroidered

borde m. edge, border, fringe

bordo: de a _ (ship)board

Borinquen Puerto Rico

borrachera drunkenness

borracho m. drunkard, drunk
person
adj. drunk

boscaje m. woodland

bostezar to yawn

bota boot

botica drugstore

botón m. button

bóveda vault

bracero farmhand, wetback

bramar to bellow

bramoroso roaring

brasileño Brazilian

brasilero Brazilian

brebaje m. potion, brew

breve brief, short

brida bridle

brillo brightness, luster, shine

brincar to jump

brinco jump, attack

brindar to present, offer (as a
toast)

británico British

broma joke

bromear to joke

bronce m. bronze

broncíneo bronzelike

bronquios pl. bronchial tubes

brotar to spring, sprout

brote m. shoot, bud

bruces: de _ flat on one's face

bruja witch, sorceress

brujería witchcraft, sorcery,
magic

brujo m. sorcerer, wizard
adj. magic

brújula compass, guide

bruma mist

brusquedad f. harshness,
rudeness

bruto m. blockhead,
ignoramus
adj. stupid, brutish

buche m. mouthful

buena: a la _ de Dios confiding
in God's will, catch as catch
can

¿bueno? hello! (on telephone,
Mexico)

buey m. ox

bufete m. law office

buitre m. vulture

bujía spark plug

bulevar m. boulevard

bulto bundle, package, sack

bullicio bustle, noise,
excitement

bullir to stir, bubble

burbujear to burble, bubble

burdo coarse, heavy

burgués m. person with
middle-class orientation
adj. middle-class, bourgeois

burguesía bourgeoisie, middle
class

burla joke, jest, sneer, ridicule

burlado made fun of, fooled

burlador m. mocker

burlar to ridicule, mock, trick
_se de to make fun of, mock

busca search

buscar to look for, seek
venir a _ to come to get

_ con la vista look around for
buscón sharper
búsqueda search, pursuit
butaca armchair, orchestra seat

cabal exact, perfect, complete
cabalgar to ride or parade on
  horseback
caballeresco chivalrous,
  gentlemanly
caballerosidad f. courtesy,
  gentlemanliness
caballete m. ridge (of roof)
cabecita little head
cabellera head of hair, hair
caber to fit, fall, contain, be
  room for
  no _ en sí to be stuck up
  no cabe duda there is no
    doubt
cabezal m. bolster, headrest
cabida: dar _ a to make room
  for
cabo chief, foreman; cape, end
  al _ finally, after all
  llevar a _ to accomplish,
    carry out
cacao chocolate (beans)
cacería: ir de _ to go hunting
cacerola pot, pan
cacique m. Indian chief
cacto cactus
cacha side of the butt of a gun
cachorrito pup, young animal
cadáver m. corpse
cadena chain
cadenciosamente rhythmically
cadera hip
caduco out of date
caer to fall, be found
  al _ la tarde at the end of the
    afternoon
café m. coffee, cafe
  _ doble double strength
    coffee

cafecito demi-tasse, small cup
  of strong coffee
cafetal m. coffee plantation
caída fall, breakdown
caído m. fallen man; person
  who has fallen
caimán m. alligator
cajón m. large box
cal f. lime, whitewash
calabaza squash
calavera skull
calcetín m. sock
calculador calculating
cálculo calculation
caldeado overheated
caldo broth, sauce
calefacción f. heat, central
  heating
calentar to warm; cherish
calidad f. quality, capacity
  en _ de in the capacity of,
    as a
cálido warm, hot
calificable able to be classified
calificación f. grade; qualifi-
  cation, judgment; title
calificado specified, qualified
calificar to judge, class,
  characterize
calor m. warmth
calumniar to slander
caluroso warm, hot
calvicie f. baldness, bald spot
calvo bald
calzado m. footwear
callar to be quiet, not talk
calleja alley, side-street
callejero walking the streets, on
  the street, street
callejón sin salida m. blind
  alley, dead end
callejuela side-street, alley
callo callus, corn
cámara chamber
  C _ de Comercio Chamber of

Commerce
  C _ de Diputados Chamber
    of Deputies
camarilla clique, ring of
  influential people
cambio change, exchange
  en _ on the other hand
camello camel
camilla stretcher
caminar to go, walk, move
  ¡camina! get going! move
    along!
camión m. bus, truck
camiseta undershirt
campal country; pitched
campamento camp
campana bell
campaña country; campaign
  _s pastoras pastures
campeón m. champion
campeonato championship
campesino (-a) peasant man
  (woman); peasant
campestre country
campiña f. countryside
campo camp, field, country
  _ de juego playing field
canal m. channel
canalla riffraff, scoundrel
canana cartridge belt
canasta basket
cancel m. screen (folding)
canciller m. chancellor,
  minister of foreign affairs
canción f. song
  _ de cuna lullaby
canchas de golf golf courses
candela candle, small flare
candente burning, searing
candidatura slate or list of
  candidates; candidacy
candombe m. same as
  candomble: ritual dance
cangrejo crab
cansancio fatigue, weariness,

boredom
**cantadas: mucho más para _
que pasadas** more talked
about than experienced
cantante m. & f. singer
cantarino singing, lilting
cantina canteen, saloon, bar
canto song, chant
cantor m. singer, composer of
song and poetry
caña cane (sugar)
cañón m. barrel (gun)
capa shawl; layer, level; region
capacitado qualified, in a
position to
capar to geld, castrate
capataz m. overseer, foreman
capaz capable
capilla chapel
capitel m. capital (arch)
capitular to surrender
capricho whim
caprichoso capricious, flighty
captar to capture
caracol m. snail
¡caramba! gracious!
caray: ¡qué _! gosh!
carbón m. coal
_ de leña charcoal
carbonizado charred
carcajada outburst of laughter,
guffaw
carecer de to lack, need
carencia lack
carestía high cost
caretilla: de _ by heart,
mechanically
carga load, cargo; burden;
duty, job
cargado added, loaded,
burdened
cargadores m. pl. suspenders
cargar to carry, load, take on
passengers
_ con to take away, carry off

cargo charge, position, responsibility, duty
a _ de in charge of, the responsibility of
hacerse _ de take charge of
carguero stevedore
Caribe m. Caribbean
caricatura cartoon; comic strip
caricia caress
caridad f. charity
cariñoso affectionate
carioca m. & f. person from
Rio de Janeiro
carismático charismatic,
attractive
carne f. meat, flesh
_ vacuna beef
carnet m. license,
identification card
carnicería butcher shop
carnoso fleshy
carrera career; race, running;
trek, travel by land
a la _ on the run, hastily
carreta cart
carrito cart
carrocería body (car)
cartel m. placard, poster
cartelera announcement
cartera billfold
cartón m. cardboard
cartucho cartridge
casa de familia dwelling, home
_ de pensión boarding house
_ de pisos apartment house
casaca long military coat
casado (-a) married man or
woman
recién _a recently married
girl
recien _os newlyweds
casamentera matchmaker
casamiento marriage
cascado broken, chipped
casero of the house or home,

(at) home, domestic, household
caso: en todo _ in any case, at
all events
darse el _ to occur
hacer _ to mind
hacer _ a, de to notice, pay
attention to
hacer _ omiso de to skip,
pass over in silence
casta caste, kind, race
castañuelas pl. castanets
castellano m. & f. Castilian
language or people
adj. Spanish
castigar to punish
castigo punishment
castizo pure, pure-blooded,
correct
casto chaste, modest
castrismo Castroism
Castrista Castro
casualidad f. chance, accident
por _ by chance
casucha shack, shanty
cátedra chair, professorship,
course
catedrático-guía university
professor-guide
categoría: de _ high class or
quality
catre m. cot, base
cauce m. flow; reign
caucho rubber
caudal m. abundance, volume,
wealth
caudaloso of great volume
(river)
caudillaje m. bossism
caudillismo bossism
caudillo leader
causante m. cause
cauteloso cautious, careful
cautivo captive
cavilando thinking it over
caza hunt, pursuit

cazado   hunted

cazador   m.   hunter, seeker
adj.   hunting

cazuela   (stew) pot; gallery for women

cebada   barley

cebar   to stir up (passion)

ceder   to yield, surrender

ceja   eyebrow

celebrado   famous

celebrar   to welcome; perform

celeridad   f.   speed

celeste   sky-blue

celibato   celibacy

celo   zeal; (pl.) jealousy

celosía   jalousie, shutter

celoso   suspicious, jealous, distrustful

cemento armado   reinforced concrete

cenicero   ashtray

cenit   m.   zenith

ceniza   ash

censo   census

censura   censorship, censure

centavo   cent

centenar   m.   hundred

centrado   centered

céntrico   downtown

centro   center, downtown

ceñido   nestled

ceño   frown
_ fruncido   wrinkled brow

cepa   stalk (of family)

cepillo   brush

cercado   surrounded

cercano   near, close by
C_   Near (East)

cercar   to surround, hem in

cercenar   to reduce, cut off

cerciorar(se)   to make certain about

cerdo   pig
de _   pork

cereal   m.   grain, cereal

cernerse   to hover

cerrado   sealed

cerrar   to shut in

cerro   hill

certamen   m.   contest

certeramente   certainly, surely

certeza   certainty

certificado   certificate

cerveza   beer

cicatriz   f.   scar

ciegas: a _   blindly, thoughtlessly

cielorraso   ceiling

cien: _ por _   one hundred percent, completely

científico   scientist

ciento: por _   percent

ciervo   deer, stag

cifra   number, figure

cifrar   to base

cigarra   locust

cigarro   cigarette

cigarrón   m.   grasshopper

cima   f.   summit, top, highest point

cine   m.   movies; movie theater

cinematográfico   motion picture

cínico   cynical

cinismo   cynicism

cinta   ribbon; tape
_ magnetofónica, grabadora   recording tape

cinto   belt

cintura   waist

cinturón   m.   man's broad belt

círculo   circle

circunloquio   beating around the bush

cirujano   surgeon

cisne   m.   swan

cita   date; citation, quotation

citado   mentioned; quoted

ciudad universitaria   f.   university campus

ciudadanía   citizenship

ciudadano   m.   citizen
adj.   citizen, of the citizen, civic

civil   civilian

civilizador   civilizing

clamar   to cry out

claridad   f.   brightness, light

claro   m.   clearing
adj.   light (color)
_ que   of course, it's clear that
¡claro!   of course!

claroscuro   in black and white, contrast

clase: _ alta   upper class
_ baja   lower class
_ media   middle class

clausura   closing, adjournment

clausurar   to adjourn, close officially

clavar   to fix, set
_se   to fall into a trap, get stuck (with dagger)

clave   f.   key

clavel   m.   carnation

clérigo   clergyman, priest

clero   clergy

clientela   f.   clientele, patronage customers

cloaca   sewer

coartar   to restrict

cobarde   m.   coward

cobertizo   shed

cobija   blanket

cobijo   lodging, shelter

cobrador   m.   collector

cobrar   to charge, collect, receive; cash

cobre   m.   copper

coca   coca, narcotic leaf
cultivos de _   coca plantation

cocer   to boil, stew, simmer

cocido   m.   stew

cocimiento   concoction

cocina   kitchen; stove, cooking

cocinar   to cook

cocinera   cook

cocobacilo   coccus bacillus

codazo   poke with the elbow

codiciado   coveted

código   code

codo   elbow

cogiendo aire   getting some air

cogote m.   nape of the neck
  montar en el _   riding his
    shoulder

cohete m.   skyrocket, rocket

cohibido   restrained, shy

coincidir   to agree

cola   tail; line

colarse   to slip in, sneak in,
  crash

coleccionista m.   collector

colectividad f.   community,
  mass of people

colega m. & f.   colleague

colegial m.   high school student

cólera   anger

colgar   to hang

colibrí m.   hummingbird

colina   hill

colmar   to fill to overflowing

colmo   height, limit

colocar   to put, place
  _se   to secure employment,
    get a job

colombina   columbine

colonia   cologne; district, sub-
  division

colono   colonist, settler

colorado   reddish

columnata   colonnade

collar m.   collar; beads, neck-
  lace, chain

coma   comma

comadre f.   godmother; my
  dear

comandado   headed

comarca   region

combate m.   combat, battle

combustible m.   fuel

comentarista m. & f.   commentator

comerciante m.   merchant

comerciar   to trade, deal

comercio   business; store, shop;
  commerce, trade
  alto _   big business

comestibles m. pl.   food

cometido   committed

comicio   election

cómico   humorous, funny

comienzo   beginning
  dar _ a   to begin

¡cómo no!   of course!

cómodo   comfortable

compadrazgo   kinship system,
  extended family

compadre m.   godfather, buddy

compañerismo   good fellowship,
  comradeship

compañero   friend, companion,
  my friend

compartir   to share, divide

compás m.   measure, bar;
  rhythm

compasivo   compassionate,
  sympathetic

compatriota m.   fellow
  countryman

compenetrarse de   to take in,
  feel for

competencia   competition

competidor   competitive

competir   to compete

compinche m. & f.   chum, pal

complacer   to please, humor
  _se en   to be pleased with

complejo   complex

complicarse   to be complicated,
  become involved

componenda   deal, compromise,
  settlement

componer   to constitute, settle,
  put in order, make

_se de   to be composed of

comportamiento   behavior

comportarse   to behave

compositor m.   composer

compra   purchase; (pl.) shopping

comprador m.   buyer

comprender   to comprehend,
  understand, comprise, include

comprensión f.   understanding

comprensivo   understanding;
  comprehensive

comprobación f.   confirmation,
  proof

comprobar   to confirm,
  evidence; verify, check, prove

comprometerse   to get involved

compromiso   obligation, pledge,
  commitment

compuesto   composed

compulsivo   compulsive,
  compulsory

computador m.   computer

comulgar   to take communion,
  commune

comunal   community, common,
  communal

comunidad f.   community

comunitario   community,
  communal

concebir   to conceive

concertado   in concert, agreement

concertar   to arrange

conciencia   consciousness,
  awareness, conscience
  a _   conscientiously

conciente (see consciente)

conciliar el sueño   to induce
  sleep

conciudadano   fellow citizen

concluido   finished

concordancia   agreement

concordar   to agree
  _ con   to agree with

concretación f.   concretization,
  making concrete

concretar to unite, reduce to simplest form
_se to become concrete
concubinato concubinage, keeping a mistress
concurrente m. audience, person in attendance
concurrido crowded, full of people
concurrir to attend, go to; compete; gather, come to
concurso contest, competition
conde m. count
condecorado decorated (with honors)
condena disapproval
condenado condemned, damned
condescencia condescendence, tolerance
condición f. state, circumstance
sin _ unconditionally
conducción f. channel
conducto pipe, conduit, channel
conductor (-a) driver; directress, manager
conejo rabbit
conferencia lecture
confianza confidence, familiarity
confiar(se) to trust
configurar to form, shape
confitería confectionary store
conforme as
_ a in conformance with
confundir to confuse, mix up
_se to become mingled
congestionado congested
conglomerado conglomerate
conjugar to join, fuse
conjunción f. combination
conjunto sum total, whole; combination, aggregate
de _ of the whole

en _ as a whole, on the whole
en _ con in conjunction with, together with
en su _ in its entirety
conjurado conjured, evoked
conjurar to conspire, plot
conmemorado commemorated
conmovedor touching, stirring
conmover to move, stir up
conocer: dar a _ to make known, publish
conocido m. acquaintance, friend
adj. well-known, distinguished, known
conocimiento knowledge, understanding
conquista achievement, conquest, wooing
conquistador m. conqueror
conquistar to conquer, achieve, accomplish
consagrado dedicated; made sacred
consagrar to devote, give, consecrate
consciente conscientious, conscious
consecución f. attainment
conseguir to get, obtain; bring about, accomplish
consejero adviser
consejo council, advice, piece of advice
consenso consensus
consentido pampered, spoiled; permitted
consentimiento consent
conservador conservative
conservadorismo conservatism
consigna password, watchword
consignar to tell, relate
consorcio consortium
conspicuo outstanding

constancia proof
constar to be clear, certain
constatación f. proof
constatar to prove, state, show
consternado dismayed
constituir to set up, establish, constitute
consuelo consolation
consumición f. consumption
consumidor m. consumer
adj. consuming
consumo consumption
contabilidad f. accounting, bookkeeping
contador m. accountant
contaminado polluted
contar con to count on
contemplado recognized
contener to contain, restrain
contenido m. content, contents
conterráneo person from the same province or town
continente m. mien, expression
continuación: a _ later on, below
contorno outline; (pl.) environs
contra: en _ de against
contraatacar to counterattack
contradecir to contradict
contraer to contract
contraído contracted, shrunk up, twisted; incurred
contraparte f. counterpart
contraproducente unproductive, self-defeating
contrapunto counterpoint
contrariado thwarted
contrario m. opposite
adj. opposite, harmful
todo lo _ quite the contrary
contrasentido contradiction
contratación f. contract, deal, employment
contratar to engage, hire,

award a contract to, contract for

contribución f. contribution, tax

controvertir to dispute

contundente impressive, forceful

convencer to convince

convencimiento conviction

conveniente suitable

convenio agreement

convenir to agree, be suitable, be important

conventual of the convent

convincente convincing

convivir to live together, co-exist

conyugal married

copa treetop; cup, bowl

copetudo haughty, snooty

copita wineglass, jigger

copla popular song, couplet, song

copo bundle (as of cotton)

coquetería f. flirting

coraje m. courage, mettle, spirit; anger

coraza breastplate

cordal f. wisdom tooth

cordillera mountain range

cordón m. cord, string, ribbon

_ **sanitario** quarantine

cordura prudence, wisdom

corear to chant, say in chorus

corista f. chorus girl

cornudo horned; two-timed (husband)

coro chorus

a _ as a group

haciendo _ echoing

corona crown, wreath

coronado crowned

corresponder to return, reciprocate, correspond, be one's place to

corrida de toros f. bullfight

corrido popular ballad

corriente f. current, stream, channel

adj. common, well-known, usual

corro ring, circle

cortando cutting, clipping, shortening

cortante sharp, cutting

cortaplumas m. penknife

corte f. court (of justice)

corte m. cut, cutting

_ y **confección** dressmaking, tailoring

cortés courteous

cortesano (-a) man or woman of court, courtier

adj. courtly, of the court

cortina curtain

_ **de humo** smoke screen

cortinados pl. curtains

cortinaje m. set of curtains

corvo m. curved

cosa: _ **de ellos** their own business

otra _ anything else

cosaco cossack

cosecha harvest

cosechar to harvest, collect

coser to sew, stitch

cosmología cosmology, make-up of the universe

cosmopolita cosmopolitan

costado side

costanero coastal

costear to pay for, defray the cost of

costero coastal

costilla rib

costo cost

costoso costly, expensive

costumbre f. custom, habit

adj. customary

de _ usual, usually

costumbrista pertaining to everyday life and customs

cotejar to compare, exchange

cotidiano daily

cotización f. current price

cotizado quoted (price), on contract, high-priced, cherished

cráneo head, skull

creador creative, creating

creadora creator

crecimiento growth

credo creed

creencia belief

crepitante crackling, rattling

crespo curly, kinky

creyente m. & f. believer

cría raising, breeding

criar to raise, rear

criatura child, baby

criollo m. native of Latin America, usually of European descent; adj. relating to a regional American way of life

crispado clenched

cristal m. glass, crystal

criterio judgment, standard

cromo chromium

crónica chronicle, report

cronista m. chronicler

cruce m. crossing

crujido creaking

crujiente creaking

crujir to creak

cruzada crusade

cruzamiento cross-breeding

cruzando exchanging

cruzar to cross, exchange

_se to cut in front of, turn (the corner)

cuadrado square

cuadro table, staff, personnel; framework

cuajo curdle; clot, lump

cualidad f. quality, characteristic

cuartel m. barracks; quarter, section

cuartelazo uprising from barracks

cuartilla page, sheet of paper

cuatro small four-stringed guitar

cubierta deck

cubierto set of cutlery: knife, fork, spoon; (pl.) dishes, cutlery, placesetting

cubrir to cover, fill

cuclillas: en _ squatting

cuchara spoon

cucharada spoonful

cuchilla knife, large knife

cuchillazos: a _ by knifing, stabbing

cuchillo knife

cuello collar, neck
  en _ throaty

cuenca (river) basin

cuenta bead, account, bill; count, calculation
  al final de _s in the last analysis
  _ corriente checking or current account
  dar _ a to report to
  darse _ de to realize
  de _ de the responsibility of
  por su _ on one's own
  tener(se) en _ to bear in mind, take into account

cuentista short-story writer

cuento short story

cuerda cord, rope, string

cuero leather

cuesta hill, slope
  a _s on one's back
  a _s de at the expense of, charged to

cueva cave

cuidado: tener sin _ not to care

culata butt (of gun)

culebra snake

culminar to conclude

culpable guilty

cultivador m. cultivator, farmer

cultivar to cultivate; educate

cultivo crop, cultivation

culto m. cult, worship
  adj. cultured

cumplido compliment

cumplir to fulfill, reach or turn (age)
  _ con to fulfill

cuna cradle

cuñada sister-in-law

cuñado brother-in-law

cura m. priest

curandero healer, country doctor

cursar to attend (school), take a course

cursi cheap, flashy, vulgar

cursilería cheap flashy woman

curso course
  recibir _s to take courses

curtido tough-skinned

cutis m. & f. skin (of human body), surface

chalet m. modern single-dwelling house

chapa (metal) sheet

chaqueta jacket

charla chat, conversation

charlar to chat, talk

chasquido crackling sound (of something breaking)

chato flatnosed

chifludo crazy, silly fellow

chillar to screech

chinche m. & f. bedbug

chino m. Chinaman
  adj. Chinese

chiquito m. child, small child
  adj. small

chispa spark

chiste m. joke, witticism

chocar to hit, clash, collide; come in contact; shock

cholo half-breed (Indian and white)

choque m. collision, shock, impact

chorro stream

choza hut, cabin

chubasco deluge, downpour

chupada sucking

dactilógrafa m. & f. typist

dádiva gift

dañado m. hurt, damaged; loser
  adj. bad, rotten

dañar to harm, hurt

dañino evil, wicked, harmful

dar: _ a to open on
  _ a conocer to make known
  _ a luz to give birth to
  _ con to run into, hit upon
  _ de mamar to nurse
  _ en llamar to come to call
  _ la espalda to turn one's back
  _ la razón to agree with, admit someone is right
  _ por to consider as
  _ por sentado to take for granted
  _se to give in, yield
  _se a to begin, make, let oneself (be understood)
  _se por to be considered as

dardo dart, small lance

dátil m. date (fruit)

dato fact, piece of information; (pl.) information

deambular to wander about

deber m. duty

debidamente duly, properly

debilidad f. weakness
debilitar to weaken
decano dean
decantado exaggerated, refined
decantando exaggerating,
  emphasizing
decenas pl. tens
decenio decade
decepcionar to deceive
decidido resolved, determined
decidirse a to decide to, make
  up one's mind
  _se por to settle, for, prefer
decir m. saying, proverb
decir: es _ that is to say
  por no _ if not . . .
  _se mala de salud to claim to
  be sick
decisión: tomar _ to make a
  decision
decolorar to lose color, fade
decorado m. scenery, stage
  setting
  adj. decorated
decrecimiento decrease
decretar to decree, determine
decreto decree
decuplicar to increase tenfold
dedazo m. finger print
dedicar to devote, dedicate
  _se a to spend time at
defecto: a _ de for lack of
defectuoso faulty, defective
  (metrics)
defendido protected
defensor m. defender; counsel
  (for the defense)
definitiva: en _ in short
definitivamente once and for all
deforme deformed, misshapen
defunción f. death
deidad f. deity
dejadez f. laziness, negligence
dejar to leave, allow
  _ de + inf. to cease

no _ de + inf. to not fail to
delantal m. apron
delantero front
delator tattling
deleitado delighted
deleite m. delight
delgado thin
delicadeza kindness, delicateness
delicia delight, "sweet nothing"
delirante wild
delito crime
demagogia demagoguery
demás rest, other
  por lo _ besides, furthermore
demodado out of style
demógrafo statistician
demora delay
demostrar to show, demonstrate
demudado upset, disturbed
denominar to name, entitle
dentadura postiza set of artificial teeth, dentures
dentro: por _ on or from the
  inside
denuncia denunciation,
  complaint
denunciar to denounce
depilarse to remove unwanted
  hair
deponer to depose, remove
  from office, oust
deporte m. sport
deportivo pertaining to sports
deprimente depressing,
  humiliating
deprimido depressed,
  humiliated
deprimir to weaken, decrease
depuesto deposed, removed
  from office
derechamente directly
derechista m. & f. person on
  the political right
  adj. politically on the right
derecho m. law, right

adj. straight, upright, decent
deriva: a la _ adrift
derivar to drift, float along
derretirse to melt (away)
derribar to tear down, fell;
  demolish, knock down; destroy
derrocado overthrown
derrocamiento overthrow,
  ousting
derrocar to overthrow
derrota defeat
derrotado ruined, wrecked
derrotar to defeat
derrumbe m. collapse, felling
  (of trees)
desabotonar to unbutton
desafiador defiant
desafiante challenging, daring,
  defying, defiant
desafiar to defy, challenge
desafío challenge
desaforadamente wildly
desafortunado unfortunate,
  misfortunate
desagrado displeasure, disgust
desagravio (making) amends,
  compensation, vindication
desahogar to relieve, unburden,
  overcome
  _se to let oneself go, find
  relief
desajuste m. disorder, disagree-
  ment
desalentador discouraging
desalojar to oust, dislodge
desamparado unprotected,
  helpless
desamparo abandonment, help-
  lessness, neglect
desaparecer to disappear
desaparición f. disappearance
desaprensión f. apathy
desaprobación f. disapproval
desarraigado uprooted
desarraigo uprooting

desarrollar to develop, carry out
  _se to unfold, take place
desarrollo development
desastroso terrible
desarticular to separate, split up
desatarse to let loose; untie, free oneself; go uncommitted
desatendiendo ignoring, paying no attention to
desatinadamente foolishly; just saying anything
desbandarse to flee in disorder
desbaratado "shot," ruined; "beat," all tired out
desbaratar to upset, smash to pieces
desbarrancamiento leveling, filling in the barranca
desbordante overflowing
desbordar to overflow
descabellado illogical, absurd
descalzarse to take off one's shoes
descalzo barefoot, without shoes
descamisado m. "shirtless one"; poor
descansado refreshed, rested
descanso rest
descarga outburst (energy)
descargar to discharge, direct
descartar to ignore, lay aside
descenso fall, drop
descifrar to decipher, make out
desclasado m. fallen, gone beneath oneself; dropped to a lower class
descolorido faded, off color
descomunal extraordinary, unusual, wild
desconcertante upsetting
desconfiado m. distrustful, suspicious person
  adj. suspicious

desconfianza mistrust, lack of confidence
desconfiar to mistrust, lose confidence
desconocer to not recognize, not know
desconocido m. stranger, unknown person
  adj. unknown
desconsiderado ill-considered
descubierto: al _ openly, in the open
descuidado sloppy
descuidar to neglect, overlook
  _se not to take care of
descuido mistake, neglect
  _ culinario careless cooking
desde: _ luego immediately
desdeñable despicable, contemptible
desdeñar to disdain
desdeñoso disdainful, scornful
desdichado unhappy, miserable
deseable desirable
desechar to reject, lay aside
desembocar en to run into, end at (said of a street)
desempeñar to carry out, act, perform or play (a role)
desempeño performance, role
desempleo unemployment
desencadenamiento unleashing
desencadenar to unleash, let loose
desencajado sunken (of eyes)
desenfrenado licentious
desengaño disillusionment, disappointment
desengrasar to take the grease out of
desenlace m. outcome, denouement
desentendido one who affects ignorance
  hacer el _ act indifferent

desentonar to be out of tune, not be "with" it
desesperación f. despair, desperation
desesperado desperate, hopeless
desesperante despairing, hopeless; maddening, exasperating
desesperanza hopelessness
desfalco embezzlement
desfigurar to disguise; distort
desfiladero mountain pass; one-way road
desfilar to parade, pass in review
desfile m. parade
desfondado broken (ceiling); without bottom (barrel)
desgajarse to let loose
desgana indifference, unwillingness
desgarrado loose (cloud); broken (ground)
desgarrarse to pull loose
desgarrón m. large tear, rip
desgracia misfortune, calamity
desgraciado m. wretch, unfortunate person
  adj. wretched, unfortunate
deshacerse to break up
  _ de to get rid of
  _ en to lavish, outdo oneself
deshecho dissolved
  _ humano failure
desheredado disinherited
deshilachado frayed
deshonestidad indecency
deshonoroso dishonorable
desierto desert, deserted
designos extraterrenales pl. plans to kidnap
desigual unequal, one-sided
desliz m. misbehavior
deslizarse to slip, glide
deslumbrador dazzling
deslumbramiento bewilderment, amazement

deslumbrante dazzling, bewildering

desmán: haciendo _es going to excesses

desmandarse to become saucy, smart off

desmedidamente excessively

desmejoramiento decline

desmesuradamente out of proportion, disproportionately; wide (eyes)

desmontado dismounted

desmoronarse to crumble, fall to pieces

desnarigado noseless, without a nose

desnudar to undress

desnudez f. nakedness

desnudo naked, bare

desocupación f. unemployment

desocupado unemployed

desocupar to vacate, clear

desolado desolate, disconsolate, sad

desorden m. disorder

despachar to ship, send; wait on (sell to) customers

despacho office

desparejo unmatched

despavorido terrified, frightened

despectivo contemptuous

despedida goodbye, farewell

despedir to dismiss, discharge, "fire"; emit, let out

despeinado disheveled, uncombed

despejado cleared, clean

despellejado peeled (of skin), skinned

despensa storeroom, provisions

desperdicios pl. rubbish

desperezarse to stretch (one's limbs)

despiadado pitiless, unmerciful, ruthless

despistar to throw off the track

desplazar to displace
   _se to move

desplegar to deploy, use; display

despliegue m. display

desplomar(se) to drop (like lead), collapse

despoblación f. depopulation

despoblarse to become depopulated

despojado dispossessed, stripped (of ball)

despojar to strip, despoil, divest

desposado newly-married, just engaged

despreciable despicable, lowdown

despreciado not appreciated, overlooked

despreciar to scorn, despise

desprecio contempt, scorn

desprender to loosen, release, free, separate
   _se to spill out
   _se de to give away, let...go

desprendimiento detachment, liberation

despreocupación f. lack of worry, concern

despreocupadamente nonchalantly, carefree

desprovisto deprived, devoid

desquitarse to get even

destacado outstanding, prominent

destacar to point out, emphasize, point up, bring out, make conspicuous
   _se to stand out, be distinguished

destechado unroofed

destello flash, beam

destemplado unpleasant, out-of-tune

desterrar to banish, exile, do away with

destinar to allot, designate

destino destiny
   D_ Manifestado Manifest Destiny
   con _ a bound for

destreza skill, dexterity

destrozar to shatter, destroy, break to pieces

destrozo destruction

destructor destructive

destruido destroyed

desvalido helpless, useless

desvaloración f. devaluation, depreciation

desvalorar to belittle, diminish importance of

desvanecerse to disappear, vanish

desvelado staying up late

desventaja disadvantage

desventajoso disadvantageous

desventura misfortune

desviación f. deviation

desviarse to turn aside, branch off

desvirtuarse to lose value

detalladamente in detail

detallado detailed

detalle m. detail

detener to hold back, stop, check

detenidamente carefully

determinado certain, special, definite, fixed, designated

determinante discernable, specific, determining

detracción f. detraction

deuda debt

devolución f. return, restitution

devolver to return, give back

devorar to eat, devour, use up

devoto (-a) devout man (woman)

devuelto returned, restored

día m. day
_ **de fiesta** holiday
_ **de pago** pay day
de _ during the day
entre _s once in a while
de aquí a unos _s a few days from now

diagnóstico diagnosis

diapositiva slide (transparency)

diario m. newspaper (daily); diary
adj. daily

dibujar to draw, outline, sketch

dibujo outline, design, drawing
_ **animado** animated cartoon
_ **mecánico** mechanical drawing

dictado dictated

dictadura dictatorship

dictaminar to pass judgment, remark

dictar to issue, dictate; give a class

dicho: mejor _ rather

dichoso happy

diezmar to decimate, slaughter

diferenciar(se) to differentiate; differ

diferente a different from

diferir to differ

dificultoso troublesome, difficult

difundir to disseminate, spread (widely), publish

difunto dead man

dignidad f. dignity; dignitary

digno worthy, dignified

dije m. charm, trinket; retort

dilapidar to squander

diligencia errand

diluido diluted, diminished, reduced

diminución f. decrease

dimisión resignation

dineral m. a lot of money

diosa goddess

diputado deputy, representative

dique m. dock

dirección f. direction, address; office; administration, management

directora f. manager

dirigente m. leader
adj. those who are leaders

dirigido directed, aimed

dirigir to direct, manage; edit
_se a to go, go to or toward; say to or address a person
no _se la palabra not to talk to someone

dirigismo leadership, management

discípulo disciple, pupil

disco phonograph record

discurso speech

discutible disputable

discutir to discuss

diseminarse to be disseminated, spread

diseño design, plan

disfraz m. disguise, dissimulation

disfrazar to disguise

disfrutar (con, de) to enjoy
_se de to have the benefit of

disgustar to displease
_se to get angry, blow up

disgusto displeasure, annoyance

disímil dissimilar, unlike

disimilitud f. dissimilarity

disimular to hide

disiparse to disappear

disminuir to diminish; decrease

disolvente dissolving, demoralizing

disolver to dissolve

disociar to disassociate

disparar to shoot

disparatado aimless, random

disparejo uneven

disparo shot

dispensar to dispense, give

disperso scattered

displicente awkward, in bad taste

disponerse a to get ready to

disponibilidad f. availability

disponible available

disposición f. inclination, lay-out

dispositivos pl. arrangements

dispuesto favorable, disposed, ready; arranged, lined up; prepared

disputación f. dispute, quarrel

disputar to fight (for)

distanciar to place at a distance

distar to be far distant

distendido open, casual

distinguido distinguished

distinto different

distraer to distract

distraído distracted, unconcerned, casual

diurno diurnal, of the day, daily

diversión f. diversion, entertainment

divisa foreign exchange

divisar to sight, see at a distance

divisorio dividing

doblado a dubbed in

doblar to turn, fold; toll (bell)
_se to bend

docena dozen

docente teaching, instructional

docto wise, learned

doctorado doctorate (highest degree in university)

doctorarse en to get or have the doctor's degree in

doler to hurt, ache, pain; grieve
doliente m. sick person
  adj. aching
dolor m. pain
dolorido aching, painful
doloroso pitiful, sad; painful
domar to tame
domeñador: _ de moriscos
  subduer of the Moors
dominador m. ruler
  adj. dominating, domineering
dominante dominant,
  domineering
domingo: dar mi _ to give my
  weekly allowance
dominical Sunday
domínicos pl. Dominican
  (religious order)
dominio control, domain,
  dominion; domination,
  authority
don m. gift
dondequiera wherever, every-
  where
dorado gold, golden, gilt
dormidero sleeping place
dormido asleep; dormant,
  stagnant, undisturbed
dos: de _ en _ two by two, in
  pairs
dotado endowed
dote f. gift, endowment,
  dowry
dramaturgo dramatist
drenaje m. drainage
dril m. denim
droga drug
ducado ducat (a unit of money)
duchazo shower (bath)
duela stave; (floor) board
duende m. elf, goblin
dueña mistress, go-between
  ser _ de to be mistress of
dueño owner
dulces m. pl. sweets, candy

dúo: a _ in duet
duplicado: por _ in duplicate
duplicar to duplicate, double
duradero lasting
duramente severely, harshly
duro harsh, rough

ebanistería cabinet work
ébano ebony
ebrio m. drunkard
  adj. drunk
economía economics
ecuación f. equation
ecuatoriano Ecuadorean, from
  Ecuador
echar a to begin
  echarse to move, rush, throw
    oneself
  _ pastar to put out to pasture
edad: de _ up in years
  E_ Media Middle Ages
edificación f. construction,
  building
edificado constructed, with
  buildings
edificante edifying
edificar to build
EE. UU. (abbrev.) United
  States
efectivamente as a matter of
  fact, in fact
efectivo effective, real
  en _ in cash
efectuar to do, carry out
  _se to take place
eficacia effectiveness, efficiency
eficaz efficient, effective,
  efficacious
efigie f. effigy, picture
efímero ephemeral, fleeting
égloga pastoral poem
egresado m. graduate
  adj. graduated
eje m. axis
ejecución f. execution

ejecutar to execute, draw up,
  perform
ejecutivo executive
ejecutor executive, executor
ejemplo example (of saints)
ejercer to exercise, exert
ejército army
elaborado worked out
electorado electorate
electrizado shocked
elegir to elect, choose
elenco cast (theater)
elevado high, elevated
elevar to raise
  _se rise
elogio praise
emanar to derive
embajada embassy; errand,
  mission
embajador m. ambassador,
  messenger
embalaje m. packing
embaldosado tiled
embarazoso embarrassing
embestida attack, assault
embravecido furious
embrujado bewitched
embrujo enchantment,
  bewitchment, charm
embrutecerse to become dull in
  mind
emigrar to emigrate, leave
emocionante thrilling, moving
emocionar to move, stir,
  impress
emolumento honorarium
emotivo emotional
empalizada line of poles
emparentado relative
empellón m. shove, push
empeñar to pledge, pawn
  _se en to devote oneself to,
    insist on
empeño obligation, persever-
  ance; zeal, practice

empeorar to make worse
empírico quack, practicing without title; empirical
empirismo empiricism, improvisation
empleaducho lowly employee
emplumado feathered, with feathers
empobrecido de impoverished, robbed, plundered by
empolvado powdered
emporio mart
emprender to undertake
empresa company, firm; business; enterprise, undertaking
empujado urged on, impelled
empujar to push, thrust, wield
empuje m. push, energy, urge
enajenación f. alienation
enano dwarf
enarbolar to hoist, raise
enardecer to inflame, excite
encabezar to head, lead
encadenamiento subserviance, rut; state of being chained
encadenar to connect, bind, chain
encallecer to become calloused
encaminar to direct, guide, set on the way
encandilado "all steamed up"; erect
encantador charming
encantamiento enchantment
encantar to delight
encanto charm
encaprichado stubborn
encararse (con) to face, come face to face (with)
encarecerse to become more expensive
encargado agent, person in charge
encargar to order, request,

entrust
_se de to undertake, be in charge of
encargo order
encarnación f. embodiment
encarnado red, crimson
encarnar to embody, incarnate
encarnizado infuriated, red with anger
encauzar to channel, guide
enceguecer to blind
encendido lighted, lit; lighting up
encerrar to include, contain, involve
_se en to be enclosed in
encinta pregnant
encolerizado angered, irritated
encontrarse to be located, to be
_ con to run across, meet
encontronazo jolt, collision; unexpected or sudden meeting
encorvado curved
encrucijada crossroad, intersection
encuadernado bound (book)
encubrir to hide, conceal
encuentro meeting, date; encounter
encuesta poll, inquiry
encuestado person polled in an inquiry
enchapado veneer, inlay
endogamia inbreeding
endulzar to sweeten, soften
endurecer to harden
enérgico energetic
enfatizar(se) to emphasize
enfilar to go straight to
enfocar to focus, focus on
enfoque m. focus
enfrentar to face
_se con to confront, be confronted with; stand up to, face up to

enfundando clouding over, dimming
enfurecer to infuriate, enrage
engalanar to adorn, deck
enganchar to enlist, recruit
engañitos pl. silly little presents
engaño deceit, deception
engendrar to beget, engender
engordarse to become fat
engranaje m. meshing (as of gears)
engrosar to enlarge, increase
enjuagar to rinse
enjugar to dry, wipe away
enjuto skinny
enlodado muddy
enloquecido mad, crazy
enmarcado framed
enmienda amendment
ennegrecer to blacken, darken
_le las pupilas to enlarge his pupils (eyes)
enojarse to become angry
enorgullecerse de to pride oneself on
enredadera vine
enriquecer to enrich
_se to become rich
enrojecido made red, reddened
enronquecerse to become hoarse
ensanchamiento expansion, broadening
ensanchar to extend, push out
_se to be extended
ensayar to try, test
ensayista m. & f. essayist
ensayo essay
enseguida then, next, immediately
enseñanza teaching, instruction
enseres m.pl. (household) tools
ensombrecer to darken, shade
ensoñación f. dreaming

ensordecedor deafening

ensortijado curly, in ringlets

ensuciar to dirty, defile, smear

entablar to start, set up

ente m. being

entender: en mi __ in my opinion
__**se con** to have an understanding with

enterado informed, fully informed; acquainted

enterarse to find out
__ **de** to find out about, learn about

entero: por __ completely

enterrado buried

entidad f. entity

entierro funeral

entonar to sing, intone

entonces: en aquel __ around that time

entrada entrance; admission

entrado en años up in years

entrambos both

entrante next, coming

entraña womb, heart; (pl.) bowels

entrañable dear, most affectionate

entrecortar stop at intervals

entrecruzar to come together

entregar to give (to), hand over, surrender; devote

entregas: por __ in installments

entrelazar interlace, weave together; wind around

entremezclar(se) to intermingle, intermix

entrenar to train

entretener to while away, spend (time)
__**se** to keep busy

entretenimiento entertainment

entrevista interview

entristecerse to be saddened, become sad

entronizado enthroned

entronque m. fusion, connection

entusiasmar to enthuse, enrapture

entusiasta enthusiastic

envejecer to age, grow old

envidiable enviable

envidiar to envy

envío sending, shipment, despatch

envolver to wrap

envuelto wrapped, wrapped up

epílogo epilogue, end

época: hacer __ to be epoch-making

epopeya epic

equidad f. reasonableness

equilibrado balanced

equilibrio balance

equipaje m. baggage

equiparado equal, matched

equipo equipment; team

equivaler to be equal, be equivalent

equivocarse to make a mistake, be wrong

erguido upright, erect

erguir (irguió) to raise; build, establish
__**se en** to set oneself up as, pose as

es: __ que the fact is that

esbelto tall and slender

esbozar to outline, sketch, project

esbozo outline, sketch

escala scale, rate

escalar to climb over, scale

escalera ladder, stairway

escalofrío chill, shiver

escalón m. echelon, grade, step, stair

escarabajeo tingle, tickling

escarcha frost

escasear to be scarce

escasez f. scarcity, shortage

escaso few, scant, scarce

escatimar to scrimp, hold back

escenario stage, setting

esclarecer to explain, clear up

esclarecimiento clarification

esclavaje m. slavery

esclavitud f. slavery

esclavizado enslaved

escolar pupil, student, pertaining to school

escotado with a low-cut neck

escritura writing; title or deed to property

escrutando scrutinizing

escudado shielded, protected

escudo shield

esculpir to carve, sculpture

escupidera cuspidor

escupir to spit, spit on

escurrirse to escape, slip away

esfera sphere; Christmas tree ball

esforzado forced; hard-earned

esforzarse to strengthen, make an effort

esfuerzo vigor, spirit; effort

esgrimir(se) to wield, brandish; swing (an argument)

eslabón m. link

eslabonar to link

esmaltado enameled

esmeradamente carefully

esmerado polished, painstaking, careful

esmeralda emerald

esmerar to take pains
__**se** to use great care in, take pains in

espacio void, space, period; TV program spot

espalda: dar la __ to turn one's back

espantado frightened, scared

espanto fright, terror

espantoso dreadful, terrible

esparcir to spread, disseminate, scatter

espartón m. Spartan

especie f. kind, sort; spice, species

específico specifically

espectáculo spectacle, performance, spectacular; sport

espectador m. viewer, spectator adj. watching, viewing

espectro spector, ghost

especular to speculate

espejismo mirage

espejo mirror

espera wait, period of waiting
a la _ waiting

esperanza de vida life expectancy

espiar to eye, spy on

espina spine

espiral f. spiral

esporo spore

espulgar to take fleas from, delouse

espuma foam, lather

eso: a _ de around, about

espumoso foamy, frothy

esqueleto skeleton

esquema m. scheme, plan

esquematizar to sketch, outline

esquina corner

establecimiento establishment, establishing

estacionado parked

estadio stadium

estadista m. statesman

estadístico statistical

estado state, condition
_ de ánimo state of mind
_ de sitio state of siege

estadounidense of, from the United States

estallar to burst, break out, explode

estallido m. explosion, crack; flash, spark

estampa picture, print, engraving

estampida stampede

estampilla stamp

estancamiento stagnation

estancia cattle ranch

estanciero owner of an *estancia*, rancher (Arg.)

estanque m. pool

estante m. shelf, open bookcase; branch (tree)

estaño tin

estar por + inf. to be about to, in favor of

estatal pertaining to a state

estereotipado stereotyped

estero swamp

estertor m. death rattle

esteta m. & f. aesthete

estética aesthetics

estilizado stylized

estimar to esteem, like; estimate; believe, think

estimulante m. stimulant

estímulo stimulus

estirar to stretch, stretch out

estirpe f. stock, family

esto: en _ at this point

estopa cotton waste; tinder

estopilla cheesecloth

estorbar to disturb

estornudar to sneeze

estrato layer, stratum

estrechamente strictly, closely

estrechar to embrace, clasp
_se to become limited

estrechez f. austerity, narrow-mindedness

estrellando splattering

estrellarse to smash

estremecer to tremble

_se to shake, shiver

estrenar to use, wear or show for first time

estribo running board

estricto strict

estruendo crash, noise

estudiantado student body

estudiantil pertaining to a student, student

estudioso studious person

estufa stove

estupidez f. stupidity

etapa stage, step

etéreo heavenly

ética ethics

ético ethical

etiqueta etiquette, formality

étnico ethnic, racial

etnógrafo racial expert

etnólogo ethnologist

etnopsicología racial psychology

europeizar to Europeanize

evento: a todo _ in any event

evitar to avoid

evolucionar to evolve, change (in conduct), advance

exacción f. demand, demanding

exactitud f. accuracy, exactness

excedente m. surplus, excess

excepción: a _ de with the exception of

excitación f. excitement

excitante m. stimulus

excluir to exclude

exclusividad f. exclusiveness

excusado toilet

exhibir to exhibit, show, show off

_se to be shown, exhibited

exigencia demand, requirement, need

exigente exacting, demanding

exigir to demand, require

exigüidad f. lack, dearth

exiguo scanty, meager

exiliado exiled
existencias pl. stock, inventory
éxito success
exitoso successful
éxodo exodus, departure
expectativa expectation
expedido issued (officially)
experimentar to experience
explicable explainable, easy to explain
explicación f. explanation
explotación f. exploitation
explotador m. exploiter
explotar to exploit, explode
exponer to expose, show
exposición f. exposure, exposition
expositor m. exponent, propounder
exprimir to squeeze, wring out
expuesto displayed
expulsado driven out
extender to lay out
  _se to spread
extenso extensive, broad
exterminador exterminating
exterminio extermination
extorsionado extorted, victimized
extraer to take out, extract
extramatrimonialmente extramaritally, out of wedlock
extrañar to find strange, be strange; to miss
  _se to be surprised
extraño m. stranger, foreigner
  adj. strange, foreign
extraterrenal: designos _es plans to kidnap
extremado m. extremist
  adj. extreme
extremecer (see estremecer)
extremo end
  al _ extremely

fábrica factory

fabricar to build, devise, produce
fábula fable
facción f. faction, party; team; pl. (facial) features
facilitar to permit, make easy, expedite
facón m. (gaucho) dagger, large knife
factible feasible
facultad f. school or college (of a university)
fachada front (of a building), facade
faena work, job
falda skirt, lap
fálico phallic
falo phallus
falsedad f. deceit, lie
falso: vivir en _ live a false life, live a lie
fallar to fail
fallecer to die, pass on
fama reputation
familiar family, pertaining to the family
familiares m. pl. members of the family or household
fanfarrón m. braggart, boaster
fango mud, mire
fantasía knick-knack, trinket, "junk"
fantasioso fantastic
fantasma m. ghost
fantasmal ghostly
faraón Pharaoh
farola headlight
fascinador fascinating
fase f. phase
fastidiado annoyed
fayanca baked clay, earthenware, pottery, porcelain
faz f. face
fe: de buena _ in good faith
fealdad f. ugliness

febril feverish
fecundación f. breeding
fecundidad f. fertility
fecundo fertile, prolific
felicidad f. happiness
felicitar to congratulate
felino feline, cat
feria fair, market; holiday
ferrado: _as botas boots with spurs, cleats
férreo strong, iron
ferrocarril m. railroad
ferroviario railroad
fervoroso active, intense
festejante m. host; suitor
festejar to entertain, court
festejo celebration, party
fibra energy, fiber, "guts"
ficticio fictitious
fidelista pertaining to or of Fidel Castro
fiebre amarilla f. yellow fever
fiel m. faithful person, follower
  adj. faithful
fiera wild beast
fiero fierce, cruel
fierro iron
figura face, figure, person
figuración f. role in society
figurar to appear, be; to figure, be in the limelight
figurativo plastic (painter and/or sculptor)
fijeza: con _ fixedly
fila row, line; file, rank
filiación f. derivation, affiliation, relationship
filial of a son
filo: al _ de invierno just before winter
filósofo philosopher
filtración f. leak, leakage
finalidad f. end; goal, purpose
finalizar to conclude, finalize
financiero financial

fineza favor, kindness
fingir to feign, pretend
finura courtesy
firma signature
firmamento sky
firmar to sign
física physics
fisionomía face, features
flamante showy, brand-new
flecha arrow
flechazo love at first sight
flequillos bangs
florecer to flourish
florecimiento blossoming, prosperity
floresta woods
flote: a _ afloat
flotilla fleet
fluctuante fluctuating
fluctuar to fluctuate, waver
fluidez f. fluency; fluidness, fluidity
foco focus, center
fofo spongy
fogata blaze, bonfire
follaje m. foliage
folletín m. newspaper serial (usually at bottom of page)
fomentar to promote, give impulse to, encourage
fomento promotion, development, encouragement
fondo nature, background; bottom, foundation; rear, back; (pl.) funds
a _ thoroughly
en el _ basically
foquito little light bulb, Christmas tree light
foráneo strange, foreign
forastero outsider, stranger, foreigner
forcejeo struggle
forjado forged
forma manner, way, shape

formación f. education
formal proper
formar to form, shape; train, educate, take (census)
forraje m. forage
forrar to cover (with covering)
forro lining
fortalecer to strengthen
fortaleza fortress
forzar to force, rape
forzosamente inescapably
forzoso forced, compulsory; strong, robust
fósforo match
fotógrafo photographer
fracasar to fail
fracaso failure, bankruptcy
fraccionamiento break-up
fraccionar to break up
fragoroso thunderous, noisy
fraguado forged
fraile m. priest, monk
Franciscano Franciscan (religious order)
franco sincere, open, candid
franja fringe, strip
franqueza frankness
frasco bottle
frazada blanket
fregado m. scrubbing
fregona scrubwoman, kitchen-maid
frenesí m. frenzy
freno brake; bit
frente f. forehead; front (of building)
_ a in front of, in the face of, in regard or respect to, relative to
_ a _ facing each other
fresa strawberry; drill
fresco m. coolness
adj. fresh, cool
frescor m. freshness, coolness
frialdad f. coldness

frijoles refritos m. pl. refried (mashed) beans
frito fried
frívola frivolous woman
fronda foliage
frondoso shady
frontera frontier, border
fronterizo frontier
frotar to rub
fruición f. enjoyment
fruncido wrinkled
ceño _ wrinkled brow
frutero fruit
fruto berry, fruit; product
fuego: hacer _ to shoot, fire
a _ by shooting
fuente f. fountain, source; platter
fuero exemption, privilege
fuerza force, efficacy, strength; value
a _ de by dint of
fuga flight
poner en _ put to flight
fugarse to flee, run away
fugaz fleeting
fúlgido bright, dazzling
fulminante sudden, devastating
funcionamiento performance, functioning, running
funcionario (-a) official, civil servant
funda holster
fundador m. founder
fundamentar to found, establish
fundamento basis, reason, foundation, grounds
fundición f. foundry
fundir to fuse, merge, blend
funesto ill-fated, dismal
furor m. fury
furtivo stealthy, sly
fusil m. gun
fusta coachman's whip
fuste m. shaft

gabinete m. office
gajo branch, stem
gala pomp, show
galán m. lover, suitor
galanteo flirting, wooing
galeote m. galley slave
galería gallery, shop
galopante galloping
gallardía gallantry
galleta cracker
gallina hen
gallinazo vulture, buzzard
gama f. gamut
gana desire, mind
  dar la _ a uno to feel like
  de buena _ willingly
  sin _s unwillingly
ganadería cattle raising
ganadero m. livestock raiser
  adj. pertaining to livestock
ganado livestock, cattle
ganador m. winner
  adj. winning
ganancia profit
ganar to earn, win
  eso gano that's what I get
  _se la vida to earn one's living
ganoso desirous (of), anxious
  (for)
gañán m. farm hand
garboso jaunty, jauntily
garganta neck, throat
garra claw, hook
garrote m. club, cudgel
gasoducto gas line
gastar to spend (time or
  money); fade
gasto spending, expense; waste
gastado worn-out
gatillo trigger; dentist's forceps
gaucho plainsman, cowboy of
  the pampa
gaveta drawer, till, box
gemelo twin
gemir to moan, whine

genérico generic, common
género genre, specie(s), kind,
  race
genial brilliant, inspired; nice
genio genius; disposition,
  temper, character
gente f. people, troops
gentil genteel
gentileza politeness
gentío crowd
geógrafo geographer
gerencia management, manager-
  ship
gerente m. & f. manager
gestión f. action, step
gestionar to tackle, take care of,
  carry out
  _ trámites to take steps
gesto gesture, act; look, expression
gigante m. giant
gira: hacer una _ to take a trip,
  swing
  en _ on tour
girar to revolve, gyrate
glifo glyph
gobernador m. governor
gobernante m. ruler, governing
  people
  adj. governing
golpe m. blow, hit; coup
  de _ suddenly, all at once
  _ de estado coup d'état,
    overturn (in government)
golpear to beat, knock, strike,
  hit
goma f. rubber
gordo m. first prize (lottery)
gorra cap
gorro cap
gorrón m. sponger, "dead
  beat"
gota drop
gotear to drop, drip; say slowly
gotera leak, dripping

grabación f. phonograph
  recording
grabado m. print, engraving
  adj. engraved, imprinted,
    impressed; carved, cut
grabar to record
  _ en el vidio to videotape
gracia grace, charm
graciosamente pleasantly
gracioso m. comic (person)
  adj. attractive
grada row of seats, tier
gradería bleacher (stadium)
grado degree, point
  de buen _ willingly
graduable adjustable
graduarse (en) to be graduated
  in, to graduate in
grande grown-up
grandeza grandeur
grandote great big
grano grain; pimple
grapa (grampa) staple, clamp
grasa grease
grasiento greasy
graso greasy
grato pleasant, pleasing
gratuito free, gratis
gravitar to wander around,
  come together
greda clay
gremialista pertaining to a
  union, labor union
gremio guild, union
gresca quarrel, row
griego Greek
grillo cricket
grima face, grimace
  hacer _s to make faces
gringa female from the United
  States
grisóxford oxford gray
gritería shouting, outcry, uproar
griterío shouting
grito shout

grosería coarseness, crudeness
grosero coarse, crude
grueso thick, heavy
guapetón m. big, handsome fellow
guardaespaldas m. bodyguard
guardapolvo duster, lab coat
guardar to keep, retain
guardería infantil kindergarten
guardia m. guard (a person) f. guard, shift
  hacer _ to keep watch; set up a watch or guard
  ponerse en _ to be on the alert
guarecer to protect
  _se to take shelter
guayaba guava
guedeja shaggy hair, "mop"
  en _ like a mane
guerrera tight-fitting military jacket
guerrero m. warrior adj. warring, warlike
guía m. & f. guide
guiar to guide, drive
guijarro pebble
guiñapo rag, tatter
guiñar los ojos to wink
guiso dish of food, stew
gusano worm
gustosamente gladly, willingly

habilidad f. ability, skill
habilmente skillfully
habituado accustomed
habla speech, language
hacendado owner of a farm, plantation (hacienda)
hacendoso industrious, busy
hacienda large farm or estate
  Ministro de H_ Minister of Finance
hachazo axe blow
halagar to flatter

halago flattery
hallar to find
hallazgo finding, discovery
hambriento hungry
harina flour
harapiento tattered, ragged
hastiar (de) to become sick, eat too much of
haz m. bundle
hazaña deed, feat, exploit
hectárea hectare (measure of land; over 2 acres)
hechicero sorcerer, witch doctor
hechizado bewitched
hechizo m. incantation, spell adj. charming
hecho m. deed, fact
  de _ in fact; de facto
hecho adj. made, become
  _ un looking like a
  _ sonrisas all smiles
heladera refrigerator, freezer
helado m. ice cream adj. cold
hembra female, female person
hemiciclo hemicycle; monument in Mexico City
heredar to inherit
heredero heir
hereje m. & f. heretic
herencia heritage, inheritance
herida wound
herido m. wounded or injured person
herir to wound, hurt, injure
hermanas: naciones _ sister nations
hermetismo shyness, introversion
herramienta tool
hervir to boil, seethe
hidalgo m. nobleman, gentleman adj. noble, illustrious
hierro iron rod, iron; (pl.) iron

tools
hija de puta dirty bitch
hilado m. spinning
hilar to spin or spin out
hilo thread
hinchar to swell, puff up
hiperestesia extreme sensitivity
hipersensible overly sensitive
hipotéticamente hypothetically
hiriente biting, stinging
hirsuto shaggy
historiador m. historian
historietas pl. funnies, comics
hogar home
hogareño of the home, home-loving
hoguera bonfire, pyre
hojalata tin
hojarasca fallen leaves
hojear to leaf through
holandés m. Dutchman
holgadísimo huge
holgado loose, baggy
holgar to be needless, enough to (+ inf.)
holgazán lazy
holgazanería laziness, loafing around
hombrecito little man
hombre-masa mass-man
hombría acting like a man
homenaje m. homage, testimonial
hondo m. bottom adj. deep
honestidad f. decency, propriety, decorum
hongo mushroom, fungus; derby
honorario fee, honorarium
honradez f. honesty
honrado honest, honorable
horario schedule, hour
hormiga ant
hormiguero anthill

horrorizarse to be horrified

horrorosamente horribly

hosco sullen, gloomy; proud

hospedar to lodge, give lodging to

hostigando driving, lashing

hotelero hotel

hoy: _ en día nowadays

hoyo hole

huele (see **oler**) to smell

huelga strike

huella: seguir sus _s to follow in his footsteps or tracks

huérfano m. orphan
adj. devoid of

huerta garden (fruit & vegetable)

hueso bone

huésped m. & f. guest

hueste f. host, army

huída flight, escape

humedad f. humidity

húmedo damp, humid

humillado humiliated

humo smoke

humorismo humor

humorísticamente humorously

hundir(se) to sink

huracán m. hurricane

hurtadillas: a _ on the sly

ibérico Iberian

ibero Iberian

id m. id; subconsicous and instinctive mental process

idear to think up, devise

ido past, gone by

idóneo such like

ignorante unknowledgeable, uninformed (person)

ignorar not to know, to be ignorant

igual equal, similar
_ que, al _ que as well as
me es _ makes no difference to me

por _ equally

igualar to equal
_se to be equal

igualdad f. equality

igualitario equalitarian, egalitarian

ilimitado unlimited

iluminado enlightened

ilustrar to illustrate
_ sobre to explain about

ilustre famous

imagen f. image

imborrable not (able) to be erased, irradicable, ineffaceable

imbuir to imbue

impartir to give, say (a blessing)

impasible impassive

impedir to prevent, impede

imperante prevailing

imperar to rule, hold sway

imperdonable unpardonable

imperioso rousing, exacting; royal

ímpetu m. impulse

implantación f. imposition

implicar to imply, involve

imponente imposing

imponer to impose one's will
_se to assert oneself, make one's way, command respect
_se a to dominate, win out

importar to involve, matter, be important

impotencia weakness

impregnado filled

imprescindible essential, indispensable

impresión f. printing, impression

impreso printed

imprevisible unpredictable

imprevisión f. lack of foresight, oversight

imprevistas pl. incidentals

imprevisto unforeseen, unexpected

imprimir to print, stamp, impress

impropio: _ de unsuited to

improrrogable not extendable, not able to be delayed or extended

improviso: de _ suddenly, unexpectedly

impuesto m. tax
adj. trained

impulsar to impel, give impulse to; actuate, prompt

impulsividad f. impulsiveness

inacabable interminable, endless

inadvertido unnoticed

inalcanzable unattainable

inamovible fixed, unremovable, immovable, traditional, stubborn

inanición f. starvation, lack of food

incaico Incan, of the Incas

incansable untiring

incapacitado incapacitated, disabled, unable

incapaz incapable

incendiado burned, set fire to

incendio fire

incertidumbre f. uncertainty

inclinarse to bow towards, bend over

inclusive including

incluso besides, including, even

incógnita f. unknown (factor)

incómodo uncomfortable

incomprendido not understood

incomprensible heedless, not understanding

incondicional unconditional

inconexo disconnected

inconfundible unmistakable

inconmovible immovable, unbending

inconsciencia unconsciousness, unawareness

inconsciente unconscious
incontrastable unyielding
inconveniencia nonsense, impropriety, wrong thing to do
inconveniente m. disadvantage
  tener _ to find wrong
incorporar to incorporate
  _se to join, sit up
incremento increase
increpar to scold
incubado brewing; instilled
inculcar to inculcate, put in
inculto uncivilized, uncultured
incumplimiento nonfulfillment
incurrir en to commit
indagar to investigate, inquire
indebido improper, (one) ought not to
indeciso undecided, uncertain
indefectiblemente without fail
indelicadeza indelicacy
indescriptible indescribable
indeseable undesirable
índice m. forefinger, index finger; index
indicios pl. evidence
indígena m. & f. native
indigenismo favoring the natives
indignado indignant
indigno low, contemptible, unworthy
indiscutido indisputable
índole f. kind, nature, temper, disposition
indología study of Indians
indomable uncontrollable
indomado untamed
indudable certain, doubtless
indumentaria clothing, dress
industrial m. industrialist
ineficaz ineffective
ineludible inescapable, inevitable
inepcia ineptitude
inequívoco unmistakable

inerme defenseless, unarmed
inesperado unexpected
inestabilidad f. instability
inestable unstable
infancia childhood
infantil child, children, infant
infatigable untiring, tireless
infelicidad f. misfortune, unhappiness
inferior lower
inferir to inflict
infierno hell
ínfimo lowest, humblest, most abject
inflado inflated, puffed up
inflatorio inflationary
influir to influence
influjo influence
informe m. report
infractor m. violator
infraestructura substructure
infructuosamente fruitlessly, in vain
infundir to instill
ingeniero engineer
ingenio wit, cleverness, talent, ingenuity; mill
  _ de azúcar sugar mill
ingenuamente naively
ingerir to take in, eat, gobble up
ingrato unpleasant; hasty
ingresar to enter, join
ingreso entrance; income
inhabituado unaccustomed
inhóspito inhospitable
iniciar to begin, initiate
inmediaciones: en las _ de in the vicinity of, near
inmediato: de _ immediately
inmigratorio pertaining to immigration, of immigration
inmiscuirse en to meddle with
inmovilizarse to be motionless
inmundicia filth; misery

inmundo dirty, filthy; indecent
inmutarse to change expression
innegable undeniable
innoble ignoble
inocuo inoffensive
inolvidable unforgettable
inquietar to disturb, upset
inquieto restless
inquietud f. concern, worry
insaciable insatiable, not able to be satisfied
insatisfacción f. dissatisfaction
insatisfecho unsatisfied, unfulfilled
inseguridad f. insecurity
inseguro insecure, doubtful, uncertain, unsure
insensiblemente insensibly, imperceptibly
insinuar to hint, suggest; to work one's way in
insólito unusual, unaccustomed
insondable unfathomable
insoportable unbearable
insospechable unsuspecting
instalar to set up
  _se en to settle down in
instante: al _ immediately
instauración f. inaguration, establishment
instaurar to establish, set up
institutriz f. governess
instruido educated
instrumentado controlled, brought about
intachable blameless, pure
integrante m. total assets; player
intelectualidad f. intellectual position
intemperie: a la _ unsheltered, left to the elements
intendencia provincial headquarters
intendente m. civil governor

intentar   to try, attempt

intento   plan, attempt

intercambiable   interchangeable

intercambiar   to exchange, interchange

interesado   selfish

interesar   to be of interest, figure

internarse   to take refuge, hide

interno   internal

interponer   to intervene; interpose

interpretado   played, acted

intérprete   m. & f.   actor, interpreter

interrelacionarse con   to be tied up with

interrogante   m.   question mark, problem
adj.   questioning

intervenido   taken over by the government

intimarse con   to become well acquainted with

intimidad   f.   privacy, intimacy

intimidar   to frighten

íntimo   intimate

intocable   untouchable

intraducible   untranslatable

intransferible   not transferable

intransitable   impassable

intrascendencia   commonness

intrascendente   commonplace

intrincado   intricate, entangled

introductor   m.   introducer, announcer

intromisión   f.   meddling

introvertido   introvert

intuir   to know, perceive by intuition

inundar   to flood

inusitado   unusual

inútil   useless

inútilmente   to no avail

invasor   m.   invader

invencible   invincible

invento   invention

invernal   winter

inverosímil   improbable, unlikely

inversa: a la _   vice versa

inversión   f.   investment

inversionismo   investment

inversionista   investor

inverso: al _   the reverse

invertir   to invest, spend

investigar   to investigate, do research on

inveterado   confirmed

involucrar   to involve

ir: _ y venir   coming and going
_ a   to go, suit, fit; hit
_se a pique   to sink, become destroyed

ira   ire, wrath

iracundo   angry, wrathful

irguió (see erguir)

irlandés   Irish, Irishman

irrealidad   f.   unreality

irredimible   relentless

irreflexivo   unreflecting, without thinking

irrenunciable   that cannot be renounced

irrespirable   unbreathable

irrisorio   ridiculous

irritado   ruffled, irritated

irrumpir   to burst out

islote   m.   small island, islet

izquierdista   leftist

jabón   m.   soap

jadeante   panting, out of breath

jaque   m.   check (in chess)

jarra   jug, pitcher

jarro   jug, pitcher

jarrón   m.   large jar, vase

jaspeado   speckled, spotted; blotched (skin)

jefatura   headship, leadership

jefe   m.   head, boss, chief

jerarquía   hierarchy

jerárquico   hierarchic, hierarchical

jerga   jargon

jesuitas   m.pl.   Jesuits

jíbaro   peasant, bumpkin

jícara   gourd (used as cup)

jimagua   m.   twin

jornada   day, day's journey or work

joropo   Venezuelan dance

joya   jewel, jewelry
_ de fantasía   junk jewelry

joyante   gleaming, jewel-like

jubilación   f.   retirement, pension

júbilo   joy, jubilation

judío   Jewish person

juego   manipulation; game
_ de cristal   set of glassware
_ de palabras   pun
_ de pelota   ball game
entrar en _   to come into play
hacer _   to match
hacer el _   to play up to, play the game for
ponerse en _   to be put into play

jugada   play

jugador   m.   player

jugando   gambling

jugo   juice; substance

juicio   judgment

juicioso   wise

junta   junta, board, conference, group

juntar   to get, collect
_se   to join, associate, assemble, get together, be united

junto   close by, near
_ a, _ con   along with, together with
en _   all together

jurado m. jury
adj. sworn
juramento oath, promise
jurídico juridical, pertaining to administration of justice
justamente just, exactly, just at that time
justiciero just, rightful, according to pay scale
juvenil m. youth
juzgado m. court of justice
juzgar to judge

laberinto labyrinth, maze
labor f. work, job, duty
laboral labor
laboreo tilling (soil)
labrador m. farmer
labranza farming
labrar to do farm work
labriego peasant, farmer
lacayo lackey
lacrado sealed with sealing wax
lacre m. sealing wax
ladera slope
ladinizado westernized, speaking Spanish
ladino westernized Indian or White
ladrón m. thief, robber
lagartija lizard
laico lay, secular
lamentoso lamentable
lámina picture, print
lámpara lamp, light
lana wool
lanzamiento throwing, hurling
lanzar to launch, let loose; raise, utter
_se a to launch forth, embark on; rush or jump into, throw oneself into
lapicera pen, pencil box
largamente for a long time, at length; at ease; generously

largo: al _ lengthwise
a lo _ de throughout, along, in the course of
lascivia lust
lastimar to hurt
lastimeramente sorrowfully, sadly
lata tin can
latigazo lash with a whip
látigo whip
latir to throb, beat
lato broad
lauro laurel, prize
lavaplatos m. dishwasher
lavarropa washing machine
laxitud f. laxity
lazo lasso, loop; bond, tie
lealtad f. loyalty
lecho bed
_ conyugal double bed
lechuza owl
legar to bequeath
legua league
legumbre f. vegetable
lejano distant
lejos: desde _ from a distance
lema m. slogan, motto
lenguaje m. language, style
lentitud f. slowness
leña firewood, kindling
lesionado injured, hurt
letal lethal, fatal
letrado lawyer, college graduate
letra words of a song; (pl.) literature
de _s literary
letrero notice, sign
letrilla short poem
levantamiento uprising, revolt
levantar to build, raise
leve light, slight
léxico vocabulary
leyenda legend, motto, slogan
liana hanging vine
liberar to free, liberate

libertad: dar _ a to free
libertario of freedom
libertinaje m. libertinism, lust
libidinoso lustful
librar to free
librepensador m. free-thinker
librero bookseller
libreta de banco bankbook
libro de misa missal, mass book
licencia leave
liceo secondary school
licitación f. bidding
licitar to bid for
liderato: llevar el _ to be in charge
liga band, bond
L_ Defensora de los Animales Humane Society
ligado joined, tied, related, bound together
ligereza: con _ quickly, nimbly
ligero light, cheerful, happy
limítrofe bordering
limosna alms
limpiabotas m. bootblack
limpiar to clean up or out; to finish off (kill)
_se to clean, wipe away
límpido clear
linaje m. lineage, class
lince m. lynx
lindar con to adjoin, border on
línea de transporte transportation line
lineamiento feature, line
lío: en _s in difficulty
liquidar to liquidate, settle (an account)
liso smooth, unadorned, plain
lisonja flattery
lisonjero flattering
lista stripe
listo ready
listón m. ribbon

literato literary person, writer
litro liter, quart
liviano light (in weight); airmail
liza contest, fight
loba she-wolf
loca f. crazy idea
local m. locale, site, place
locuaz talkative
locura insanity, madness; silly idea
locutor (-a) announcer
lodazal m. mudhole
lograr to accomplish, achieve, obtain; produce; succeed in, enjoy
logro accomplishment
loma sloping hill, hump
lombriz f. worm
lomo back of an animal
londinense London
Londres London
loor m. praise
loza earthenware, porcelain
lucecita little light
luciérnaga firefly
lucir to display, appear, show off, "sport"
lucha struggle, fight
_ **libre** wrestling
luego: _ **de** after, right after
lugarcito little spot, room, space
lugareño pertaining to a village or local area
lujuria lust
lumbre f. light, fire
lustrar to polish, shine
lustre m. shine, gleam, luster
luto: de _ in mourning
llaga sore, ulcer
llama flame
llamada call
_ **telefónica** phone call, conversation

llamado m. call (to a profession)
adj. so-called
llamativo showy, flashy, attractive
llanero man of the plain, plainsman
llano plain
llanto crying
llanura plain
llave: cerrar con _ to lock
echar _ to lock up
llegar a + inf. to succeed in, come to + inf.
lleno: de _ entirely
llevando taking, leading
llevar to lead, live, take, wear; bear a title; carry on (a profession)
_ + **past participle** to have + past participle
_**le tentaciones** to tempt, lead him into temptation
_ **dos goles en contra** to be two goals behind
_ **aquí tres meses** to have been here three months
_ **dos meses de matrimonio** to have been married two months
_ **más de cuarenta abriles** to be more than forty years old
_**se** to carry away
_**se bien** to get along well
_**se las manos a** to clutch
lloriqueante whimpering

macilento wan, scrawny
maciso bulky, bulging
macizo mass, clump
machismo exaggerated masculinity, bullying
macho m. male
adj. male, virile
madera wood

maderería lumberyard
madrileño person from or resident of Madrid
madrina godmother
_ **de bodas** bridesmaid
madrugada dawn, early morning
madrugador m. early riser
adj. early rising
madurez f. maturity
maestra normal grade school teacher (with diploma)
maduro mature
maestría mastery, skill
magia magic
magisterio teaching profession
magistral masterful
mahometano Muslim, of Mohammed
maíz m. corn
maldad f. evil, wickedness, sin; ill will
maldiciendo cursing
maldito cursed, damned
¡**maldita sea!** curses on ...!
maledicencia slander, evil talk
maléfico evil
malentendido misunderstanding
malestar m. discomfort
maletín de mano m. satchel, handbag
maleza thicket, underbrush, weeds
malgastar to waste
malhumorado ill-humored, in a bad humor
malignidad f. perversity, ill will
maligno evil
malograrse to break down
maloliente stinking, smelly
malsano unhealthy
mamífero mammal

mamis f. mamma
mampostería rubblework
manantial m. spring
manar to flow, run, pour forth
mancha spot, stain
manchar to stain, spot
mandado: andar en el _ to go
   shopping
mandíbula jaw
mandioca manioc, starchy root
mando command, rule, authority
manejar to drive, handle,
   control, manage; consult,
   make use of
manejo handling, management,
   driving
manga sleeve
manguera hose
maní m. peanut
manifestación f. demonstration
manifiesto obvious
   poner de _ to expose, show
      plainly
maniquí m. mannikin, puppet
manoteando waving
mansalva: a _ without running
   any risk
manso gentle
manta blanket, large shawl
mantel m. tablecloth
mantener to maintain, support,
   hold
   _se to remain, keep
mantenimiento support, maintenance; sustenance, food
manzana apple
   _ azucarada caramel apple
maña bad habit, quirk
maquillado made-up, painted
   (with rouge, lipstick, etc.)
máquina machine
   _ de coser sewing machine
   _ de escribir typewriter
maquinalmente mechanically,

unconsciously
maquinaria machinery
marca trademark
marcar to mark, show; dial
marcial martial, military
marciano Martian
marco frame, framework
marcha functioning, running,
   moving, march, rate of speed
   poner en _ to launch (pro-
      ject), start off
marchitarse to wilt, wither
marchito withered; dull,
   languid
mareado lightheaded, seasick
marfil m. ivory
margen: al _ de at the edge of
marginado marginal
marginalidad f. living on the
   margin
marica m. effeminate man;
   "queer"
marina: _ de guerra navy
marino marine
mariscal m. marshall
marmóreo marble, of marble
marqués m. marquis
marquesil of a marquis
martirio martyrdom, pain
maruga maracas (musical
   instrument)
masa dough, mass
máscara mask
mascullando muttering
masticar to chew
mástil m. mast, stalk, post
matanza slaughter, murder,
   killing
materia matter, subject, course
   _s primas raw materials
matiz m. shade, nuance
matriarcado m. woman rule;
   family, group or state where
   governing power passes
   through female line

matricular to register, enroll
matrilíneo holding power
   through the mother
matutino morning
máxima maxim, saying
mayestático overwhelming
mayor adult, elder
mayorista m. wholesaler
mayoritario majority, main-
   stream
mayormente chiefly, mainly,
   greatly
mecánica mechanics
mechón m. lock or shock of
   hair, hair, wisp
medias: a _ half, partial
mediados: a _ de about the
   middle of, in the middle of
mediante by means of, through
medida measure, extent
   a _ que in proportion as
   hecho a la _ custom-made,
      tailor-made
medio medium, means,
   method, way, measure; environment
   a _, por _ in the middle of
   en _ de in the midst of, in
      the middle of
   por _ de by means of,
      through
   a _ + noun or inf. half +
      noun or past participle
mediodía m. noon
medir to measure
médula marrow, core, essence
mejilla cheek
mejor: a lo _ perhaps
mejora improvement, growth
mejoramiento improvement
mejorar to improve
melena long lock or shock of
   hair, hair, full head of hair
mellizo twin
melocotón m. peach

memoria: de _ by heart
  hacer _ to think over
mendicidad f. begging
mendigar to beg
mendigo beggar
menear to shake
  _se to stir, move about
menesteroso needy
menguado decayed, shrunken
menor m. minor
menos rather not
  de _ less
  por lo _ at least
menoscabo lessening, discredit;
  contempt
menospreciar to scorn, despise
menosprecio underestimation,
  contempt, scorn
mensa f. silly woman, "dope"
mensaje m. message
mensajera messenger (woman)
mensual monthly
mentado famed, renowned;
  so-called
mente f. mind
mentira: pequeña _ little white
  lie
mentón m. chin
menudo: a _ often
mercader m. merchant, dealer
mercadería merchandise,
  commodity
mercado market
  M_ Común Common Market
mercantil: perito _ business
  major
merced: a _ de at the mercy of
merecedor: no _ undeserving
merecer to merit, deserve
merecimiento merit
mermelada marmalade, jam
  _ de melocotón peach jam
merodeador m. marauder
merodear to rove about (in
  search of plunder)

meseta plateau, high plateau
mestizaje m. crossbreeding
mestizo person of mixed blood
  (Indian & White)
meta aim, goal
metido: _ hasta el cuello up to
  the neck (ears)
Metro subway
mexicanidad f. condition of
  being Mexican
mezcla mixture
mezclar(se) to mix, mingle
miel f. honey, syrup, molasses
mierda excrement
mil thousand
milagro miracle
milagroso miraculous
milicia militia
militar m. military man,
  soldier
  adj. military
millar m. thousand
mimar to spoil, pamper,
  indulge
mimo caress, pet
minería mining
minero m. miner
  adj. mining
minifalda miniskirt
minima f. spoiled darling
ministerio ministry
minoría minority
minorista retail
minoritaria of the minority
minucioso meticulous, prissy
minúsculo tiny, small
mira intention
mirada look, glance
miramiento look, concern
misa mass (religious)
misérrimo wretched, very
  miserable
misionero missionary
misógino woman hater
misterizante mystifying

mitín m. (political) meeting
mito myth
mitote m. riot, disturbance
moaré m. moiré; mirage,
  shimmering effect of heated air
moceril youthful, pertaining to
  a young man
moda mode, fashion, style
  de _ popular, in fashion, in
    style
  fuera de _ out of style
  pasado de _ out of style
modales m.pl. manners, styles,
  fashion
modalidad f. manner, style
moderado moderate
modo: _ de ser nature, disposition
  _ de vida way of life
  de _ que so that
Moisés Moses
molde: _ de yeso plaster cast
moldura molding
moler to grind
molino mill
momentáneo momentary,
  fleeting
momento: de _ suddenly
  por _s by the minute
monaguillo altar boy, acolyte
moneda money, coin
  _ de cambio medium of
    exchange
  _ de uso corriente accepted
    custom
monja nun
monje m. monk
mono monkey
monocomercio single-product
  business, selling "one line"
monocultivo one-crop farming
monoteísmo monotheism
monótonamente monotonously
monstruo monster
montado mounted, set

montar to build, set up, get into (vehicle)

monte m. woods, mountain

montevideano native or resident of Montevideo

montón m. pile, heap

montoncito little blob, lump

mora mulberry tree

morada dwelling, dwelling place

morado black eye

morador m. resident, dweller

moral f. morale

mordaz sarcastic, curt

moreno dark; dark complexioned

morisco Moor converted to Christianity after Reconquest

morocha strapping, robust woman

mortalidad f. mortality (rate)

mortificar to mortify, vex

mosca fly

mostrador m. counter

mostrar to show

mostrenco wild, stray; saucy

mortífero deadly

mosquitero mosquito netting

motivar to cause, have as effect, give a reason for

motivo theme, motif

movedizo shifting, changing

moverse to move about

móvil m. motive, cause, incentive

movilizar to mobilize, set moving

mozo m. youth, young man; waiter
    adj. young, unmarried

mudarse to move

mudo silent, mute

mueca grimace, "face"

muela molar (tooth)

muelle m. pier, dock

muestra indication, sign, example, sample

mugido lowing, bellowing

mujerzuela "dame," babe

mulatez f. condition of being a mulatto

multa fine

mundel m. white person

municipio town (council)

muñeca wrist; doll

muñeco doll

muñón m. stump of limb (after amputation)

muralla wall

murmullo murmur, ripple

muro wall

músculo muscle

mutismo stubborn silence, mutism

mutuales médicas f.pl. private health plans or associations

mutuamente mutually

naciente incipient, budding

nacimiento birth

nada: _ que ver con nothing to do with

naipe m. playing card

naricero nose-maker

narigueta snub nose

nariz f. nose, (pl.) nostrils

natal native

natalidad f. birth

nato born

natural illegitimate

naturaleza nature

náufrago shipwrecked person

nauseabundo nauseating, sickening

navaja razor

nave f. ship

Navidad f. Christmas

navío ship

neblina fog

necesitado m. needy person, pauper

negar to deny

negativa refusal

negociado negotiation, transaction

negocios pl. business
    hablar de _ to talk business

negrero slave trader

negritud f. condition of being a Negro

nena girl, child, baby

nene m. boy, child, baby

nervio nerve

nerviosismo nervousness

nervudo vigorous, with nerves

netamente purely

nevado snow-covered

nexo connection, relationship

nieto grandson, grandchild

nieve f. snow

nimbo halo, aura, cloud

niña child; apple of one's eye

niñera nursemaid

niño bien playboy, spoiled rich boy

nítido clear

nivel m. level

nivelado level

nivelar to level, make equal or even; trim

nobiliario of nobility

nobleza nobility

nocivo noxious, harmful

noctámbulo night-prowling

nogal m. walnut tree

nombramiento appointment, naming

nórdico Nordic

norma f. norm

norteño northerner

nota grade, mark

notable remarkable

notado noted, observed

novedad f. novelty, new thing
    _es pl. news

novedoso brand-new, novel
novia fiancée, girlfriend
noviazgo engagement
Novicia Voladora Flying Nun
novio fiancé, boyfriend
nube f. cloud
nublarse to become cloudy
nuca back of neck
nudo knot, tangle, group
nuera daughter-in-law
nuevamente recently, again
nulidad unimportance;
  being "nobody"
nutricio nutritive
nutrido large, great
nutrir to nourish, feed

ñudo knot

obeso fat
obispo bishop
objetivar to set up, assert,
  objectify
obligar to force, make, oblige
obligatorio compulsory
obra work, literary work
  _ **maestra** masterpiece
obscuramente dully, deep
  down
obsequiado made a gift of,
  presented as gift
obsequio gift
obsesionadamente intently
obstaculizar to block
obstante: no _ however,
  nevertheless
obstinación: con _ stubbornly
obstinado stubborn
obviamente obviously
obvio obvious
ocio leisure
ocultar to hide
oculto hidden, occult
ocupar to occupy, concern
  _ **se de, en** to worry about, be

busy with, pay attention to,
  concern oneself with
ocurrencia bright idea
ocurrir: por _ to occur (in the
  future)
odiar to hate
odio hatred
odisea odyssey, wandering
oeste m. west
oferta supply
oficialista m. official, office
  worker
oficinista m. clerk, office worker
oficio office, craft, trade,
  occupation, task; role
ofrecimiento offer
oído: en mi _ right in my ear,
  privately
ojeada glance, look, eyeing
ojeras pl. rings or circles under
  the eyes
ojeroso having rings or circles
  under the eyes
ojillos pl. little eyes
ola wave
oleada big wave
oleaje m. big wave, surge; rush,
  crush (as of waves)
oler to smell
  _ **a** to hint of
olmo elm tree
olor m. odor, smell
olla pot
onda wave
ondear to wave
ondularse to move about
operar to work, act, operate
operativo project, operation
opinar to think, have an
  opinion of
oponer to offer, oppose
  _ **se a** to resist
opositor m. opponent
  adj. opposing
oprimido oppressed

optar por to choose, prefer
optativo elective, optional
opuesto opposed
opulencia wealth
oración f. prayer
ordenado orderly, neat
ordenanza ordinance, law
ordenar to order, arrange in
  order
oreja ear
orfandad f. orphanhood,
  abandonment
organismo organization, body
originar to cause
originario originating, creative
orina urine
oriundo de native to or of
orlar to trim, border
osadía boldness
oscilante flickering
oscilar to vary, waver
oscuridad f. darkness
ostensible supposed, ostensible,
  apparent
ostentar to display, show, boast
ostentativo ostentatious, showy
ostentoso showy
otoño autumn
otorgar to grant, give
otro: _ **tanto** the same
  _**s cuantos** a few

pacato gentle, timid
padrino godfather, sponsor
paga pay
pagadero payable
pago payment, share, rate
paisaje m. landscape, scenery
paisano person from same town
  or region
paja straw
pajarito little bird
pajonal m. field of tall, coarse
  grass
palabreja jargon, expression

palada shovelful

palangana basin, washbowl

palidecer to turn pale, become pale

palidez f. pallor

paliza beating with a stick, drubbing

palmadita slap

palmando slapping

palmar m. palm grove

palmera palm tree

palmo: de a _ span, four inches (in size)

palo stick

palodehacha hardwood tree (used for ax handles)

paloma pigeon, dove

palpando feeling, touching

palpar to feel, touch, hit, hold and feel

palpitar to throb, beat

paludismo malaria

pampa grassy plain (Arg.)

panadero baker

panameño Panamanian, from Panama

pandilla group, faction, gang

pantalones m. pl. pants, trousers

pantalla screen (TV, movie)

pantano swamp

pantufla slipper

panzudo paunchy, big-bellied

pañal m. diaper

paño cloth, heavy cloth

pañuelo handkerchief

papa potato

papagayo parrot

papel: jugar un _ to play a role
_ sellado official paper, "red tape"

papelería paper work, red tape

papelero paper dealer, seller

papilla: convertirse en _ to be smashed, become mush

par m. pair, couple, few
f. par, equal
a la _ on the par
sin _ unequalled

para: _ con towards, so far as
_ is concerned
¿ _ qué puedo servirte?
What can I do for you?

parachoques m. bumper

parada stop (bus)

paradero whereabouts, location

parado standing, standing up, parked, stopped

paradoja paradox

paraíso paradise

paralizador paralyzing

pararse to stop
_ a to stop to, pause to + inf.

parasociólogo parasociologist

parcela parcel, plot of land

parcial part-time

parcialidad f. bias, partiality

parecido similar, such

pareja couple, pair

parentesco relationship, tie, bond

paria outcast

pariente m. & f. relative

parisiense Parisian, from or of Paris

paro shut down, work stoppage

párpado eyelid

párrafo paragraph

parroquia parish, parish church

parroquiano customer

partera midwife

participante participating

participar to participate, inform

particular private

partida party, group; departure

partidario (-a) partisan, supporter

partidista of the party or group

partido party, support, group; game

partiendo de beginning with

parto birth, childbirth

párvulo tiny, young

pasado passage, past

pasaje m. passage, way, private alley; fare
situación de _ transition

pasajero m. passenger
adj. fleeting, passing; common

pasamanos m. banister, railing

pasar to cross, go beyond or over, pass, send, happen
_ por to be considered as, pass for

pasear to promenade, take someone for a walk or ride
_ se to walk or ride around, take a walk

paseo promenade, walk
salir de _ to go for a walk

pasional passionate, given to impulse

pasividad f. passiveness, calmness

pasmoso wonderful, beautiful, astounding

paso passing, step, pace; passage, way
abrirse _ to force or make one's way
de _ in passing
marcando el _ marking time
reintegrado al _ once more in step with, restored

pasta pl. cookies, baked goods
_ valenciana marbled leather binding

pastilla pill

pasto grass, ground

pastor m. shepherd; pastor, clergyman

pastoral f. pastoral letter
pastoreo pasturing, sheep or cattle herding
pastoril pastoral
pata paw, leg, foot
　meter la _ to put one's foot into it, make an embarrassing blunder
patada: a _ s by kicking
pataleo kicking, stamping
patata potato
patear to kick
paterno paternal
patillas pl. sideburns, side whiskers
patología pathology
patrilíneo patrilineal, power through male descendants
patrón m. landlord, owner; pattern
patrono employer, boss
patrullar to patrol
paulatino gradual, slow
pauta guide lines, norm
pavor m. terror, fright
paz f. peace
pecado sin
pecador m. sinner
pecho breast, bosom
pedagógico pedagogical, teaching, instructive, instructional
pedaleando pedaling
pedazo piece
pedido order, request
pedrada stone throwing
pegajoso sticky
pegar to glue
　_se a to hang on to, cling to
　_ un tiro to shoot, hit
peinado hairdo
peine m. comb
pelado; pelao penniless Mexican; bum
pelaje m. hair or wool of animal, coat

pelea struggle, fight
pelear to fight
peligro danger
pelirrojo red-head
pelo hair
pelota ball
peluca wig
pella circular round, flat form (like tortilla)
pellejito skin (of sausage)
pellejo skin; gristle
pena embarrassment, penalty, trouble
　dar _ a to grieve, make someone feel bad
pendenciero quarrelsome
pender to hang
pendiente de hanging on to (idea); depending on
péndulo pendulum
penetrar en to enter
penosamente with difficulty
penoso painful, difficult, arduous
pensador m. thinker
pensativo thoughtful, pensive
pensionado pensioned, paid
peñasco crag, pinnacle
pequeñoburguesía petty bourgeoisie
pera pear
percance m. misfortune, accident
perdedor m. loser
　adj. losing
perder to waste, miss, fade, lose
pérdida loss
perdido out-of-the-way, remote
perdurar to last for a long time
perecer to perish, die
peregrinación f. pilgrimage
peregrinaje m. pilgrimage
peregrino m. pilgrim
　adj. strange, weird
perenne eternal

perennidad eternality, state of existing forever
perezoso lazy
perfeccionamiento improvement
perfil m. profile, outline
perfilar to outline, present a profile, portray
　_se to become noticeable
perforación f. drilling
pericia skill
periodismo journalism
periodístico journalistic, news
periquillo small parrot
perito expert
perjudicar to harm, damage, hurt
perjudicial harmful, destructive
perjuicio damage, harm, injury
permanecer to remain, stay
permanencia sojourn, stay
permiso permission
peroración f. harangue
persa m. Persian
perseguir to pursue, persecute, beset
perseverante persevering
persiana blind, shutter
persignarse to cross oneself, make sign of cross
personaje m. character, person, type of person
personal m. personnel
personalismo selfishness, egoism
perspectivismo perspective, vision
perspicacia discernment
perspicaz keen
perturbar to disturb, confuse, upset
peruano Peruvian
perrito-guía little dog—guide
pesadez: con _ drowsily
pesadilla nightmare

pesadísimo   very slow, heavy (task)

pesado   slow, heavy; sultry

pesadumbre   f.   grief, sorrow

pesar   to weigh, have weight

  a _ de   in spite of

pesca   fishing

pescado   fish (food)

pescadora   fisherman's wife

pescuezo   (long) neck

pese a   in spite of

pésimo   very bad, miserable

peso   Spanish-American monetary unit

  de a cien _s   one hundred-peso

pesquisa   research, investigation

petrolero   petroleum

petrolífero   oil-producing, petroleum

petroquímica   petroleum chemistry

pez   f.   fish

piadoso   pious; pitying

picado   stung

picante   highly seasoned; hot; racy

Picapiedras   Flintstones

picar   to sting, prick

picaresco   picaresque

pícaro   m.   rogue

  adj.   roguish, vile

pico   a little more

pie: de _   standing

  al _ de la letra   literally

  ponerse de _   to get up, stand up

  puesto de _   standing

  seguir en _   to remain acceptable, still be in force

  una verdad en _   a truth which stands out

piedad   f.   pity

piedra   stone

pieza   room, piece; tooth

pilar   m.   pillar

pileta   sink

pilón   m.   stump, post, base, resting place

pincelada   brush stroke (painting)

pinchado   m.   pin

  adj.   stuck

pintarrajeado   badly painted, smeared, daubed

pintoresco   picturesque

pintura   paint, painting; lipstick

pinzas   pl.   pincers

piña   pineapple

pipa   pipe

piquetazo   jab

piropo   flirtatious remark

pisado   tamped down

pisar   to step on

piscicultura   fish farming

piso   apartment; story; floor, flooring

pisotear   to trample

pisotón   m.   heavy tread, stomp

pistolón   m.   large pistol

pituca   person with snobbish or upperclass airs

pizca   whit, mite, tiniest bit

placa   plaque

placentero   pleasant, agreeable

placer   m.   pleasure

plaga   plague

plancha   iron

planeador   m.   planner

planeamiento   planning

planicie   f.   plain

planificación   f.   planning

planificador   m.   planner

planificar   to plan

plano   plot, plan; plane

planta   foot, sole

plantado   sitting, placed

plantar   to plant, found, establish

plantear   to present, state, set

up, define (problem or fact)

plasmar   to mold, shape

plástica   plastic arts

plata   silver, money

plateado   silvered, made like silver

plática   talk, chat, conversation sermon

platicar   to talk, discuss

platillo   saucer; dish (of food)

plato   plate, dish; course

  _ volador   flying saucer

plaza   place, square; job, employment

  _ de toros   bull ring

plazo   time limit, term, period of time

  a _s   in installments

plebe   f.   (common) people

plebeyo   pertaining to the common people

plegaria   prayer

plegarse   to fold over, bend

pleito   lawsuit, case, litigation; contest

plenamente   fully

plenipotenciario   plenipotentiary (diplomatic agent having full power or authority)

plenitud: a _   fully

pleno   at its height, complete, full

  en _ + noun   in the middle of, in the midst of, at the height of

plomo   lead

pluma   feather

población   f.   population, people, race, village

poblacho   shabby town

poblado   m.   village

  adj.   populated

poblador   m.   founder, settler, inhabitant, resident, population

poblar   to populate, settle

pobreza poverty
pocilga pigsty, slum
poder power
  P_ Judicial Ministry of
    Justicia
  por _ by proxy
poderío power
poderoso powerful
podrido rotten, putrid
poesía poetry, poem
  _ de clerecía monkish poetry
    (Middle Ages)
polémica polemics, debate
policial detective, police, pertaining to police
político m. politician
  adj. political
póliza de seguros insurance
  policy
Polonia Poland
polvo dust
  en _ powdered
pólvora gunpowder
polvoriento dusty
pollera skirt
pollo chicken
pomo knob
poner to set up, establish
  _se to become
populista populist, favoring the
  people
por: _ ciento percent
  _ eso therefore
  _ + adj. + que however _ that
  _ lo abrupto y lo pobre no
    matter how abrupt and poor
    are . . .
  _ más que no matter how
    much, however much, even
    though
  _ mucho que however much
    that
  _ si in case
  _ sí of itself
  _ + inf. still to be + past

  participle
porcelana china, porcelain
porcentaje m. percentage
porcentual percentagewise
  en cifras _es by percentage,
    in percent
pormenor m. detail
poroto bean
porquería de un perro dog dirt
porrazo heavy blow
portaavión m. aircraft carrier
portador m. carrier, wearer,
  bearer
portal m. front door, porch,
  entrance; (pl.) arcade
portarse to conduct or behave
  oneself
portátil portable
porte m. behavior, conduct
portentoso ominous
porteño m. native, resident of
  Buenos Aires
  adj. of or from Buenos Aires
porvenir m. future
posada inn, lodging house
posarse to alight, settle
  _ de to pose as
poseedor owning
poseer to possess, own
poseso possessed, bedeviled
postor m. bidder
  al mejor _ to the highest
    bidder
postrarse to prostrate oneself,
  grovel
postre m. dessert
  a los _s finally, at long last
postrero last
postulado premise, postulate
postulante m. & f. candidate,
  participant
postular to favor, sponsor
potencia power, potency
potente huge, strong
potro colt

pozo m. well
práctica practice
  en la _ in practice, through
    or by experience
práctico practical
Praga Prague
precedente: sin _ unprece-
  dented
preciarse to be valued
precipitarse to rush
precisado specified, made
  specific
precisar to need, state precisely,
  determine, specify
preciso necessary, precise, exact
precolombino pre-Columbian,
  before Columbus
preconizar to favor, set up
precortesiano before Cortez
precoz precocious
prédica sermon, preaching
predicar to preach
predilecto favorite, preferred
predominio predominance,
  superiority
preestablecido pre-established
preferente preferential
preferentemente preferably
prefijo prefix
pregón m. cry, public
  announcement
pregonar to hawk
prejuicio prejudice
prelado prelate (church
  dignitary)
premiar to reward
prenda garment, article of
  clothing, piece of jewelry
prendado charmed, captivated
prender to turn on (light)
prendido lighted, lit
prensa press
preocupación f. worry
preocupar to worry, preoccupy
  _se por to concern oneself with

presa prey, catch, spoils
presciencia foreknowledge
prescindirse de to disregard, dispense with, do without, give up
prescrito laid down, designated
presencia display, show
presenciar to witness
presidir to dominate, preside over
presión f. pressure
preso (-a) prisoner adj. imprisoned
prestado rendered, lent
prestamista m. & f. money-lender
préstamo loan
prestar to lend; pay (attention)
prestigio prestige
presto a ready to, quick to
presumido conceited
presunción f. presumption, conceit, vanity
presuntamente presumably
presunto presumed
pretender to pretend, claim, expect
pretil m. ledge, railing; flower-bed
presupuesto budget
prevalecer to prevail
prevaleciente prevailing
prevenir to warn
prever to foresee
previa after, following
previamente previously
previo previous
previsión foresight
   P_ Social Social Security
primavera spring
primero first, early
primo hermano first cousin
primorosamente exquisitely, superbly
primoroso exquisite, lovely

príncipe m. prince
principio principle; beginning
   a _s de around the beginning of
   desde un _ from the beginning
   por _ de cuentas to begin with
prisionero prisoner
privar to deprive
probar to test, prove; taste, try
problemática problem solving
procedencia origin
procedente de coming or originating from
proceder m. behavior, action
procedimiento procedure, proceedings
prócer m. father of country, founder, hero
proceso progress; lawsuit
proclama proclamation
procurador m. bailiff, recruiting officer
procurar to try
pródigo prodigal, loose with money
producto proceeds
productor m. producer adj. producer, producing
proeza feat
proferir to present, offer
profesorado faculty, teaching staff
prófugo fugitive
profundidad f. depth
profundo m. depth adj. & adv. deeply
progenitor m. ancestor
progresista progressive
prójimo neighbor, fellow being
prole f. offspring
proletario proletarian
prolijo exaggerated
promedio average

promesa promise
prometedor promising
promoción f. commencement, graduation exercises
promocionado promoted
promotor m. sponsor
promover to promote, advance, further, sponsor
promulgar to issue, decree
pronosticar to foretell, forecast
pronto: de _ all of a sudden
pronunciado delivered (speech)
pronunciamiento uprising
pronunciarse to rebel, declare itself
propenso a inclined to
propiamente properly
propiciar to favor, promote
propicio suitable
propiedad f. property, ownership, propriety
propietario proprietor, owner
propina tip
propinar to give (beating)
propio very, own; peculiar, suitable
proporcionar to supply, furnish, provide
propósito aim, purpose
   a _ (de) apropos of, by the way, intentionally
propuesto proposed
propugnar to defend, fight for
propulsar to propel, give impulse to
propulsión f. promotion
prorrumpir to call out, shout out
proscrito outlawed, banned
proseguir to continue
próspero prosperous
prosternado prostrate; grovelling
protagonizado por with leading role by

protector protective
provecho advantage, benefit, profit
provechoso advantageous, profitable, useful
proveedor m. supplier, purveyor
proveer to provide
proveniente originating, arising
provenir de to originate from, come from
provinciano provincial, regional
provisorio (lo) temporary
provista provisions, supply
provisto provided, supplied
próximo next
proyección f. projection
proyectar to project, plan
proyecto project, plan
prueba test, proof
  a _ de proof against, _ proof
  a _ trial
prurito urge
psicoanálisis m. psychoanalysis
psicólogo psychologist
psique f. psyche
psiquiatra m. psychiatrist
psiquiátrico psychiatric
psíquico psychic
publicitario advertising
puchero stew; "grub"
pudiente powerful
pudor embarrassment
pudoroso shy, modest
pudrir to rot
puente m. bridge
  _ de mando bridge (of a ship)
puerta de resorte self-closing door
puertorriqueño m. person from Puerto Rico
  adj. pertaining to Puerto Rico
puesto place, post; job, position

_ **que** since
pujanza vigor, push
pulir to polish
pulmón m. lung
pulpera (female) storekeeper of **pulpería**
pulpería country store (Arg.)
pulpero owner, storekeeper of a **pulpería**
pulsera bracelet
pulular to breed profusely, swarm
punta tip, point, top
puntada start, hint
puntapié m. kick
punto period
  a _ de on the point of
  _ final period
puñado handful, fistful
puñal m. dagger
puñalada stab (with a dagger)
puñetazo punch
puño fist; perch (for hawk)
pupila pupil (eye)
pureza purity, clearness
purísimo very clear
puta: hija de _ dirty bitch

quebracho wood (used in tanning)
quebrada ravine, gully
quebrantado crushed, beat down
quebranto discouragement, breakdown
quedarse to remain, stay, be, behave
  _ bien, mal to acquit oneself well, badly
  _ con to keep
  _ integrado por to be formed by, made up by
  _ por + inf. to remain to be, there is still to be + past participle

_ **viendo** to keep on looking
quehacer m. duty, job, chore
queja complaint
quemante rechifla hissing catcalls
quemar to burn, set fire to
querida mistress, girlfriend
quimera illusion, fancy
química chemistry
químico chemist
quincenal fortnightly, every two weeks
quinto fifth (part)
quiribí m. cherub
quitar to stop; take away
  _ la careta to take off the mask

rabia rage, anger
rabiar to get mad, rage
rabioso mad, furious
racimo cluster, bunch
racha gust, squall
radicado rooted, based
radicar to rest, take root
  _ en que to rest on the fact that
radio radius
radiodifusión f. radio, broadcasting
radiografía X-ray
radioparlante radio broadcasting
raído threadbare, worn out
raíz f. root, basis
  a _ de starting with
rama branch
ramaje m. foliage, branches
ramo branch, bouquet, bunch
rana frog
rancio rancid; aged (in vintage)
rango rank
rapacidad f. eagerness, grabbing after
rapaz m. lad, kid

rapidez f. rapidity
raptar to abduct, kidnap; rape, seduce
rapto kidnapping
rareza rarity
rascacielos m. skyscraper
rascar to scratch
rasgado slanting (eyes)
rasgo trait, characteristic
rasposo raspy
rastro trace, vestige
rasurado shaven
rata rat
rato short period of time
ratón m. mouse
rayar en to border on
rayas: a _ striped
rayo lightning, flash of lightning; thunderbolt
  mal _ me parta may the devil take me
raza race
  de _ pure-blooded, thoroughbred
razón f. reason; proportion
  _ de ser raison d'être
razonamiento reasoning, (way of) thinking
reacio obstinate, stubborn
reaccionar to react
reajuste m. readjustment
real royal
realización f. accomplishment
realizar to carry out, accomplish, fulfill; hold (conference)
reanudación f. renewal, resumption
reanudar to renew, resume
rebajar to reduce, diminish, lower
rebaño flock
rebelde m. rebel
  adj. rebellious
rebeldía rebelliousness, defiance
rebosar to burst, overflow

rebullir to stir, begin to move
recalcar to stress, insist on, emphasize
recámara room, bedroom
recargo extra charge, surcharge
recatado circumspect, cautious
recato: sin _ unashamedly, unabashed
recelar de to distrust, be suspicious of
recelo distrust, fear, suspicion
receloso distrustful, suspicious
receptor m. receiver
recetar to prescribe
recibimiento vestibule, reception room
recibirse de to graduate as
recibo receipt
recién just; recently, newly
  _ casada newly-married girl
  _ casados newlyweds
  _ llegado newcomer
recinto haven, place, spot, enclosure
recio thick, strong, stout
reclamar to claim, demand
reclamo complaint, demand
recluir to have recourse to
recobrar (sobre) to regain, recover, turn (upon)
recoger to gather, collect, get
recolección f. gathering, collecting
reconfortado cheered, comforted
reconocido recognized, accepted, acknowledged
reconocimiento recognition
reconquista Reconquest
reconquistar to reconquer
reconstruir to reconstruct
recordar to remind, remember, recall, remind of
recortado de short of, short on
recortar to design, cut out,

trim, clip
recorrer to go or drive along, cross, go over or through, go
  _ con la mirada to peruse, go over, look over, "shelf-read"
recreándose amusing oneself
recrudecer to come back; get worse
rectilíneo straight
recto straight, upright
rector m. university president
recuerdo memory
reculando backing up, withdrawing
recuperar to recover, regain
recurso device, recourse, resource
recurrirse a to have recourse to, resort to
rechazar to reject
rechifla: quemante _ hissing catcalls
red f. screen, net; network
redactar to write up, compose
redactor m. editor
redención f. redemption
redimir to redeem
reducido small
reducto retreat, refuge
redundar en to result in
reelegir to re-elect
reemplazar to replace, substitute for
referente a referring to
reflejar to reflect
reflejo reflection
reflexión f. meditation, thinking
reflexionar to reflect, think over
reforzar to encourage, strengthen
refrán m. proverb, saying
refrescar to refresh, cool off

refresco cold drink, refreshment
refrigeración f. airconditioning
refrito mashed and reheated (beans)
refuerzo reinforcement
refugiarse to take refuge
refugio refuge, asylum
regatear to haggle, bargain
regazo lap (also fig.)
regentar to manage, rule over
regido ruled, controlled, governed
régimen m. system, regime, rule; diet
regir to reign, rule, be in force, prevail
registrado recorded, occurred
registro examination, inspection, search; roll, registration
reglamentariamente according to rules
reglamento regulation
regocijado happy, cheerful, cheering
regular to regulate, throttle
regularizar to make official, regularize
rehusar(se) to refuse
reinado m. reign
reinante reigning, prevailing
reinar to reign, prevail
reiniciar to reinstate, begin over again
reino kingdom, reign
reintegrado al paso once more in step with, restored
reintegrar to go back to, revert to
reírse de to laugh at
reivindicación f. complaint
reivindicar to restore one's reputation, justify
reja grate, grill
relación f. relation, narration, story

en _ con relative to
relacionado related
_ a, con related to
relacionar to relate
_se con to get acquainted with
Relaciones Exteriores Foreign Affairs
   Ministro de _ Minister of Foreign Affairs
relámpago m. flash of lightning adj. quick as lightning
relato report, story, tale
relegar to set or put aside, drop
releyendo reading over again
relicario shrine
relieve m. (design in) relief
religiosidad f. religiousness
religioso m. monk, religious person
relinchar to neigh
reliquia relic, vestige
reluciente shiny, glistening
remanente m. remnant
remate m. auction sale
remiendo repair, patch, mending
remoción f. movement, stir
remolino whirlwind
remontar to go back (in time)
remordimiento remorse
renacentista pertaining to the Renaissance
Renacimiento Renaissance
rencor m. ill-will, rancor
rencoroso rancorous, spiteful
rendimiento yield, output; exploitation
rendir to give, yield
   _ cuentas a to be responsible to, be under
   _ un examen to take an examination
renegar de to hate, detest
renegrido blue-black, jet black

renglón m. line, line of business
reno reindeer
renombrado renowned, famous
renovar to renew, change
renta income
renuncia resignation
renunciable to be given up
   no son _s cannot be given up
renunciar a to renounce, give up
reñido at variance, contradictory (to)
reñir to quarrel, fight
reo offender, criminal
repantigado sprawled out
reparo comments, observation
   poner _s to make objections
repartición f. distribution, delivery
repartimiento distribution, delivery
repartir to distribute, deliver
repelente repulsive
repentino sudden, unexpected
repercutir en to have a repercussion on
réplica replica, copy
replicar to answer, retort
repliegue m. throwback; fold
reponer a to put back in, restore to
   _se to recover
reportaje m. report (journalism)
reposado restful, calm
repostero: de _ by a pastry cook, "wedding-cake"
represa dam
represalia reprisal
representación f. objection, statement; performance
representante representative
reprimir to repress
reprobación f. censure, disapproval
repudiable repulsive
repuesto m. stock, supply, re-

placement part
adj. recovered
repulsa rebuke
requerir to require, need
requiriendo de depending on
requisito requirement
res f. (head of) cattle, steer
resaltar to stand out
resbalar to slide, slip
resentido resentful
resentimiento resentment
resero cowboy, herdsman
resguardo defense, protection
residuo residue, remains,
   remnant
resolver to resolve, decide
resorte m. spring; resources;
   (pl.) make-up
   manejar los _s to take care of
      administrative affairs
respaldar to back, support, en-
   dorse
respaldo endorsement, backing
respetado respected
   al _ in the matter, relevant
respetuoso respectful
respingado turned up, snub
resplandecer to shine, glitter
resplandeciente gleaming
responderse con la misma
   moneda to repay in one's own
   coin, retort in like manner
resplandor m. brilliance, glare
responsable m. person responsible or in charge, agent
respuesta reply
resquebrajando splitting up
restallar to crack, blow up
restar to deduct, take something from
restituir to restore, give back
resto rest, remainder; (pl.) remains
resumen: en _ in a word, to
   sum up

resumir to sum up
resurgimiento increase, resur-
   gence
resurgir to increase
resucitar to revive
retapizar to reupholster
retar to challenge
retemblar to shake, tremble
retener to hold, restrain
retirada retreat, withdrawal
retirar(se) to move or take
   away, withdraw
retiro withdrawal, retreat
reto challenge
retorcer to twist
   _se to writhe
retorcido disheveled, matted
retórica rhetoric, speech-making
retorno return
retraso delay, slowness
retratar to give a picture of,
   portray
retrato portrait, picture
retribución f. pay, compensation
retroceder: hacer _ to back up
reunión f. party, get-together,
   meeting
reunir to reunite
   _se to meet, get together
revenir to come back, come
   home
reverdecido turned green again
revés: al _ on the contrary, in
   the opposite way
revestimiento covering, coat
revestir to put on, cover, bear
revisión f. check, inspection
revista magazine
   _ en fotoserie magazine
      carrying photographed
      episodes
revolucionar to revolutionize
revolucionismo revolutionary
   spirit

revolver to turn over
revuelta revolt, overturning
revuelto disheveled
Reyes Magos Magi, Three Kings
rezar to pray
rezo prayer
rezongar to grumble
riacho streamlet, rivulet
riachuela streamlet
riba river bank
ribón m. ribbon
rictus m. convulsive grin,
   smirk
ridículo: poner en _ to ridicule,
   make ridiculous
riego sprinkler, irrigation
rienda rein
riesgo risk
rigidez f. rigidity, stiffness
rincón m. inner corner
rinoceronte m. rhinoceros
riña quarrel
   _ de gallos cock fight
riñón m. kidney
riqueza wealth, riches
   _s naturales natural resources
risotada guffaw, horselaugh
rito rite
rivalidad f. rivalry
rivalizar to compete
rizo curl, ringlet
robar to rob, steal
robo theft, robbery
robustecer to strengthen, affirm
roce m. frequent contact,
   touch, dealings
rocoso rocky
rodar to roll
   _ por to appear on
rodeado surrounded
rodear to surround, go around,
   circumvent
rodeo round-about way, detour;
   rodeo
roedor m. rodent

rogar to pray, request
roído worn out, eaten away, rundown
roji-blanco red and white
rojizo reddish
rollizo stocky, plump, chubby
romance m. ballad
romanilla: ventana de _ shuttered window
romero rosemary bush
ron m. rum
rondar to go around, go the rounds at night
ronquido m. snore
ropa clothing
_ **interior** underwear
ropero wardrobe
rosa pink
rosado pink, rose-colored
roto broken
rótulo sign, label
rotundo peremptory, dogmatic
rotura breaking, breakage
rozar to graze, touch, rub, get to know (casually)
_**se** to come into contact with, hobnob with
rubio m. blond, White (person) adj. blond
rubricar to make a flourish
rubro heading, section, title
rudo coarse, rude, crude
rueda wheel
rugir to roar
rugoso wrinkled
ruinoso ruinous, wild
rumbo direction, corner, part
rumiar to meditate, mull over
ruso Russian
rutinario routine

sábana sheet
sabatino Saturday
sabiduría wisdom
sabio scholar, scientist

sablazo saber blow
sabor m. taste, flavor
sacar to get, win (prize); take out
_**se** to take off, let out
sacerdotal priestly
sacerdote m. priest
saciar to fill, satisfy
saco coat, suit coat, jacket
sacudimiento jolt
sacudir to shake, jolt
sagacidad f. wisdom
sagaz wise, smart
sagrado sacred, holy, blessed; cursed, damn
sajón Saxon, Anglo-Saxon
sal f. salt
sala living room, movie house
_ **de cine** movie house
salado salty
salas-cuna nursery
salchichón m. big sausage
saldo figure, balance, credit; remainder, outcome
salita de espera waiting room
salitre m. saltpeter, nitrate
salitroso salty
salón m. meeting room, ballroom, room
_ **de baile** dance hall
_ **de té** tea room
saltar to jump, pop
_ **de** to spring from
salto jump, spring
salubridad f. (public) health
saludable healthful, healthy
saludar to greet
saludo salute, greeting
salvajada savage act
salvaje m. savage adj. savage, wild
salvajismo savagery
salvar to save, salvage
sanar to cure
saneamiento sanitation; drain-

age (marsh)
sangrar to bleed, leak
sangría bloodletting, bloody act
sangriento bloody
sanguinario bloodthirsty
sanidad f. department of health
sano sound, healthy
santo holy, blessed
santuario sanctuary, shrine
saquear to sack, plunder, pillage
saqueo sacking, plundering
sarnoso mangy
sátira satire
satisfecho satisfied
savia sap
sazonado seasoned
sea: o _ that is to say
_ **como fuere** be that as it may
secar to dry
_**se** to dry up
seccionar to divide into sections
seco dry, curt; clean
secuela sequel, sequence
secuestrado kidnapped
sed f. thirst
seda silk
sede f. headquarters, seat
sediento thirsty; desirous
seguidamente without interruption, continuously
seguidor m. & f. follower, viewer
seguidos straight, successive
seguimiento: de _ continuation; following up
seguramente surely
seguridad f. security
seguro m. (pl.) insurance
instituciones del _ credit institutions
adj. certain, sure, secure
_ **que** it's a fact that
selva jungle
selvático jungle

sellado sealed, stamped (official)
sello stamp
semanal weekly
semanario weekly
sembrar to sow, plant
semejante m. equal, peer
semejanza similarity
semejar to resemble, be like
sementera piece of sown land, seedbed
semiabierto half-opened
semianalfabeto semi-illiterate, partially literate
semidesarrollado half-developed, partially developed
semidesierto semi-desert
semidesnudo half-naked
semileído partially educated
semilla seed
semisuelto half-unpacked
sencillo simple
senda path
sendos one to each, one each
seno bosom
sensibilidad f. sensitivity
sensible sensitive
sentadito quietly seated
sentido sense, feeling; direction, meaning
  doble _ double meaning
sentimentalismo sentimentality
seña: hacer _s to motion
señal f. sign, indication
señalar to show, indicate, point out, mark
señero solitary, lone
señorial seigniorial, lordly, noble
septentrional northern, cold
sequía dry spell, drought
ser m. being
serenado calmed, pacified
serie f. story, series
serpentear to wind

serrallo harem
serrano of the mountains, mountain
servicial obliging
servicio de auxilio first aid
servidumbre f. servitude
servirse de to use, make use of
sesos pl. brains
seudoparentesco as if they were related
sevillana type of knife
sí indeed
sicoanalítico psychoanalytical
sicología psychology
sicológico psychological
siderurgía making of iron and steel
siembra sowing
siempre: _ que provided that, whenever
  de _ usual, forever
sierpe f. serpent, snake
sien f. temple, brow
sierra mountain range
siesta: echar la _ to take a nap
sigilo caution, prudence
siglo century
  S_ de Oro Golden Age
significativo significant
signo sign
silbando whistling
silbato whistle
silbido whistle, hissing
silencioso silent
silvestre wild, of the woods
sillón m. armchair
  _ de resortes dentist chair
simiente f. seed, germ
similitud f. similarity
simpatía friendly feeling, sympathy, friendliness
simpatizar to sympathize
simplista simplistic, cheap
simular to fake, feign
sincretismo syncretism, fusion

of conflicting beliefs
sindical labor union, pertaining to labor union
sindicalismo unionism
sindicalista labor union
sindicalización f. unionization
sindicalizarse to form a union
sindicato union, labor or trade union
sinfín m. endless number
sinfónica symphony orchestra
singularizarse to stand out, be conspicuous
siniestro sinister
sino except, but
sintético synthetic
sintetizar to synthesize
siquiera even, at least
  ni _ not even
siriolibanés Syrio-Lebanese
sirvienta female servant, maid
sitiado besieged
sitio room, place
  tomado por _ reserved
situación de pasaje f. transition
situar to situate, place
  _se to take up a position, stand (in line)
soberanía sovereignty
soberano sovereign
sobornable bribable, can be bribed
sobra excess
  de _ besides, in addition
sobrante remainder
sobrar to be left over
sobre m. envelope
sobrenatural supernatural
sobrepasar to go beyond, surpass
sobreponer to superpose, superimpose
  _se a to win over, overcome
sobresalir to stand out
sobresaltado frightened, startled

sobresalto: sin _s without shock, without being upset
sobrevenir to happen, take place
sobrevivencia survival
sobreviviente m. & f. survivor
sobrina niece
sobrino nephew
socializante m. bringing socialization
socio partner, member
sociólogo sociologist
soez filthy, indecent
sofocante suffocating, stifling
sofocar to choke, suffocate, stifle
soga rope
solar m. ancestral home, manor
soleado sunny
soledad f. solitude, loneliness
solemnidad f. ceremony
solicitante petitioner, one asking (a favor)
solicitud f. petition, request, solicitude
solito single, only
soltar to let out, express, loose, let go
_se to start
soltería spinsterhood
soltero unmarried
solucionar to solve
sollozando sobbing
sombra shadow
   en _s in darkness, in ignorance
sombrío gloomy, somber
sombroso shadowy
someramente superficially
someter to subdue, yield, surrender, subject
_se to submit
sometido submissive, humble
   _ a subject to
son m. sound

a _ de in the guise of, pretending to be
sonar to blow; sound familiar, sound, resound; ring
   hacer _ to ring
   _se to blow one's nose
soneto sonnet
sonoramente loudly
sonoro talking, with sound (movie)
sonreído smiling
sonreír to smile
sonriente smiling
soñado dreamed (of)
soñador (-a) dreamer
soñar con to dream of
soplar to blow, shoot
soplo breath, puff
sopor m. lethargy, sleepiness
soportar to stand, endure
sordo m. deaf person
   adj. deaf, dull, muffled
sorna sneering, cunning
   con _ sneeringly, cunningly
sorpresivamente suddenly, unexpectedly
sorpresivo surprise, unexpected
sortilegio sorcery, witchcraft
sospecha suspicion
sospechado: no _ unsuspected
sospechar to suspect
sostén m. support
sostener to support
sostenimiento support, sustenance
suave dear, sweet, soft, gentle
suavizarse to become easier, softer
suba: en _ on the increase
subalimentado undernourished
subalterno subordinate, lowly
subasta auction
subcapítulo subchapter, section
subdesarrollado underdeveloped
subdesarrollo underdevelop-

ment
súbdito m. subject
súbito sudden
subjefe assistant (to head), subhead, subchief
sublevarse to rebel, revolt
submundo sub-world
subocupación f. underemployment
subordinado m. subordinate
   adj. subordinated
subprivilegiado underprivileged
subrayar to underline, emphasize
subsiguiente subsequent
subsistencia stability, livelihood, subsistence, sustenance
subsuelo subsoil
subterráneo depth, innermost part; subway, underground passage
subtítulo subtitle
subyugación f. subjugation
subyugar to subjugate, dominate
sucedáneo substitute
sucederse to follow one another
sucesivo: en lo _ in the future, later on
suceso event
sucio dirty, filthy, low; blurred
sucursal f. branch office
sudor m. sweat
sudoroso sweaty, sweating
Suecia Sweden
sueco Swedish
suegra mother-in-law
suela sole of shoe
sueldo salary, pay
suelto unpacked
suerte f. lot, fortune, luck, way; kind, sort
   por _ luckily
sufragio suffrage, vote
sufrido long-suffering, suffered
sufrir to endure

sugerir to suggest
suicida suicidal
suicidio suicide
Suiza Switzerland
sujeción f. subordination,
  ability to take orders
sujetar to fasten, hold
sujeto m. subject; fellow
  adj. fastened
  _ a subject to
suma f. sum
  en _ in short
sumamente extremely, exceed-
  ingly
suministrar to provide, supply
sumiso submissive
sumo greatest
  a lo _ at most
  lo _ the highest part, summit,
  top
superación f. overcoming, sur-
  passing, rising above
superado by-passed, abandoned
superar to surpass, rise above,
  overcome, abandon
superficie f. surface, area
superior higher, upper
  clase _ upper class
  escuela _ secondary school
superpoblado overpopulated
superpuesto superimposed
suplente m. substitute, alter-
  nate
suplir to make up for, substitute, take the place of
suponer to suppose, entail
supranacional beyond the
  national, collective
suprimir to suppress
supuesto supposed
  por _ of course
sur m. south
surco furrow, rut
sureste m. Southeast
surgido issued, come forth,

appearing, issuing
surgir to appear, arise, issue
suroeste m. Southwest
suscitar to stir up, provoke
suspirar to sigh
suspiro sigh
sustancia gist
sustentado supported, maintained
sustento support, maintenance
sustituir to substitute
sustraerse a to avoid, shy away
  from
susurrante murmuring
susurrar to whisper
susurro whisper
sutil subtle

tabacal m. tobacco field
tabique m. partition, thin wall
tabla board, plank
tablero game board
taconeando beating noisily
  with the heels
tacto touch
tacha defect, flaw
  sin _ spotless
tacho can
  _ de la basura garbage can
tajo cut, slash
talón m. heel
talla carving
tallado shaped, formed, carved,
  cut
tallarín m. noodle
taller m. workshop
tallo stem
tamaño m. size
  adj. such a, such; so big
tambalear to stagger, reel
tambor m. drum
tam-tam m. tom-tom
tandas pl. money lent without
  interest among friends
tanino tannin (chem.)

tanto: _ como as well as, as
  much as
  por _, por lo _ therefore
  ponerse al _ de to catch on
  or up to
  un _ . . . somewhat, rather. . .
tapa cover
tapado de piel m. fur coat
tapar to cover, put a cover on
tapia adobe wall
tapicería tapestry, upholstery
taquigrafía shorthand, steno-
  graphy
taquígrafo (-a) stenographer
tardanza tardiness, delay
tarea task, job
tarifa fee
tarjeta: _ postal postcard
tasa transit fee; rate
taza cup
té m. tea, tea party
teatral dramatic
técnica f. skill, art, technique;
  way of doing things
técnico m. technician
  adj. technical
tecnocracia technocracy; government by technical experts
tecnólogo technologist
techo roof, ceiling
tedio boredom
tejado roof, ceiling; covering,
  cover
tejido m. weaving
  adj. woven
tela cloth, material
telaraña spiderweb
teleclub m. TV club, club of
  TV viewers
telecomunicaciones f. pl. long
  distance communications
televisor m. television set, TV
televisora TV broadcasting
  station
tema m. theme, topic

temblar to tremble
temblor quiver, shudder; slight earthquake
tembloroso shaking, trembling
temer to fear
temerariamente recklessly, boldly
temeroso fearful
temible dreadful, frightening
temor m. fear
tempestad f. storm
templado temperate, even-tempered
templanza temperance, calmness
temporada period of time, spell
tenaz tenacious, stubborn
tender to extend, spread or stretch out
tendero shopkeeper, store-keeper
tendido spread out
tendiente tending
tenebrosamente gloomily
tenedor de libros m. book-keeper
tenencia occupancy, tenure, tenancy; ownership
tener: _ ... años de vivir to have lived ... years
 _ **de** + adj. to have anything + adj.
 no _ **nada que ver** to have nothing to do with
 _ **por** to consider as
teniente m. lieutenant
tentador tempting
tentar to tempt
tentativa attempt
tenue tenuous
teñir to dye
teología theology
teológico theological
teorización f. theorizing
tercio third (part)

terco stubborn
terminantemente absolutely
término term, end
 en primer _ in the first place, foreground
 por _ **medio** on the average
ternero calf
ternura tenderness
terrateniente m. landowner adj. landowning
terremoto earthquake
terrenal earthly, worldly
terreno m. land, field, area, realm, sphere
 ceder _ to give or yield ground
 adj. terrestrial
terso smooth, satiny
tersura smoothness, polish
tertulia social gathering
tesorero treasurer
testamento will, testament
testigo witness
testosterona male hormones
Tevedós Channel 2
tibio warm
tiburón m. shark
tiempo: _ **parcial** part-time
tienda store, shop
 _ **de comestibles** grocery store
tientas: buscar a _ to grope for, feel around for
tierra adentro inland
tieso stiff, rigid
tijeras pl. scissors, pair of scissors
timbre m. seal, stamp; call bell
tinieblas pl. darkness
tinta ink; hue
tiple m. small high-pitched guitar
tipo type, specimen; fellow
tira strip
 _**s cómicas** comic strips,

 "funnies"
tirado thrown
tiranía tyranny
tirantez f. strain, tension
tirar to spill, throw out, pull
 _**se** to throw oneself
 _**se a** to rush into
tirón m. jerk, yank
tiroteo skirmish, shoot-out, shooting
titulado entitled
título degree
tiza de colores colored chalk
toalla towel
tocadiscos m. record player
tocante a concerning
tocar to knock, touch; play (musical instrument)
 _**le (el turno)** to be one's turn or time; fall to one
tocineta bacon
todo: con _ still, however, nevertheless
 del _ entirely, completely
 por _ in all
todopoderoso all-powerful
toldería Indian campsite
toma assumption, seizure
tomado por sitio reserved
tomar to drink, talk, hold, put on
 _ **a mal** to take amiss
 _ **en cuenta** to take into account
 _ **en serio** to take seriously
tonel m. cask, barrel
tono: de _ stylish
tonto fool
topar con to meet with, come across, hit upon
toque m. touch
torbellino whirlwind
torcer to twist, turn
torcido crooked
tormenta storm

tornadizo changeable, fickle
tornar to make, become
torneo tournament
tornero lathe operator
torniscón m. slap, twist
torna: en _, en _ a around, about
torpe dim, dull, stupid; ugly
torpemente awkwardly
torpeza stupidity
torta cake, pancake
tortuga turtle
tosco rough, coarse
tostada toast
tostar to burn, tan
total in a word, in short
    en _ in all, in a word, to sum up
totémico totem, referring to totem
traba obstacle
trabajador m. worker, laborer
    adj. working, hard working
traducir to translate
traficante m. trafficker, dealer
traficar to trade, deal
tráfico negrero slave trade
tragar to swallow, gulp down, eat up
traicionar to betray
traidor (-a) traitor
    adj. traitorous
traje m. dress, suit
    _ de noche evening dress
trámite m. steps in transacting business
trampa f. trap, snare
transcrito transcribed
transcurrir to pass
transcurso course (of time)
transeúnte m. & f. passer-by
transformador transforming
transigir to compromise
tránsito traffic
transitoriamente temporarily
translúcido translucent

transporte m. transportation, carrying
tranvía m. streetcar
trapo rag
trascurrir to pass, elapse
trasegar to pour (liquid) into another vessel, transfer
trasladar to transfer, translate
    _se to move
traslado transfer, move
trasmundo afterlife
traspaso transfer
trastienda back room, shop
trastornado upset, overcome
trastrocar to reverse, exchange
tratado treatise, treaty
tratamiento treatment
trato relation, friendly relations; behavior, treatment; business; deal
travesaño crosspiece
travesía crossing
trayectoria path
trazado designed, traced, outlined, planned out
trazar to make, dig; outline, locate, trace
trazo trace, outline
tregua respite, let up
tremolando waving
tren de vida m. way of life
trenzar to braid, intertwine
trepar to climb
tribu f. tribe
tribuna grandstand
tribunal m. court of justice
tributo tribute, tax
trigo wheat
trigueña olive-skinned woman
trigueño swarthy, sallow, between blonde and brunette
trineo sleigh
triplicar to triple
triunfador victorious
tromba whirlwind

tronco trunk (of body)
trono throne
tropezar con to strike against, hit; run into, stumble over or upon
tropezón stumbling; unexpected meeting
trovador troubadour
Troyano m. Trojan, person from Troy
trozo piece
truco sneaky trick
trueno thunder
trueque m. bartering
tubo receiver (of telephone)
tumba tomb, monument
tumbado lying down
tumbar to knock down
tupido thick
turba crowd, mob
turbante m. turban
turbar to upset, disturb
turbio troubled, disturbed; dark
turno shift, turn
tutela protection
TV-verdad TV-truth

ubicación f. position, situation, location
ubicar to place, situate, locate
    _se to find a job, be situated
ufano proud; satisfied
último recent, last
ultramar: de _ overseas
ululando howling, wailing
ululante howling, wailing
umbral m. threshold, door (fig.)
undécimo eleventh
unidad f. unity, unit; entity
unido close-knit
unificado unified
uniformado in uniform

unísono: al _ in unison, all at
once
unitivo unifying
untuoso greasy, fatty, oily
uña nail (finger, toe)
urbe f. metropolis
urgir to be urgent
urina urine
uruguayo from Uruguay,
Uruguayan
usanza usage, custom
usina plant, powerplant
usurario pertaining to usury,
with high interest rates
utensilio device, tool, equipment
útil m. tool
utilitario utilitarian, useful
utilizable usable, ready or fit
for use
utilizar to use
utópico Utopian, from a
dreamworld

vaca cow
vacante f. vacancy, opening
vaciar to empty, pour
vacilar to waver
vacío m. emptiness
adj. empty, plain; unin-
habited
vacunar to vaccinate
vagabundez f. tramping
around, vagabonding
vagar to roam, wander
vago m. vagrant, idler
adj. vague
vaho fume, vapor, gust
valedor m. sponsor, protector
valentía valor, bravery; courage
valer to value, be worth
_se de to make use of, use;
take advantage of
_ la pena to be worth the
trouble

valeroso capable, useful, handy
valía worth, value
menor _ unimportance,
insignificance
validez f. validity
valiente valiant, brave
valija suitcase
valioso valuable
valor m. value, import; courage
valorar to value, rate
valorativo value
valorización f. appraisal, value
vals m. waltz
válvula de escape escape valve
¡vamos! well!
vanagloria vanity, pride
vanguardia vanguard, avant-
garde, the "last word"
vapor m. steamboat; steam
a todo _ at full speed, full
steam
vaquero cowboy
varón m. man, male, boy
vasco Basque, pertaining to
Basque Countries
vaso glass
vástago offspring
vaticinio prediction
¡vaya! golly! go on!
vecinal local, of the area
vecindad f. vicinity, neighborhood
buena _ good neighborliness
vecindario neighborhood
vecino m. neighbor, house-
holder
adj. neighboring, nearby;
neighborly
vedar to obstruct, impede
vejamen m. vexation,
annoyance
vejaminoso obnoxious, annoy-
ing
vejez f. old age
vela sail; candle

velar to cover
_ por to watch over or out
for, protect
velo veil
velorio wake, gathering
veloz quick
venalidad f. mercenary
attitude
vencedor m. conqueror
vencido m. conquered person
vendedor m. vendor, salesman
_ ambulante itinerant sales-
person
veneno poison, venom
venenoso poisonous
veneración f. worship
venerar to worship, revere
venezolano Venezuelan, of or
from Venezuela
vengado avenged
venganza vengeance, revenge
vengarse de to avenge oneself
of
venidero future
venta selling, sale
ventaja advantage
ventajoso advantageous
ventanal m. large window
ver to consider
a _ let's see
_se to be
vera edge
veracidad f. truthfulness
verano summer
veras: de _ truly, really
veraz true, truthful
verbo word, divine word,
epitome
verdadero true
verdugo executioner, hangman
vereda sidewalk, path, route
vergonzante bashful, shameful
verificación f. realization,
taking place
versar to improvise verses

_ sobre to deal with, be about

verter to shed, empty, pour

vertiginoso dizzy, giddy

vértigo dizziness

vestido clothing

vestidura clothing

vestimenta clothing

vestir to dress, wear

vestuario apparel, clothes

vetar to veto

vía way, track

  en _s de engaged in, in the midst of

viajero traveler

vial traffic, highway

vibrante vibrant, stimulating

viciado foul, corrupted

vicio vice

vicisitud f. fate, change of fortune

vidriera showcase, glass cabinet

vidrio glass, window pane

viendo looking at

vientecillo light wind, breeze

vientre m. bowels, stomach

viga beam

vigencia fashion, rule, common practice

  tener _ to be in practice or in force

vigente in force or practice, prevalent, fashionable

vigilar to watch over, keep watch

villano peasant, from a village; villain

villas miseria slums, shanty-towns

villorrio small village, hamlet

vinculación f. tie, union

vincular to unite, join, tie, associate, perpetuate

vínculo bond, tie

violar to harm, violate; rape

virar to turn

virgen de undefiled by

viril virile, manly

virreinal viceregal

virreinato viceroyalty

virrey viceroy

virtud: a la _ as a result of, through

visita visit, visitor

  de _ on a visit

visitante m. & f. visitor

vislumbre f. glimmer, inkling

víspera eve, day before

vista view; glance, eyes

  a la _ obvious

  a primera _ at first sight

  en _ de in view of

  punto de _ point of view

  _s de aventuras adventure films

vistoso showy

vitalicio lifelong, for life

vitrina show window, display cabinet, china cabinet

viuda widow

viudedad f. widowhood

vivaracho vivacious, bright

vivaz vivacious

vivencia experience, living out

vivienda way of living; housing, dwelling

  edificios de _ apartment houses

viviente living

vivo m. living person

  adj. vivid

vocablo word, term

vocal m. member of the board, trustee

vocear to voice

vodú voodoo

volante m. steering wheel

volcar to upset

voltearse to turn around

voluble passing, fickle

volumen m. volume; importance, size

voluntad f. desire, will

  con _ willingly

volver(se) to become

  _ a again, to do something again

voracidad f. greediness, hunger

voraz hungry; destructive

vuelco: dar un _ to jump

vuelo flight

vulgar common, vulgar

vulgo common people

ya: _ fuese emphatic expletive: be it

  _ mismo right now

  _ que since

  _ que no if not

yacer to lie

yacimiento field, deposit

yerba herb

yerno son-in-law

yerto rigid; bleak

yugo yoke

zafarse to get away, free oneself, slip away; get out of, dodge

zaguán m. entry of house or building

zanja ditch

zanjar to settle, eliminate

zanjón m. deep ditch

zaparrastroso ragamuffin

zapatero shoemaker

zapatilla slipper

zarpar to set sail

zorro (-a) fox

zozobra anxiety, worry

zumbar to buzz, hum

zurcido mend, darning